LA FEMME DU
CAPITAINE JACK

UN ROMAN DU BASTION CLUB

LA FEMME DU CAPITAINE JACK

STEPHANIE LAURENS

TRADUIT DE L'ANGLAIS PAR
SOPHIE BEAUME

éditions

Éditeur : François Doucet

Traduction : Sophie Beaume

Révision linguistique : Féminin Pluriel

Correction d'épreuves : Nancy Coulombe, Carine Paradis

Conception de la couverture : Matthieu Fortin

Photo de la couverture : © Thinkstock

Mise en pages : Bruno Dubois

ISBN papier 978-2-89667-383-4

ISBN numérique 978-2-89683-166-1

Première impression : 2011

Dépôt légal : 2011

Bibliothèque et Archives nationales du Québec

Bibliothèque Nationale du Canada

Éditions AdA Inc.

1385, boul. Lionel-Boulet

Varennes, Québec, Canada, J3X 1P7

Téléphone : 450-929-0296

Télécopieur : 450-929-0220

www.ada-inc.com

info@ada-inc.com

Diffusion

Canada :	Éditions AdA Inc.
France :	D.G. Diffusion
	Z.I. des Bogues
	31750 Escalquens — France
	Téléphone : 05.61.00.09.99
Suisse :	Transat — 23.42.77.40
Belgique :	D.G. Diffusion — 05.61.00.09.99

Imprimé au Canada

Participation de la SODEC.

Nous reconnaissons l'aide financière du gouvernement du Canada par l'entremise du Programme d'aide au développement de l'industrie de l'édition (PADIÉ) pour nos activités d'édition.

Gouvernement du Québec — Programme de crédit d'impôt pour l'édition de livres — Gestion SODEC.

Éloges pour
LA FEMME DU CAPITAINE JACK

Mis en nomination par *Romantic Times*
pour le meilleur premier roman historique en 1997

« Un roman d'amour tout en montagnes russes.
Sensuel, passionnément romantique, intense et à
couper le souffle. Vous l'aimerez. Six étoiles ! »

Affaire de Cœur

« Des rebondissements à souhait, une aventure
à couper le souffle, une héroïne de principes et pleine
d'entrain, un héros beau et fort, et bien assez d'intensité
sexuelle pour corner les pages du livre. »

Amazon.com

« Une aventure érotique flamboyante ! »
L'auteure à succès Lisa Kleypas

« Une fois que vous aurez commencé ce roman,
vous ne serez plus capable de vous arrêter. Vous aurez
à peine le temps de reprendre votre souffle entre les aventures
et les scènes d'amour enflammées. Vous savourerez chaque
seconde que vous passerez avec la charmante Kit et le merveilleux capitaine Jack. À coup sûr, un nouveau "partenaire". »

Romantic Times (4½ étoiles, Exceptionnel)

Prologue

Avril 1811
L'Old Barn, près de Brancaster
Norfolk, Angleterre

Trois cavaliers sortirent des arbres devant l'Old Barn. Leurs harnais cliquetèrent légèrement dans la brise nocturne tandis qu'ils faisaient tourner la tête de leurs chevaux vers l'ouest. Les nuages se mirent à dériver. Le clair de lune brilla à travers eux, baignant la nature de sa douce lumière.

L'Old Barn était à présent silencieux, vigilant, conservant ses secrets. Plus tôt, à l'intérieur, le gang de Hunstanton s'y était réuni pour élire un nouveau chef. Ensuite, les contrebandiers étaient partis, se glissant dans la nuit, telles de simples ombres dans le noir. Ils reviendraient d'ici quelques nuits pour se rencontrer sous la lueur d'une lanterne-tempête, pour entendre parler du prochain chargement que leur nouveau chef aurait organisé.

— Capitaine Jack !

Tandis qu'il engageait son cheval sur la route, George Smeaton fronça les sourcils devant l'homme à côté de lui.

— Avons-nous vraiment besoin de le ressusciter ?

— Qui d'autre ?

Chevauchant son grand cheval gris, Jonathon Hendon, plus connu sous le nom de Jack, fit un grand geste.

— Après tout, c'était mon *nom de guerre*[1].

— Il y a des années. Quand il était dangereux de te fréquenter. J'ai vécu les dernières années dans la croyance rassurante que le capitaine Jack était mort.

— Non, dit Jack en souriant. Il était simplement en retraite temporaire.

Le capitaine Jack avait été actif pendant ses jeunes années. Entre les combats de l'armée lors de la guerre d'Espagne, il avait été recruté par le ministère de la Marine pour commander un de ses navires afin de nuire à la flotte française qui remontait et descendait la Manche.

— Admets que le capitaine Jack est parfait pour ce travail en tant que chef idéal du gang de Hunstanton.

Le grognement de George fut éloquent.

— Pauvres types ! Ils ne savent pas dans quelle situation ils se trouvent !

Jack gloussa.

— Arrête de critiquer ! Notre mission se passe mieux que je l'avais espéré, et le tout en seulement quelques semaines depuis mon retour. Le Whitehall sera impressionné. Nous avons été acceptés par les contrebandiers, et je suis maintenant leur chef. Nous sommes dans une position parfaite pour nous assurer qu'aucune information ne sera transmise aux Français par cette voie.

Il haussa les sourcils. Son expression devint songeuse.

---

1   N.d.T. : En français dans le texte original.

— Qui sait ? rêva-t-il. Nous pourrions même être en mesure d'utiliser le trafic à nos propres fins.

George leva les yeux au ciel.

— Le capitaine Jack n'est avec nous que depuis une demi-heure, et tu as déjà des idées. Quel plan délirant as-tu élaboré ?

— Je n'ai rien élaboré.

Jack le regarda furtivement.

— Ça s'appelle « savoir saisir l'opportunité ». Il m'est apparu que, comme notre but principal est de faire en sorte qu'aucun espion ne parte en prenant la mer depuis le Norfolk et si possible de retrouver la trace de toutes les arrivées jusqu'à leur source déloyale, nous aurions peut-être maintenant l'occasion de faire passer un peu d'information nous-mêmes. Il va sans dire que ce serait pour embarrasser Napoléon.

George le regarda fixement :

— Je croyais qu'une fois que nous aurions enquêté sur les récents chargements de personnes, nous arrêterions le gang de Hunstanton.

— Peut-être.

Le regard de Jack devint plus distant.

— Et peut-être que non.

Il cligna des yeux et se redressa.

— Je verrai ce que le Whitehall en pense. Nous aurons besoin d'Anthony aussi.

— Oh, mon Dieu !

George secoua la tête.

— Combien de temps penses-tu que ça prendra au gang pour avaler ton histoire que nous sommes des mercenaires sans terre, réformés de façon pour le moins déshonorante, particulièrement une fois que tu auras les pleins pouvoirs ? Tu as été commandant pendant des années et tu fais partie de l'aristocratie terrienne depuis toujours. Ça se voit !

Jack haussa les épaules avec dédain.

— Ils n'y verront que du feu. Ils cherchent quelqu'un depuis des mois pour remplacer Jed Brannagan. Ils ne joueront pas les trouble-fête, du moins pas de sitôt. Nous aurons suffisamment de temps.

Il fit dévier son regard vers le troisième cavalier, derrière, à sa gauche. Comme George et Jack, Matthew était originaire du coin. Il était son ordonnance depuis longtemps, à présent son homme à tout faire, et il s'était facilement joint au gang de contrebandiers.

— Nous continuerons à utiliser la vieille chaumière de pêcheur pour nos rendez-vous secrets. C'est isolé, et nous pouvons nous assurer de ne pas être suivis.

Matthew hocha la tête.

— Oui. Assez facile à surveiller.

Jack s'ajusta sur sa selle.

— Étant donné que les contrebandiers viennent tous de fermes isolées ou de villages de pêcheurs, il n'y a aucune raison pour qu'ils découvrent notre véritable identité.

Retenant son cheval, Jack tourna à gauche, dans l'étroite entrée d'un chemin sinueux. George suivit, et Matthew fit de même. Tandis qu'ils grimpaient une côte, Jack regarda derrière lui.

— Tout compte fait, je ne vois pas pourquoi tu t'inquiètes. Le commandement du gang de Hunstanton par le capitaine Jack devrait marcher comme sur des roulettes.

— Comme sur des roulettes avec le capitaine Jack? grommela George. Quand les poules auront des dents!

Chapitre 1

Mai 1811
Ouest du Norfolk

Kit Cranmer était assise le nez à la fenêtre de la diligence, se régalant des points de repère de ses souvenirs. L'aiguille du bureau de la douane de King's Lynn et la vieille forteresse de Castle Rising s'érigeaient derrière elle. Devant se présentait le virage pour Wolferton. Cranmer était enfin tout près. Les rais de lumière rouges et dorés du crépuscule coloraient le ciel en signe de bienvenue. Le sentiment de rentrer chez elle devenait de plus en plus fort à chaque kilomètre parcouru. Poussant un soupir de soulagement triomphant, Kit s'installa confortablement sur son siège et fut une fois de plus reconnaissante de sa liberté. Elle était restée «enfermée, cloîtrée et confinée» à Londres pendant bien trop longtemps.

Dix minutes plus tard, l'entrée du parc surgit devant elle dans la nuit tombante, les montants du portail arborant les armoiries des Cranmer. Les portes étaient grandes ouvertes. Le cocher les passa. Kit se redressa et réveilla la vieille Elmina. Puis, elle reprit sa position, subitement tendue.

Le gravier crissa sous les roues. La voiture s'arrêta, et la porte s'ouvrit.

Son grand-père se tenait devant elle, la tête fièrement droite, ses cheveux telle une crinière de lion mise en relief par les torches bordant les grandes portes. Pendant un moment, ils maintinrent leur regard l'un sur l'autre, l'amour, l'espoir et le souvenir de la douleur rejaillissant entre eux, une fois de plus.

— Kit?

Et ils reculèrent dans le temps. Étouffant un «Grand-père!», Kit se jeta dans les bras de Spencer Cranmer.

— Kit! Oh, Kit!

Lord Cranmer du domaine Cranmer, son grand-père bien-aimé qu'elle serrait contre elle, ne put trouver d'autres mots. Il avait attendu qu'elle revienne pendant six ans et parvenait à peine à croire que c'était bien elle.

Elmina et la gouvernante, Mme Fogg, s'agitèrent et poussèrent la paire fort émotive vers l'intérieur, les laissant sur la méridienne dans le salon, devant le feu de cheminée.

Finalement, Spencer se redressa et épongea ses yeux avec un grand mouchoir.

— Kit, ma chère petite-fille. Je suis *si* heureux de te voir.

Kit leva les yeux sans cacher les larmes suspendues à ses longs cils bruns. Elle n'avait pas encore recouvré la voix, alors elle sourit.

Spencer lui rendit son sourire.

— Je sais que c'est égoïste de ma part de te vouloir ici — tes tantes me l'ont fait remarquer il y a des années, quand tu as décidé de partir à Londres. J'avais abandonné tout espoir que tu reviennes un jour. J'étais sûr que tu te marierais à un homme des plus en vue et que tu oublierais tout des Cranmer et de ton vieux grand-père.

Le sourire de Kit s'effaça. Elle fronça légèrement les sourcils et se tortilla pour se tenir plus droite.

— Que veux-tu dire, Grand-père ? Je n'ai jamais voulu aller à Londres. Ce sont mes tantes qui m'ont dit que je devais y aller. Elles m'ont dit que tu voulais que je fasse un bon mariage, qu'en tant que seule fille de la famille, il était de mon devoir de faire honneur au nom des Cranmer ainsi qu'à la réputation de mes oncles.

Elle insuffla du mépris dans « réputation ».

Le regard pâle de Spencer se durcit. Ses épais sourcils blancs se froncèrent sous la colère.

— *Quoi ?*

Kit grimaça.

— Ne crie pas !

Elle avait oublié son tempérament. Selon les propos du Dr Thrushborne, il ne fallait pas qu'il s'emporte trop souvent s'il voulait rester en santé.

Elle se leva et alla devant la cheminée faire sonner la clochette.

— Laisse-moi réfléchir.

Le regard posé sur les flammes, elle plissa le front au souvenir des événements lointains qu'elle revivait dans son esprit.

— Quand Grand-mère est morte, tu t'es enfermé, et je ne t'ai plus revu. Tante Isobel et tante Margery sont allées te parler. Puis, elles sont venues me dire que je devais aller avec elles, que mes oncles seraient mes tuteurs et qu'ils me prépareraient, me présenteraient, et ainsi de suite.

Elle regarda Spencer dans les yeux.

— C'est tout ce que j'ai su.

La colère étincelant dans les yeux du vieil homme qui soutenaient les siens avec tant d'intensité prouvait indubitablement à Kit la duplicité de ses tantes.

— Les deux garces ! Les sorcières déguisées avec de la soie et de la fourrure ! Les harpies de l'enfer ! Elles ne sont rien que…

Les animadversions de Spencer furent interrompues par un coup à la porte, suivi de Jenkins, le majordome.

Kit attira l'attention de Jenkins.

— Apportez une liqueur à Monsieur, s'il vous plaît, Jenkins.

Jenkins se courba.

— Tout de suite, Mademoiselle.

Tandis que la porte se fermait, Kit se tourna vers Spencer.

— Pourquoi n'as-tu pas écrit ?

Les yeux pâles du vieil homme rencontrèrent les siens stoïquement.

— Je ne pensais pas que tu voudrais avoir des nouvelles d'un vieil homme. Elles m'ont dit que tu avais voulu partir, que tu t'ennuyais, enterrée ici à la campagne à vivre avec des vieux.

Les yeux violets de Kit se voilèrent. Ses tantes correspondaient bien aux sorcières de sa description. Jusqu'ici, elle n'avait jamais apprécié le fait qu'elles étaient prêtes à tout pour prendre le contrôle sur elle de sorte qu'elles puissent la manipuler pour convenir aux fins ambitieuses de leurs maris.

— Oh, Grand-père !

S'effondrant dans la méridienne, sa robe élégante bruissant légèrement, elle étreignit Spencer de toutes ses forces.

— Tu étais tout ce que j'avais, et je croyais que tu ne voulais pas de moi.

Kit enfouit son visage dans la cravate de Spencer et sentit la joue de son grand-père contre ses boucles. Après un moment, il leva sa main pour tapoter son épaule. Elle resserra fermement ses bras, puis recula, le regard enflammé d'une lumière dont Spencer se souvenait trop bien. Elle se leva, se mit à marcher, faisant bruire le bas de sa robe, ses enjambées énergiques étant bien en deçà des bonnes manières.

— Ooooh! Comme j'aimerais que mes tantes soient ici maintenant!

— Pas autant que moi! grogna Spencer. Je réprimanderai ces *mesdames*[2] dès qu'elles oseront se montrer de nouveau!

Jenkins entra sans bruit. Avançant, il tendit à son maître un petit verre de liquide sombre. Le regardant à peine, Spencer le prit. Distraitement, il but toute la dose, puis fit un geste indiquant à Jenkins de partir.

Kit s'arrêta, mince et élégante, devant la cheminée. Le regard affectueux de Spencer parcourut sa peau claire, laiteuse plutôt que blanche, sans aucune imperfection malgré sa prédilection pour les activités extérieures. Ses boucles brillantes avaient la même teinte que dans ses souvenirs, la même teinte que ses propres cheveux jadis. Les longues tresses de ses seize ans avaient cédé la place à des cheveux bouclés coupés court, fournis et brillants. Cette coupe lui allait bien, soulignant les traits délicats de son petit visage en cœur.

---

2   N.d.T. : En français dans le texte original.

Depuis l'âge de six ans, Kit avait vécu à Cranmer, après que ses parents, Christopher, le fils de Spencer, et sa femme, une émigrée française, étaient morts dans un accident de calèche. Le regard de Spencer s'attarda sur les longues lignes de la silhouette de Kit, profilées par sa robe de voyage verte. Elle se comportait avec grâce, même maintenant qu'elle s'était remise à marcher avec colère. Il remua.

— Mon Dieu, Kit. Réalises-tu que nous avons perdu six ans?

Le sourire de Kit était radieux, ressuscitant des souvenirs de son côté garçon manqué et téméraire.

— Je suis de retour maintenant, Grand-père, et je compte bien rester.

Spencer se pencha en arrière, bien heureux de sa déclaration. Il fit un geste vers elle.

— Eh bien, Mademoiselle, fais-moi voir ce que tu as appris.

Avec un petit rire, Kit fit la révérence.

— Pas trop penchée, parce qu'après tout, tu n'es *qu'un baron*.

Le pétillement dans ses yeux suggérait qu'il était le prince de son cœur. Spencer grommela. Kit se redressa et s'appliqua à faire une pirouette, les bras élégamment tendus, comme si elle dansait.

Spencer tapa sur son genou.

— Pas mal, sans fausse modestie.

Kit rit et retourna à la méridienne.

— Tu es partial, Grand-père. Maintenant, dis-moi ce qui s'est passé ici.

À son grand soulagement, Spencer obtempéra. Tandis qu'il se mit à parler sans s'interrompre des champs et des fermiers, Kit l'écoutait à moitié. Intérieurement, elle était encore ébranlée. Elle avait passé six ans d'enfer à Londres sans aucune raison. Les mois de misère qu'elle avait endurés, pendant lesquels elle avait affronté la perte non seulement de sa grand-mère bien-aimée, mais en réalité de son grand-père aussi, la terrassaient. Pourquoi, oh oui, *pourquoi* n'avait-elle jamais ravalé sa fierté et écrit à Spencer, le suppliant de la laisser rentrer à la maison ? Elle avait failli le faire un bon nombre de fois, mais comme elle était profondément blessée par le fait qu'il l'avait soi-disant rejetée, elle avait toujours laissé sa fierté tenace intervenir. Honnête par nature, elle n'aurait jamais pensé que ses tantes puissent avoir été si fourbes. Jamais plus elle ne croirait celles qui avaient prétendu se soucier de son bien-être. Dorénavant, jura-t-elle silencieusement, elle mènerait elle-même sa vie.

Regardant la crinière blanche de son grand-père, Kit hocha la tête quand il en arriva à lui parler de leurs voisins. Ces six années avaient apporté d'inévitables changements en lui ; pourtant, Spencer avait encore un physique imposant. Même maintenant, avec ses épaules légèrement voûtées, sa taille et sa musculature étaient d'un bel effet. Ses traits patriciens, son nez crochu et ses yeux perçants violet clair, ombragés par des sourcils en surplomb, attiraient l'attention. D'après son discours décousu, elle comprit qu'il était toujours largement impliqué dans les affaires du comté, aussi influent que jamais.

Intérieurement, Kit soupira. Elle aimait Spencer comme personne d'autre. Et il l'aimait. Mais il était manifestement faillible, sans véritable protection contre les loups de ce monde. Non. Si elle devait subir un malheur, elle préférerait en être responsable. Dorénavant, elle prendrait ses propres décisions, commettrait ses propres erreurs.

Plus tard ce soir-là, enfin seule dans la chambre qu'elle avait toujours occupée, aussi longtemps qu'elle se souvienne, Kit se tenait devant la fenêtre ouverte et regardait le cercle pâle de la lune suspendue dans l'obscurité de la nuit au-dessus de l'océan. Elle ne s'était jamais sentie si seule, jamais si libre.

Kit était étonnée de la facilité avec laquelle elle reprenait sa routine à Cranmer. Se levant tôt, elle chevaucha sa jument, Delia, puis prit son petit déjeuner avec Spencer, avant d'accomplir les diverses tâches qu'elle avait planifiées pour la journée. L'après-midi, elle fit encore du cheval, avant que le soir la ramène aux côtés de son grand-père. Pendant le dîner, elle l'écouta raconter sa journée, lui donnant son opinion quand il le demandait, insérant habilement des commentaires quand il ne lui demandait rien. Entre eux, c'était comme s'ils n'avaient jamais été séparés pendant six ans.

Ensuite, Kit vaqua à ses occupations. Il était inutile de se plaindre et de grincer des dents sur la perfidie de ses tantes. Elle était libérée d'elles, libre de les oublier. Son grand-père était en bonne santé, et comme elle l'avait appris, il resterait son tuteur légal jusqu'à ses vingt-cinq ans. Il n'y avait aucune chance que ses tantes interfèrent de nouveau. Elle ne passerait pas plus de temps sur son passé. Sa vie lui appartenait, et elle la vivrait pleinement.

Ses tâches quotidiennes allaient d'aider Mme Fogg à la maison, dans le cellier ou dans la cuisine, à rendre visite aux fermiers de son grand-père, qui étaient tous ravis de l'accueillir chez elle.

Chez elle.

Son cœur se serra tandis qu'elle chevauchait les vastes étendues, le ciel immense et clair au-dessus d'elle, le vent dans les cheveux. Delia, un pur-sang arabe noir, lui avait été donnée par Spencer pour ses dix-huit ans. Depuis qu'il lui avait appris à monter à cheval et qu'il avait toujours retiré une énorme fierté de ses talents de cavalière, elle n'avait jamais exagéré l'importance de ce cadeau. À présent, elle le voyait comme l'appel d'un cœur solitaire et souffrant, un appel qu'elle n'avait pas, dans sa naïveté, su reconnaître. Cela ne lui fit aimer Delia que davantage. Ensemble, elles galopaient sur le sable, les sabots de Delia brillant dans l'écume des vagues. Les cris stridents des mouettes remontaient les courants. Le mugissement des vagues grondait dans l'air salin.

La nouvelle de son retour circula rapidement. Elle reçut poliment la visite de la femme du pasteur et de Lady Dersingham, la femme d'un voisin, propriétaire terrien. La grâce que Kit avait apprise en ville impressionna les deux femmes. Ses manières étaient assurées, son maintien parfait. Dans la capitale lointaine, elle se serait dédaigneusement tenue à l'écart, mais à Cranmer, elle était la petite-fille de Spencer.

Chapitre 2

Lors de l'après-midi de sa troisième journée de liberté, Kit revêtit ses habits d'équitation verts en velours et demanda qu'on mette à Delia une selle d'amazone. Accompagnée de Spencer ou seule, elle s'était mise à monter à califourchon, vêtue de hauts-de-chausse et d'un manteau, ce qui pouvait être source de scandale. Les habits avaient été faits pour elle il y a des années. Le manteau était un vieux vêtement de son cousin Geoffrey, recoupé pour s'ajuster à sa silhouette plus fine, mais encore assez ample pour la déguiser, si nécessaire. Maintenant que ses cheveux étaient courts et qu'elle laissait ses boucles couleur du feu libres autour de sa tête, elle avait à peine besoin de la protection du vieux tricorne qui complétait sa tenue pour le moins irrégulière. Quand elle était vêtue avec ses vêtements masculins, un chapeau ombrant son visage, on pouvait hésiter sur son sexe.

Aujourd'hui, elle était en route pour le domaine Gresham. Sa meilleure amie, qu'elle n'avait pas vue depuis des années, vivait paisiblement là avec ses parents. Amy n'avait jamais été contrainte d'aller à Londres. Elle s'était fiancée avec un gentleman du coin de naissance acceptable et de fortune raisonnable ; tout cela, Kit l'avait appris par ses lettres. Le gentleman d'Amy était avec les forces armées de Wellington en Espagne. Leur mariage aurait lieu à son retour.

Kit remonta la longue allée du domaine Gresham et se rendit directement aux écuries.

– Mlle Cranmer!

Le palefrenier arriva en courant pour lui prendre les brides de son cheval.

– Je ne vous ai pas reconnue pendant une minute, Mademoiselle. Vous êtes de retour de Londres?

– Exact, Jeffries.

Kit sourit et glissa du dos de Delia.

– Mlle Amy est-elle ici?

– *Kit*? C'est toi?

Se tournant, Kit eut à peine le temps de vérifier que la personne qui arrivait vers elle était bien Amy, avec ses cheveux dorés et ses anglaises à la mode, et son teint pêche et crème toujours parfait, avant qu'elle l'étreigne chaudement.

– Je t'ai vue passer à cheval par les fenêtres de la bibliothèque et je me suis demandé si les sermons de M. Woodley m'avaient endormie et si j'étais en train de rêver.

Kit rit.

– Idiote! Je suis rentrée il n'y a que quelques jours et je ne pouvais pas attendre de te voir et d'entendre toutes tes nouvelles. Est-ce que ton fiancé est revenu?

– Oui! Il est le plus merveilleux des hommes!

Amy saisit les doigts de Kit, les yeux brillants.

– D'abord lui, puis toi. Les dieux ont manifestement décidé d'être spécialement gentils.

Amy recula, tenant Kit à une longueur de bras pour étudier l'élégance de ses vêtements, son manteau court en velours, relevé de soutaches dorées, et ses jupes en velours qui se répandaient gracieusement. Puis, le regard brun d'Amy se reposa sur les cheveux bouclés courts de Kit, et elle grimaça.

— Sapristi ! Tu me fais me sentir vraiment démodée ! Finalement, je ne sais pas si je vais te présenter à George.

Kit rit et passa le bras d'Amy dans le sien.

— Ne crains rien ! Je n'ai aucune vue sur ton fiancé. Il sera très probablement terrifié ou en désaccord avec mon genre extravagant.

Elles se dirigèrent vers la maison.

— George, déclara Amy, est très sensé. Je suis sûre que vous vous entendrez bien tous les deux. Mais je me meurs de curiosité. *Pourquoi* es-tu revenue ? Et pourquoi n'as-tu pas écrit pour m'avertir ?

Kit sourit.

— C'est une longue histoire. Peut-être devrais-je voir ta mère d'abord. Ensuite, nous pourrions trouver un joli coin tranquille.

Amy opina. Bras dessus, bras dessous, elles entrèrent dans la maison. Lady Gresham, une femme maternelle qui dirigeait son personnel avec une main ferme mais bienveillante, avait toujours eu un faible pour Kit. Elle insista pour que les deux jeunes femmes prennent le thé avec elle, mais en dehors d'extraire l'information que Kit était encore célibataire, elle ne fit aucun effort pour en apprendre davantage sur son passé récent.

Enfin libérées, Amy et Kit trouvèrent refuge dans la chambre d'Amy. Installée dans le lit moelleux, Kit souriait. Amy et elle étaient plus proches que des sœurs depuis l'âge de six ans. Les six années de séparation ponctuées par des lettres n'avaient pas entamé leur proximité.

Devant l'insistance d'Amy, Kit lui raconta les machinations de ses tantes et comment elles s'étaient organisées pour la retenir pendant six longues années.

— Si cela n'avait été de mes cousins, je suis sûre que leur insistance à vouloir me marier aurait été beaucoup plus marquée. Une fois, elles m'ont enfermée dans ma chambre pendant deux jours, jusqu'à ce que Geoffrey apparaisse sur le seuil et insiste pour me voir.

Kit grimaça.

— Ensuite, elles s'en sont réduites à me faire continuellement des remarques. Mais quand elles m'ont ressorti le comte de Roberts, j'ai décidé que c'était assez. L'homme était assez vieux pour être mon père!

Kit fronça les sourcils.

— Et il n'était vraiment pas... agréable, finit-elle par dire sans conviction. Après, mes tantes ont finalement concédé avoir échoué et m'ont déclarée immariable. J'ai donc pu rentrer à la maison. Je savais que Grand-père m'accueillerait.

Amy lui lança un regard grave.

— Il a eu le cœur brisé quand tu es partie. Je te l'ai dit.

Les yeux de Kit se voilèrent. Le violet se teinta de gris.

— Je sais, mais mes tantes ont été très malignes.

Un court silence tomba. Kit le rompit avec un soupir.

— Alors, maintenant, j'en ai fini avec Londres *et* avec les hommes. Je peux vivre très heureuse sans l'un et l'autre.

Amy fronça les sourcils.

— Est-ce bien sage d'aller si loin? Après tout, qui sait quel homme délicieux tu pourrais rencontrer sur ta route?

— Tant qu'il restera *hors* de ma route, je serai contente.

— Oh, *Kit*! Tous les hommes ne sont pas de vieux croulants ou des dandys. Certains se présentent plutôt bien. Comme George.

Avec un «hum!», Kit se tourna sur le ventre et appuya son menton dans ses mains.

— Assez parlé de moi! Parle-moi de ton George!

Il apparut que George Smeaton était le seul fils du domaine Smeaton, situé quelque part après le domaine Gresham. Il avait douze ans de plus que Kit, et elle ne parvenait pas à se souvenir de l'avoir déjà rencontré ni ses parents avant.

— Il est rassurant de savoir que je ne serai pas trop loin, conclut Amy. Nous aimerions vous avoir, ton grand-père et toi, pour le dîner et vous présenter George et ses parents.

Devant le bonheur rayonnant sur le visage d'Amy, Kit accepta avec autant d'enthousiasme que possible. Il était évident, pour quiconque le moindrement intelligent, qu'Amy était tombée éperdument amoureuse de George et que, bientôt, Kit perdrait sa meilleure amie en raison du mariage. Amy poursuivit leur bavardage. Finalement, les sourcils froncés, Kit interrompit son récit :

— Amy, *pourquoi* veux-tu te marier?

— Pourquoi?

La question arrêta subitement Amy. Puis, réalisant que Kit posait bel et bien la question, elle rassembla ses idées.

— Parce que j'aime George et que je veux être avec lui pour le reste de ma vie.

Elle regarda Kit avec optimisme, voulant qu'elle comprenne.

Kit la regarda aussi de ses yeux violets attentifs.

— Tu veux l'épouser parce que tu l'aimes?

Comme Amy opinait, elle demanda :

— À quoi ressemble l'amour?

Le front plissé, Amy réfléchit.

— Eh bien, commença-t-elle, tu sais tout de... de l'acte, n'est-ce pas?

— *Bien sûr* que je sais.

Elles étaient toutes deux des filles de la campagne. De telles choses étaient des faits inévitables dans leur vie à la campagne.

— Mais qu'est-ce que ça a à voir avec l'amour?

— *Eh bien*, continua Amy, quand tu aimes un homme, tu veux... le faire avec lui.

Kit grimaça.

— Tu veux vraiment le faire avec George?

Rougissant nettement, Amy opina.

Kit haussa les sourcils, puis les épaules.

— Ça semble être quelque chose de très particulier — qui manque de dignité, si tu vois ce que je veux dire.

Amy s'étouffa.

— Mais comment sais-tu que tu veux le faire avec George? demanda Kit en se concentrant sur le visage d'Amy. Tu ne l'as jamais fait, non?

— Bien sûr que non! dit Amy, crispée.

— Comment alors?

Prenant une profonde respiration, Amy fixa Kit avec un regard d'une grande patience.

— On peut le dire grâce à ce qu'on ressent quand un homme nous embrasse.

Kit fronça les sourcils.

— Tu as déjà été embrassée par un gentleman, n'est-ce pas? Je veux dire, pas un de tes proches. Tes gentlemen de Londres? Ils l'ont fait?

Ce fut au tour de Kit de rougir.

— Certains d'entre eux, admit-elle.

— Et alors? Ça t'a fait quoi?

Kit grimaça.

— Pour l'un, c'était comme embrasser un poisson mort, et les autres, c'était du genre trucs chauds frétillants. Ils ont essayé de mettre leur langue dans ma bouche.

Elle frissonna de manière significative.

— C'était affreux!

Amy se mordit les lèvres, puis inspira fébrilement.

— Bon, très bien. C'est probablement aussi bien. Ça veut juste dire que tu ne veux aller au lit avec aucun d'eux.

— Oh.

Le visage de Kit s'éclaircit.

— Ça ressemblerait à quoi si je voulais…

Elle fit un geste.

— Tu sais…

— Coucher avec un homme?

Kit lui lança un regard furieux.

— Oui, bon sang! Qu'est-ce que ça fait de vouloir qu'un homme te fasse l'amour?

Elle se tourna sur le dos et, laissant tomber sa tête sur les oreillers, regarda le plafond.

— Aie pitié de moi, Amy, et raconte. Sinon, je mourrai probablement dans l'ignorance.

Amy gloussa.

— Oh non, ça ne t'arrivera pas. Tu es juste en pleine déprime avec les machinations de tes tantes et tout. Tu changeras d'avis et tu rencontreras ton homme.

— Mais au cas où tu te tromperais, allez, dis-moi, s'il te plaît.

Amy sourit et s'installa à côté de Kit.

— Très bien. Mais tu dois te rappeler que je n'ai pas beaucoup d'expérience dans ce domaine non plus.

— Tu en as plus que moi, et il est juste que tu la partages.

— Et tu dois me faire la promesse de ne pas être scandalisée.

Kit se leva sur un coude et regarda le visage d'Amy.

— Tu as dit que tu n'avais pas...

Amy rougit.

— Je... Nous ne l'avons pas fait. C'est juste qu'il y a eu... eh bien, des préliminaires, ce qui peut être un peu plus que ce à quoi tu t'attendais.

Kit fronça les sourcils, puis se laissa retomber sur le lit.

— Vas-y pour voir !

— Eh bien... quand un homme t'embrasse, tu peux aimer ça au début. Si tu es dégoûtée, alors c'est qu'il n'est pas l'homme qu'il te faut.

— Très bien. Disons qu'il m'a embrassée et que j'ai aimé ça. Ensuite ?

— Tu veux qu'il continue à t'embrasser et tu aimes quand il met sa langue dans ta bouche.

Kit jeta un regard sceptique à son amie.

Amy fronça les sourcils.

— C'est vrai. Et tu te sens toute chaude et enflammée, comme avoir de la fièvre, mais en plus agréable. Tes genoux ont tendance à s'affaiblir, mais ça ne compte pas parce qu'il te tient. Et pour une raison quelconque, tu n'entends plus très bien quand tu l'embrasses. J'ignore pourquoi. C'est ce dont je me souviens.

— On dirait une maladie, marmonna Kit.

Amy l'ignora.

— Des fois, on a un peu de mal à respirer, mais on réussit.

— Merveilleux! On s'étouffe, en plus!

— Il peut t'embrasser les yeux, les joues et les oreilles aussi, et ensuite, se déplacer vers ton cou. C'est toujours agréable.

Un ronronnement distinct s'infusa lentement dans la douce voix d'Amy. Kit cligna des yeux.

— Et ensuite, continua Amy, selon la manière dont les choses évoluent, il peut te toucher les seins, doucement, comme un genre de pression et de caresse. On dirait toujours que mes lacets sont trop serrés à cette étape.

Kit la regardait bouche bée, mais Amy était bien lancée sur son sujet.

— Ensuite, mes mamelons deviennent tout durs et plissés, ce qui procure une sensation plutôt étrange. Puis arrivent les bouffées de chaleur.

— Des bouffées de chaleur?

— Heu… Ça commence dans les seins et ça descend.

— Ça descend? Ça descend où?

— Entre les jambes. Et ensuite… et c'est la partie importante, dit Amy en agitant son doigt. Si tu te sens toute chaude et humide ici, c'est que c'est l'homme qu'il te faut. Mais tu le sauras de toute façon parce que tout ce que tu penseras alors, c'est combien ce serait merveilleux si seulement il entrait en toi.

Horrifiée, Kit la regarda fixement.

— Ça semble vraiment affreux.

— Oh, *Kit*.

Amy lui lança un regard compatissant.

— Ce n'est pas affreux du tout.

— Je te crois sur parole. Merci de m'avoir prévenue.

Kit se tut, regardant le plafond. Son seul contact avec l'amour n'avait pas du tout été comme ça. D'après la description d'Amy, il était clair qu'elle, Kit, n'avait jamais rencontré l'amour. Se sentant comme si elle avait réussi à comprendre un point particulièrement difficile qui lui avait échappé pendant des années, Kit secoua la tête.

— Je ne me vois pas me sentir chaude et humide pour un homme. Mais de toute façon, je ne suis manifestement pas destinée à l'amour du tout.

— Tu ne peux pas dire ça.

Kit leva fièrement un sourcil, mais elle ne contredit pas Amy.

— Tu ne peux pas juste *décider* que tu n'es pas prédisposée à l'amour. Avec le bon homme, tu ne seras pas en mesure de résister. C'est juste parce que tu es... vierge en matière d'amour que tu dis ça.

Les yeux de Kit s'écarquillèrent.

— Vierge ? T'ai-je dit que j'ai perdu ma virginité par une belle soirée d'été, sur la terrasse de mon oncle Frederick ?

Amy resta bouche bée.

Kit secoua la tête.

— Pas physiquement. Mais j'ai découvert ce que la plupart des hommes pensent de l'amour ce soir-là. Je concède que ton George puisse être différent. Il y a des exceptions à toute règle. Mais j'ai appris que ce sont les femmes qui tombent amoureuses et les hommes qui tirent profit de notre faiblesse. Je n'ai aucune intention de succomber.

— Que s'est-il passé sur la terrasse de ton oncle ?

Kit grimaça.

— J'avais dix-huit ans. Tu te souviens comment on se sent à dix-huit ans ? Je suppose que ça faisait peu de temps que j'avais quitté Cranmer. Mes oncles et mes tantes avaient commencé à m'inciter à me marier. Et puis, miraculeusement, je suis tombée amoureuse. Du moins, je l'ai cru.

Kit s'arrêta, les yeux rivés sur le plafond, puis elle prit une profonde respiration.

— Il était superbe ; un capitaine de la Garde royale, grand et beau. Lord George Belville, le second fils d'un duc. Il a dit qu'il m'aimait. J'étais si heureuse, Amy. Je ne pense pas pouvoir expliquer ce que je ressentais d'avoir quelqu'un qui s'intéressait vraiment à moi de nouveau. J'étais… oh, comme toi, maintenant. J'étais aux anges. Mes tantes donnèrent un bal, et Belville a dit qu'il saisirait l'occasion pour demander ma main à mon oncle. Ils ont disparu dans la bibliothèque au milieu de la soirée. J'étais si excitée que je n'ai pas pu résister à l'envie de savoir ce qu'ils disaient. Alors, je me suis glissée sur la petite terrasse et j'ai écouté aux fenêtres de la bibliothèque. Ce que j'ai entendu…

Sa voix se brisa. Elle prit une autre respiration et parvint à poursuivre.

— Tout ce que j'ai entendu, c'est qu'ils riaient de moi.

Amy prit sa main, qui se trouvait au milieu du dessus-de-lit. Kit la remarqua à peine.

— Tout avait été calculé. Jusque-là, ils m'avaient présenté quatre prétendants, tous des hommes bien plus vieux, pas particulièrement séduisants. Mes tantes ont décidé que j'étais trop romantique — contaminée par le caractère débridé de mon père et le sang de ma mère, c'est comme ça qu'elles me l'ont dit — pour accepter de telles alliances ô combien convenables. Alors, elles ont trouvé Belville. Il était aussi ambitieux qu'elles. Il était destiné à un poste dans les affaires militaires, quelque chose de haut placé, organisé par ses relations. Avec notre mariage, il aurait eu le soutien de mes oncles pour faire avancer sa carrière. Et eux, ils auraient eu son aide pour faire avancer la leur. J'étais la proie parfaite pour cimenter leur alliance. Tout est devenu parfaitement clair quand je les ai entendus. Belville parlait de la facilité avec laquelle il m'avait piégée.

Kit déploya ses bras, forçant ses longs doigts à se dégager de la prise dans laquelle ils étaient blottis. Elle émit un rire forcé.

— Ils étaient si sûrs d'eux. Quand j'ai refusé la proposition de Belville le lendemain, ils n'y croyaient pas.

Subitement, elle s'assit et pivota pour faire face à Amy.

— Après ça, j'ai toujours assisté aux rencontres de mes soi-disant prétendants avec mes tuteurs. Plus instructif. Alors, tu vois, ma chère Amy, même si je peux envier ton expérience, je sais combien elle est rare. Je ne m'attends pas à rencontrer l'amour comme toi. J'ai eu six ans pour que ça arrive, et ce fut un échec. Je serai bientôt bel et bien vieille fille.

Kit vit de la compassion dans les yeux bruns d'Amy et, souriant tristement, elle secoua la tête.

— Il n'y a aucune raison de te sentir désolée pour moi, car je ne me sens pas le moins du monde désolée pour moi-même. Quel homme pourrait me laisser la liberté que j'apprécie à présent, me laisserait aller à mon gré, être moi-même ?

— Mais tu ne fais rien de scandaleux.

— Je ne vois aucune raison de solliciter l'attention des colporteurs de potins et je ne déshonorerai jamais le nom de mon grand-père. Mais je ne m'impose aucune limitation en dehors de celles-ci. Un mari s'attendrait à ce que sa femme respecte certaines restrictions, comme être à la maison quand il y est, ne pas faire de cheval sur la plage. Il s'attendrait à ce que je lui obéisse, que mon monde tourne autour de lui, alors que je voudrais faire quelque chose de très différent.

Amy fronça les sourcils.

— Je peux comprendre ta désillusion, mais nous nous étions juré de nous marier par amour, tu te souviens ?

Kit sourit.

— Nous nous marierons par amour ou pas du tout.

Amy rougit, mais avant qu'elle puisse parler, Kit continua sur un ton approbateur :

— *Tu* te maries par amour ; *je* ne me marie pas du tout.

— *Kit !*

Kit rit.

— Ne t'inquiète pas, bécassine. Je m'amuse très bien. Je te le promets. Je n'ai pas *besoin* d'amour.

Amy retint sa langue, mais selon elle, l'amour était bel et bien ce dont Kit avait besoin pour se réaliser pleinement.

Chapitre 3

Kit passa les deux jours suivants à rendre visite à diverses femmes de fermiers, à entendre parler de leurs familles, de leurs problèmes, renouant ainsi le contact direct des femmes avec le domaine Cranmer, ce qui ne se faisait plus depuis la mort de sa grand-mère. Mais entre les visites remplies de bavardages, elle broyait du noir, surprise de ce comportement, mais incapable de s'en libérer.

Parler d'amour avec Amy avait été une erreur. Depuis, elle était agitée. Jusqu'ici, Cranmer lui avait semblé être le refuge parfait. À présent, quelque chose manquait. Elle n'aimait pas ce sentiment.

Heureusement, le lendemain fut trop chargé pour ruminer ses pensées. Elle dut en effet aider à préparer le dîner que Spencer avait organisé pour la présenter de nouveau officiellement à leurs voisins. Kit réussit à s'éclipser pour une balade à cheval dans l'après-midi, mais revint à temps pour se changer.

Les invités arrivèrent ponctuellement à vingt heures. Attendant de les accueillir à la porte du salon, Kit se tenait à côté de Spencer, imposant dans sa veste de soie et ses hauts-de-chausse blancs, sa crinière blanche enveloppant sa tête fière. Son expression était celle de l'orgueil paternel, dont Kit savait être directement responsable.

Elle avait soigneusement choisi sa robe, rejetant celles en fine mousseline et en satin décolletées au profit d'une création délicate en soie aigue-marine. Le tissu flottant librement mettait en valeur sa taille mince. L'encolure festonnée convenait à son âge, tout en restant suffisamment stricte pour les convenances. La couleur accentuait l'éclat de ses boucles brillantes et attirait l'attention sur l'aspect laiteux de sa peau.

Ses yeux brillèrent quand elle fit la révérence au représentant de la Couronne, Lord Marchmont, et à sa femme, suscitant un regard admiratif de ce dernier.

— Kathryn, ma chère, c'est un plaisir de vous revoir au bercail.

Kit sourit avec décontraction.

— C'est en effet un plaisir, Monsieur, d'être de retour et de rencontrer de vieux amis.

Lord Marchmont rit et lui tapota la joue.

— Très joliment dit, ma chère.

Sa femme et lui entrèrent dans le salon pour laisser la place aux autres invités. Kit les connaissait tous. Elle ne pouvait s'empêcher de comparer la joie sincère qu'elle ressentait dans cette simple cérémonie à l'ennui qu'elle avait éprouvé dans les distractions sophistiquées de la ville.

Les Gresham furent les derniers à arriver. Après avoir échangé des compliments avec Sir Harvey et Lady Gresham, Kit donna le bras à Amy.

— Où est George ?

À sa demande, l'invitation des Gresham avait inclus le fiancé d'Amy.

— J'ai une envie folle de rencontrer ce parangon dont les baisers t'ont rendue chaude et humide.

— Chut! Pour l'amour du ciel, Kit, baisse le ton!

Les yeux d'Amy étaient rivés sur le dos de sa mère. Ne percevant aucun signe qu'elle eut entendu, elle fit dévier son regard vers le visage taquin de Kit et soupira.

— George a dû se décommander. Il semble qu'il ait encore du travail. Il est affecté à une mission spéciale.

Amy grimaça.

— Il fait un saut de temps à autre, mais ce n'est pas tout à fait ce que j'espérais. Je ne l'ai pas vu beaucoup ces dernières semaines.

— Oh, fut tout ce que Kit trouva à dire.

— Mais, ajouta Amy en se redressant, ça ne durera encore que quelques mois. Ensuite, il sera enfin en sécurité en Angleterre et ne sera plus exposé aux armes des Français.

Souriant, elle serra le bras de Kit.

— D'ailleurs, il a dit qu'il était très désireux de faire ta connaissance.

Kit la regarda, incrédule.

— A-t-il vraiment dit ça, ou est-ce que tu dis ça juste par loyauté?

Amy rit.

— Tu as raison. En dehors de ses excuses pour ne pas avoir été en mesure de nous accompagner, j'ai peur que nous n'ayons pas pris le temps de parler de toi.

Kit opina avec componction.

— Je comprends. Trop fébrile pour être sensée.

Amy sourit, mais refusa de le confirmer. Ensemble, elles flânèrent parmi les invités, discutant avec décontraction. La conversation dans le salon tournait autour de l'agriculture et des marchés locaux, mais quand ils s'assirent tous à la longue table de la salle à manger, la discussion dévia vers d'autres domaines.

— Hendon n'est pas ici, à ce que je vois.

Lord Marchmont lança un regard autour de la table, comme si Lord Hendon, qui était récemment revenu, pouvait s'être faufilé sans se faire remarquer.

— Je pensais qu'il viendrait.

— Nous lui avons envoyé une carte d'invitation, mais il avait déjà un rendez-vous, dit Spencer tout en faisant un signe de tête à Jenkins.

Le premier plat fut servi immédiatement, les valets apportant des assiettes de la cuisine.

Méditant devant une assiette de crabe dans une sauce aux huîtres, Kit réalisa qu'il était plutôt étrange que Lord Hendon ait eu un autre rendez-vous. Avec qui, alors que toutes les familles du coin étaient ici?

— Dommage, continua Spencer. Nous ne l'avons pas encore vu.

— Moi, si, répondit Lord Marchmont, qui se servait du turbot.

— Ah? dit Spencer.

Tous s'arrêtèrent pour écouter la réponse de Lord Marchmont.

Il hocha la tête et dit :

— Il a l'air très bien. C'est le fils de Jake, après tout!

Jake Hendon avait été le seigneur précédent du château Hendon. D'après les vagues souvenirs de Kit, c'était un homme costaud, puissant et extrêmement grand, avec des yeux gris scintillants. Il l'avait fait monter sur son étalon quand elle avait huit ans. Elle ne parvenait pas à se souvenir d'avoir rencontré son fils.

— Quelle est cette histoire que j'ai entendue à propos de la nomination de Hendon comme haut-commissaire?

Sir Harvey regarda Lord Marchmont.

— Encore une tentative d'éradiquer le trafic?

— On dirait, dit Lord Marchmont en levant les yeux. Mais il est le fils de Jake. Il saura comment agir.

Tous les hommes opinèrent, à l'aise avec cette appréciation. La contrebande était dans le sang du Norfolk. Le contrôle était une chose, mais l'abolition était impensable. Sinon, où iraient-ils se procurer leur cognac?

Lady Gresham regarda ostensiblement Lady Marchmont.

— Amelia, avez-vous rencontré ce parangon?

Lady Marchmont acquiesça.

— Oui, en effet. C'est un gentleman des plus agréables.

— Bien. De quoi a-t-il l'air?

Amy et Kit échangèrent des regards, puis baissèrent rapidement les yeux vers leurs assiettes. Tandis que les hommes ignoraient la question très féminine, les ladies fixèrent leur attention sur Lady Marchmont.

— Il est grand, tout comme son père. Et il a les mêmes cheveux étranges, vous vous souvenez, Martha? Je crois qu'il a été à la fois dans l'armée et dans la marine, mais ce n'est peut-être pas exact. Ce n'est pas habituel, n'est-ce pas?

Lady Gresham fronça les sourcils.

— Amelia, arrêtez de tourner autour du pot. *À quel point* ressemble-t-il à son père?

Lady Marchmont gloussa.

— Oh, ça !

Elle fit un geste de dédain.

— Il est aussi terriblement beau, mais tous les Hendon le sont.

— C'est bien trop vrai, approuva Mme Cartwright.

— Et ils savent vraiment y faire.

— Ça aussi ! dit Lady Marchmont. Un sacré beau parleur, celui-là.

Lady Dersingham soupira.

— Il est si agréable de savoir qu'on va bientôt rencontrer un gentleman qui se présente bien. Ça intensifie les réjouissances à venir.

Toutes acquiescèrent d'un signe de tête.

— Il n'est pas marié, n'est-ce pas ? demanda Lady Lechfield.

Lady Marchmont secoua la tête.

— Oh non. Vous pouvez être sûre que j'ai posé la question. Il vient juste de revenir de son service actif à l'étranger. Il est encore blessé. Il boite de la jambe gauche. Il a dit qu'il s'attendait à être très pris à exécuter son service et à reprendre les rênes de Jake.

— Heu…

Le regard de Lady Gresham se posa sur Kit, assise à l'extrémité de la table.

— Je crois qu'il sera trop occupé à chercher une femme, n'est-ce pas ?

Le regard de Lady Dersingham avait suivi celui de Lady Gresham.

— Peut-être pourrions-nous l'aider ? songea-t-elle.

Kit, occupée à transmettre ses compliments à leur chef par l'intermédiaire de Jenkins, ne saisit pas les regards qui la fixaient. Elle se retourna et vit les ladies Gresham et Dersingham échanger des signes de tête satisfaits avec Lady Marchmont.

Tandis que l'attention des ladies se portait de nouveau sur leurs assiettes, Kit saisit un regard interrogateur en provenance d'Amy. Kit grimaça un bref instant, puis baissa ses yeux, qui brillaient cyniquement. Le beau parleur terriblement séduisant lui faisait penser à un de ses soupirants de Londres. Le simple fait que l'homme était grand, bien né et pas vraiment vilain le faisait immédiatement voir comme un *parti* convoité. Étouffant un grognement inélégant, Kit s'attaqua à sa portion de crabe.

Chapitre 4

P eu de temps après vingt-trois heures, les diligences repartirent bruyamment dans l'allée bien éclairée par la pleine lune. Debout à côté de Spencer sur les marches, Kit les salua de la main, puis elle étreignit impulsivement son grand-père.

— Merci, Grand-père. Ce fut une charmante soirée.

Spencer fit un grand sourire.

— Un réel plaisir, ma chère.

Bras dessus, bras dessous, ils rentrèrent.

— Peut-être que dans quelques mois, nous pourrions donner un bal, non ?

Kit sourit.

— Peut-être. Qui sait ? Nous pourrions même attirer ce mystérieux Lord Hendon avec la musique ?

Spencer rit.

— Pas s'il est le digne fils de son père, Jake, qui fuyait tout étalage de futilité.

— Ah, mais il est d'une nouvelle génération. Qui sait comment il est !

Spencer secoua la tête.

— Quand on vieillit, ma chère, une chose devient claire. Les gens ne changent pas vraiment de génération en génération. Ils ont les mêmes forces, les mêmes faiblesses.

Kit rit et embrassa sa joue.

— Bonne nuit, Grand-père.

Spencer lui tapota la main et la quitta.

Mais une fois dans sa chambre, Kit ne put se calmer. Elle laissa Elmina l'aider à ôter sa robe, puis la congédia. Emmitouflée dans son peignoir, elle fit les cent pas dans sa chambre. La seule bougie vacilla, et elle l'éteignit. Le clair de lune pénétra dans la pièce, déversant largement sa lumière. Pensant au bal de Spencer, Kit s'inclina et entama majestueusement les pas d'un cotillon. À la fin, elle s'enfonça dans la banquette sous la fenêtre et regarda les champs. Au loin, à trois kilomètres de là, elle pouvait entendre le bruissement des vagues.

L'étrange sentiment de vide demeurait, cette sensation de manque qui s'était ancrée profondément en elle. S'efforçant de l'ignorer, elle concentra ses sens sur le flux et le reflux de la marée, laissant les sons l'apaiser et la mener vers le sommeil. Elle succombait presque quand elle vit la lumière.

Un éclair de lumière qui s'embrasa dans l'obscurité. Puis, juste quand elle se convainquit qu'elle l'avait imaginé, il revint. C'était un bateau en mer qui faisait des signaux. Mais à qui? Alors qu'elle réfléchissait, le reflet voilé d'une lueur soudaine en provenance des falaises brilla sur l'eau sombre.

Kit scruta l'obscurité, séparant la masse plus sombre des falaises par rapport au golfe du Wash, en arrière-plan. Les contrebandiers déchargeaient une cargaison sur la plage juste à l'ouest du domaine Cranmer.

En quelques minutes, elle revêtit ses hauts-de-chausse et resserra sa poitrine dans les habits qu'elle utilisait comme soutien quand elle faisait du cheval. Elle passa une chemise en lin par-dessus sa tête et enfila son manteau tout en continuant d'attacher les lacets de sa chemise. Elle poursuivit avec les chaussettes et les bottes. Elle enfonça son chapeau, se souvenant de passer une écharpe en laine autour de sa gorge pour cacher le blanc de sa chemise. Elle se dirigea vers la porte, mais s'arrêta tout à coup. D'instinct, elle se retourna et se dirigea vers l'endroit où, au-dessus d'une commode contre le mur, une rapière avec une garde de style italien reposait sur son support, disposée en croix avec son fourreau de cuir. Il ne lui fallut qu'une minute pour prendre les deux. Quelques secondes plus tard, Kit se glissa hors de la maison et se dirigea vers les écuries.

Delia l'accueillit en hennissant, puis se tint tranquille tandis que Kit jetait une selle sur son dos noir, la sanglant habilement, avant de conduire la jument non pas dans la cour, où le bruit de ses fers réveillerait les garçons d'écurie, mais dans le petit paddock derrière les écuries. L'enfourchant, elle se pencha en avant et murmura des encouragements à la jument. Puis, elle la dirigea droit vers la clôture. Delia la franchit facilement.

Les sabots noirs avalaient les kilomètres sans effort. Un quart d'heure plus tard, Kit chevauchait à l'abri des derniers arbres avant le bord de la falaise.

Des nuages mouvants masquèrent tout à coup la lune. Les sens en alerte, en raison de la soudaine obscurité, Kit entendit le doux clapotement des rames suivi d'un crissement caractéristique. Un bateau s'était échoué. Au même moment, un cliquetis à sa gauche attira son attention. La lune réapparut, et Kit vit ce que les contrebandiers sur la plage sous la falaise ne pouvaient pas voir. Les douaniers.

Une petite troupe avançait avec précaution sur le cap herbeux. Kit l'observa une minute entière. Les soldats étaient armés.

Elle ne sut jamais quel fol instinct l'incita à agir. Peut-être la vision des enfants des pêcheurs jouant sous les filets sur la plage? Elle les avait vus cet après-midi, quand elle avait chevauché devant un hameau de pêcheurs. Peu importe, elle remonta son écharpe, couvrant son nez et son menton, et enfonça son chapeau. Elle fit pivoter Delia et entraîna la jument dans une course silencieuse parallèle au rivage. Il n'y avait pas de passage là où les douaniers se dirigeaient. Kit connaissait chaque centimètre de cette partie de la côte, qui était la section qu'elle parcourait le plus lors de ses promenades à cheval. Elle laissa les douaniers derrière, mais ne fit pas tourner Delia vers la côte jusqu'à ce qu'elle soit hors de vue. Les nuages étaient imprévisibles. Elle ne pouvait pas risquer d'être vue.

Une fois sur la plage, elle fit tourner la tête de sa jument vers les contrebandiers, une tache noire sur le rivage. Priant pour qu'ils aient compris qu'un cavalier seul ne représentait pas une menace, elle galopa directement vers eux. Le bruit sourd des sabots de Delia était englouti par le fracas des vagues. Elle était presque à côté d'eux quand ils réalisèrent sa présence. Kit eut une brève vision de leurs visages stupéfaits, puis elle saisit, à la lueur du clair de lune, les contours d'un pistolet. S'efforçant de faire tourner Delia, elle lança d'une voix rageuse et pas apeurée :

— Ne soyez pas idiots ! Les douaniers sont sur la falaise. Ils ne sont pas encore au passage, mais ils sont là. Partez !

Faisant faire demi-tour à Delia, Kit jeta un œil derrière elle. Les contrebandiers restaient figés en petit groupe près de leur bateau.

— Allez ! insista-t-elle. *Partez*, ou ils vous flanqueront à la douane de Lynn.

Ensuite, elle réalisa que ce fut son utilisation de l'abréviation du nom de la ville, une habitude des gens du coin, qui les incita à se tourner vers elle. Le plus costaud fit une tentative d'avancer vers elle, regardant Delia et ses sabots ferrés avec méfiance.

— Nous avons une cargaison ici qui ne doit aller nulle part. On a tout sorti. Si on ne l'apporte pas, nos familles n'auront rien à manger.

Kit le reconnut. Elle l'avait vu cet après-midi, occupé à raccommoder des filets. Fugitivement, elle ferma les yeux. Il fallait qu'elle tombe sur la bande de contrebandiers la plus démunie de la côte anglaise.

Elle ouvrit les yeux, et les hommes étaient toujours là, demandant tacitement de l'aide.

— Où sont vos poneys ? demanda-t-elle.

— On ne pensait pas en avoir besoin, pas pour ce lot.

— Mais…

Kit avait toujours cru que les contrebandiers avaient des poneys.

— Qu'alliez-vous faire avec ça, alors ?

— Habituellement, on met les trucs comme ça dans une grotte plus haut, à côté de la butte, là.

L'homme costaud fit un signe vers le sud.

Kit connaissait la grotte. Ses cousins et elle y avaient souvent joué. Mais la troupe de douaniers était entre les contrebandiers et la grotte. Et remettre la marchandise dans le bateau était impossible, car avec la lune, on les verrait.

D'un autre côté, un bateau pouvait être une excellente distraction.

— Vous deux, mettez le bateau à l'eau. Il y a des filets dedans, n'est-ce pas?

À son grand soulagement, ils opinèrent.

— Déchargez la cargaison. Mettez-la près de la falaise.

Elle jeta un œil vers la falaise, puis vers la lune. Un gros nuage s'en approcha et l'engloutit. Remerciant son ange gardien, Kit hocha la tête.

— Maintenant! Allez-y!

Ils agirent vite. Le bateau fut bientôt vide.

— Vous deux!

Kit appela la paire qu'elle avait choisie pour rester sur le bateau. Les vagues le fracassaient. Elle dut crier pour se faire entendre.

— Vous êtes sortis en mer pour pêcher, compris! Vous êtes venus ici pour faire une pause, rien de plus. Vous ne connaissez rien d'autre que la pêche. Sortez le bateau et agissez comme si vous pêchiez vraiment. Allez!

Une minute plus tard, les rames s'enfonçaient, et le petit bateau naviguait péniblement sur les vagues. Kit fit faire demi-tour à Delia et se dirigea vers la falaise.

L'homme costaud l'attendait là.

— Et maintenant?

— Les carrières de Snettisham.

Kit parlait à voix basse.

— Et ne parlez pas ! Ils ne doivent pas être loin au-dessus de nous. Allez vers le nord et restez à l'abri de la falaise. Ils s'attendront à ce que vous alliez vers le sud.

— Mais nos maisons sont au sud.

Dans l'obscurité, Kit ne pouvait savoir qui avait dit ça.

— Que préférez-vous ? Arriver en retard chez vous, ou finir dans les cellules sous le bâtiment de la douane ?

Inutile d'argumenter davantage. Haletants, ils la suivirent. Une fois qu'ils furent hors de vue des douaniers, Kit trouva un chemin jusqu'au sommet de la falaise.

— Je vais voir où ils sont. Il serait absurde de tomber dans une embuscade, les bras pleins.

Sans attendre leur opinion, elle fit monter Delia. Elle suivit le bord de la falaise vers les soldats, demeurant à l'abri. Elle resta sous un chêne à attendre la prochaine lueur du clair de lune pour scruter la zone devant elle, quand elle les entendit venir. Ils maugréaient fort et longtemps, ayant réalisé tardivement qu'ils étaient bien loin d'un chemin qui descendait. La lumière du clair de lune augmenta, et elle put les voir se rassembler en un petit groupe au milieu du pré juste en face d'elle.

Un cri parvint du bord de la falaise.

— Il y a un chemin ici, Sergent ! Que faisons-nous ? Le bateau est parti, et il n'y a rien à voir sur la plage.

Un homme imposant poussa son cheval vers la falaise et regarda en bas. Il jura.

— On s'en fiche pour l'instant ! Nous avons vu ce bateau. La moitié d'entre vous, descendez sur la plage et allez vers le sud ! Les autres, restez sur la falaise ! Nous les rejoindrons d'une façon ou d'une autre.

— Mais le sud, c'est la région du sergent Osborne, Sergent.

L'homme imposant gifla le douanier.

— Je le sais, imbécile ! Mais Osborne est en route pour Sheringham, alors c'est à nous de maintenir l'ordre ici. À vous de jouer, et voyons ce que nous allons découvrir.

À la grande joie de Kit, elle les vit se scinder, les deux groupes se dirigeant vers le sud. Satisfaite, elle retourna vers la petite bande, qui marchait péniblement et obstinément vers le nord, toujours sur la plage.

— Vous êtes en sécurité. Ils vont au sud.

Les hommes déposèrent leurs fardeaux et s'assirent sur le sable.

— Heureusement qu'on n'avait qu'une cargaison !

Le contrebandier jeta un œil vers Kit et s'expliqua :

— Normalement, on en a bien plus.

L'homme costaud, qui semblait être leur porte-parole, leva les yeux vers elle.

— Cette carrière dont tu as parlé, mon garçon, elle est où ?

Kit le regarda fixement. Il ne lui était jamais apparu qu'ils ne connaissaient pas les carrières de Snettisham. Ses cousins et elle y avaient joué pendant des heures. C'était la cachette parfaite. Et si elle les y emmenait ?

Delia caracola sur le côté. Kit la calma.

— Je vous indiquerai la direction. Vous ne voulez sans doute pas que je sache exactement où vous cachez vos marchandises.

Utilisant la nervosité de sa jument comme excuse, Kit la fit reculer. Un homme au moins avait un pistolet.

— Attends, mon garçon, dit l'homme costaud, qui s'avança.

Delia s'en offusqua et recula. Il s'arrêta.

— Tu n'as rien à craindre de nous, mon gars. Tu nous as sauvés, c'est sûr. L'honneur des contrebandiers nous pousse à t'offrir une partie de notre butin.

Kit cligna des yeux. L'honneur des contrebandiers? Elle rit discrètement et fit tourner Delia.

— Prenez-le comme un cadeau. Je ne veux aucune récompense.

Elle appuya ses talons sur les flancs noirs et brillants de Delia, qui démarra en trombe.

— Attends!

La note de panique dans la voix de l'homme fit ralentir Kit. Elle se retourna. Il avança péniblement dans le sable vers elle, s'arrêtant quand il fut assez près pour parler. Pendant un moment, il la fixa, puis il regarda ses compagnons. Dans le faible éclairage, Kit vit leurs hochements de tête énergiques. Le porte-parole se retourna vers elle.

— C'est comme ça, mon garçon. Nous n'avons pas de chef. On s'est lancés en affaires en pensant qu'on réussirait assez bien, mais tu as vu comment.

Il inclina la tête vers le sud.

— Tu as réfléchi vite, là-bas. Tu pourrais te charger de nous. On a de bons contacts, mais on n'est pas bons pour ce qui est de l'organisation.

Le cerveau de Kit fut aux prises avec un sentiment à la fois d'incrédulité et de consternation. Se charger d'eux?

— Vous voulez dire... Vous voulez que je sois votre chef?

— Et on partage les profits, bien sûr.

Delia bougea. Kit leva les yeux et vit les autres hisser leurs fardeaux et se rapprocher. Elle n'avait pas à craindre un pistolet tandis qu'ils étaient si chargés.

— Je suis sûre que vous vous débrouillerez très bien tout seuls. Les douaniers ont simplement eu de la chance.

Mais l'homme costaud secoua la tête.

— Mon garçon, regarde-nous ! Aucun de nous ne sait où sont ces carrières dont tu parles. On ne sait même pas quelle est la meilleure route pour rentrer chez nous. La preuve, dès qu'on sera de retour sur les falaises, on se jettera dans la gueule des douaniers. Alors, on aura fait tout ça pour rien !

La lune se dégagea, et Kit vit leurs visages, levés vers elle avec une confiance quasi enfantine. Elle soupira. Comment allait-elle s'y prendre maintenant ?

— Quel trafic faites-vous ?

Ils se requinquèrent devant ce signe d'intérêt.

— Montre-lui, Joe.

L'homme costaud fit un geste vers le plus petit en avant. L'homme avança sur le sable, portant un œil méfiant sur Delia. Il sourit à Kit quand il s'approcha — un sourire presque édenté —, puis s'arrêta à côté de la jument et ôta la toile refermant le paquet qu'il portait, un rectangle plat d'environ un mètre de long. Ses mains crasseuses écartèrent les couches d'un drap grossier.

Le clair de lune éclaira ce qui se trouva exposé. Les yeux de Kit s'écarquillèrent. De la dentelle ! Ils faisaient de la contrebande de dentelle de Bruxelles. Voilà pourquoi les paquets étaient si petits. Une cargaison, transportée à Londres et vendue par le commerce, nourrissait sûrement ces hommes et leurs familles pendant des mois. Kit revit rapidement son estimation de leur sens des affaires. Ils avaient peut-être désespérément besoin d'organisation, mais ils connaissaient leur chargement.

— Nous avons parfois du cognac aussi, ça dépend, dit l'homme costaud qui s'était rapproché.

Les yeux de Kit se plissèrent.

— Rien d'autre ?

Elle avait entendu dire qu'il y avait des choses autres que des marchandises qui voyageaient par bateau.

Son intonation était brusque, mais le visage de l'homme était ouvert quand il répondit :

— On n'a passé aucune autre cargaison. C'est assez pour l'instant.

Elle pouvait sentir leur supplication. Ses origines du Norfolk se manifestaient. Chef de contrebandiers ? Une partie d'elle riait à cette idée. Une petite partie. La majeure partie de son âme non conventionnelle était intriguée. Son père avait dirigé une bande pendant une courte période, pour la rigolade, comme il disait. Pourquoi ne le pourrait-elle pas ? Kit croisa ses mains sur son pommeau et envisagea les possibilités.

— Si je deviens votre chef, vous devrez être d'accord pour ne faire le trafic que des cargaisons que je pense justes.

Ils se regardèrent l'un l'autre, puis l'homme costaud leva les yeux.

— Comment on partage ?

— On ne partage pas.

Ils se mirent à murmurer. Derrière son cache-nez, Kit sourit.

— Je n'ai pas besoin de vos marchandises ni de l'argent qu'elles rapportent. Si j'accepte de vous diriger, ce sera pour le simple plaisir, rien d'autre.

Une rapide consultation s'ensuivit, puis le porte-parole s'approcha.

— Si nous acceptons, nous montreras-tu ces carrières ?

— Si nous sommes d'accord, je vous emmène tout de suite. Sinon, dites-le, et je m'en vais.

Delia caracola.

L'homme regarda ses compagnons autour de lui, puis se retourna vers elle.

— Marché conclu. Quel sobriquet te donne-t-on ?

— Kit.

— Bien alors, jeune Kit, allons-y.

Il leur fallut une heure pour atteindre les carrières et trouver un tunnel abandonné convenable pour leur servir de base. Pendant ce temps, Kit en avait appris plus sur cette petite bande. Ils avaient des contrats pour les auberges de King's Lynn. Tout ce qu'ils débarquaient, ils le cachaient dans la grotte pendant quelques nuits avant de le transférer à dos de poney vers l'abbaye en ruine de Creake.

— Elle a été notre centre d'échanges pendant des années, par ici. Nous montrons la marchandise à la vieille qui vit dans la maison d'à côté, et elle a toujours notre part qui nous attend.

— La vieille femme a de l'argent ?

— Oh, oui. C'est une sorcière, alors l'argent est en sécurité avec elle.

— C'est très commode.

Quelqu'un, quelque part, avait fait des efforts considérables pour organiser les contrebandiers du Norfolk. Une pensée fâcheuse traversa l'esprit de Kit.

— Y a-t-il d'autres gangs qui opèrent par ici ?

L'homme costaud s'avérait porter le nom peu enviable de Noah.

— Pas ici dans l'ouest, non. Mais il y a un gang à l'est de Hunstanton. C'est un gros gang. Mais on n'est jamais tombés sur eux.

« Et j'espère que ça n'arrivera jamais », pensa Kit. Ces pauvres gars étaient un groupe remarquablement simple, pas enclin à une violence inutile, des pêcheurs portés à trafiquer pour nourrir leurs familles. Mais quelque part ailleurs rôdaient de vrais contrebandiers, le genre qui commettait les atrocités annoncées dans les prospectus. Elle n'avait aucune envie de les rencontrer. Se tenir loin de ce gang de Hunstanton semblait une bonne idée.

Une fois la dentelle stockée, elle donna des ordres clairs et nets sur la façon dont ils allaient écouler la marchandise.

— Les douaniers seront suspicieux sur cette partie de la plage, et la grotte est trop près. À partir de maintenant, nous travaillerons à partir d'ici.

Kit fit un geste de la main indiquant les alentours. Ils se tenaient devant l'embouchure sombre d'un tunnel abandonné dans lequel ils avaient caché leur marchandise.

— Nous serons plus en sécurité ici. Il y a de nombreux endroits pour se cacher, et même en plein jour, il n'est pas facile d'y suivre des gens.

Elle s'arrêta, puis avança vers eux, fronçant les sourcils tant elle était concentrée.

— Si vous devez aller sur vos bateaux pour apporter le chargement, alors les bateaux devraient simplement venir débarquer les marchandises et repartir directement à votre village. Si le reste d'entre vous emmène les poneys, on pourra charger les marchandises et les transférer ici. Quand le tout sera en sécurité, vous pourrez partir à Creake.

Ils acquiescèrent sans hésiter.

— C'est un super endroit pour cacher des choses. C'est parfait.

Tandis qu'ils se préparaient à partir, Noah remarqua la rapière sur le côté de Kit.

— C'est un bien beau jouet. Tu sais t'en servir ?

Quelques secondes plus tard, il clignait des yeux devant le doux chatoiement du clair de lune sur l'acier, l'épée pointée sur sa gorge. Avalant sa salive de manière convulsive, son regard passa de la longue et redoutable lame jusqu'à ce qu'au-dessus de la garde ornée, il rencontre les yeux plissés de Kit. Elle souriait, les lèvres pincées.

— Oui.

— Oh.

L'homme costaud resta parfaitement calme.

Kit se détendit et tourna habilement la lame pour la rentrer dans son fourreau.

— C'est ma petite marotte.

Elle se tourna et marcha vers Delia, qui attendait, les oreilles dressées. Elle sentit derrière elle des échanges de regards et dissimula un sourire suffisant. Elle monta en selle, puis regarda sa petite bande derrière.

— Vous savez comment rentrer chez vous ?

Ils opinèrent.

— Et on surveillera les douaniers, comme tu l'as dit.

— Bien. Nous nous retrouverons ici jeudi, après le lever de la lune.

Kit pivota et plaça ses talons sur les flancs de Delia.

— Et là, nous verrons ce que nous ferons.

Chapitre 5

— Bon sang !

George jeta ses cartes sur la table de jeu rudimentaire et regarda Jack.

— Rien n'a changé en presque vingt ans ! Tu gagnes toujours !

Les dents blanches de Jack s'exhibèrent en un sourire rieur.

— Console-toi ! Ce ne sont pas les titres de tes hectares paternels qui se trouvent dans ma main.

Il leva sa main, dévoilant une pile de jetons de bois.

Repoussant sa chaise, George grogna d'indignation.

— Comme si j'allais risquer quelque chose de valeur contre un tel joueur invétéré.

Jack ramassa les cartes et reforma le paquet, puis, les coudes sur la table, il les mélangea, les faisant passer de sa main gauche à sa main droite.

À l'extérieur, le vent d'est soufflait, faisant tourbillonner les feuilles et les brindilles contre les volets. À l'intérieur, la lumière de la lampe se projetait sur la tête penchée de Jack, faisant ressortir ses mèches dorées et brillantes par rapport aux brunes, plus ternes. En dehors de la table, la chaumière

Stephanie Laurens

composée d'une seule pièce était peu équipée, les principaux meubles étant un grand lit contre le mur opposé et une armoire tout aussi grande à côté. Jusqu'ici, aucun ouvrier agricole n'avait pensé mettre les pieds dans cet endroit. Le lit était vieux, mais en chêne ciré, tout comme l'armoire. Les draps étaient en lin, et le dessus-de-lit en plumes d'oie était trop luxueux pour faire croire que c'était une habitation modeste. En fait, seule la table le laissait envisager, mais elle était lisse, propre et en excellent état. Les quatre chaises dispersées dans la pièce étaient de différents styles, mais elles n'avaient aucun rapport avec les sièges rudimentaires qu'on trouvait normalement dans les domiciles des pêcheurs.

Jack tapa le paquet sur la table, puis repoussant sa chaise, il étira ses bras au-dessus de sa tête.

Le martèlement de sabots assourdi par la violence du vent à l'extérieur ressemblait à un écho fantomatique. Détachant son regard des flammes vacillant dans le foyer de pierre, George se tourna pour écouter, puis sentit un regard plein d'attente en provenance de Jack.

Les sourcils de Jack se dressèrent fugitivement avant que son regard ne se fixe sur la porte. Quelques secondes plus tard, celle-ci s'ouvrit brutalement pour révéler une silhouette imposante emmaillotée dans une épaisse ratine et un chapeau enfoncé jusqu'aux yeux. L'individu se retourna et referma péniblement la lourde porte contre la tempête qui faisait rage à l'extérieur.

La tension dans le corps élancé de Jack s'apaisa. Il se pencha en avant, les bras sur la table.

— Bon retour. Qu'as-tu appris ?

Le visage ridé de Matthew émergea tandis que son chapeau heurtait la table. Il ôta son manteau d'un mouvement d'épaules et le posa sur une patère à côté de la porte.

— Comme tu t'en doutais, il y a un autre gang.

— Ils sont actifs ? demanda George en rapprochant sa chaise.

Devant le geste de Jack, Matthew apporta une autre chaise à la table.

— Ils font des affaires, oui. Ils ont débarqué une cargaison de cognac la nuit dernière, quelque part entre Hunstanton et Heacham, sans problème. J'ai entendu dire qu'ils avaient accepté le chargement de dentelles que nous avons refusé. Tu sais, la contrebande qui aurait eu lieu en même temps que ce chargement d'alcool que nous avons pris à Brancaster.

Jack jura.

— Bon Dieu ! J'espérais que c'était du baratin de la part de Tonkin.

Il se tourna vers George.

— Quand je suis allé à Hunstanton hier, Tonkin ne parlait que de ce gang qu'il avait surpris à trafiquer au sud de Snettisham. Il se vantait d'avoir trouvé un autre gang opérant sur le territoire d'Osborne et qu'Osborne ignorait. J'ai parlé à des hommes de Tonkin plus tard. Il semble qu'ils aient vu un bateau de pêcheurs s'arrêter pour une pause et que Tonkin ait inventé le reste.

Jack grimaça.

— Mais maintenant, ça semble différent.

— Est-ce que ça a de l'importance ? S'ils sont une petite bande...

George s'interrompit devant le hochement de tête énergique de Jack.

— Ça a de l'importance. Nous devons contrôler cette côte. Si un autre gang agit, peu importe qu'il soit petit, qui sait de quelles cargaisons ils se chargeront?

Le vent sifflait dans l'étroite cheminée et jouait avec les flammes qui léchaient les bûches dans le foyer. Tout à coup, Jack se repoussa de la table.

— Nous devons trouver qui est ce groupe.

Il regarda Matthew.

— As-tu eu des pistes de tes contacts?

Matthew secoua la tête.

— Pas la moindre.

George fronça les sourcils.

— Et Osborne? Pourquoi ne pas simplement lui faire prendre des mesures répressives dans cette zone?

— Parce que je l'ai envoyé sévir sur les plages entre Blakeney et Cromer.

L'exaspération teinta le ton de Jack.

— Il y a un petit groupe qui agit par là, mais en général sur cette côte, la vase est si imprévisible que personne de sain d'esprit ne mènerait son bateau si près. Les quelques déchargements raisonnables sont faciles à contrôler. Mais j'ai envoyé Osborne pour être sûr que le travail était fait. En plus, il semblait préférable de s'assurer qu'il n'aurait pas vent de nos activités et ne chercherait pas à les entraver. Et ce brave Tonkin, il est si empoté et incompétent que nous ne courons aucun danger avec lui. Malheureusement, l'autre gang non plus.

— Donc, songea George, en réalité, Tonkin est à présent responsable de la côte entre Lynn et Blakeney ?

Jack opina.

— Peu importe qui est cet autre groupe, dit Matthew, il semble bien connaître la zone. Il n'y a aucune rumeur de bêtes transportant de la marchandise ou autre chose, mais ils doivent la déplacer, tout comme nous.

— Qui sait ? dit Jack. Peut-être sont-ils mieux organisés que nous, en fait. Nous ne sommes que des débutants, après tout.

George tourna ses yeux torves sur Jack.

— Je ne crois pas qu'un homme sensé dirait du capitaine Jack qu'il est un débutant... pas avec ce genre de témérité.

Un large sourire dissipa la gravité de Jack.

— Tu me flattes, mon ami. Maintenant, comment allons-nous rencontrer ce mystérieux gang ?

— Devons-nous les rencontrer ?

— Comment, sinon, toi qui t'y connais, allons-nous les dissuader de poursuivre leur trafic illégal ?

— Les dissuader ?

Le visage de Jack se durcit.

— C'est ça, ou faire le travail de Tonkin à sa place.

George sembla morose.

— Je savais que je n'allais pas aimer cette mission.

La chaise de Jack érafla le sol quand il se leva.

— Ce sont des contrebandiers, pour l'amour du ciel !

George soupira, détachant son regard des yeux gris et sévères de Jack.

— Tout comme nous, Jack, tout comme nous.

Mais Jack avait cessé d'écouter. Se tournant vers Matthew, il demanda :

— Quelles marchandises prennent-ils habituellement ?

Chapitre 6

Une semaine plus tard, depuis le sommet de la falaise masqué par une rangée d'arbres, Kit observait son gang accoster leurs bateaux sur la plage, presque au même endroit que la nuit où elle les avait secourus. Cette fois, il n'y avait pas de troupes de douaniers dans les parages. Elle avait fait une reconnaissance des falaises dans les deux directions.

Toutefois, elle était nerveuse, agitée. Depuis qu'elle avait pris le pouvoir, son gang avait réceptionné cinq chargements, tous avec succès. Son gang. Au début, cette responsabilité l'avait effrayée. À présent, chaque fois qu'ils s'en sortaient sans encombre, elle ressentait un sentiment grisant de satisfaction. Mais cette nuit, c'était un chargement spécial. Un agent, Nolan, les avait rencontrés à Lynn la nuit dernière. Pour la première fois, elle avait rejoint Noah pour les négociations. C'était aussi bien. Elle était intervenue et avait réussi à augmenter leur prix parce que Nolan était dans le pétrin. Il avait une goélette avec vingt balles de dentelle et personne pour la prendre. Ils étaient son dernier recours. Elle avait déjà entendu parler des raids des douaniers vers Sheringham et, pour une raison quelconque, le gang de

Hunstanton avait refusé le trafic. Pourquoi, elle l'ignorait, et c'était l'origine de sa nervosité.

Cependant, tout se déroulait sans problème. La nuit était sombre, le ciel d'un pourpre foncé. Sous elle, Delia broutait paisiblement, alors qu'un hibou hululait dans les arbres derrière elles.

Regardant la façon méthodique avec laquelle les hommes déchargeaient rapidement les bateaux, Kit souriait. Ils n'étaient pas stupides, juste dénués d'imagination. Une fois qu'elle leur avait montré une meilleure façon de faire les choses, ils avaient saisi rapidement.

Soudain, Delia leva la tête, dressa les oreilles, et ses muscles se crispèrent. Kit se concentra pour trouver ce qui avait perturbé la jument. Rien. Puis, loin à gauche, un autre hibou hulula. Delia avança furtivement. Kit regarda la grande tête noire. « Ce n'est pas le hibou ! » Elle n'attendit pas de confirmation. Tirant sur les rênes, elle fit prendre à Delia le chemin qui descendait vers la plage.

Dans les arbres au sommet de la falaise, deux cavaliers en rencontrèrent un troisième.

— On les a repérés, murmura Matthew, tandis que Jack et George arrivaient, leurs chevaux avançant sur l'herbe éparse.

Il indiqua l'endroit où l'on chargeait dix poneys avec la livraison de dentelle qu'ils avaient refusée. Tandis qu'ils regardaient, un individu à cheval vêtu de noir, qui galopait sur la plage, se distingua de l'ombre de la falaise.

— Sapristi, marmonna Matthew. C'est quoi ça ?

— Un guetteur que nous avons alerté, fut la réponse laconique de George.

— Mais comment un contrebandier a-t-il pu se procurer un cheval comme celui-ci ? demanda Jack, qui regardait le cheval et le cavalier galoper vers les bateaux, lesquels formaient une seule entité dans un mouvement fluide.

— Ce gang a engagé un nouveau talent inattendu.

George opina.

— Est-ce qu'on descend, maintenant qu'ils savent qu'on est ici ?

Jack grimaça.

— Attendons pour voir. Ils croiront peut-être que nous sommes les douaniers.

Il s'avéra qu'il avait raison. Le cavalier atteignit le groupe sur la plage. Immédiatement, ils accélérèrent le rythme. En quelques minutes, les bateaux se retrouvèrent en mer. Le cavalier s'éloigna des poneys tandis que les hommes attachaient fermement les courroies et les sangles. Le cheval noir s'agitait. Le cavalier scruta les falaises. Il ne regarda pas directement dans leur direction.

Plissant les yeux, George chuchota :

— Le cheval… Est-il complètement noir ?

Jack opina.

— On dirait.

Il prit ses rênes.

— Ils partent. Suivons-les. J'aimerais bien voir où ils cachent leurs marchandises.

Kit ne pouvait se débarrasser de l'impression d'être observée. Comme Delia, ses nerfs étaient sur le qui-vive. Elle n'avait pas expliqué à Noah pourquoi elle était venue au galop dans le noir et l'avait pressé. Elle avait simplement émis un avertissement :

— Il y a quelqu'un par là. Je n'ai pas attendu de savoir qui. Partons.

Cinq minutes plus tard, Delia et elle avaient regagné le sommet de la falaise. Elle attendit que Noah, qui marchait à côté du poney de tête, grimpe la falaise, puis se pencha pour dire :

— Allons à l'est par les bois de Cranmer, puis coupons jusqu'aux carrières. J'irai en reconnaissance pour m'assurer que nous ne sommes pas suivis.

Elle fit pivoter Delia et disparut dans les arbres environnants. Pendant l'heure qui suivit, elle suivit ses propres hommes, décrivant des cercles autour de leur piste. Souvent, Delia fendait l'air au ras du sol, et chaque fois, Kit sentait ses cheveux sur sa nuque se dresser.

Elle finit par réaliser que c'était elle, la cavalière, que les inconnus suivaient. Soudain, Kit tira sur les rênes. Ses poursuivants étaient à cheval, sinon ils n'auraient pas pu continuer jusqu'ici. Ils n'essayaient pas de les attraper, mais les suivaient jusqu'à leur cachette. Or, ils étaient sur les terres des Cranmer, et personne ne les connaissait mieux qu'elle. Ses hommes dévieraient bientôt au nord, vers les carrières. Elle, avec son escorte importune, continuerait vers l'est.

Kit tapota le cou noir et luisant de Delia.

— Nous galoperons bientôt, ma belle, mais d'abord, jouons-leur un tour.

Ils s'approchaient du village de Great Bircham quand Jack réalisa qu'ils avaient perdu la trace des poneys. Il arrêta son cheval sur une crête surplombant une vallée éclairée par la lune. Quelque part devant eux, le cavalier avançait toujours.

— Bon sang! Il va trop vite pour que les poneys le suivent. On s'est fait avoir.

George s'arrêta à côté de lui.

— Peut-être que les poneys allaient plus vite dans les bois et que le cavalier y avançait lentement.

Jack secoua énergiquement la tête. Puis, comme pour confirmer sa déduction d'une façon plus moqueuse, le cavalier apparut, traversant les champs en dessous au grand galop tel un éclair noir dans le vert argenté.

— Bon Dieu! murmura George. Vous avez vu ça!

— Je préférerais ne pas l'avoir vu, répondit Jack.

Après trois secondes de silence pendant lesquelles le cavalier fit sauter deux haies à son cheval noir, il ajouta à contrecœur :

— Eh bien, qui que ce soit, il sait monter à cheval.

— Et maintenant? demanda Matthew.

— On rentre et on essaie de découvrir un autre moyen de contacter ce maudit gang.

Tout en fournissant cette réponse décourageante, Jack agita ses rênes et guida son étalon gris, Champion, vers le bas de la crête.

Kit galopait dans le vent, le paysage se brouillant autour d'elle. Elle prit son chemin habituel vers le domaine Gresham, en fit le tour, puis monta une colline surplombant la maison pour permettre à Delia de se reposer.

Que dirait Amy si elle descendait et lançait du gravier à sa fenêtre ? Kit sourit. Amy avait un côté conservateur plutôt marqué, malgré sa prédilection à devenir chaude et humide pour son George.

Soupirant, Kit joignit ses mains sur le pommeau et regarda le magnifique paysage. Elle n'avait pas pensé aux révélations troublantes d'Amy pendant des semaines, pas depuis qu'elle avait pris en charge les contrebandiers. L'excitation avait-elle rempli cet étrange vide dans son for intérieur ? Après quelques minutes de réflexion, elle admit que non. En fait, les exigences de la contrebande ne lui laissaient pas le temps de s'attarder sur des regrets mal définis. Ce qui n'était déjà pas mal. Chassant les crampes de ses épaules, Kit reprit les rênes. Il était temps d'aller aux carrières.

Le trio de cavaliers galopait vers le nord sans trop se presser. Jack tira sur les rênes quand ils atteignirent le sommet d'une colline et se tourna vers George, qui s'arrêta à côté de lui. Champion tourna la tête, mais pas pour regarder George ni son hongre. L'étalon gris bougea, tendant son long cou pour regarder devant George. Ce mouvement attira l'attention de Jack, qui suivit le regard du cheval.

— Restez très tranquilles ! ordonna-t-il d'une voix à peine perceptible.

Avec précaution, il se tourna sur sa selle et regarda derrière lui. L'éclair de noir qui avait attiré l'attention de Champion apparut dans les champs derrière eux, cette fois en direction de l'ouest. Puis, le cheval et son cavalier traversèrent la route, toujours au galop. Jack regarda jusqu'à ce qu'ils disparaissent dans les arbres bordant le champ suivant.

Ce ne fut qu'à ce moment-là qu'il relâcha ses rênes et qu'il laissa Champion se tourner. Le cheval pivota et regarda dans la direction que le cavalier inconnu avait prise.

Le visage de Jack revêtit un sourire de plaisir diabolique.

— C'est donc ça.

— Quoi? demanda George. Était-ce encore le cavalier? Pourquoi ne le poursuivons-nous pas?

— Nous allons le faire.

Jack remit Champion sur la piste, attendant que George et Matthew le rejoignent, avant de se mettre au petit galop.

— Mais nous ne devons pas trop nous approcher et nous faire repérer. Je me demandais ce qui nous avait trahis; je parierais que le cheval noir est une jument. Comme elle n'a pas encore été présentée à Champion, comme toutes les autres femelles de pure race, elle devient nerveuse chaque fois qu'il approche.

— Est-ce que Champion peut nous mener à eux?

— Je l'ignore.

Jack tapota le cou gris et soyeux de l'animal.

— Mais nous ne pouvons pas risquer de trop nous rapprocher avant que le cavalier ne mette pied à terre.

Kit atteignit les carrières quand on déchargeait le dernier poney. Noah et les autres l'accueillirent avec soulagement.

— On a cru qu'il t'était arrivé quelque chose, mon garçon.

Se sentant pleine de vie, stimulée par son long galop, Kit balança sa jambe par-dessus le cou de Delia et se laissa glisser sur le sol.

— Je suis sûre que nous sommes suivis, mais je n'ai vu personne. J'ai fait un long détour juste au cas où.

Elle noua les rênes de Delia à un montant en bois au bord de la clairière, assez loin des hommes, qui avaient toujours une peur presque superstitieuse du cheval noir.

— De quoi a l'air la marchandise ?

Elle se dirigea vers l'entrée du tunnel.

Noah fit un geste vers le paquet ouvert sur un rocher.

— Marchandise de premier choix, on dirait.

Kit se pencha au-dessus de la dentelle, déposant ses deux mains sur le rocher pour se protéger de l'impulsion d'ôter ses gants et de toucher la délicate dentelle, repoussant ainsi un geste des plus féminins.

— C'est mieux que cette autre marchandise que vous avez passée. Quel est le prix ?

Les autres hommes s'assirent à l'entrée de la grotte, chiquant du tabac et parlant calmement tandis que Noah et elle revoyaient leurs plans.

Elle ne sut pas ce qui l'alerta. Ses cheveux se dressèrent subitement sur sa nuque, et l'instant suivant, elle se tourna. Sa rapière chanta en sortant de son fourreau, puis décrivit un arc de cercle devant les trois hommes qui approchaient silencieusement.

Ce qui se passa ensuite la fit cligner des yeux. L'homme le plus en avant — grand, bien bâti et sans chapeau, d'après ce qu'elle put en voir — fit un pas en arrière, et la rapière de Kit heurta de l'acier. Les yeux de Kit s'écarquillèrent. Apeurée, elle avala sa salive à la vue de l'élégante lame d'une épée plus longue et apparemment infiniment plus redoutable que la sienne. Les deux hommes qui suivaient le premier reculèrent, laissant une large place aux combattants.

Bon sang! Elle se retrouvait impliquée dans un combat à l'épée!

Déterminée, Kit réprima l'impulsion de jeter sa rapière et de s'enfuir. Prenant une profonde respiration, elle força son esprit à réfléchir. Si cet homme était un contrebandier, il devait n'avoir aucune connaissance des plus subtils maniements de l'épée. Elle, d'un autre côté, avait été entraînée par un maître italien, un ami proche de Spencer. Elle ne s'était pas exercée depuis des années, mais tandis que son adversaire se plaça à gauche, elle se dirigea instinctivement à droite. Leurs épées sifflèrent légèrement.

Il fit le premier mouvement, un coup hésitant que Kit évita facilement. Elle suivit immédiatement avec une riposte classique et fut consternée de faire face à la défense prescrite parfaitement exécutée. Deux échanges similaires de plus la décontenancèrent complètement. L'homme pouvait se battre et bien. La force qu'elle sentit derrière la longue épée était inquiétante.

De plus en plus paniquée, elle regarda le visage de son adversaire. La lune brillait sur l'épaule de Kit, laissant son propre visage dans la pénombre. Même dans le faible éclairage, elle vit le plissement du front du beau visage qui la regardait. Une seconde plus tard, l'effet de ce visage la frappa. Kit cligna des yeux et ramena son esprit et son regard vers sa lame, appuyée contre la sienne. Mais ses yeux désobéissants se relevèrent de nouveau, attirés par ce visage. Elle eut du mal à reprendre sa respiration. « Bon sang, qu'il est beau! » Il avait des traits sculptés et aquilins au-dessous de ses pommettes saillantes, des lèvres longues et fermes au-dessus d'un menton carré et volontaire. Ses cheveux étaient blonds avec des mèches argentées dans la lumière de la lune. Malgré tous ses efforts, les sens de Kit refusaient de se plier à sa volonté, continuant de façon irresponsable leur dangereux détachement, errant sur les contours de la silhouette imposante qui lui faisait face.

Une étrange sensation naquit au creux du ventre de Kit, une sorte de fragilité qui sapa le peu de force qu'elle avait. Elle se demanda si c'était la peur d'une mort imminente. À cette pensée, elle entendit en elle un rire chaud, fort et charmeur. « Qu'attends-tu ? Tu fantasmais à l'idée de rencontrer un homme qui pourrait te faire ce que George fait à Amy. Le voici. Tout ce que tu as à faire, c'est baisser ton épée et avancer. »

La garde de Kit vacilla. Elle revint à elle subitement. À cet instant, son adversaire l'attaqua. Elle était loin d'exercer assez de force sur son épée pour contrer efficacement la sienne. Grâce à la chance et à un jeu de jambes sophistiqué, elle survécut au premier coup. Son cœur battait la chamade, et elle avait un goût métallique dans la bouche. Elle savait qu'elle ne survivrait pas au deuxième.

« Impossible que mon rêve devienne réalité, se moqua-t-elle en riant d'elle. Cet homme est sur le point de me transpercer, alors merci bien ! »

Mais l'affrontement qu'elle craignait n'eut jamais lieu. Son adversaire fit un pas résolu en arrière, juste un, mais suffisant pour le mettre hors de sa portée. Son épée s'abaissa lentement jusqu'à ce qu'elle pointe le sol.

Levant les yeux vers le visage qui l'empêchait de se concentrer, Kit vit le plissement de son front s'approfondir.

L'esprit de Jack était perturbé, surchargé par des informations conflictuelles et troublantes. Champion les avait menés infailliblement dans le sillage de la jument noire. Dès qu'ils avaient vu les rochers irréguliers se profiler à l'horizon, ils avaient reconnu leur destination. Ils n'en respectaient que davantage la petite bande de contrebandiers, car les carrières représentaient une cachette parfaite. Ils avaient laissé leurs chevaux à l'orée des carrières pour s'assurer que la présence de Champion ne les trahirait pas.

Ils étaient ensuite entrés dans la clairière à découvert, mais en silence. Jack avait immédiatement vu la mince silhouette en noir étudier soigneusement quelque chose du côté opposé. Ses pas l'avaient conduit dans cette direction. Et ce fut là que les problèmes avaient commencé.

Avant même que le garçon ne se tourne pour lui faire face, une épée dans la main, il avait été conscient de l'accélération de son pouls, de l'augmentation des battements de son cœur, du renforcement de ses attentes, qui n'avaient rien à voir avec les dangers de la nuit. Se retrouver devant une rapière, dont il fit d'abord les frais, ne fit qu'aggraver sa confusion. Sa réaction avait été instinctive. Ce n'était pas une pratique commune pour les hommes de porter une épée, mais jamais George ni lui ne s'étaient aventurés à l'extérieur sans la leur sur la hanche. Sa main avait saisi sa poignée à l'instant où il avait entendu le sifflement de l'acier quittant son fourreau.

La faible lumière l'avait désavantagé au début. Le jeune garçon n'était rien de plus qu'une silhouette. Se mouvant dans l'obscurité, il avait avancé prudemment, testant son adversaire, malgré les chances qu'il avait de pouvoir s'approcher de lui sans difficulté. Son premier mouvement avait été hésitant. La réponse du garçon avait été une autre révélation. Qui aurait pu prévoir une riposte italienne de la part d'un contrebandier ? Mais les mouvements suivants l'avaient laissé dubitatif quant à ce qui n'allait pas avec ce garçon. Le bras qui brandissait la rapière n'avait pas de force.

Il avait alors regardé fixement le garçon, et le désir de découvrir le mystère s'était accru. Quelque chose clochait assurément quelque part. Bien qu'incapable de voir les yeux du garçon, il pouvait sentir son regard et savait qu'il l'étudiait. Ce fut l'effet de ce regard qui le désarçonna complètement. Jamais auparavant son corps n'avait réagi si nettement et certainement jamais en réaction au regard d'un homme.

La pointe du garçon avait vacillé, et il s'était rué en avant, sans véritable but, plus comme un prétexte lui permettant de décider quoi faire. L'absence de réaction avait décidé pour lui. Il ne connaissait pas suffisamment le gang et cet étrange garçon pour en arriver à des conclusions. Le garçon n'était pas idiot. Il savait qu'un combat entre eux n'aurait qu'une fin possible. Tous deux le savaient maintenant. Il recula et baissa son épée.

Le garçon releva la tête.

Un moment passa, lourd d'attentes. Puis, la rapière se baissa. Intérieurement, Jack soupira de soulagement.

— Qui êtes-vous ?

La peur serrait la gorge de Kit. Sa voix sortit râpeuse et encore plus grave que d'habitude. Ses yeux restèrent fixés sur l'homme devant elle. La tête de Jack tourna légèrement, comme pour saisir un son mal entendu, alors qu'elle avait parlé clairement. Le plissement déroutant de son front ne bougea pas.

Jack entendit la question, mais il ne parvenait pas à croire ce qu'il avait entendu. Ses sens ne détectèrent pas la peur, mais un timbre sous-jacent dans la voix enrouée. Il avait entendu des voix comme celle-là avant. Elles n'appartenaient pas à des jeunes hommes. Pourtant, ce que ses sens continuaient à lui dire, son esprit rationnel savait que c'était impossible. Cela devait être un effet particulier du clair de lune.

— Je suis le capitaine Jack, chef du gang de Hunstanton. Nous voulons parler, rien de plus.

Le garçon se tenait parfaitement calme, enveloppé dans le noir, le visage invisible.

— Nous vous écoutons.

Se déplaçant lentement, résolument, Jack rengaina son épée. La tension s'apaisa, mais il nota que le jeune homme gardait sa rapière dans sa main. Il revêtit un sourire. Le garçon se méfiait de lui. Si la situation avait été inversée, il aurait fait la même chose.

Kit se sentait plus en sécurité avec la longue épée remise dans son fourreau, mais elle ne ressentait aucune envie de faire de même avec la sienne. L'homme était plus que dangereux, particulièrement quand ses traits se relâchaient comme ils venaient de le faire. Le léger sourire, à condition que cela en fût bien un, attira ses yeux sur ses lèvres. Que ressentirait-elle si elles étaient posées sur les siennes? Lui feraient-elles ressentir... Kit ramena ses pensées errantes, à deux doigts d'une certaine confusion. Puis une autre pensée la frappa, à l'improviste. Que ressentirait-elle s'il souriait?

Mais il parlait. Kit s'efforça de se concentrer sur ses mots, plutôt que de laisser son esprit errer vers la voix chaude et veloutée.

— Nous aimerions que vous envisagiez une fusion.

Jack attendit une réponse. Aucune ne vint. Ses acolytes bougèrent, mais le garçon ne fit aucun mouvement.

— On partage les recettes à parts égales.

Toujours rien.

— Si nos gangs travaillent ensemble, on possédera la côte de Lynn à Wells, et plus encore. Nous pourrons poser nos conditions, de sorte que nous pourrons partager des profits décents, étant donné les risques que nous prendrons.

L'idée fit sensation. Jack fut heureux du résultat, puisque seule la moitié de son esprit était concentrée sur ses arguments. L'autre moitié était focalisée sur le garçon. À présent, comme ses camarades regardaient directement vers lui, le garçon bougea légèrement.

— Qu'est-ce que ça nous apportera exactement?

C'était une question judicieuse, mais Jack aurait juré que le garçon porterait très peu d'attention à sa réponse.

Tandis qu'elle écoutait le soi-disant capitaine Jack louer les vertus évidentes d'agir en faisant partie d'un plus grand groupe, Kit se demanda ce qu'elle devait faire. La fusion serait tout à fait dans l'intérêt de sa petite bande. Le capitaine Jack avait déjà montré un degré inhabituel de compétence. Et de bon sens. Et il ne semblait pas trop assoiffé de sang. Noah et les autres seraient aussi en sécurité que possible sous sa direction. Mais en ce qui la concernait, tous ses sens lui criaient que rester quelque part près du capitaine Jack était de la folie. Il la démasquerait sans problème. Même dans un faible éclairage, elle n'était pas sûre de sa capacité à le tromper. Or, il semblait déjà soupçonneux.

Il en était à la fin de sa simple explication et attendait sa réponse.

— Et vous, que tireriez-vous d'une fusion ? demanda-t-elle.

Les sentiments de Jack pour le jeune garçon devinrent encore plus confus tandis qu'un respect forcé et une certaine exaspération s'ajoutaient à la liste. Il n'était pas entré dans la clairière avec un vrai plan. L'idée d'une fusion avait jailli nettement dans son esprit, plus en réaction à un besoin de satisfaire le garçon que pour toute autre chose. Son explication des avantages pour eux avait été assez facile, mais quels seraient les avantages possibles pour lui ? Autres que découvrir la vérité ?

Jack regarda directement la mince silhouette toujours enrobée dans l'obscurité devant lui.

— Quand on agit indépendamment, les agents peuvent nous utiliser comme une forme de concurrence pour nous forcer à accepter le prix qu'ils offrent. Sans concurrence, nous serions dans une meilleure position.

Il s'arrêta là, taisant l'autre moyen de réduire la concurrence. Il était sûr que le garçon avait saisi le message.

Kit comprit, mais elle n'était pas convaincue qu'elle avait assimilé toutes les répercussions d'une fusion, ni qu'elle le pourrait un jour, pas quand le capitaine Jack se tenait devant elle.

— J'ai besoin de temps pour considérer votre offre.

Jack sourit devant la réponse formelle. Il opina.

— Naturellement. Pouvons-nous nous entendre pour vingt-quatre heures ?

Son sourire était tout aussi déroutant que son froncement de sourcils. En fait, Kit décida qu'elle préférait ses sourcils. Elle réussit tout juste à faire cesser son hochement de tête perplexe.

— Trois jours, répondit-elle. J'ai besoin de trois jours.

Kit regarda le visage de ses hommes autour d'elle.

— Si vous voulez les rejoindre maintenant…

Noah secoua la tête.

— Non, mon garçon. Tu nous as sauvés, tu nous diriges. Je pense que la décision t'appartient.

Un murmure d'acquiescement émergea du reste du groupe.

Le regard surpris de Jack fut fugace, s'effaçant de son visage aux mots du garçon qui suivirent.

Kit parla à Noah.

— Je resterai en contact.

À l'intérieur, elle se sentait plus bizarre. Franchement troublée et sur le point de vaciller. Elle devait se sortir de cette situation, et vite, avant de faire quelque chose de trop féminin. Se raidissant, elle fit face au capitaine Jack et inclina royalement la tête.

— Je vous rencontrerai ici dans trois jours et vous donnerai ma réponse.

Sur ce, Kit partit vers Delia, priant pour que leurs invités inattendus et déroutants acceptent leur départ.

Son arrogance inconsciente troubla de nouveau Jack. Il retrouva son aplomb à temps pour voir la mince silhouette enfourcher le cheval noir. C'était indéniablement un pur-sang arabe et une jument, comme il l'avait supposé. Les yeux de Jack se plissèrent. Il y avait assurément eu trop de balancement dans la démarche du garçon. Une fois à cheval, il était difficile de juger ; pourtant, les jambes du garçon semblaient inhabituellement longues pour sa taille et plus effilées qu'elles auraient dû l'être.

Sans autre manière qu'un salut à ses hommes, le garçon dirigea la jument hors de la clairière. Jack regarda la silhouette vêtue de noir jusqu'à ce qu'elle se fonde dans la nuit, le laissant avec un mal de tête et, bien pire, aucune preuve de la conviction de ses sens.

Chapitre 7

Chapitre 7

Au moment où ils atteignirent la chaumière cette nuit-là, Jack ne savait pas quoi penser du jeune Kit. Ils avaient appris le nom du garçon par les contrebandiers, mais il était clair que les hommes en savaient peu sur leur chef. C'étaient des pêcheurs sensés, sérieux et forcés de faire du trafic. Il semblait improbable que de tels hommes, la plupart pères eux-mêmes, rigoureusement conservateurs comme seuls les ignorants pouvaient l'être, se montrent inconditionnellement loyaux et obéissants au jeune Kit s'il n'était pas celui qu'il prétendait être.

Laissant Matthew s'occuper des chevaux, Jack entra à grands pas dans la chaumière. George suivit. S'arrêtant près de la table, Jack détacha son ceinturon et le fourreau de son épée. Il se tourna et se dirigea vers l'armoire, l'ouvrit et lança le fourreau bien au fond, puis ferma la porte fermement.

— C'en est fini de cette petite marotte !

S'asseyant brusquement, Jack posa ses coudes sur la table et prit son visage dans ses mains.

— Bon sang ! J'aurais pu tuer ce gamin !

— Ou c'est lui qui aurait pu te tuer, dit George, qui s'affala sur une autre chaise. Il semblait connaître son affaire.

Jack fit un geste de dédain.

— Il a eu un assez bon professeur, mais il n'a pas de force.

George gloussa.

— On ne peut pas tous mesurer près de deux mètres et être assez fort pour courir en haut d'un clocher avec une fille sous chaque bras.

Jack grogna au souvenir d'un de ses plus incroyables exploits.

Comme il restait silencieux, George s'aventura :

— Pourquoi as-tu pensé à une fusion ? Je croyais que nous étions là seulement pour découvrir l'adversaire.

— L'adversaire s'avère être sacrément bien organisé. Si ça n'avait été de Champion, nous ne les aurions pas trouvés. Je ne crois pas qu'ils avaient grand intérêt à repartir et je n'avais aucune envie de tuer ce petit morveux.

Un court silence tomba. Le regard de Jack restait fixé dans le vide.

— Qui crois-tu qu'il est ?

— Le jeune Kit ? demanda George en clignant des yeux de sommeil. Un des fils de nos voisins, je dirais. Tu as vu son cheval ?

Jack hocha la tête.

— Corrige-moi si je me trompe, mais je ne connais aucun gamin de son âge dans les environs. Les fils de Morgan sont trop vieux. Ils sont plus près de la trentaine, non ? Et les garçons de Henry Fairclough sont trop jeunes. Kit doit avoir dans les seize ans.

George grimaça.

— Je n'en connais aucun qui correspond non plus. Mais peut-être que c'est un neveu venu passer du temps sur les terres familiales ? Qui sait ?

Il haussa les épaules.

— Il peut être n'importe qui.

— Il *ne peut pas* être n'importe qui. Le jeune Kit connaît la région comme le fond de sa poche. Pense à la chasse que nous lui avons livrée, à la façon dont il a parcouru ces champs. Il *connaissait* chaque obstacle, chaque arbre. Et selon Noah, c'est Kit qui connaissait les carrières.

George bâilla.

— Eh bien, nous connaissons les carrières aussi. C'est juste que nous n'avons pas pensé à les utiliser.

Jack semblait dégoûté.

— Le manque de sommeil embrouille ton esprit. C'est précisément ce que je voulais dire. Nous connaissons la région parce que nous avons grandi ici. Kit a grandi ici aussi. Ce qui veut dire qu'il devrait être assez facile à retrouver.

— Et alors quoi ? marmonna George tout en bâillant de nouveau.

— Et alors, répondit Jack, qui se leva et poussa George à en faire de même, nous devrons décider quoi faire avec ce gamin. Parce que s'il est le fils de quelqu'un, il y a des chances qu'il me reconnaisse, si ce n'est nous deux.

Poussant George vers la porte, il ajouta :

— Et nous ne pouvons faire confiance au jeune Kit en sachant cela.

Le temps de regarder le somnolent George en route pour rentrer chez lui avec Matthew et de mettre Champion à l'écurie, il fut presque l'aube quand Jack finit par s'étendre dans les draps frais et qu'il regarda les ombres projetées sur le plafond.

Ni George ni Matthew n'avaient trouvé quoi que ce soit de curieux à propos du jeune Kit. Interrogeant Matthew sur le trajet du retour chez eux, Jack constata que son estimation s'avérait refléter celle de George. Kit était le fils d'un propriétaire fermier voisin, un père inconnu. Il y avait bien sûr la possibilité que Kit soit le fruit illégitime d'un certain lord local. Le cheval pouvait avoir été un cadeau, étant donné les habiletés équestres du garçon, ou, autre possibilité, il pouvait avoir été « emprunté » dans les écuries d'un noble. Peu importe, le cheval constituait le meilleur indice pour découvrir l'identité du jeune Kit.

Jack soupira profondément et ferma les yeux. L'identité de Kit n'était qu'un de ses problèmes et certainement le plus facile à résoudre. Son étrange réaction par rapport à ce garçon était un souci. Pourquoi était-ce arrivé? Cela faisait des décennies que la vue d'une autre personne ne l'avait pas affecté autant. Mais, pour une raison quelconque incompréhensible, la silhouette mince vêtue de noir du jeune Kit avait agi comme un puissant aphrodisiaque, envoyant son corps dans un état d'empressement immédiat. Il avait été aussi excité que Champion sur les traces de la jument noire!

Jack maugréa, se tourna et enfouit ses joues barbues dans son oreiller. Il essaya d'effacer toute cette affaire de son esprit. Comme ça ne fonctionnait pas, il chercha une explication, même peu substantielle, pour cet événement. S'il pouvait trouver une raison, il espérait qu'il en aurait fini. Il y avait une forte possibilité que le jeune Kit doive être inclus dans le gang. L'idée d'avoir continuellement un jeune morveux dans les parages, causant des ravages avec ses réactions viriles, était simplement trop affreuse pour être envisagée.

Pouvait-il y avoir une certaine similitude avec l'une de ses maîtresses, auxquelles il avait depuis longtemps renoncé, surgissant quand il s'y attendait le moins ? Peut-être était-ce simplement l'effet d'une abstinence inhabituelle.

Peut-être prenait-il juste ses désirs pour la réalité. Jack sourit. Il ne pouvait nier qu'une belle femme farouche, le genre qui pourrait diriger un gang de contrebandiers, serait la bienvenue dans son style de vie actuel. En effet, tout ce qu'il y avait à voir dans le coin, c'étaient des domestiques vertueuses, qu'il évitait par principe, et des veuves suffisamment âgées pour être sa mère. Toujours fertile, son esprit développa son fantasme. La tension dans ses épaules s'apaisa lentement.

Insidieusement, le sommeil remonta de ses pieds à ses mollets, de ses genoux à ses hanches, puis toujours plus haut pour le posséder entièrement. Juste avant de succomber, Jack trouva son remède. Il démasquerait le jeune Kit. C'était ça. La sensation disparaîtrait quand Kit apparaîtrait comme étant l'homme qu'il devait être. George en était sûr, tout comme Matthew. Plus important encore, les contrebandiers qui obéissaient à Kit en étaient sûrs, et ils devaient bien le savoir, non ?

Le problème était que *lui* était loin d'en être sûr.

Le lendemain, Kit demeura distraite. Même la plus simple tâche était trop pour elle. Son attention dérivait constamment, détournée de façon terrifiante et envoûtante pour réfléchir à son affreux dilemme.

Après avoir mal mélangé une potion pour la gorge irritée d'une femme de chambre, deux fois, elle abandonna de dégoût et se dirigea vers le belvédère au bout de la roseraie. Le matin avait laissé la place à un bel après-midi. Elle espérait que le vent vif allait emporter ses idées embrouillées.

Le petit belvédère, avec sa vue sur le parterre de roses, était sa retraite préférée. Poussant un soupir de lassitude, Kit s'assit sur le banc de bois. Elle était captive, prisonnière entre le marteau et l'enclume. D'un côté, la prudence la poussait à accepter la proposition du capitaine Jack pour sa bande, et non pour elle-même, puis de se faire discrètement oublier, faisant disparaître le jeune Kit. Malheureusement, jamais ses hommes ni le capitaine Jack n'en seraient satisfaits. Elle les connaissait bien mieux qu'ils ne la connaissaient. En revanche, elle ne connaissait pas le capitaine Jack et, même si elle était tentée de suivre le chemin de la prudence, elle ne le pourrait jamais.

«Lâche!» dit son autre moi avec mépris.

«Tu l'as vu?» demanda Kit, agacée que son pouls s'accélère à ce souvenir.

«Oh, oui!» fut la réponse de son moi complètement conquis.

Kit grogna.

«Même au clair de lune, il semblait pouvoir donner des leçons aux coureurs de jupons de Londres.»

«Sans aucun doute. Et tu n'as qu'à penser au genre de leçons qu'il pourrait te donner.»

Kit rougit.

«Je *ne suis pas* intéressée.»

«Toi, tu ne l'es pas! Toi, celle qui est devenue presque verte quand Amy t'a décrit ses expériences! Voilà que le destin t'offre enfin une chance en or de faire ta propre expérience, et que fais-tu? Tu te sauves avant que cet homme magnifique ait une chance de te faire connaître la fièvre. Qu'est-il arrivé au côté sauvage des Cranmer que tu possèdes?»

Kit grimaça.

«Je te rappellerai que je ne l'ai pas perdu.»

Contenant son moi plus sauvage, Kit ressassa sa folie de s'être impliquée avec les contrebandiers. Ça ne dura pas longtemps. Elle avait bien trop apprécié les dernières semaines pour le dissimuler, même à elle-même. L'excitation, les frissons, les hauts et les bas de tension et de soulagement étaient devenus essentiels dans son régime, un ingrédient supplémentaire dont elle répugnait à se priver. Comment occuperait-elle son temps, sinon?

L'option de disparaître devenait de plus en plus attirante.

Elle secoua la tête avec détermination.

«Je ne peux pas courir le risque. Il est déjà suspicieux. On ne peut pas faire confiance aux hommes, et encore moins aux hommes comme le capitaine Jack.»

«Qui parle de confiance? Et s'il réalise que le jeune Kit n'est pas du tout ce qu'il semble être! Tu devrais apprendre ce que tu te meurs d'apprendre. Qu'est-ce qu'une petite expérience par rapport aux années de célibat qui t'attendent? Tu sais que tu ne te marieras jamais, alors à quoi te sert une vertu si préservée? Et qui le saura? Tu pourras toujours disparaître une fois que tes hommes se seront adaptés aux siens.»

«Et que se passera-t-il si je me fais prendre, si les choses ne tournent pas comme prévu?»

Kit attendit, mais son moi sauvage resta prudemment silencieux. Elle soupira, puis fronça les sourcils quand elle vit une domestique regarder dans sa direction parmi les rosiers. Kit se leva, ce qui fit bruire ses jupons empesés.

— Dorcas? Quelque chose ne va pas?

— Oh! Vous voilà, Mademoiselle. Jenkins a dit que vous deviez être là.

— Oui. Je suis là.

Kit descendit de sa retraite.

— Suis-je demandée?

— Oh, oui, s'il vous plaît, Mademoiselle. Le représentant de la Couronne et sa femme sont ici. Dans le salon.

Dissimulant une grimace, Kit se dirigea à l'intérieur. Elle trouva Lady Marchmont installée confortablement sur la méridienne, à écouter avec un ennui à peine voilé la conversation entre son mari et Spencer. En voyant Kit, elle s'égaya.

— Kathryn, ma chère!

La dame se lança dans des propos frivoles.

Après avoir échangé des plaisanteries d'usage, Kit s'assit sur la méridienne. Lady Marchmont s'arrêta à peine pour prendre son souffle.

— Nous arrivons tout juste du château Hendon, ma chère. C'est un endroit *très* impressionnant, mais il a malheureusement besoin d'une touche féminine ces temps-ci. Je crois que Jake n'a pas secoué les rideaux depuis que Mary est morte.

Lady Marchmont tapota la main de Kit.

— Mais je doute que vous vous souveniez de Lady Hendon. Elle est morte quand le nouveau Lord Hendon était encore un petit garçon. Jake l'a élevé.

Lady Marchmont s'interrompit, et Kit attendit poliment.

— J'ai cru que je devrais transmettre le message directement.

La voix baissée sur le ton de la conspiration de Lord Marchmont arriva aux oreilles de Kit. Elle regarda vers l'endroit où Spencer et le représentant de la Couronne étaient assis sur des fauteuils côte à côte et vit leurs deux têtes grises proches l'une de l'autre.

— Remarquez qu'en pareil cas, il est extraordinaire que ce garçon ne soit pas carrément devenu fou. Dieu sait que Jake était le diable incarné, du moins d'après ce que bon nombre d'entre nous en pensions.

Lady Marchmont émit cette surprenante révélation avec un sourire songeur.

Kit hocha la tête, les yeux rivés sur son visage, mais son attention était rivée ailleurs.

— Hendon nous a fait comprendre qu'il n'était pas particulièrement intéressé par le trafic commercial, comme il l'appelle. Il est ici pour une plus grosse affaire. Il semble qu'une rumeur circule selon laquelle cette région serait visée pour la contrebande d'un chargement d'un genre différent.

Lord Marchmont s'arrêta d'un air entendu.

Spencer grommela. Kit saisit la brusquerie de son commentaire.

— Qu'est-ce que c'est censé signifier ?

— Mais j'ose dire qu'on ne peut juger un livre à sa reliure, dit Lady Marchmont, qui dressa les sourcils. Peut-être que dans son cas, c'est vraiment un agneau déguisé en loup.

Kit sourit, mais elle n'avait pas écouté un mot. Elle était bien trop curieuse d'apprendre quelle sorte de chargement intéressait le nouveau haut-commissaire.

— Un chargement humain, dit Lord Marchmont avec une franche jubilation.

— Remarquez que je ne suis pas sûre que l'inverse soit mieux, dit Lady Marchmont, ravie.

— Il semble qu'ils ont bloqué les routes à la sortie du Sussex et du Kent, mais ils n'ont pas pris tous les espions.

Lord Marchmont se pencha plus près de Spencer.

— Ils pensent que ceux qui restent essaieront cette côte la prochaine fois.

— Mais imaginez, ma chère ! Hendon conserve le rythme de la ville ici. Il ne se lève pas avant midi.

Un bougonnement des moins féminins s'échappa de Lady Marchmont.

— Il va devoir changer, bien sûr. Il aura besoin de quelqu'un pour l'aider à s'adapter, car il doit être difficile de reprendre les habitudes de la campagne après tant d'années.

Kit fronça les sourcils. Tandis que le regard perplexe de Lady Marchmont pénétrait le sien, elle effaça son expression et opina avec sérieux.

— Il est probable que vous avez raison, Madame.

Lady Marchmont grimaça. Kit réalisa qu'elle avait raté quelque chose et essaya de se concentrer sur ses paroles plutôt que sur celles de son mari.

Le visage de Lady Marchmont s'éclaircit.

— Oh! Pensiez-vous que c'était un dandy? Pas le moindrement!

Elle agita une main potelée, et l'esprit de Kit s'égara.

— Hendon a suggéré que je fasse discrètement passer le message. Juste aux bonnes personnes, vous comprenez.

Lord Marchmont déposa sa tasse de thé.

— Son habillement est impeccable, probablement en raison de l'influence militaire. Mais vous en savez plus à ce sujet que moi, étant donné que vous revenez juste de la capitale.

Lady Marchmont se mordilla un doigt dodu.

— Élégant, ajouta-t-elle. Vous le décririez comme élégant.

Les yeux de Kit devinrent vitreux. Sa tête tournait.

— Et lui, que fait-il maintenant?

Spencer regarda Lord Marchmont d'un air perspicace.

Lady Marchmont se pencha en avant et murmura :

— Lucy Cartwright a un œil sur lui pour son aînée, Jane. Mais il n'en sortira rien.

— Il semble penser qu'il pourrait avoir besoin d'aide si ça tournait mal, dit Lord Marchmont. Les douaniers sont dispersés ces temps-ci.

— D'après moi, ce n'est pas le genre d'homme qui souhaiterait avoir une jeune fille comme femme. C'est un homme sérieux de trente-cinq ans. Une femme plus mûre lui serait bien plus utile. Être la lady du château Hendon est une occupation à plein temps. Ce n'est pas un endroit pour une petite écervelée.

Le rire franc de Spencer résonna dans la pièce.

— C'est certainement vrai. Avez-vous entendu parler des raids à Sheringham?

Son grand-père et son invité se mirent à parler des dernières opérations de la douane. Kit saisit l'occasion pour rattraper son retard avec Lady Marchmont.

— Bien sûr, il y a le boitement, bien que ce ne soit pas sérieusement handicapant. Et au moins, il a la beauté des Hendon pour compenser.

Kit tenta de porter un certain degré d'intérêt dans ses traits.

Lady Marchmont semblait vraiment ravie.

— Eh bien, ma chère Kathryn, nous n'avons plus qu'à voir comment nous organiser, vous ne croyez pas?

La lueur de prédateur dans les yeux de Lady Marchmont sonna l'alarme chez Kit. Son intérêt disparut. «Bon sang! Elle essaie de me marier avec Lord Hendon!»

À l'immense soulagement de Kit, Jenkins choisit ce moment précis pour entrer avec le plateau pour le thé. Sans cette interruption opportune, elle n'aurait jamais réussi à apaiser la marque de rejet véhément que ses lèvres revêtaient inconsciemment.

La conversation devint générale pendant le thé. Avec l'aisance issue de son expérience considérable au sein d'une compagnie bien plus exigeante que celle-ci, Kit collabora à l'échange.

Soudain, Spencer se tapa sur la cuisse.

— J'ai oublié! dit-il en regardant Kit. Il y a une lettre pour toi, ma chérie. Sur la table, ici.

Son nez indiqua une table basse près de la fenêtre.

— Pour moi?

Kit se leva et alla la chercher.

Spencer opina.

— Ça vient de Julian. J'en ai eu une aussi.

— Julian ?

Kit retourna à la méridienne, examinant l'enveloppe dont l'adresse était indubitablement gribouillée par son plus jeune cousin.

— Allez, lis-la. Lord et Lady Marchmont t'excuseront, j'en suis sûr.

Lord Marchmont hocha affectueusement la tête, et sa femme le fit avec plus de ferveur. Kit rompit le sceau des Cranmer et parcourut rapidement les lignes, barrées et rebarrées, avec deux taches d'encre pour faire bonne mesure.

— Il l'a fait ! dit-elle en soupirant quand ce que Julian voulait dire devint clair. Il s'est enrôlé !

Le visage rayonnant, Kit regarda Spencer et vit son bonheur pour Julian transparaître dans ses yeux. Il hocha la tête.

— Oui. Il était grand temps qu'il suive sa propre voie. Ça lui formera le caractère, j'en suis sûr.

Grimaçant, Kit opina. Julian avait toujours voulu rejoindre l'armée, mais étant le plus jeune des Cranmer, il avait été protégé, choyé, et on lui avait refusé indéfectiblement la possibilité de sortir de son cocon. Il avait atteint sa majorité depuis deux semaines et avait signé immédiatement. Un passage vers la fin de sa lettre la piqua et provoqua à la fois un sentiment de fierté et une douleur en elle.

Tu t'es libérée, Kit. Tu as pris une décision et tu as suivi ta propre voie. J'ai décidé de faire pareil. Bonne chance à nous !

Son grand-père et Lord Marchmont se mirent alors à discuter des dernières nouvelles de l'Europe. Lady Marchmont mangeait une madeleine. Poussant un soupir de satisfaction, Kit replia la lettre et la mit de côté.

Jenkins revint, et les Marchmont se levèrent pour partir. Ce faisant, Lady Marchmont élabora des plans pour un bal qui permettrait de présenter le nouveau Lord Hendon à ses voisins.

— Nous n'avons pas donné de bal depuis des années. Nous en ferons un grand, quelque chose de spécial. Un bal masqué, peut-être ? J'aimerais avoir vos conseils, ma chère, alors pensez-y.

Avec un mouvement de son doigt rondelet, Lady Marchmont prit place dans sa voiture.

Sur les marches, Kit souriait et faisait des signes de la main. À côté d'elle, Spencer tapa sur l'épaule du représentant de la Couronne.

— À propos de cette autre affaire, dites à Hendon qu'il peut compter sur l'aide des Cranmer, s'il en a besoin. Les Cranmer ont toujours été coude à coude avec les Hendon au fil des années. Nous continuerons de même. Particulièrement maintenant que nous en avons un qui risque sa vie. Nous ne pouvons pas laisser des espions mettre le jeune Julian en danger.

Spencer sourit.

— Ça durera aussi longtemps que Hendon se souviendra qu'il est né et a été élevé dans le Norfolk. Je n'ai aucune envie d'abandonner mon cognac.

Le pétillement dans les yeux de Spencer était prononcé. Une même lueur brilla en réponse dans le regard de Lord Marchmont.

— Grands dieux, non ! C'est bien vrai. Mais il possède une belle cave, tout comme Jake, alors je doute que nous ayons besoin de lui expliquer cela.

Faisant un signe de tête à Kit, Lord Marchmont grimpa à côté de sa femme. La porte se ferma, et le cocher fit claquer les rênes. L'imposante diligence partit en tressautant.

Kit la regarda disparaître, puis déposa un baiser sur la joue de Spencer et l'étreignit fort avant de descendre les marches. Saluant une dernière fois son grand-père, elle se dirigea vers les jardins pour une dernière promenade avant le dîner.

Les haies formant des murs de verdure et de fraîcheur l'accueillirent, la conduisant à un bosquet isolé avec une fontaine au milieu. Kit s'assit sur la pierre bordant le bassin et fit traîner ses doigts dans l'eau. Son bonheur en apprenant les nouvelles de Julian s'effaça graduellement, cédant la place à une réflexion sur la fixation de Lady Marchmont.

Il était inévitable que les femmes du coin s'occupent de lui chercher un mari. Elles la connaissaient depuis la naissance, et naturellement, aucune n'approuvait sa situation actuelle. Avec l'arrivée de Lord Hendon, un célibataire manifestement qualifié, dans le décor, elles avaient les ingrédients parfaits pour le genre de complot qu'elles prenaient toutes plaisir à organiser.

Grimaçant, Kit secoua ses doigts mouillés. Elles pouvaient comploter à leur guise ; elle avait passé l'âge d'être naïve. Malgré le fait que Lord Hendon était assurément un bon parti, il s'avérait être un autre comte de Roberts. Non... Il ne pouvait pas être si vieux, pas si Jake était son père. La quarantaine certes, mais pas tout à fait assez vieux pour être son père.

Soupirant, Kit se leva et secoua ses jupes. Malheureusement pour Lady Marchmont, elle n'avait pas fui Londres —

et ses tantes — pour devenir la victime des complots des *grandes dames*[3] du coin.

Le soleil baissait à l'horizon. Kit retourna vers la maison. Quand elle passa les haies, elle frissonna. Des espions passaient-ils par la mer pour venir dans le Norfolk? À ce sujet, son opinion correspondait à celle de Spencer. Le trafic était tolérable, aussi longtemps que ce n'était que du trafic. Mais espionner était une trahison. Le gang de Hunstanton faisait-il la contrebande d'un «chargement humain»?

Kit fronça les sourcils. Elle ressentit un mal de tête. La journée s'achevait, et elle n'était pas plus avancée pour résoudre son dilemme. Pire, elle avait à présent une trahison potentielle à éviter.

Ou à écarter.

---

3   N.d.T. : En français dans le texte original.

Chapitre 8

L e dîner tranquille avec Spencer ne fit pas avancer la réflexion de Kit sur l'offre du capitaine Jack. Elle se retira tôt avec l'intention de passer quelques heures à peser calmement les pour et les contre. Mais une fois dans sa chambre, elle ne tint pas en place. En désespoir de cause, elle enfila en vitesse ses vêtements d'homme et descendit l'escalier de derrière.

Elle était devenue experte pour brider et seller Delia dans le noir. Rapidement, elle galopa dans les champs éclairés par la lune naissante, parfois à moitié voilée par les nuages bas filant à vive allure dans le ciel. À cheval, avec le vent sifflant dans ses oreilles, elle se détendit. Maintenant, elle pouvait réfléchir.

Elle essaya tant qu'elle put, mais elle ne trouva pas de façon de s'en sortir. Si le jeune Kit disparaissait tout simplement, alors chevaucher seule, habillée comme un jeune homme, de jour ou de nuit deviendrait extrêmement dangereux. Le jeune Kit pourrait mourir en fait. Bien sûr, Mlle Kathryn Cranmer pourrait continuer à chevaucher dans la campagne de manière conventionnelle. Elle grommela d'un air moqueur. Elle s'en voudrait d'abandonner sa liberté si docilement. Ce qui l'amenait à l'option de rejoindre le capitaine Jack.

Peut-être pourrait-elle se retirer? Des membres se retiraient souvent de leurs gangs. Tant que la bande savait qui étaient leurs anciens frères, personne ne s'en souciait.

«Je vais devoir me forger une identité, songea Kit. Il doit y avoir un endroit sur le domaine Cranmer que je pourrais m'approprier comme maison, une famille avec laquelle les contrebandiers n'ont aucun contact.» Une vieille mère hystérique à cause du caractère débridé de son plus jeune fils, le dernier de trois partis pour... L'air grave, Kit hocha la tête. Elle aurait besoin de concocter une raison convaincante pour le départ précoce du jeune Kit.

Ce qui la conduisit à sa dernière inquiétude tenace, un fantôme planant dans l'obscurité de son esprit. Le gang de Hunstanton était-il complice des espions?

«S'ils faisaient le trafic d'espions, le découvrirais-tu? Si tu les rejoins pour quelques trafics et que tu ne vois rien, ça s'arrête là. Mais s'ils s'arrangent pour faire passer un "chargement humain", tu pourras en informer Lord Hendon.»

Kit bougonna. Lord Hendon... Merveilleux! Elle supposa qu'elle devrait rencontrer cet homme un jour ou l'autre.

Elle dirigea Delia vers le nord-est, vers l'île Scolt Head, une image floue sur l'eau sombre. Le bruit des vagues devint plus fort quand elle approcha de la plage à l'est de Brancaster. Elle avait chevauché au nord depuis le domaine Cranmer, passant à côté du château Hendon, un imposant édifice construit avec la pierre locale sur une colline suffisamment haute pour lui offrir de larges vues dans toutes les directions.

Delia sentit le vent marin. Kit la laissa allonger sa foulée.

C'était sûrement son devoir de rejoindre le gang de Hunstanton et de découvrir, le cas échéant, son implication dans l'espionnage. Particulièrement maintenant que Julian avait rejoint l'armée.

Le sol devant elle disparut dans l'obscurité. Au bord de la falaise, Kit s'arrêta et regarda en bas. La plage était sombre. Les vagues rugissaient. Leur fracas et le mouvement bruyant de la marée remplirent ses oreilles.

Elle entendit un cri étouffé, suivi d'un deuxième.

La lune s'échappa des nuages, et Kit comprit. Le gang de Hunstanton déchargeait une cargaison sur la plage de Brancaster.

Des bras de nuages capturèrent de nouveau la lune, mais elle en avait assez vu pour être sûre. La silhouette du capitaine Jack était clairement visible à la proue d'un bateau. Les deux hommes qui se trouvaient avec lui l'autre nuit étaient là aussi.

Kit ramena Delia du bord de la falaise à l'abri d'un bosquet d'arbres rabougris. Le gang avait presque fini de décharger le bateau. Bientôt, ils se dirigeraient… Où ? En un instant, Kit se décida. Elle fit tourner Delia et chercha un meilleur coin pour observer, un endroit d'où elle pourrait voir sans être vue. Elle finit par trouver refuge sur une petite colline parsemée d'herbe, dans les vestiges peu fournis d'un vieux bosquet. Une fois cachée en toute sécurité, elle s'installa pour attendre, observant la scène de ses yeux plissés depuis le bord de la falaise.

Quelques minutes plus tard, ils montèrent, en file indienne, et passèrent directement sous sa petite colline. Elle attendit que le capitaine Jack et ses deux acolytes, qui fermaient la marche, passent, pour s'exposer, puis compta lentement jusqu'à vingt avant d'emprunter l'étroit sentier dans leur sillage. Elle les suivit dans un large cercle autour de la petite ville de Brancaster. Dans les champs à l'ouest de la ville, le défilé mit pied à terre devant une vieille grange. Kit regarda de loin, trop méfiante pour s'approcher. Bientôt, des hommes partirent, certains à pied, d'autres à cheval, guidant des poneys en tenant les rênes.

Finalement, trois cavaliers sortirent de la grange. La lune souriait. Kit repéra les reflets des cheveux du capitaine Jack. Le trio se sépara. L'un d'eux alla vers l'est. Le capitaine Jack et le troisième homme se dirigèrent vers l'ouest. Kit les suivit.

Elle maintint Delia sur le bas-côté, le bruit des sabots des chevaux qu'elle suivait rendant sa poursuite facile. Heureusement, ils n'allaient pas vite, sinon elle aurait eu de la difficulté à les suivre sans prendre elle-même le sentier.

Ils ne chevauchèrent pas plus d'un kilomètre et demi avant de tourner au sud sur une piste étroite. Kit s'arrêta au virage. Le bruit des sabots massifs des chevaux qui allaient doucement au pas la rassura. Elle continua, faisant attention de retenir Delia.

Jack et Matthew empruntèrent le virage raide qui amenait le sentier sur le bord d'une prairie. Au sommet, juste avant que la courbe du sentier n'atteigne les arbres bordant le premier champ des Hendon, Jack baissa les yeux vers la partie du chemin plus basse. C'était une habitude instituée depuis longtemps pour s'assurer que personne dans le gang de Hunstanton ne les suivait jusqu'à leur repaire.

Le sentier était plongé dans une obscurité sereine et sans intérêt. Jack s'en détourna quand un léger mouvement, qu'il saisit du coin de l'œil, mit toutes ses facultés en état d'alerte. Il s'immobilisa, attardant son regard habitué à la nuit sur le sentier en contrebas. Une ombre plus sombre que le reste se détacha des arbres et grimpa sur le bas-côté.

Matthew, alerté par le soudain silence, avait également ralenti et regardait en bas. Il se pencha pour murmurer à l'oreille de Jack :

— Le jeune Kit ?

Jack hocha la tête. Un sourire des plus diaboliques tordit lentement ses longues lèvres.

— Va à la chaumière, chuchota-t-il. Je vais inviter notre jeune ami à boire un verre.

Matthew opina, mit son cheval au pas et se dirigea sur l'étroit chemin menant au sud.

Jack dirigea Champion hors du sentier vers l'obscurité plus profonde d'un bosquet. L'excès de curiosité du jeune Kit arrivait à point. Il n'avait pas envie de passer une autre nuit comme la dernière, à s'agiter et à tourner dans son lit à lutter contre sa ridicule obsession pour l'adolescent. Quel meilleur moyen de guérir ses sens de cette stupide méprise que d'inviter le garçon à boire un cognac ? Une fois qu'il l'aurait vu en pleine lumière, le jeune Kit sortirait indubitablement de son cerveau.

Approchant du haut du sentier, Kit entendit le bruit régulier des sabots au-dessus cesser. Elle ralentit, écouta

attentivement, puis avança prudemment. Quand elle vit où
le sentier menait, elle s'arrêta et retint son souffle. Puis, le
bruit des sabots reprit, poursuivant leur chemin. Poussant
un soupir de soulagement, elle compta de nouveau jusqu'à
vingt, avant de faire monter le sentier à Delia.

Elle atteignit le sommet et vit que le chemin, inoffensif
et désert, menait vers les prés. Devant, un bosquet bordait
la piste, des ombres plus sombres se répandant sur le sentier
comme des taches d'encre géantes. Elle s'arrêta, écouta, mais
le bruit des sabots continua. Les cavaliers étaient invisibles
au milieu des arbres devant.

Tout allait bien. Kit talonna les flancs de Delia. La jument
avança furtivement. Kit grimaça et pressa la jument. Delia
rechigna.

La sensation d'être observée enveloppa Kit. Sa gorge se
serra ; ses yeux s'écarquillèrent. Elle jeta un œil à gauche. Les
champs s'offraient à elle, chacun rejoignant le suivant. Une
évasion parfaite. Sans réfléchir davantage, elle pressa Delia
vers la haie. Le désirant autant qu'elle, la jument passa la
haie et se mit à galoper.

Dans les arbres bordant le sentier, Jack jura tout haut.
Hors de question qu'il laisse le garçon le semer de nouveau !
Il planta ses talons dans les flancs de Champion. Le cheval
gris se lança à la poursuite du jeune Kit.

Champion répondit à l'appel avec empressement, ne
demandant pas mieux que de donner la chasse. Jack le
retint, se contentant de garder les fesses noires dansantes
du jeune Kit bien en vue. Il voulait attendre que le pur-sang
commence à se fatiguer avant de laisser son étalon gris montrer sa force.

Le martèlement des sabots derrière elle indiqua à Kit que son observateur se dévoilait. Elle jeta un œil derrière elle, et ses pires craintes furent confirmées. Ah, cet homme! Elle n'avait rien vu d'intéressant, et il devait savoir qu'il ne la rattraperait pas.

Le temps que la fin des champs apparaisse, Kit avait révisé son opinion sur les habiletés équestres du capitaine Jack. Le cheval gris qu'il montait semblait infatigable, et Delia, qui avait déjà chevauché amplement cette nuit, s'affaiblissait. En désespoir de cause, Kit fit dévier la tête de Delia vers la côte. Avec un peu de chance, chevaucher sur le sable ralentirait le cheval gris, qui était plus lourd que la jument.

Elle n'avait pas pensé à la descente. Delia vérifia le bord de la falaise et prit le sentier escarpé en caracolant nerveusement. Le cheval gris, monté agressivement, arriva au sommet en un bond et dégringola presque sur le sol meuble pour atterrir sur le plat dans un tourbillon de sable, à peine quelques secondes après elle.

Kit plaqua ses talons sur les flancs lisses et brillants de Delia. La jument se projeta en avant, à moitié paniquée par la venue de l'étalon si près.

À la grande consternation de Kit, la marée venait de changer, laissant seulement une étroite bande de sable sec le long de la base de la falaise. Elle ne pouvait pas risquer de trop s'approcher des rochers répandus au pied de la falaise. Elle ne pouvait donc chevaucher nulle part ailleurs que sur le sable dur, humide et compacté par les vagues qui se retiraient. Et sur un sol aussi ferme, le cheval gris finirait par gagner.

Accroupie au cou de Delia, la crinière noire fouettant ses joues, Kit pria pour un miracle. Mais le bruit des lourds sabots du cheval gris se rapprochait inexorablement. Elle commença à penser à ses excuses. Quelle raison pourrait-elle donner pour l'avoir suivi et qui justifierait l'emballement de sa jument ?

Il n'y avait aucune réponse valable à cette question. Kit espéra avoir le courage de tenir bon plutôt que de s'enfuir quand elle devra s'expliquer. Elle regarda devant elle, envisagea de tirer sur les rênes et de capituler, quand, comble des merveilles, une langue de terre surgit. Elle collait à la plage, avançait dans les vagues, ses côtés se décomposant dans la mer. Si elle pouvait gagner les dunes à peine parsemées d'herbe, elle aurait une chance. Même fatiguée, à la montée, Delia serait plus rapide que le lourd cheval gris. Comme pour lui éclairer la voie, la lune se dégagea de son voile de nuages et rayonna.

À quelques mètres derrière elle, Jack vit la pointe. Il était temps de conclure la chasse. Le garçon chevauchait mieux que n'importe quel homme de troupe qu'il avait vu. Une fois dans les dunes, il lui serait impossible de le rattraper. Jack relâcha les rênes. Champion, sentant la victoire, allongea sa foulée, respectant la direction qui l'envoyait sur les traces de la jument noire, empêchant tout changement soudain de tactique.

Kit était à bout de souffle. Le vent la saisissait. Les dunes et la sécurité n'étaient qu'à quelques mètres quand, avertie par un genre de sixième sens, elle jeta un œil sur sa gauche. Elle vit une énorme tête grise presque au niveau de son genou.

Elle eut juste le temps de haleter avant que quatre-vingt-dix kilos et quelques de muscles masculins très bien entraînés la propulsent hors de sa selle.

À l'instant où il fut collé au jeune Kit, Jack comprit son erreur. Il essaya de se retourner en plein vol pour amortir sa chute, mais il ne réussit qu'à moitié. Son prisonnier et lui atterrirent tous deux sur le dos, sur le sable humide.

Il en eut le souffle coupé, mais se reprit immédiatement. Il s'assit et se tourna pour se pencher sur sa proie, une jambe emprisonnant automatiquement celles de Kit pour l'empêcher de lutter. Or, elle ne luttait pas.

Jack grimaça et attendit que ses yeux, à peine visibles sous le bord de son vieux tricorne, s'ouvrent. Ils restèrent fermés. Le corps étendu à côté du sien et à moitié en dessous était anormalement immobile.

Jurant, Jack ôta le tricorne. Il dut tirer deux fois pour l'enlever. La profusion de boucles brillantes entourant le grand front lisse attisa son imagination déjà sensibilisée par la proximité de Kit.

Lentement, presque comme si Kit pouvait se dissoudre à son contact, Jack leva un doigt vers la peau lisse couvrant une pommette saillante et traça une courbe vers le haut. La texture satinée le fit frissonner du bout de son doigt jusqu'à des régions plus lointaines. Comme elle ne donnait aucun signe de reprendre connaissance, il fit glisser ses doigts dans la masse de cheveux soyeux, ignorant les sensations croissantes se manifestant en lui, pour palper l'arrière de son crâne. Une bosse de la taille d'un œuf de cane était protubérante à travers ses boucles. Dans le sable sous sa tête, il trouva le rocher responsable. Heureusement, il était suffisamment enseveli pour qu'il soit peu probable qu'il ait occasionné une blessure incurable.

Ôtant ses mains, Jack recula pour observer sa prisonnière. La jeune Kit était évanouie.

Grimaçant, il regarda l'épaisse écharpe sur son nez et son menton, qui dissimulait une grande partie de son visage. La transformation du jeune Kit en une femme allait sans aucun doute chambouler ses plans, mais il pouvait choisir de laisser ses réflexions sur le sujet à plus tard. Pour l'instant, il doutait pouvoir se livrer à une pensée pertinente, encore moins prendre une décision éclairée. Cela ne faisait que prouver à quel point elle était destinée à devenir un problème.

Il devait ôter l'écharpe. Elle recouvrerait plus vite ses esprits si elle pouvait respirer librement. Pourtant, il rechignait à découvrir davantage son visage ou toute autre partie d'elle d'ailleurs. Ce qu'il avait déjà vu — la surface parfaite de son front, ses sourcils gracieusement arqués au-dessus de grands yeux légèrement bridés et délicatement encadrés par une profusion de boucles brunes, encore brillantes au clair de lune —, tout attestait avec certitude que le reste de la jeune Kit s'avérerait aussi fatal pour sa sérénité.

Jack jura tout bas. Pourquoi diable avait-il le béguin pour quelqu'un juste maintenant ? Et pour une contrebandière, rien de moins !

Il se prépara métaphoriquement et réellement au combat et tendit la main vers le cache-nez. Elle l'avait attaché serré, et il fallut un moment et quelques jurons avant qu'il ôte le tissu de laine de son visage.

Il comprit immédiatement pourquoi elle portait une écharpe. D'un air grave, Jack considéra ses traits sculptés, sa peau laiteuse et parfaitement lisse, son petit nez droit, son menton espiègle et pointu, et ses lèvres extrêmement sensuelles, pâles à présent, mais ne demandant qu'à être embrassées pour redevenir rouges. Le visage de la jeune Kit était l'essence même de tout ce qui était féminin.

Intrigué, Jack laissa son regard glisser sur la silhouette étendue inerte à côté de lui. Le rembourrage dans une épaule du manteau de Kit appuyait contre son bras, ce qui expliquait le renflement. Il regarda sa poitrine, qui se levait et s'abaissait lentement. L'ampleur de sa chemise rendait difficile de juger, mais son expérience suggérait que son anatomie n'était probablement pas tout à fait si discrète. Jack décida qu'il ne s'arrangerait pas pour découvrir comment elle avait accompli l'exploit de contenir la nature et se mit à la place à réaliser une inspection experte de ses jambes, toujours entremêlées aux siennes. Elles étaient, selon son expérience, remarquablement exceptionnelles, inhabituellement longues et minces, mais fermes avec des muscles bien découpés.

Jack sourit d'admiration. Elle chevauchait à l'évidence beaucoup. Comment agissait-elle quand les rôles étaient inversés ? Il laissa son imagination, à présent débordante, se déchaîner pendant trois longues minutes avant de rappeler son esprit à l'ordre. Soupirant, il regarda de nouveau le visage pâle de la jeune Kit. Le crâne des femmes était plus fragile que celui des hommes. Il lui faudrait peut-être quelques heures pour reprendre connaissance.

Jack regarda la plage où Champion se tenait, à l'abri des dunes, les rênes pendantes. À côté de lui se trouvait la jument noire, hésitante et nerveuse. Dégageant ses jambes de celles de Kit, Jack se leva et ôta le sable de ses vêtements. Il siffla, et Champion arriva d'un pas tranquille. La jument hésita, puis suivit.

Saisissant les rênes de Champion, Jack susurra des mots doux à la grande bête tout en regardant la jument. Le pur-sang arabe approcha lentement, puis dévia pour se rendre de l'autre côté de Kit. La tête noire se pencha. La jument souffla légèrement dans les boucles éclatantes. Kit ne bougea pas.

— Tu es d'une beauté rare, murmura Jack en se rapprochant.

La tête noire se redressa. Un grand œil noir le regarda directement. Lentement, Jack tendit le bras vers la bride de la jument. À son grand soulagement, elle accepta qu'il la touche. Il allongea les rênes, puis noua leur extrémité à un anneau de sa propre selle. Ensuite, il recula pour voir comment Champion prendrait cet arrangement. Le grand étalon ne tolérait habituellement pas les autres chevaux trop près ; pourtant, une seule minute suffit à convaincre Jack qu'il n'avait pas besoin de s'inquiéter pour le pur-sang arabe. Champion possédait manifestement de bonnes manières équines quand il le voulait bien, et il faisait tout pour faire bonne impression à la jument.

Souriant, Jack se tourna pour étudier la femme dont il était responsable. Il se pencha et souleva Kit du sable, puis l'assit sur sa selle et la maintint contre le pommeau tandis qu'il montait derrière elle. La plaçant ensuite de nouveau dans ses bras, il s'installa mieux sur la selle. Puis, il appuya Kit contre ses cuisses, la tête posée délicatement contre sa poitrine.

Jack fit tourner Champion vers les dunes, posa ses talons contre les flancs du cheval gris et mit le cap vers la chaumière.

Chapitre 9

L e temps qu'il atteigne la chaumière, Jack resta la mâchoire serrée en raison de l'effort qu'il lui en coûtait d'ignorer le corps essentiellement féminin présent dans ses bras. À chaque pas, l'allure de Champion faisait appuyer les chaudes rondeurs des seins emmaillotés de Kit contre la poitrine de Jack, alternant avec la friction encore plus déroutante de ses fesses fermes contre ses cuisses. La chevauchée était une torture pour lui — un état que Kit, ou peu importe son nom, apprécierait à coup sûr, s'il était assez idiot pour le lui dire. Il soupçonna qu'elle se réveillerait avec un mal de tête. Sur la plage, il avait d'ailleurs ressenti une pointe de culpabilité. À présent, il considérait l'incident seulement comme son dû. Il était sûr qu'il aurait aussi une affreuse migraine à l'aube et qu'il ne parviendrait pas à dormir.

Les sabots de Champion firent un bruit sourd en arrivant sur la terre compacte devant la chaumière. La porte s'ouvrit, et Matthew sortit.

— Que s'est-il passé ?

Jack arrêta son cheval à quelques pas de la porte.

— Le garçon n'a pas gentiment accepté mon invitation. En fait, il n'a même pas attendu que je la formule. J'ai dû exercer mon pouvoir de persuasion.

— Je vois.

Matthew avança avec l'intention manifeste de soulager Jack de son fardeau.

Jack passa sa jambe par-dessus le pommeau et se laissa glisser sur le sol, le corps inanimé de Kit plaqué contre sa poitrine. Il frôla Matthew en passant et se dirigea vers la porte.

— Conduis Champion et la jument à l'écurie. Je doute qu'elle te cause des problèmes.

Jack s'arrêta sur le seuil et regarda derrière lui.

— Ensuite, tu ferais aussi bien de rentrer chez toi. Il va rester inconscient un moment.

Il sourit et ajouta :

— Je crois que le jeune Kit se sentira probablement plus à l'aise s'il pense que personne en dehors de moi ne l'a vu dans cet état.

Sage comme tout bon garçon ou tout jeune soldat, Matthew opina.

— Oui. Tu as sûrement raison là-dessus. Je vais y aller.

Il prit les rênes de Champion et se dirigea vers la petite écurie à côté de la chaumière.

Jack entra dans la maison, ferma la porte avec le pied, pencha son dos contre le panneau massif pour faire jouer le loquet avec son coude. Puis, il se redressa et baissa les yeux sur son fardeau. Fort heureusement, il avait remis le chapeau de Kit. Le large bord avait suffisamment caché son visage pour la faire passer devant Matthew. Il n'était pas tout à fait certain de la raison pour laquelle il gardait le petit secret de Kit par rapport à son loyal acolyte. Peut-être parce qu'il n'avait pas encore eu le temps de réfléchir à ce que le secret de Kit signifiait et à la façon dont il allait le gérer. En plus, d'après sa longue expérience, il savait que Matthew profiterait sans hésiter de la liberté accordée aux serviteurs de longue date pour désapprouver avec véhémence son maître, s'il choisissait de suivre une voie plutôt complexe.

Mais avant qu'il puisse penser à quoi que ce soit, il devait se débarrasser de ce corps gênant qu'il tenait dans ses bras.

Jack avança à grands pas vers le lit et laissa tomber Kit sur le dessus-de-lit, comme si elle était un morceau de métal chaud. En fait, elle l'avait enflammé, et il ne voyait aucune possibilité d'éteindre le feu. L'idée de faire l'amour à une femme inconsciente ne l'avait jamais tenté. Il baissa les yeux sur le corps mince et encore inerte. La longue écharpe s'était relâchée et pendait autour de sa gorge. Son chapeau avait glissé, dévoilant ses cheveux bouclés et son visage éloquent à la lumière de la lampe.

Tout à coup, Jack recula.

À présent qu'elle n'était plus dans ses bras, il pouvait penser clairement. Mais il n'eut pas beaucoup à réfléchir pour en arriver à la conclusion que faire l'amour avec Kit, peu importe quand, s'avérerait probablement dangereux, si ce n'est particulièrement pour lui, du moins assurément pour sa mission. Il avait déjà abandonné l'appellation «jeune». Du fait qu'il l'eut transportée pendant une demi-heure, il savait qu'elle n'était pas si jeune. Du moins, certainement pas trop jeune.

Avec un grognement de frustration, Jack pivota et traversa la pièce jusqu'au buffet. Il se versa un généreux verre de cognac, se demandant ironiquement si Kit en buvait vraiment. Qu'aurait-elle fait s'il l'avait invitée à partager une bouteille?

Jack sourit. Son amusement s'effaça quand il jeta un œil vers le lit. Que diable allait-il faire d'elle?

Il arpenta la pièce, jetant par intermittence un œil sur le corps allongé sur son lit. Le cognac ne l'aida en rien. Il vida son verre et le déposa. Kit ne bougeait pas. Poussant un long soupir, Jack s'approcha du lit et se plaça à côté pour la regarder.

Elle était trop pâle. Timidement, il toucha sa joue. Il fut rassuré qu'elle soit chaude. Se penchant sur elle, il ôta ses gants de cuir et frictionna ses petites mains aux os délicats. Cela ne servit à rien. Jack grimaça. La respiration de Kit était faible. Sa poitrine était comprimée par des bandes serrées qu'elle portait pour cacher ses seins. Il les avait sentis quand il l'avait transportée.

Ses propres bras lui parurent lourds; ses pieds restaient figés. Son corps n'aimait assurément pas ce que son cerveau lui disait. Mais il ne pouvait rien faire d'autre. Et le plus tôt il en finirait, mieux ce serait.

Jack força ses membres à se mettre en action. Il retourna Kit, s'assurant qu'elle ne suffoquait pas dans les plis soyeux du dessus-de-lit. Il la débarrassa de son manteau, puis sortit ses pans de chemise de ses hauts-de-chausses, essayant d'ignorer la courbe des moins masculines de ses fesses. Remontant l'arrière de sa chemise sur ses épaules, il repéra le nœud plat qui maintenait les bandes de tissu et qui était ingénieusement replié sous son bras. Le nœud était vraiment bien serré. Jack jura tandis qu'il tirait et tâtonnait, ses doigts frôlant sa peau, qui ressemblait étrangement à de la soie froide et à un tison brûlant à la fois. Le temps que le nœud finisse par céder, il avait épuisé son répertoire de jurons, ce qu'il avait jusqu'à présent cru impossible.

Il s'assit sur le bord du lit, rassemblant ses forces pour la prochaine étape, programmant son esprit pour ne pas voir la beauté ainsi révélée à ses sens, son dos mince, sa délicate omoplate recouverte de soie ivoire. Après mûre réflexion, il desserra les bandages et les fit jouer jusqu'à ce qu'ils cèdent. Rapidement, il rabaissa sa chemise, s'empêchant avec sagesse de la rentrer, et se levant, il retourna Kit sur le dos une fois de plus.

Presque immédiatement, la respiration de Kit s'approfondit. En une minute, sa couleur s'améliora, mais elle ne bougeait toujours pas. Résigné à attendre encore, Jack se dirigea vers la table et prit une chaise. Se penchant en arrière, il regarda d'un air songeur son visiteur inconscient. Il tendit le bras vers la bouteille de cognac.

Kit reprit peu à peu connaissance. La mémoire lui revint soudain, et elle ressentit un picotement au bout de ses doigts. Puis, elle battit des paupières et s'éveilla. Désorientée. Elle garda les yeux fermés et essaya de réfléchir. Le souvenir de la poursuite déchaînée sur la plage et du capitaine Jack la faisant tomber de cheval — c'était sûrement son corps qui avait heurté le sien — se concrétisa dans son cerveau. C'était tout ce qu'elle pouvait se rappeler. Prudemment, elle laissa ses sens découvrir son environnement, se raidissant avec appréhension devant l'information qui lui parvenait. Elle était étendue sur un lit.

Les yeux entrouverts, Kit contempla ce qu'elle pouvait voir de la pièce — des murs rugueux et une vieille armoire en chêne. En dehors de se voir confirmer le fait qu'elle était dans la chambre de quelqu'un, dans le lit de quelqu'un, elle en apprit peu.

« Mais tu pourrais parier sur l'identité de cet individu, n'est-ce pas ? Et maintenant, tu es dans son lit. »

« Ne sois pas stupide, se réprimanda-t-elle en s'adressant à son moi plus aventureux. Je suis encore habillée, n'est-ce pas ? »

À cette pensée, Kit remarqua ses bandages dénoués. Elle se redressa, le souffle coupé.

Les bandages glissèrent immédiatement plus bas, dévoilant ses seins. Sa tête tourna. Avec un léger « Oh ! », Kit retomba sur ses coudes, fermant les yeux en raison de la douleur à l'arrière de sa tête. Quand elle les ouvrit, elle vit que le capitaine Jack la regardait à l'autre bout de la pièce. Il était avachi sur une chaise de l'autre côté d'une table, son beau visage revêtant un air contrarié.

Malgré tous ses efforts, Jack ne pouvait arracher ses yeux de la preuve de la féminité de Kit, mise en évidence de façon provocante dans le délicat coton de sa chemise. Le devant était tendu en raison de sa position allongée, dévoilant les riches rondeurs sous la pointe ferme de ses mamelons. Comme elle restait allongée là à le regarder, Jack sentit ses sens s'exciter. Enfer et damnation ! Le faisait-elle exprès ?

Kit leva une main vers sa tête, étouffant un grognement.

— Que s'est-il passé ?

La chemise se détendit, et Jack put de nouveau respirer.

— Vous avez cogné votre tête sur un rocher caché dans le sable.

Kit se redressa et tâta son crâne avec précaution. Elle avait oublié combien sa voix était grave et veloutée. Ses doigts trouvèrent une bosse assez importante à l'arrière de sa tête. Elle grimaça et lança un regard renfrogné à cet être tentateur.

— Vous auriez pu me tuer avec cette cascade ridicule!

L'accusation poussa Jack à se lever, les pattes de sa chaise grinçant sur le sol.

— Une cascade ridicule? répéta-t-il, incrédule. Comment diable qualifieriez-vous une femme déguisée en garçon et dirigeant un gang de contrebandiers? D'intelligente?

Il ressentit une réelle colère devant les risques qu'elle courait.

— Que diable pensez-vous qu'il serait arrivé après votre première erreur? Vous nagez bien avec des pierres attachées aux pieds?

Kit grimaça.

— Ne hurlez pas!

Elle mit sa tête dans ses mains. Elle ne se sentait pas très bien. Se retrouver face au capitaine Jack, peu importe quand, se serait avéré problématique, mais au moment présent, tandis qu'elle était étourdie, ceci promettait d'être une rencontre catastrophique. En plus, il était déjà fâché, même si elle ne pouvait pas comprendre ce qui le contrariait chez elle. C'était elle qui avait une bosse sur la tête.

— Où sommes-nous?

— Là où nous ne pouvons être interrompus. Je veux des réponses à une ou deux questions, ce qui est compréhensible, vu les circonstances, n'est-ce pas ? Nous pouvons commencer par le début. Comment vous appelez-vous ?

— Kit.

Kit sourit dans ses mains. Qu'il en déduise ce qu'il voulait !

— Catherine, Christine, ou quoi ?

Kit fronça les sourcils.

— Vous n'avez pas besoin de le savoir.

— Exact. Où vivez-vous ?

Kit réserva sa réponse à cette question. Sa tête la faisait souffrir. Une rapide reconnaissance des lieux lui indiqua qu'ils étaient dans une petite chaumière, seuls. Le fait que la porte mène directement à l'extérieur était rassurant.

Plissant le front, Jack regarda les boucles éclatantes couronnant la tête penchée de Kit. À la lumière de la lampe, elles brillaient d'un riche roux cuivré. Au soleil, il soupçonna qu'elles fussent plus rousses et encore plus claires. La couleur titilla sa mémoire, une identification fugace qui refusait de se matérialiser. Quand elle haussa ses genoux pour mieux supporter ses mains qui, elles, supportaient sa tête, Jack grimaça. Il pensa qu'il devrait lui proposer du cognac, mais il n'avait pas vraiment envie de se rapprocher. La table était une barrière efficace, et il répugnait à quitter son abri. Au moins, il portait ses habits de « pauvre hobereau ». Ses larges hauts-de-chausse lui fournissaient une certaine protection. Dans ses vêtements militaires ou surtout dans ses beaux habits de ville, elle aurait su immédiatement combien elle l'affectait. C'était bien assez qu'il le sache.

La tête de Kit était encore baissée. Poussant un soupir exaspéré, Jack tendit le bras vers la bouteille. Il se leva, alla chercher un verre propre et le remplit à moitié avec le meilleur cognac français qu'on puisse trouver en Angleterre. Le verre en main, il approcha du lit.

Elle avait levé les yeux au son de sa chaise sur le plancher. À présent, elle levait la tête pour tout d'abord regarder le verre, puis son visage.

La mémoire revint à Jack d'un coup. Il s'arrêta et cligna des yeux. Puis, il la regarda à nouveau, et son soupçon fut confirmé.

— Kit, répéta-t-il. Kit Cranmer?

Il haussa un sourcil, ce qui ajouta une pointe de moquerie à sa question. Les yeux de Kit le regardèrent fixement, des améthystes translucides, et ce fut la seule réponse dont il avait besoin.

Kit avala sa salive, à peine consciente de ses mots. Bon sang! C'était pire que ce qu'elle avait pensé! Il était absolument magnifique — superbement embarrassant — avec sa masse de cheveux châtains et ses mèches dorées ébouriffées par le vent. Son front était large, son nez patricien et autocratique, son menton nettement carré. Mais c'étaient ses yeux qui la captivaient. Bien ancrés sous ses sourcils angulaires, ils brillaient d'un gris argenté à la lumière de la lampe. Et ses lèvres — longues et plutôt fines, fermes et mobiles. Comment se sentiraient-elles...

Kit repoussa cette pensée. Mourant de soif, elle tendit le bras vers le verre qu'il lui offrait. Ses doigts frôlèrent les siens. Ignorant le frisson particulier qui la parcourut et réprimant la panique qui le suivit dans son sillage, Kit but une petite gorgée de cognac, pleinement consciente de l'homme à côté d'elle. Il s'était arrêté à côté du lit, la dominant. Transportée par son visage, elle avait simplement jeté un œil sur le reste de son corps. Combien mesurait-il ? Elle se pencha en arrière sur ses coudes pour avoir une meilleure vue.

Sa chemise se tendit.

Debout à côté du lit, Jack se raidit. Kit bougea pour lever les yeux vers lui. Elle vit se serrer ses mâchoires et se durcir les traits de son visage. Puis, elle remarqua que son regard ne se portait pas sur son visage. Elle suivit sa direction et vit ce qui le saisissait à ce point. Doucement, elle se redressa, prit une autre gorgée de cognac et se dit que c'était la même chose que lorsque les séducteurs de Londres l'avaient jaugée. Il était inutile de rougir ou d'agir comme une écolière sentimentale. Une autre gorgée de cognac la calma. Elle n'avait pas répondu à sa question. Peut-être serait-il sage de le faire. Essayer de cacher ses origines était inutile. La couleur des Cranmer était connue d'un bout à l'autre du Norfolk.

— Maintenant que vous savez qui je suis, qui êtes-vous ? dit-elle.

Jack secoua la tête pour clarifier ses sens embrouillés. Bon sang ! Ça allait trop loin. Sa mission était en grave danger. Ressentant une vague impression de sécurité, il avança jusqu'à une chaise adossée au mur. Il la déplaça, s'y assit à califourchon, posa ses bras sur son dossier et lui fit face. Il ignora sa question ; au moins, elle ne l'avait pas reconnu.

— Je doute que vous soyez la fille de Spencer.

Il la regarda plus attentivement, mais ne détecta aucune réaction. Elle n'était pas la fille de l'actuel Lord Cranmer, alors.

— Il a eu trois fils, mais d'après mes souvenirs, les deux plus âgés n'ont pas la couleur de cheveux de la famille. Seul le plus jeune l'avait. Christopher Cranmer, le plus extravagant de tous.

La mémoire de Jack se précisa de nouveau. Ses lèvres revêtirent un sourire ironique.

— Aussi connu que Kit Cranmer, pour autant que je m'en souvienne.

La commissure des lèvres de Kit se redressa légèrement, suggérant ainsi qu'il avait vu juste.

— Donc, vous êtes la fille de Christopher Cranmer.

Kit arqua ouvertement les sourcils. Puis, elle haussa les épaules et opina. Qui était-il pour avoir des souvenirs si détaillés de sa famille? Il était forcément du coin; or elle ne l'avait jamais vu avant hier. Elle regarda ses larges épaules et ses biceps galbés, qui se gonflèrent quand il se pencha en avant sur ses avant-bras. Il n'y avait pas de rembourrage dans sa veste sobre — ces muscles étaient tout à fait réels. Ses cuisses puissantes élargissaient ses hauts-de-chausse tout simples. Assis comme il était, elle ne pouvait voir au-delà, mais quelqu'un qui chevauchait comme lui devait être fort. La lumière de la lampe n'éclairait pas son visage, mais elle supposa qu'il avait dans la trentaine. Il n'y avait aucune possibilité qu'elle ait oublié un tel spécimen.

— Qui était votre mère?

La question, prononcée sur un ton amical mais autoritaire, ramena brusquement l'esprit de Kit de sa distraction. Pendant toute une minute, elle le regarda, perplexe. Puis, l'insinuation de la question de Jack la frappa. Ses yeux s'enflammèrent; elle prit sa respiration et revêtit un air méprisant.

Tardivement, son moi plus aventureux jaillit de sa stupeur et prit le contrôle de son humeur.

« Attends une minute. Stop, arrête, cesse, laisse ça, imbécile ! Tu as besoin d'une identité, souviens-toi ! Il vient juste de t'en donner une. Alors, s'il pense que tu es un enfant illégitime, ce n'est pas grave. C'est bien mieux que la vérité, qu'il n'aurait pas crue de toute façon. »

Les yeux de Kit devinrent vitreux. Elle rougit et baissa le regard.

Les expressions étranges qui s'enchaînaient rapidement sur le visage de Kit laissèrent Jack abasourdi. Mais il comprit immédiatement son rougissement.

— Désolé, dit-il. Une question inutilement indiscrète.

Kit leva les yeux, étonnée. Il s'excusait ?

— Où vivez-vous ?

Jack se souvint de sa jument. La fierté tenace de l'actuel Lord Cranmer était aussi connue que la couleur de cheveux de sa famille. Jack hasarda une idée.

— Avec votre grand-père ?

Lentement, Kit hocha la tête. Son esprit s'emballait. Si elle était la fille illégitime de son père, tout était possible. Son père avait été le préféré de Spencer. Son grand-père aurait bien entendu assumé la responsabilité de tous les bâtards que son fils aurait conçus. Mais elle devait être prudente. Le capitaine Jack en connaissait bien trop sur les familles locales pour qu'elle puisse inventer facilement. Heureusement, il ne connaissait évidemment pas la petite-fille légitime de Spencer qui était revenue de Londres.

— Je vis au domaine.

Une des maximes de son cousin Geoffrey sur les mensonges lui revint en tête. *Coller à la réalité autant que possible.*

— J'ai grandi là, mais quand ma grand-mère est morte, ils m'ont envoyée ailleurs.

Si Jack était du coin, il se demanderait pourquoi il ne l'avait pas vue dans les parages.

— Ailleurs ? demanda Jack qui semblait intéressé.

Kit prit une autre gorgée de cognac, appréciant la chaleur qui se déploya dans son ventre. Cela semblait soulager sa tête.

— J'ai été envoyée à Londres pour vivre avec le vicaire de Holme quand il s'est installé à Chiswick.

Kit profita de ses souvenirs du jeune vicaire — l'image correspondait parfaitement.

— Je n'aimais pas vraiment la capitale. Quand le vicaire a été promu, je suis revenue.

Kit pria pour que Jack ne connaisse pas le vicaire de Holme personnellement. Elle ignorait totalement s'il avait été promu ou non.

Tout comme Jack. L'histoire de Kit avait du sens, même avec son langage cultivé et ses gestes sophistiqués. Si elle avait été élevée à Cranmer sous la supervision de sa grand-mère, puis qu'elle avait passé du temps à Londres, même avec un vicaire ennuyeux, elle serait tout aussi confiante et à l'aise avec lui qu'elle s'avérait l'être. Elle n'était pas une simple fille de la campagne. Son histoire était crédible. Son attitude suggérait qu'elle la maîtrisait. Les yeux de Jack se plissèrent.

— Donc, vous vivez au domaine, et Spencer vous a ouvertement reconnue ?

«Eh bien, mon beau gentleman, voilà une question piège.» Kit s'agita légèrement.

— Oh, j'ai toujours vécu tranquillement. J'ai été éduquée pour m'occuper de la maison, alors c'est ce que je fais.

Elle sourit à son inquisiteur, sachant qu'elle avait réussi l'examen. Même Spencer n'aurait pas élevé une petite-fille bâtarde comme une enfant légitime.

L'air sévère, Jack reconnut ce sourire. Elle était assurément rapide, mais il se passerait bien de ses sourires. Ils insufflaient à son visage un éclat que les peintres avaient passé leur vie à essayer de capturer. Peu importe qui était sa mère, elle devait avoir été exceptionnellement belle pour créer une fille rivale d'Aphrodite.

— Donc, le jour, vous êtes la gouvernante de Spencer, et la nuit, le jeune Kit, chef d'un gang de contrebandiers. Depuis combien de temps êtes-vous dans ce milieu?

— Seulement quelques semaines.

Kit espéra qu'il cesserait de lui adresser un air renfrogné. Il lui avait souri une fois dans les carrières. Elle aurait aimé être témoin du phénomène dans un meilleur éclairage, mais Jack ne semblait pas du tout disposé à la satisfaire. Elle lui sourit. Il grimaça en retour.

— Comment diable avez-vous survécu? Vous avez couvert votre visage, votre manteau est rembourré... Mais que se passerait-il si un des hommes vous touchait?

— Ils ne le font pas... Ils ne l'ont pas fait.

Kit espéra que son rougissement ne se voyait pas.

— Ils pensent juste que je suis un jeune garçon bien né, avec un gabarit différent du leur.

Jack grommela, son regard ne quittant jamais son visage. Puis, ses yeux se plissèrent.

— Où avez-vous appris votre démarche arrogante ? Et tout le reste ? Ce n'est pas si facile de se faire passer pour un homme. Vous n'avez pas fait de théâtre, non ?

Kit croisa son regard et choisit ses mots avec soin. Elle pouvait difficilement mettre en avant ses cousins, encore moins leur influence.

— J'ai eu largement l'occasion d'étudier les hommes et leur façon de bouger.

Elle sourit avec condescendance.

— Je suis plus que vaguement familière avec les hommes de ce genre.

Les sourcils de Jack s'arquèrent, interrogatifs. Après un moment, il demanda :

— Combien de temps aviez-vous l'intention de jouer à la contrebandière ?

Kit haussa les épaules.

— Qui sait ? Et maintenant que vous m'avez découverte, nous ne le saurons jamais, n'est-ce pas ?

Son sourire devint fragile. La courte carrière du jeune Kit touchait à sa fin. Elle ne ressentirait plus d'excitation ni de frissons.

Les sourcils de Jack s'arquèrent encore davantage.

— Vous prévoyez vous retirer ?

Kit le regarda fixement.

— Ne… ?

Elle cligna des yeux.

— Voulez-vous dire que vous ne me trahirez pas ?

Jack reprit son air renfrogné.

— Non pas que je ne le ferais pas, mais que je ne peux pas.

Il ne s'était jamais vu comme un conservateur — Jonathon était son côté conservateur, et en ce moment, il était assurément Jack. Mais la pensée de Kit paradant en hauts-de-chausse devant une horde de marins, s'exposant à être découverte et Dieu seul sait à quelles conséquences, éveillait en lui de purs sentiments protecteurs. Extérieurement, il grimaçait. Intérieurement, il bouillait et jurait. Il savait déjà qu'elle lui occasionnerait des ennuis. À présent, il savait quel genre.

Il réprima un grognement. Kit le regardait, ses traits délicats exposant un doute manifestement exagéré. Il prit une profonde respiration.

— Jusqu'à ce que vos hommes acceptent sans problème de faire partie du gang de Hunstanton, le jeune Kit devra rester un contrebandier.

Kit entendait, mais écoutait à peine. Elle savait qu'elle n'était pas repoussante. Si elle l'avait voulu, elle aurait pu avoir des hommes à ses pieds tout le temps où elle était à Londres. Pourtant, le capitaine Jack, peu importe qui il était, ne réagissait pas à son égard de manière habituelle. Il était encore renfrogné. Elle se reposa délibérément sur les coudes et l'observa ouvertement.

— Pourquoi?

La soudaine raideur qui envahit sa large carrure fut pour le moins déroutante. Délicieusement déroutante. Kit remua légèrement ses épaules, installant ses coudes plus fermement, et sentit sa chemise se déplacer sur ses mamelons. Elle leva les yeux pour voir comment Jack prenait cette exhibition, prête à sourire avec condescendance devant sa confusion. À la place, elle se figea, paralysée par un sentiment écrasant de danger.

Les yeux de Jack étaient argentés, pas gris, mais clairs et pétillants comme de l'acier poli. Et ils ne regardaient pas son visage. Tandis qu'elle l'observait, un muscle trembla le long de sa mâchoire. Soudain, Kit comprit. Il ne réagissait pas parce qu'il ne le désirait pas ni parce qu'elle ne l'affectait pas. Seulement son contrôle se plaçait entre elle et ce qu'il ferait... ce qu'il aimerait faire. Tout à coup, Kit roula sur le côté, sur une hanche, apparemment pour prendre une gorgée de cognac.

Perturbé, Jack prit une profonde respiration, se demandant vraiment si la petite effrontée savait à quel point elle avait été près de se faire rouler sur le lit où elle se prélassait de façon si provocante. Une seconde plus tard, et il aurait cédé au désir de se lever, de mettre la chaise de côté et de tomber sur elle comme le trublion assoiffé de sexe qu'il était.

Heureusement, elle avait changé de position. Plus tard, il avait tout à fait l'intention de poursuivre une relation plus intime avec elle, mais pour le moment, les affaires passaient en premier. Qu'avait-elle demandé? Il se souvint.

— Je veux faire un gang avec les deux. Si je vous dénonce, vos hommes seront couverts de ridicule, ce qui ne m'aidera pas. Si vous disparaissez soudainement, vos hommes penseront que je vous ai supprimée ou du moins que je vous ai effrayée. Ils décideront probablement de ne pas nous rejoindre, et ainsi, il y aura deux gangs qui opéreront sur cette côte.

Kit fronça les sourcils et baissa les yeux vers le liquide ambré tournoyant dans son verre. Il suggérait qu'elle reste un garçon — son véritable sexe n'étant connu que de lui et d'elle — pendant une durée indéterminée. Elle n'était pas sûre de pouvoir continuer à faire semblant pendant une journée de plus. C'était déjà bien beau de se pavaner dans des hauts-de-chausse quand tous ceux qui la regardaient pensaient qu'elle était un homme. Mais elle soupçonnait que ce serait bien différent si un spectateur, ce spectateur en particulier, connaissait la vérité. En plus, elle ne voulait absolument pas jouer au garçon avec Jack. Kit secoua la tête avec détermination.

— Si je leur explique…

— Ils penseront que je vous ai fait peur.

Kit leva les yeux et se redressa.

— Pas si je leur dis…

— Quel que soit ce que vous leur diriez.

L'irrévocabilité dans sa voix grave n'était pas encourageante. Mais son plan était la folie incarnée.

— Vous avez dit vous-même que c'était idiot de faire ça. Et si eux et le reste de votre gang découvraient la vérité ?

— Ça n'arrivera pas. Pas tant que je serai là pour m'en assurer.

Sa conviction semblait inébranlable. Kit pensa qu'il serait illogique d'argumenter sur une issue qu'elle-même ne désirait pas vraiment. Pourtant, plus elle pensait à son plan, plus il lui semblait dangereux. Heureusement, elle se connaissait bien. Il lui offrait tout à fait le genre d'excitation qui faisait appel à son moi plus aventureux. Elle plissa les yeux et choisit ses mots avec soin.

— Comment puis-je savoir que *vous* ne me trahirez pas?

Les yeux de Jack scintillèrent. Elle exagérait un peu. Que pensait-elle qu'il était? Un écolier hyperactif? Froidement, délibérément, il laissa son regard errer, s'attardant sur ses seins — plus visibles à présent, même s'il savait qu'ils étaient là — avant de dériver tranquillement vers ses longues jambes.

Kit rougit et profita du moment avant qu'il ne le fasse.

— De cette façon!

Ce n'était pas ce qu'elle avait voulu dire, mais ça prouvait son point de vue.

Jack cligna des yeux, puis rougit d'agacement. Il prit un air des plus renfrognés.

— Je ne le ferai pas! Quel intérêt aurais-je à vous trahir?

Ses yeux se plissèrent tandis qu'il l'étudiait.

— Je peux vous assurer que je me comporterai exactement comme si vous étiez le garçon qu'ils croient tous que vous êtes.

Il ne considéra pas comme judicieux de lui dire ce que les hommes penseraient probablement s'ils réalisaient qu'il était un peu trop intéressé par le jeune Kit.

— Je ne peux, bien sûr, répondre de vos réactions.

L'humeur de Kit s'enflamma. De tous les malotrus insupportables et vaniteux qu'elle avait rencontrés, Jack était le pire. Sans doute savait-il qu'il était fort séduisant. Bon nombre de femmes avaient dû lui dire. Mais hors de question qu'il entende ces mots de sa bouche! Kit pointa son nez en l'air.

— Quelles réactions?

Jack éclata de rire. Brusquement, il se leva et poussa la chaise. Toute considération de sa mission, de ses sentiments et de la sécurité s'évanouit devant ce défi. Aucune réaction envers lui ? Il avança vers le lit.

Kit écarquilla les yeux. Horrifiée, elle essaya de se reculer dans le lit, mais ses coudes étaient enchevêtrés dans les couvertures, et à la place, elle s'étala de toute sa longueur. Puis, il la domina, son ombre l'engloutissant. Les mains sur les hanches, il baissa les yeux vers elle depuis le pied du lit. Il tendit une main.

— Venez ici.

Il était fou. Elle n'avait aucune intention de s'approcher de lui. Il était souriant à présent, diaboliquement souriant. Elle décida qu'elle préférait son air renfrogné. C'était infiniment moins menaçant. Elle essaya elle-même de revêtir une expression revêche.

Le sourire de Jack s'intensifia. Ses yeux devinrent plus éclatants. Il avait bel et bien l'intention de la remettre à sa place une fois pour toutes. Elle lui causait plus de problèmes qu'une troupe de cavaliers soûls. D'abord, elle jouait les allumeuses, à se pelotonner sur le lit comme un chat à tel point qu'il était sûr que s'il l'avait caressée, elle aurait ronronné. Et maintenant, parce qu'il l'avait gênée, elle jouait à la vierge effarouchée.

Mais il n'avait pas atteint un degré suffisant de folie pour se retrouver au lit avec elle. Comme elle continuait à grimacer et que ses yeux améthyste crachaient des éclats violets, il saisit sa main.

Malheureusement, Kit avait choisi le même moment pour se redresser, ce qui était le mieux pour riposter verbalement.

Elle vit son geste, et il vit le sien. Tous deux essayèrent de compenser. Les doigts de Jack se refermèrent autour de sa main tandis qu'il essayait de se redresser pour éviter que leurs têtes se heurtent. Kit se leva à moitié, puis retomba, tirant sa main pour la dégager. Le résultat fut l'inverse de ce qu'ils avaient tous deux eu l'intention de faire. La jambe de Jack se cogna au lit, puis il perdit l'équilibre en raison de la violence du geste inattendu de Kit pour se dégager. Il atterrit sur le lit, à côté d'elle.

Kit étouffa un cri et essaya de rouler hors du lit. Une grande main saisit sa hanche et la fit rouler en arrière. Un juron qu'elle ne comprit pas arriva à ses oreilles. Des souvenirs d'empoignades avec ses cousins lui revinrent en tête. Au lieu de lutter contre la main qui la tirait, elle tourna avec elle.

Ce fut un pur réflexe qui sauva les parties intimes de Jack du genou que Kit leva. Abandonnant toute tentative de comportement galant, il saisit ses deux mains et se propulsa sur elle, à cheval sur ses hanches, la plaquant sous son corps.

À sa grande surprise, elle continua à lutter, ses hanches se tortillant entre ses cuisses.

— Calmez-vous, jeune dévergondée, ou je ne réponds pas de la suite !

Cela l'arrêta. Ses grands yeux se levèrent vers lui. Le devant de la chemise de Kit se levait et se baissait rapidement. Jack ne pouvait pas voir à travers, mais son souvenir de ce qui se trouvait dessous agit puissamment sur son cerveau. La tentation de laisser aller ses mains et de prendre ces doux monticules en coupe s'intensifia pendant un instant. Ses paumes lui démangèrent d'excitation.

Jack se força à lever les yeux. Il croisa son regard et y vit de la panique. De la panique ? Jack ferma les yeux devant l'imploration présente dans la profondeur de ses yeux violets et prit une profonde respiration. Que diable se passait-il ? À présent, elle ressemblait encore à une vierge effarouchée. Tandis que le bon sens revenait lentement dans son cerveau, il nota la rigidité du corps menu entre ses cuisses.

Se pouvait-il qu'elle soit vierge ? Le cerveau expérimenté de Jack rejeta d'emblée cette idée. Une femme de son milieu, de son âge, avec ses attributs — qui avait elle-même déclaré être « plus que vaguement familière » avec les hommes — ne pouvait être vierge. En plus, elle avait fait suffisamment de gestes qui dévoilaient son expérience. Non. Le fait était que, pour une raison qu'il ignorait, elle ne voulait pas de lui. Peut-être parce qu'il la désirait. Certaines femmes étaient comme ça. Jack était fier de sa connaissance du sexe féminin. Il avait passé plus de quinze ans à étudier en long et en large ces fascinantes créatures. Quinze années entrecoupées par quelques guerres. Si elle éprouvait vraiment une aversion pour lui, il pourrait l'utiliser à son avantage à court terme. Et quand il n'aurait plus besoin du jeune Kit, il pourrait passer de longues heures fort intéressantes à la faire changer d'avis.

Jack ouvrit les yeux et étudia le visage de Kit. Elle avait encore un air renfrogné. Il sourit du coin des lèvres. Il mourait de désir, mais elle n'était pas prête à l'accueillir. Pas encore.

Il changea sa prise sur ses mains de sorte que ses pouces reposent dans les paumes de Kit. Lentement, résolument, il bougea ses doigts en un mouvement circulaire, caressant sa peau sensible. Il vit ses yeux devenir plus grands, plus ronds.

Kit était muette. Pire, elle se sentait presque abasourdie. Aucune de ses propres expériences ni de celles d'Amy ne l'avait préparée à l'effet que Jack exerçait sur elle. Bien qu'il ne l'eût pas encore embrassée, elle ne pouvait réfléchir correctement. Son contact sur ses paumes lui occasionnait de petits frissons partout, concentrant son esprit sur ses mains, comme pour la distraire de la chaleur qui s'infiltrait insidieusement à travers ses veines et qui émanait de la jonction de ses cuisses. Il y avait une chaleur complémentaire au-dessus, là où il l'enfourchait. Elle ressentit vaguement le désir grandissant de lever ses hanches et de faire correspondre sa chaleur à la sienne. Elle y résista, luttant pour se libérer de l'envoûtement de Jack.

— Laissez-moi, Jack.

Ses mots étaient doux, féminins, pas du tout le genre de demande ferme qu'elle voulait formuler.

Jack sourit, extrêmement heureux d'entendre son nom sur ses lèvres.

— Je vous laisserai si vous me promettez de faire ce que je vous demande.

Kit fronça les sourcils. La menaçait-il? Il lui en coûta pour formuler ses pensées. Particulièrement alors qu'il lui semblait qu'il voulait la dévorer. Lentement.

— Que voulez-vous dire? demanda-t-elle.

— Restez le jeune Kit pendant deux mois. Après, nous organiserons votre retraite.

« Et vous pourrez commencer votre prochaine mission, devenir ma maîtresse. » Jack sourit devant ses magnifiques yeux. Il était sûr qu'ils devenaient d'un violet plus profond quand elle jouissait. Il avait hâte de vivre cette expérience.

Kit ne parvint pas à calmer sa respiration. Elle secoua la tête.

— Ça ne fonctionnera jamais.

— Ça fonctionnera. Nous nous arrangerons pour cela.

L'idée était tentante, très tentante. Kit lutta pour avoir une prise sur la situation.

— Et si je refuse?

Les sourcils de Jack se dressèrent, mais il souriait encore de son sourire diabolique. Puis, il soupira de façon significative et cessa de caresser ses mains. Kit se détendit, le soulagement se répandant en elle. Mais ce ne fut que pour être neutralisé par la panique quand il leva une de ses mains vers ses lèvres et qu'il embrassa le bout de son doigt. Kit resta béate, complètement sous le choc.

La regardant, Jack faillit rire. Aucune réaction par rapport à lui? Si elle se montrait plus réceptive, elle grimperait aux murs.

— Si vous ne me rejoignez pas dans cette aventure commerciale, nous devrons considérer une autre sorte de… partenariat que nous pourrions apprécier.

Kit le regarda fixement, ouvertement horrifiée.

Jack tourna sa main pour déposer un baiser sur sa paume.

Il sentit tout son corps se tendre.

— La première chose que nous devrons vérifier, c'est si votre aversion est plus que superficielle.

Involontairement, le regard de Jack se baissa sur sa chemise, et son esprit dévia vers une contemplation des plaisirs qu'il cachait. Une seule épaisseur de tissu, voilà tout ce qui protégeait ses seins de son regard avide. Et de ses attentions ardentes. Il souhaita presque qu'elle maintienne fermement sa résolution de ne plus être le jeune Kit. Du moins, assez longtemps pour qu'une petite persuasion s'avère nécessaire.

L'esprit de Kit était lent. Une aversion? Son aversion? C'était ça! Elle était paniquée à l'idée qu'il réalise à quel point elle était attirée, et il pensait qu'elle éprouvait de l'aversion pour lui. Elle eut presque un fou rire. Si elle n'avait pas été si effrayée de sa réaction par rapport à lui, elle l'aurait fait. Le fait qu'il soit si près lui ôtait toute volonté. La moindre attention qu'il lui accordait ne faisait qu'aggraver les choses. Encore quelques gestes, et il la ridiculiserait. L'idée de ce qui pourrait arriver s'il l'embrassait l'amena à prendre rapidement une décision.

— Très bien.

Jack ramena son regard sur son visage, et son esprit, sur ses mots.

— Très bien?

Kit entendit la déception dans sa voix. Il aurait réalisé sa menace avec enthousiasme.

— Oui, très bien, et allez au diable!

Elle repoussa fortement ses mains.

— Si les autres sont d'accord, je serai le jeune Kit, mais seulement pendant un mois. Jusqu'à ce que mes hommes s'adaptent à votre gang.

Le soupir de Jack était sincère. Il la relâcha à contrecœur. Avant de la laisser, il sourit d'une manière charmeuse, regardant directement ses grands yeux violets étincelants.

— Vous êtes sûre que vous ne changerez pas d'avis?

Le regard qu'elle lui lança le fit glousser. Il roula sur le côté et se coucha sur les oreillers, satisfait. Sa capitulation n'était pas vraiment désintéressée, mais il avait un mois pour travailler dessus.

À côté de lui, Kit restait immobile, frappée par la révélation que, bien qu'il fût encore près, à présent qu'il ne la touchait pas, son esprit pouvait de nouveau fonctionner. Se rappelant ses incertitudes à propos des chargements du gang de Hunstanton, elle se souvint de ce qui l'avait conduite à se poser de telles questions.

— Je suppose que vous avez entendu parler de Lord Hendon, le nouveau haut-commissaire, et de son intérêt pour le trafic ?

Jack réussit à cacher la surprise que ses mots lui causèrent. Qu'avait-elle entendu ? Il plaça ses mains derrière sa tête et parla en regardant le plafond.

— Il semble que la douane connaît un excès de zèle autour de Sheringham.

Kit fronça les sourcils.

— Ce n'est pas ce que je voulais dire. J'ai entendu dire que Lord Hendon avait été nommé spécialement pour porter un plus grand intérêt sur la contrebande.

Jack détourna les yeux vers elle.

— Qui vous l'a dit ?

— J'ai surpris quelqu'un le dire à mon grand-père.

— Qui ?

— Le représentant de la Couronne.

Jack se pinça les lèvres. Ce n'était pas exactement le message que Lord Marchmont devait livrer, mais ce n'en était pas loin. Il était sûr que le représentant de la Couronne aurait communiqué le message correctement, mais si Kit avait entendu de loin, elle pouvait ne pas avoir tout saisi. Il ne pouvait imaginer les deux hommes discuter ouvertement de telles choses devant la gouvernante de Spencer.

— Si c'est le cas, nous devrons surveiller les activités de ce monsieur.

Kit eut un petit rire moqueur et se redressa.

— À condition qu'il se remue lui-même pour agir. Je commence à croire qu'il reste cloué dans son château et qu'il ne fait que distribuer des ordres aux douaniers depuis son fauteuil.

Jack la regarda, stupéfait.

— Qu'est-ce qui vous fait penser ça ?

— On ne le voit jamais dans le coin, voilà pourquoi. Il est là depuis quelques mois, et pourtant, la plupart des gens ne l'ont pas vu. Je le sais parce que Spencer a donné un dîner. Lord Hendon était invité, mais il avait un rendez-vous plus important.

Le mépris dans sa voix fit grimacer Jack.

— Et alors, quel est le problème ?

Elle fit la moue.

— Un rendez-vous plus important avec qui ? Toutes les familles de la région étaient à Cranmer, ce soir-là !

Jack sembla encore plus surpris, ce que Kit manqua de remarquer. Elle trouva le verre de cognac, à présent vide, au milieu des couvertures et, avec les extrémités de son écharpe, tamponna vainement les taches occasionnées par leur empoignade. Tout à coup, elle se mit à rire nerveusement.

— Qu'y a-t-il de drôle ?

— Je me demandais juste si je devrais avoir pitié de ce pauvre homme quand il daignera enfin faire une apparition publique. Les femmes du voisinage sont toutes *si désireuses* de le rencontrer. Mme Cartwright vise à ce qu'il devienne le mari de sa fille Jane. Quant à Lady Marchmont...

Kit s'interrompit, horrifiée de ce qu'elle s'apprêtait à dire.

— Qu'est-ce que Lady Marchmont a en tête pour le pauvre diable?

Le rire se manifestant sous la tonalité mielleuse de la voix de Jack se voulait encourageant.

— Quelqu'un d'autre, répondit Kit sur un ton répressif. Et je n'envie pas le moins du monde la jeune fille.

— Ah?

Jack tourna un œil fasciné vers elle.

— Et pourquoi ça?

Kit appréciait la sensation inattendue d'être assise à côté de Jack, de se sentir étrangement à l'aise et absolument pas menacée, malgré la panique datant de seulement quelques minutes. Pour une raison inexplicable, elle était sûre qu'il n'avait aucunement l'intention de lui faire du mal. La conviction de Jack qu'il pourrait lui faire accueillir favorablement ses avances l'effrayait simplement parce qu'elle savait que c'était vrai. Mais comme il ne s'engageait pas dans ce genre de jeu, elle se sentait à l'unisson avec lui, parfaitement prête à partager avec lui son opinion sur le nouveau haut-commissaire. Elle revêtit une moue expressive.

— De tout ce que j'ai entendu, Hendon semble être ennuyeux et des plus vieux jeu.

Elle étudia le verre dans sa main.

— Il doit avoir dans les cinquante ans et il boite. Lady Marchmont a dit qu'il était un « vrai Hendon », mais j'ignore complètement ce que ça signifie. Probablement qu'il est guindé.

Les sourcils de Jack s'arquèrent considérablement. Il aurait pu informer Kit de ce que signifiait exactement un « vrai Hendon » — elle venait juste d'en faire l'expérience, bien que limitée —, mais il ne le fit pas. Il était trop absorbé par un sentiment d'indignation.

— Vous avez rencontré cet homme, je suppose.

— Non, répondit Kit en secouant la tête. À peine quelques-uns l'ont fait, alors il peut difficilement s'offusquer de la vision qu'on a de lui, si elle est injustement peu flatteuse, n'est-ce pas ?

Et ça, pensa Jack, c'était un argument diablement difficile à contrer.

Soudain, le sifflement du vent ramena vigoureusement leur situation dans l'esprit de Kit. Bon sang ! Elle était assise dans le lit du capitaine Jack, avec lui à ses côtés, à discuter pendant la nuit. Elle devait avoir perdu la tête ! Elle se glissa vers le bord du lit.

— Je dois partir.

De longs doigts enserrèrent son poignet. Jack n'exerça pas de grande pression, mais loin de Kit l'idée qu'elle pouvait se libérer.

— J'en conclus que nous sommes d'accord. Vos hommes et les miens seront dorénavant unis.

Kit grimaça.

— Si les autres acceptent. Je dois le leur demander. Je vous retrouverai aux carrières comme prévu et je vous dirai ce que nous avons décidé.

Elle jeta un œil vers Jack. Son visage avait l'air absent, son expression était illisible. Mais elle sentit qu'il n'aimait pas ses conditions. Inconsciemment, elle pencha son menton.

Jack réfléchit à son expression rebelle et à l'opportunité de la tirer vers lui et de l'embrasser avec son consentement. Ses lèvres étaient la tentation incarnée, douces, pulpeuses et irrésistiblement féminines. Particulièrement à présent qu'elle faisait légèrement la moue. Subitement, il ramena son esprit de sa préoccupation. Ce qu'elle avait suggéré était très bien, mais il ne lui faisait pas confiance pour les carrières. Il la soupçonnait de les connaître bien mieux que lui.

— Je suis d'accord pour attendre deux nuits avant votre réponse, à condition que vous me la donniez personnellement ici, pas dans les carrières.

Kit se força à ne pas baisser les yeux sur la main qui tenait la sienne ni sur le long corps allongé, détendu, sur les couvertures. Elle n'avait nul besoin de démonstration pour comprendre sa vulnérabilité. Elle regarda les yeux de Jack et y lut une froide détermination. Serait-ce vraiment grave si elle revenait ici?

«Comme c'est délicieusement dangereux», ronronna son moi plus aventureux.

— Très bien.

La main autour de son poignet se retira. Kit se leva. Puis, elle se rassit immédiatement sur le lit, rougissant furieusement. Ses bandages étaient encore défaits. Elle ne pouvait pas retourner au domaine Cranmer avec ça autour de la taille. Et elle n'était pas tentée de s'arrêter en route pour se déshabiller et les remettre.

Il fallut un moment à Jack pour trouver la raison de son rougissement. Il se mit à rire tout bas, ce qui énerva Kit. Il s'assit bien droit.

— Tournez-vous et laissez-moi les remettre pour vous.

Comme Kit lui lança un regard outré, il sourit avec malice.

— C'est moi qui les ai défaits, après tout!

Devant son ton taquin, Kit rougit de nouveau et se tourna à contrecœur, s'agitant pour mettre les bandages à leur place. Que pouvait-elle faire d'autre? Il avait déjà vu son dos nu — et le devant semi-nu aussi. Elle sentit son poids se déplacer sur le lit, puis il remonta le dos de sa chemise.

— Placez-les où vous voulez les attacher.

Kit glissa ses mains sous sa chemise pour installer les bandages sur ses seins.

— Plus serrés, dit-elle, tandis qu'elle le sentait sangler les extrémités juste assez pour les faire tenir.

Un marmonnement incompréhensible surgit derrière elle, mais il resserra le nœud.

— Encore.

— Bon sang, les femmes! Il devrait exister une loi contre ce que vous faites.

Il fallut un moment à Kit pour comprendre, puis elle gloussa.

— Ça ne causera pas de dommages permanents.

Le nœud était fait, juste assez serré, et sa chemise retomba. Kit se leva et la glissa dans sa ceinture, puis enfila son manteau avant d'enrouler son écharpe bien serrée sur son nez et son menton.

Avachi sur le lit, Jack regardait la métamorphose d'un œil critique. Même s'il savait qu'elle était une femme, il devait admettre que son déguisement était au point.

— Votre jument est dans l'écurie derrière, en compagnie de mon étalon. Ne vous approchez pas trop de lui; il mord.

Kit opina. Elle trouva son tricorne dans le coin près du lit et l'enfonça sur ses cheveux bouclés.

— Vous ne m'avez pas dit où nous sommes.

— À environ trois kilomètres au nord du château Hendon.

Sous son cache-nez, ses lèvres revêtirent un sourire ironique. Jack semblait être un homme tout à fait comme elle les aimait.

— Vous aimez vivre dangereusement, n'est-ce pas ?

Jack sourit avec éclat.

— Ça évite de s'ennuyer.

Inclinant royalement la tête, Kit s'éloigna d'un pas nonchalant vers la porte.

Jack sourit. Avec sa voix enrouée et les airs masculins qu'elle prenait avec une grande facilité, il était sûr qu'ils réussiraient à jouer la comédie pendant le mois requis.

À la porte, Kit s'arrêta.

— On se revoit dans deux nuits alors.

Jack hocha la tête, son expression tendant à devenir imperturbable.

— N'essayez pas de disparaître ! Vos hommes pourraient faire quelque chose d'irréfléchi. Et je sais où vous trouver.

Pour la première fois cette nuit-là, Kit dut faire face au côté du capitaine Jack qui avait sans doute fait de lui le chef du gang de Hunstanton. Elle décida qu'elle ne lui donnerait pas la joie de savoir à quel point elle trouvait ça déroutant. D'un geste théâtral, elle le salua avant de déverrouiller la porte et de s'arrêter sur le seuil pour dire :

— Je viendrai ici.

Puis, elle partit.

Dans la chaumière, Jack se laissa retomber sur les oreillers et se mit à réfléchir à la première femme à avoir jamais quitté son lit sans qu'il soit allé plus loin. Une aberration provisoire, mais nouvelle. Il était plongé dans ses pensées quand un bruit rapide de sabots lui indiqua que Kit partait. Il soupira et ferma les yeux, impatient que le mois de service du jeune Kit soit déjà terminé.

Chapitre 10

L e lendemain matin, Lord Hendon, le nouveau haut-commissaire du nord du Norfolk, se rendait au bureau de la douane de King's Lynn, accompagné par son ami de longue date et camarade ex-officier, George Smeaton.

Ses longs membres élégamment disposés dans la meilleure chaise du bureau, ses cheveux aux épaules attachés par un ruban noir derrière la nuque, Jack savait qu'il avait tous les airs d'un gentleman nanti ayant quitté récemment le service actif. Sa jambe gauche était tendue, maintenue droite par l'attelle discrète qu'il portait sous ses hauts-de-chausse ajustés. Il avait eu cette blessure il y a des mois, lors de la terrible bataille de la Corogne; l'attelle lui rappelait qu'il devait boiter, ce qui augmentait la différence évidente entre Lord Hendon et un certain capitaine Jack.

De sa main aux longs doigts, il tourna avec langueur une page du registre de la douane, le saphir dans sa chevalière attirant la lumière et la scindant en prismes de bleu. Ses oreilles étaient pleines du bourdonnement des explications du sergent Tonkin sur ses continuels échecs à appréhender le gang de contrebandiers opérant entre Lynn et Hunstanton.

George était assis près de la fenêtre, comme un témoin silencieux de la performance de Tonkin.

— C'est un groupe diablement rusé, Monsieur. Mené par un des hommes les plus expérimentés, je dirais.

Jack réprima un sourire à la pensée de ce que Kit dirait de ça. Il se dit de le lui raconter quand elle reviendrait à la chaumière. Écoutant avec un intérêt apparent le résumé de Tonkin, il était tout à fait conscient que la seule pensée de cette femme problématique avait été suffisante pour faire passer immédiatement son corps las et mou à un état de semi-excitation. Il se concentra résolument sur les mots de Tonkin.

Tonkin était un individu solidement charpenté et au torse puissant, dont les traits grossiers étaient équilibrés par des oreilles en chou-fleur. Comme la réputation de Tonkin était trouble, à la limite de la violence, Jack avait envoyé l'efficace Osborne hors de la zone de leurs opérations, laissant Tonkin subir la réprobation générale en conséquence du niveau élevé et ininterrompu du trafic.

— Si nous pouvions simplement mettre la main sur une de ces bandes, Monsieur, je saurais lui faire avouer la vérité.

Les yeux de fouine de Tonkin brillèrent.

— Et après, on en pendrait plusieurs bien haut. Ça leur apprendrait à se moquer des douaniers.

— En effet, Sergent. Nous sommes tous d'accord que ce gang doit être arrêté.

Jack se pencha en avant. Son regard transperça Tonkin.

— Je suggère, comme Osborne est engagé autour de Sheringham, que vous vous concentriez sur la partie de la côte allant de Hunstanton à Lynn. Je crois que vous avez dit que ce gang en particulier opérait seulement dans cette zone, n'est-ce pas ?

— Oui, Monsieur. On n'a jamais eu vent de leur présence ailleurs.

Hypnotisé par le regard pénétrant de Jack, Tonkin bougea péniblement.

— Mais si vous voulez bien me pardonner cette question, Monsieur, si je dois envoyer mes hommes là-bas, qui surveillera les côtes de Brancaster ? Je suis sûr qu'un gros gang opère par là.

Le visage de Jack exprima une condescendance hautaine.

— Une chose à la fois, Tonkin. Commencez par arrêter le gang qui opère entre Hunstanton et Lynn, et ensuite, vous pourrez partir en chasse contre votre « gros gang ».

Son ton cynique au point d'être insultant frappa Tonkin comme une claque. Il se mit au garde-à-vous et salua.

— Oui, Monsieur. Y a-t-il autre chose, Monsieur ?

Une fois Tonkin parti, Jack et George quittèrent la douane. Traversant la cour pavée ensoleillée, George ajusta son pas au boitement de Jack.

Jack brandit sa canne de façon théâtrale et s'efforça d'ignorer toute manifestation de culpabilité. Il n'avait pas parlé de Kit à George. Comme Matthew, George aurait désapprouvé, insistant pour que Kit se retire immédiatement, d'une façon ou d'une autre. Fondamentalement, Jack était d'accord avec ce sentiment. Il ne voyait juste pas « de quelle façon » c'était possible et il avait trop d'expérience en tant qu'officier pour placer la sécurité d'une femme avant sa mission.

L'autre affaire troublant sa conscience était le sentiment angoissant qu'il aurait dû mieux se comporter avec Kit, qu'il n'aurait pas dû s'abaisser à une coercition sexuelle. Dorénavant, il s'assurerait que son attitude envers elle reste professionnelle. Du moins, jusqu'à ce qu'elle se retire du gang. Ensuite, elle ne serait plus mêlée à sa mission, et il pourrait la traiter aussi intimement qu'elle le lui permettrait.

Fantasmer sur la façon de la traiter intimement l'avait tenu éveillé pendant une grande partie de la nuit dernière.

— Lord Hendon, n'est-ce pas ?

Le salut vociféré à moins d'un mètre sortit brusquement Jack de sa rêverie. Il leva les yeux. Un homme imposant d'âge mûr était planté en plein devant lui. Tandis que son regard se porta sur sa couronne de cheveux blancs bouclés et ses yeux vifs, délavés, mais encore délicieusement teintés de violet, Jack réalisa qu'il était en face de Spencer, Lord Cranmer, le grand-père de Kit.

Jack sourit et lui tendit la main.

— Lord Cranmer ?

Sa main se retrouva enveloppée d'une énorme paume et écrasée.

— Oui.

Spencer était heureux d'avoir été reconnu.

— Je connaissais bien votre père, mon garçon. Marchmont m'a parlé de vous l'autre jour. Si vous avez besoin d'aide, vous n'avez qu'à demander.

Doucement, Jack le remercia et lui présenta George en ajoutant :

— Nous étions dans l'armée ensemble.

Spencer tordit la main de George.

— Vous êtes le fiancé d'Amy Gresham, n'est-ce pas ? Je crois que nous avons été privés de votre compagnie un soir, il y a quelques jours.

— Oh... oui.

George adressa un regard inquiet à Jack.

Jack vint à son secours avec son charme expérimenté.

— Nous sommes désolés d'avoir raté votre dîner, mais des amis de Londres sont passés avec des nouvelles de notre régiment.

Spencer pouffa.

— Ce n'est pas à moi que vous devriez faire vos excuses. Ce sont les femmes qui sont dépitées quand des hommes qualifiés ne rejoignent pas le groupe.

Ses yeux scintillèrent.

— Un petit avertissement, étant donné que vous êtes le fils de Jake. Vous feriez bien de calmer la tempête avant que ça devienne incontrôlable. Se tenir à l'écart des entremetteuses ne les dissuadera pas. Elles essaieront simplement davantage. Vous feriez mieux de les laisser essayer. Une fois qu'elles seront convaincues qu'il n'y a rien à espérer de vous, elles passeront à quelqu'un d'autre.

— Bon sang ! On dirait une chasse, s'exclama Jack, déconcerté.

— C'est une chasse, vous pouvez en être sûr, dit Spencer en souriant. Vous êtes dans le Norfolk maintenant, pas à Londres. Ici, on joue sérieusement.

— Je saurai me rappeler votre avertissement, Monsieur.

Jack sourit aussi d'un air coquin, sans le moindre repentir.

Spencer gloussa.

— Faites-le, mon garçon. Nous ne voudrions pas vous voir enchaîné à une femme ordinaire, qui serait la plus chère cousine d'une de ces dames, n'est-ce pas?

Sur cette affreuse prédiction, Spencer poursuivit son chemin, riant sous cape.

— Sacré Spencer! dit Jack en soupirant. J'ai la désagréable impression qu'il a raison.

Le souvenir des paroles de Kit, prononcées tandis qu'elle était assise sur son lit la nuit dernière, lui revint en tête.

— Se tenir à l'écart de la société semblait une bonne idée, mais on dirait que nous devrons assister à quelques bals et dîners.

— *Nous?* dit George en se tournant, les yeux écarquillés. Devrais-je te rappeler que j'ai eu le bon sens de me fiancer? Ainsi, je ne risque plus rien.

Les yeux de Jack se plissèrent.

— Tu me laisserais affronter les armes seul?

— Bon sang, Jack! Tu as survécu à la Corogne. Tu peux assurément assumer ces obligations sans renfort.

— Ah, mais nous n'avons pas encore vu l'ennemi, n'est-ce pas?

Comme George semblait perplexe, Jack expliqua:

— La cousine très ordinaire de Lady Unetelle. Pense à ce que tu ressentiras si je me fais prendre au piège du mariage, tout ça parce que je ne t'aurais pas eu pour surveiller mes arrières.

George se recula pour regarder l'élégante silhouette de Lord Hendon, trente-cinq ans, très grand et, selon George, avec une expérience hors pair du beau sexe, vainqueur constant dans l'arène des salles de bal de la ville et les

chambres à coucher. Bref, un vrai séducteur hautement qualifié et de premier ordre.

— Jack, à mon humble avis, les ladies du coin n'ont
aucune chance.

* * *

Il n'y avait pas de lune pour éclairer la clairière devant la
porte de la chaumière. Kit arrêta Delia sous l'arbre d'en face
et étudia les lieux. La lumière d'une lampe filtrait sous un
volet. Il était minuit. Tout était calme. Kit donna du mou à
ses rênes et dirigea Delia vers les écuries.

Dans l'ombre de l'entrée de l'écurie, elle descendit de
cheval, passant les rênes par-dessus la tête de Delia. La
jument bougea brusquement la tête.

— Là… Laisse-moi faire.

Kit fit un bond en arrière, un juron au bord des lèvres.
Une main imposante se referma sur les siennes, lui enlevant
habilement les rênes. Jack n'était rien d'autre qu'une ombre
dense près de son épaule. Perturbée, l'esprit saisi par son
contact, Kit attendit en silence tandis qu'il mettait Delia à
l'écurie dans le noir.

Y avait-il quelqu'un d'autre dans les environs? Elle
scruta l'obscurité.

— Il n'y a personne d'autre ici, dit Jack en revenant à ses
côtés. Entrons.

Kit dut se dépêcher pour suivre les longues enjambées
de Jack. Il atteignit la porte et entra avant elle, se dirigeant
directement vers la table pour prendre la chaise la plus éloignée. Irritée par un traitement si cavalier, Kit tint sa langue.

Elle ferma la porte avec soin, puis se tourna pour l'observer, s'arrêta pour faire le point et s'avança lentement vers la chaise qui lui faisait face.

Il avait encore un air renfrogné, mais elle n'allait pas essayer d'obtenir un de ses sourires, ce soir. Ôtant son chapeau, elle déroula son écharpe, puis s'assit.

— Quelle est votre décision?

Jack posa la question aussitôt que ses fesses touchèrent le siège de la chaise. Il s'était préparé à cette rencontre depuis plus de vingt-quatre heures. Il était irritant de penser à tout ce temps perdu. Depuis l'instant où elle était apparue dans son horizon, la seule chose à laquelle il avait pu penser, c'était la ramener dans son lit. Et à ce qu'il ferait ensuite. Il voulait que cette rencontre se conclue et qu'elle reprenne la route, et ce, le plus rapidement possible.

Vu son expression, il savait que son air renfrogné ne lui convenait pas. Pour l'instant, elle ne lui convenait pas non plus. Elle était la cause de tous ses malheurs actuels. En plus des répercussions physiques de sa présence, il devait faire face à la culpabilité reliée à l'aide qu'il avait accepté de lui offrir concernant sa supercherie. Il n'en avait pas parlé à Matthew ni à George. Et maintenant, il était malheureusement conscient que Spencer, auparavant une personne floue qu'il n'aurait eu aucune difficulté à ignorer, avait été transformé par leur rencontre en un être de chair et de sang éprouvant vraisemblablement une réelle affection pour sa petite-fille rétive, même si elle était illégitime. Impossible de le lui dire, bien sûr. Qu'aurait-il pu dire? «Un mot en passant, Monsieur. Votre petite-fille illégitime se déguise-t-elle en contrebandière?»

Retirant son regard des cheveux bouclés de Kit, dont les reflets brillaient à la lumière de la lampe, Jack scruta ses yeux violets, semblables bien que différents de ceux de Spencer.

La réponse de Kit à la question brusque de Jack avait été d'ôter ses gants avec une infinie lenteur avant de lever les yeux pour croiser son regard.

— Mes hommes sont d'accord.

Elle avait rencontré sa petite bande plus tôt dans la soirée.

— Nous nous joignons à vous dès maintenant, sous réserve que vous nous fassiez connaître les chargements à l'avance.

C'était ses conditions à elle. Les pêcheurs avaient été simplement très heureux d'accepter l'offre de Jack.

Jack revêtit une attitude imperturbable qui surplomba son air renfrogné. Pourquoi diable voulait-elle savoir ça ? Son esprit passa en revue les possibilités, mais n'en trouva aucune qui avait du sens.

— Non.

Il fit une réponse courte et attendit sa réaction.

— Non ? répéta-t-elle.

Puis, elle haussa les épaules.

— Très bien. Mais je croyais que vous vouliez que nous nous joignions à vous.

Elle entreprit de remettre ses gants.

Jack abandonna son air imperturbable.

— Ce que vous demandez est impossible. Comment puis-je diriger un gang si je dois vous consulter avant d'accepter un chargement ? Il ne peut y avoir qu'un chef, et au cas où vous l'auriez oublié, c'est moi.

Kit appuya un coude sur la table et prit son menton en coupe dans sa main, gardant les yeux rivés sur son visage. C'était un visage très dur, avec un plissement marqué au front et des pommettes saillantes.

— Vous devriez pouvoir comprendre que je me sens responsable de mon petit gang. Comment savoir si vous agissez dans leur intérêt si j'ignore quels chargements vous acceptez ou déclinez?

L'exaspération de Jack s'intensifia. Elle avait avancé le seul argument qu'il ne pouvait en toute honnêteté contester. Si elle avait été un homme, il aurait applaudi à un tel raisonnement. C'était la juste attitude d'un chef, même d'une petite troupe. Mais Kit n'était pas un homme, ce qui était un fait qu'il ne risquait pas d'oublier.

Kit continua ingénieusement :

— Je peux concevoir qu'il s'avère difficile de faire attendre un agent pour la confirmation. Mais si j'étais avec vous quand vous organisez les chargements, on ne perdrait pas de temps.

Jack secoua la tête.

— Non. C'est trop dangereux. Vous pouvez duper des pêcheurs à demi civilisés, mais nos contacts ne sont pas du même acabit. Ils décèleraient très probablement votre déguisement. Dieu seul sait ce qu'ils feraient.

Kit reçut froidement cette appréciation, tirant ses gants sur ses doigts.

— Mais vous faites le plus souvent affaire avec Nolan, n'est-ce pas?

Jack opina. Nolan était sa principale source de chargements même s'il y avait trois autres agents dans la région.

— J'ai déjà rencontré Nolan sans incident, alors je doute qu'il y ait un danger réel. Il m'acceptera en tant que jeune Kit. Me voir avec vous confirmera que nous avons joint nos forces ; ainsi, il n'essaiera pas de contacter mes hommes derrière mon dos. C'est ce que vous vouliez, n'est-ce pas ? Le monopole sur cette côte.

Jack n'émit aucun commentaire. De toute façon, il ne pouvait en faire aucun. Elle avait mis droit dans le mille avec son raisonnement, la petite démone.

Kit sourit.

— Parfait. Où et quand le contactez-vous ?

L'expression de Jack devint grave. Il s'était fait avoir et il n'aimait pas ça du tout. Leur endroit de rencontre avait été spécialement choisi pour être aussi sombre que possible afin de s'assurer que Nolan et ses camarades auraient peu de chances de le reconnaître, de même que George et Matthew. Il était le plus en danger. Il avait appris il y a longtemps que masquer efficacement les mèches de ses cheveux était impossible, alors ils avaient trouvé un lieu où la lumière était toujours mauvaise et gardaient leurs chapeaux enfoncés jusqu'aux sourcils. Mais emmener Kit dans une taverne fréquentée par les assassins et les voleurs locaux était inconcevable.

— C'est hors de question.

Jack se redressa et appuya ses deux coudes sur la table pour mieux faire comprendre à Kit la folie de sa suggestion.

— Pourquoi ?

Kit le fixa d'un regard déterminé.

— Parce que ce serait le comble de la folie d'emmener une femme, même si elle était bien déguisée, dans un repaire de brigands.

Le grognement de Jack fut à peine retenu.

— Justement, affirma Kit. Comme ça, personne n'imaginera que le jeune Kit puisse être autre chose qu'un garçon.

— Bon sang!

Jack fit courir ses longs doigts dans ses cheveux.

— Je ne donnerais pas un *sou* pour la sécurité du jeune Kit dans cet endroit... homme ou femme.

Pendant une minute, Kit le scruta, l'incompréhension imprimée dans ses traits délicats. Puis, elle rougit légèrement. Résolue à ne pas baisser la tête, elle laissa son regard glisser vers la bouteille de cognac.

— Mais vous y serez. Il n'y a aucune raison pour que quelqu'un...

— Vous fasse des propositions?

Jack garda un ton dur et détaché. S'il y avait une chance de lui faire peur, il la saisirait.

— Permettez-moi de vous informer, ma chère, que même moi, je ne fréquente pas de tels endroits seul. George et Matthew m'accompagnent toujours.

Kit se ragaillardit.

— Encore mieux. Si nous sommes quatre, et que trois d'entre nous sont costauds, le danger sera minime.

Elle haussa les sourcils en regardant Jack, attendant son argument suivant.

Son attitude consistant à attendre patiemment et sereinement sa prochaine argutie avec la certitude qu'elle la vaincrait amena un sourire narquois et entièrement spontané sur les lèvres de Jack. Bon sang! Elle était si présomptueuse qu'elle pouvait réussir, et il avait presque envie de la laisser essayer. Elle ne trouverait pas le Blackbird à son goût du tout. Peut-être qu'après leur première visite là-bas, elle se contenterait de le laisser s'occuper lui-même de leurs contacts.

Ses pensées atteignirent Kit. Elle sourit pour se voir immédiatement gratifiée d'un air renfrogné.

Enfer et damnation! Il devenait fou. Jack combattit l'impulsion de grogner et enfouit sa tête dans ses mains. L'effort d'ignorer ses sens obsédés et la pression au fond de lui sapaient sa volonté. Si seulement elle pouvait se mettre en colère ou avoir peur ou encore s'énerver, il pourrait s'en sortir. À la place, elle était calme et se maîtrisait, parfaitement préparée à rester assise en lui souriant, à le confronter à la logique jusqu'à ce qu'il capitule. Il pourrait lui faire perdre ses moyens assez facilement, mais seulement en déclenchant quelque chose qu'il n'était plus sûr de pouvoir retenir de nouveau.

— Très bien.

Il serra les mâchoires, implacable.

— Vous pourrez venir avec nous mercredi soir prochain à condition que vous fassiez exactement ce que je dis. Je suis le seul à connaître votre petit secret. Je suggère que nous continuions ainsi.

Satisfaite d'avoir gagné son premier but, Kit hocha la tête. Elle était tout à fait prête à faire ce que Jack dirait, aussi longtemps qu'elle pourrait apprendre de première main en quoi consistaient les chargements. S'il y avait des «chargements humains», elle aurait le temps de sonner l'alarme sans faire courir de risques à sa petite troupe et, si possible, sans mettre en danger le capitaine Jack ni ses hommes non plus.

Satisfaite, elle tendit le bras vers son chapeau.

— Où nous rencontrons-nous ?

Occupé par l'inventaire de tous les dangers reliés au fait d'emmener Kit au Blackbird, Jack lui lança un regard nettement malveillant.

— Ici. À vingt-trois heures.

Kit sourit, puis cacha son visage dans son écharpe. Son humeur était enjouée. Elle aurait aimé oser le taquiner sur son attitude grincheuse, mais son instinct de survie ne l'avait pas complètement désertée.

Jack s'affala sur sa chaise. Ce n'était pas ainsi que la rencontre aurait dû se dérouler, mais au moins, elle partait. Il la regarda prendre son déguisement et décida de ne pas aller à l'écurie l'aider avec son cheval. Elle pouvait bien seller son propre cheval, si elle était si motivée à jouer les garçons. Il répondit à son salut désinvolte par quelque chose qui se rapprochait d'un grognement, ce qui ne l'affecta pas le moins du monde. Elle semblait indifférente à son mauvais caractère, ravie sans doute d'être parvenue à ses fins. La porte se ferma derrière elle, et il se retrouva seul.

Jack s'étira, mais ne se détendit pas avant de ne plus entendre le bruit des sabots de la jument. Il n'avait pas hâte d'arriver à mercredi — les complications éventuelles étaient accablantes. Pour couronner le tout, il devrait veiller sur elle sans dévoiler que c'était *elle* qu'il surveillait. Libéré de la présence encombrante de Kit, Jack grogna.

Chapitre 11

L'initiation de Kit dans le monde glauque de la taverne Blackbird fut en tout point aussi douloureuse que Jack l'avait prévu. De biais, il étudia le haut de son chapeau, ce qui était tout ce qu'il pouvait voir de sa tête quand elle s'assit à la table rudimentaire à tréteaux à côté de lui. Son nez était enfoui dans une chope de bière. Il espéra qu'elle n'en boirait pas le contenu. C'était une boisson maison et puissante. Il ignorait si elle réalisait le danger. Le fait qu'il n'était pas sûr de son expérience passée ne faisait que compliquer son rôle de protecteur. Et le jeune Kit avait assurément besoin d'un protecteur, même si la femme enquiquineuse ne le savait pas.

Elle avait semblé inconsciente de l'agitation que son apparition à ses côtés avait provoquée. Vêtue d'un costume noir austère, sa silhouette mince avait attiré les regards. Heureusement, les clients du Blackbird n'étaient pas portés à se livrer à des gestes manifestes. George et Jack s'étaient rendus directement à leur table habituelle, prenant Kit avec eux. Il l'avait calée entre le mur et son propre corps massif. La curiosité de la clientèle hétéroclite qui s'était réfugiée entre les murs défraîchis du Blackbird cette nuit pluvieuse de juin glissa sur eux, le jeune Kit étant le point de mire.

— Où est ce satané Nolan? grommela George. Assis en face de Kit, il regardait nerveusement la section de la pièce dans son champ de vision.

Jack grimaça.

— Il arrivera bien assez tôt.

Il avait averti George et Matthew des origines de Kit, mais avait maintenu le secret à propos de son sexe. Ses racines étaient si évidentes qu'il était impossible de ne pas les remarquer. Pour eux, elle était le fils bâtard de Christopher Cranmer, qui vivait au domaine, sous l'aile de Spencer. Par rapport au désir du «jouvenceau» de les accompagner pour les négociations sur les chargements, la tendance de George à veiller sur les plus jeunes avait été d'une aide inattendue.

Il avait accepté que Kit les accompagne.

— Si l'endroit peut servir à éloigner ce jeune garçon de la contrebande, tant mieux, avait-il dit. Au moins, en notre compagnie, il verra un peu plus de vie en étant en plus grande sécurité qu'il ne pourrait se le permettre sinon.

C'était un point de vue qui n'était pas apparu à Jack. Il n'était pas sûr d'être d'accord. George n'avait certainement pas prévu l'intérêt que le jeune Kit susciterait. Comme lui, George et Matthew étaient énervés, profondément tendus. Le seul de leur groupe apparemment non affecté par la tension dans la pièce était leur protégé.

Le regard de Jack glissa vers elle une fois de plus. Elle avait levé la tête de son cache-nez, mais son regard restait rivé sur la chope qu'elle tenait délicatement dans ses mains. Pour un observateur quelconque, elle donnait toute l'apparence d'une innocence insouciante, jouant paresseusement avec son verre, ignorant complètement l'atmosphère pesante. Puis, il remarqua combien ses doigts gantés étaient fermement recroquevillés autour de l'anse de la chope.

Jack sourit en regardant sa bière. Pas si naïve. Avec un peu de chance, elle était morte de peur.

Kit n'était assurément pas inconsciente de l'intérêt mielleux des autres hommes dans la pièce. La raison en était qu'elle les trouvait extrêmement répugnants, mais elle ne pouvait pas prétendre ne pas avoir été avertie. De ce qu'elle savait, Jack comptait sur son dégoût pour la faire réfléchir avant de faire des excursions similaires à l'avenir. Mais aussi longtemps que les hommes dans la pièce la regarderaient et ne feraient rien, elle ne voyait aucune bonne raison d'avoir peur. Elle avait été regardée en abondance et bien plus ouvertement pendant les saisons londoniennes. Et Jack n'était qu'à quelques centimètres, sur le banc rudimentaire à côté d'elle, avec son corps incroyablement imposant, qui dégageait chaleur et sécurité, et qui était rassurant avec son aura de force dominante gouvernée par des réflexes inébranlables.

Une agitation près de la porte annonça une arrivée. Jack regarda par-dessus les épaules de Matthew.

— C'est Nolan.

L'agent alla au bar et commanda une chope, puis après avoir scruté la pièce, il se dirigea nonchalamment vers leur table. Il se hissa sur un tabouret rudimentaire à la gauche de Jack, dirigeant son regard vers Kit. Elle leva la tête à son arrivée et lui rendit son regard sans ciller.

Les yeux de Nolan se plissèrent.

— Vous êtes ensemble tous les deux? demanda-t-il en s'adressant à Jack.

— On a fusionné. Pour un bénéfice mutuel.

Jack sourit, et Kit fut heureuse qu'il ne lui sourie pas comme ça. Cette pensée la fit frissonner, ce qu'elle réprima sévèrement.

— Qu'est-ce que ça veut dire?

Nolan ne semblait pas très content.

— Ça veut dire, mon ami, que si tu veux décharger une cargaison au nord du Norfolk, tu devras faire affaire avec moi et moi seul.

La voix grave de Jack était calme et complètement dépourvue d'émotion. Dans le silence, elle revêtait une expression menaçante.

Nolan le regarda fixement, puis fit dévier son regard vers Kit.

— C'est vrai?

— Oui, dit Kit, qui s'en tint à cela.

Nolan grommela et se tourna vers Jack.

— Eh bien, au moins, ça veut dire que je n'aurai pas à faire affaire avec un jeune arriviste qui se prend tous les profits.

Il se tourna pour prendre la chope qu'une jeune serveuse plantureuse lui tendait et rata ainsi le regard curieux que Jack lança à Kit. Elle l'ignora, laissant son regard glisser du sien vers les yeux ardents de la jeune serveuse. Brusquement, elle transféra son attention vers sa chope et l'y conserva.

Une fois que Jack et Nolan furent bien lancés dans leur conversation sur la contrebande, Kit leva les yeux. La serveuse s'était retirée au bar, mais son regard était encore fixé, admiratif, sur elle. Kit jura en silence.

— Vingt barils du meilleur cognac et dix autres de porto, si vous pouvez vous en charger.

Nolan s'arrêta pour écluser sa bière. Kit se demanda comment il faisait. Ce truc était infect.

— On peut s'en charger. Mêmes conditions que d'habitude?

— Oui.

Nolan regarda Jack avec méfiance, comme s'il ne pouvait pas croire qu'il ne hausserait pas la part du gang.

— Tu la veux pour quand?

Jack réfléchit, puis dit :

— Demain. Ce sera la nouvelle lune. Pas trop de lumière, mais juste assez pour voir. Les conditions de livraison sont les mêmes?

Nolan opina.

— Le paiement à la livraison. Le bateau, c'est le *Mollie Ann*. Il sera au large du cap de Brancaster après la tombée de la nuit, demain.

— Parfait.

Mettant sa chope de côté, Jack se leva.

— Il est temps de partir.

Nolan hocha simplement la tête et se réfugia dans sa bière.

Se levant avec empressement, Kit se retrouva devant Jack. Matthew prit la tête et George se plaça en dernier. Leur sortie fut si rapide que personne parmi les autres clients n'eut le temps de s'en apercevoir. À l'extérieur, Jack, George et elle attendirent dans la rue tandis que Matthew allait chercher leurs chevaux. Même dans l'obscurité, Kit sentit le regard sérieux que Jack et George échangèrent au-dessus de sa tête. Puis, ils enfourchèrent leurs chevaux et partirent à travers champs vers la chaumière.

Là, ils s'assirent tous autour de la table. Jack versa du cognac, levant un sourcil en direction de Kit. Elle secoua la tête. Les quelques gorgées de bière qu'elle avait prises avaient été largement suffisantes. Jack exposa ses plans sur un ton froid. Kit se demanda ce qu'il était avant. Un soldat, certainement, mais son attitude autoritaire suggérait qu'il n'avait pas été un homme de troupe. L'idée la fit sourire.

— Combien de bateaux vos hommes peuvent-ils rassembler ?

La question de Jack la ramena sur terre.

— En équipes de deux ? demanda-t-elle.

Comme il opinait, elle répondit :

— Quatre. Vous les voulez tous ?

— Quatre doublerait notre nombre, intervint George.

— Et doublerait la vitesse à laquelle nous pourrions transporter les barils, ajouta Jack en regardant Kit. Nous prendrons les quatre. Qu'ils se postent près de la côte, à l'ouest du cap. Il y a une petite baie qu'ils connaissent probablement, parfaite pour notre mission.

Se tournant vers Matthew et George, il discuta de la disposition du reste des hommes. Kit écouta d'une oreille, levant les yeux seulement un bref instant quand George partit.

Matthew suivit.

— Bonne nuit, jeune homme.

Kit répondit à ses mots avec un sourire, caché par son écharpe. Dès que la porte se ferma, elle en dénoua les extrémités.

— Ouf! J'espère que les nuits ne seront pas toutes aussi chaudes!

Replaçant la bouteille de cognac sur le buffet, Jack se tourna pour la regarder. Dans un mois, longtemps avant les douces nuits d'août, elle n'aurait pas besoin de son écharpe. Dans un mois, elle ne se déguiserait pas en contrebandière. Dans un mois, elle deviendrait sa maîtresse. Cette pensée lui fit froncer les sourcils. Il devrait encore mentir sur sa propre identité, car il ne pourrait lui dire qui il était avant que sa mission soit terminée. Soupirant intérieurement, Jack se concentra sur le présent.

— Je suppose que vous avez été édifiée par la clientèle du Blackbird, n'est-ce pas?

Kit s'avachit sur une chaise.

— La clientèle, j'aurais pu m'en passer, avoua-t-elle. Mais tout s'est passé en douceur. La prochaine fois, ils me reconnaîtront, et je serai moins le centre d'attraction.

Le regard exaspéré de Jack en dit long.

— La prochaine fois, répéta-t-il en tirant une chaise de l'autre côté de la table et en l'enfourchant. Je suppose que vous êtes consciente que la seule raison pour laquelle vous vous en êtes tirée, c'est parce que George, Matthew et moi étions là. Impossible de céder là-dessus!

Kit ouvrit grand les yeux.

— Je n'avais pas prévu y aller seule.

— Bon sang, *non*!

Jack fit courir ses doigts dans ses cheveux, les mèches dorées captant et reflétant la lumière de la lampe.

— Votre idée était pure folie. Je n'aurais jamais dû accepter. Mais laissez-moi vous enseigner un point au moins. Si vous aviez fait le moindre faux pas là-bas, menant accidentellement un homme à croire...

Jack s'efforça de trouver les bons mots pour arriver à son but. Un regard sur le visage dégagé de Kit, sur ses yeux nettement visibles maintenant qu'elle avait ôté son chapeau et son cache-nez, lui fit apparaître nettement qu'elle n'était pas entièrement *au fait* de la manière dont les choses se passaient dans les lieux de débauche.

— ... des hommes à croire qu'il aurait été intéressant d'en savoir plus sur vous, continua-t-il, déterminé à la faire se sentir en danger, nous aurions eu un affrontement sur les bras. Qu'auriez-vous fait alors ?

Kit grimaça.

— Je me serais cachée sous la table, finit-elle par concéder. Je ne suis pas bonne avec mes poings.

La réponse renversa le sérieux délibéré de Jack. L'idée de ses mains délicates refermées en poings était assez ridicule et l'idée qu'elles puissent faire des dommages était risible. Ses lèvres revêtirent un sourire malgré lui.

Kit sourit gentiment. Immédiatement, toute trace de joie quitta le visage de Jack, remplacée par l'air renfrogné qu'elle commençait à croire habituel. Bon sang ! Il pouvait sourire, elle le savait. Et de façon charmante.

«Allez ! Fais-le sourire.»

«Tais-toi, dit Kit à son moi diabolique. Je ne peux pas me permettre une prise de bec avec lui. S'il me touche, où me retrouverai-je?»

«Au lit, avec de la chance», fut la réponse qui survint naturellement.

«Tout ce que je veux, c'est un sourire», se dit Kit, réprimant le désir de prendre elle-même un air renfrogné.

— Vous vous inquiétez trop, dit-elle. Tout ira bien. Ce n'est que pour un mois.

Jack la regarda enrouler son écharpe sans la serrer, puis enfoncer son chapeau sur ses cheveux bouclés. Il savait qu'il pouvait réagir et mettre fin à sa petite comédie, ou du moins la limiter aux zones qu'il croyait incontournables. Il le savait, mais ne parvenait pas à trouver comment. Il argumenta, et elle lui répondit de façon désinvolte, puis sourit, le perturbant totalement, ne laissant la place dans son esprit qu'à un vif désir urgent. Il n'avait jamais travaillé avec une femme auparavant; socialement, il était facile de traiter avec elles, mais professionnellement... il n'avait manifestement pas le tour.

Le raclement de sa chaise quand elle se leva attira de nouveau le regard de Jack sur le visage de Kit.

— À demain, alors.

Elle sourit et sentit une pointe d'irritation indéniable quand Jack la regarda en retour. Elle s'éloigna d'un pas nonchalant vers la porte, avec un déhanchement fort suggestif. Elle s'arrêta sur le seuil pour lever une main en guise de salut. Jack avait à présent une mine éminemment renfrognée. Kit revêtit un sourire étincelant.

— Bonne nuit, Jack.

Tandis qu'elle fermait la porte derrière elle, Kit se demanda si le petit grognement qu'elle entendit venait d'une vague au loin ou s'il avait une origine plus proche.

*

La contrebande fut son premier aperçu de l'attitude de Jack en action. Tout se passa en douceur. Elle était le principal guetteur, sise sur la falaise au-dessus, à l'est de la baie où ils chargeaient les marchandises. En réponse à sa protestation qu'un danger arriverait très probablement de l'ouest, Jack s'était imposé et lui avait presque ordonné d'aller sur le cap. Elle y avait une excellente vue de la plage. Les hommes de Kit étaient là. Ils débarquèrent le chargement, puis, avec ceux qui étaient dans les bateaux, ils quittèrent la rade et repartirent directement chez eux. Les contrebandiers sur le rivage transférèrent les barils sur le dos des poneys, et les cavaliers se dirigèrent à l'intérieur des terres. Cette fois, Jack avait choisi de cacher la marchandise dans les ruines d'une vieille église.

Envahies par le lierre, les ruines étaient presque impossibles à voir, à moins de savoir qu'elles étaient là. La vieille crypte, sombre et sèche, constituait l'endroit parfait pour leur cachette.

— Qui possède cette terre? demanda Kit en se tournant vers Jack, assis sur son étalon à côté d'elle.

Ils s'étaient retirés dans les arbres pour surveiller le gang pendant qu'ils s'affairaient à décharger les barils et à les charrier en bas des marches jusqu'à la crypte.

— Ça appartenait aux Smeaton.

Le ton de Jack suggérait que ce n'était plus à eux.

— Et maintenant? demanda Kit.

Elle connaissait la réponse avant qu'il ne dise :

— Lord Hendon.

— Avez-vous une sorte d'obsession pour agir constamment sous le nez du haut-commissaire ?

Delia avança de biais pour éviter la tête du cheval gris. Kit jura et ralentit la jument.

— J'espère que vous savez tenir votre cheval.

Jack se pencha docilement en avant et réprimanda Champion :

— Tu entends ça, mon vieil ami ? murmura-t-il. Tes avances ont échoué. Mais ne t'inquiète pas. Les femelles sont des créatures spécialement contrariantes. Crois-moi... Je le sais.

Kit ignora l'incitation à s'offusquer de sa déclaration, bien certaine qu'il y avait un piège caché dans ses mots. Dans leurs quelques échanges depuis la nuit dernière, elle avait détecté un énervement marqué dans les remarques de Jack. Elle supposait que ça provenait d'une détérioration de sa mauvaise humeur.

— Vous alliez me dire pourquoi vous utilisiez les terres de Lord Hendon.

Les lèvres de Jack revêtirent un sourire que Kit ne pouvait pas voir. Il n'était pas sur le point de faire une telle chose, mais elle manifestait une curiosité incessante qu'il pourrait peut-être soulager. Elle était aussi une distraction permanente, un désir permanent qu'il ne pouvait pas encore exprimer. Mais bientôt, il se le jurait, bientôt, il s'occuperait d'elle comme elle le méritait. La vision de ses fesses se déhanchant de façon provocante et des plus délibérées tandis qu'elle avait marché vers la porte dans la chaumière n'était pas une chose qu'il risquait d'oublier.

— Parfois, l'endroit le plus sécuritaire pour cacher quelque chose se trouve aussi près que possible de ses poursuivants.

Kit réfléchit.

— Donc, il vous néglige tandis qu'il cherche plus loin.

Jack opina. Les hommes sortirent de la crypte. Les derniers barils avaient été rangés. Jack talonna Champion.

En quelques minutes, le gang se dispersa, certains hommes avec les poneys, d'autres à pied. Bientôt, les seules âmes qui restaient furent Kit, Jack, Matthew et George. Ils attendirent quelques minutes pour s'assurer que tous les hommes partaient sans encombre. Puis, George fit un signe de tête à Jack.

— On se verra demain.

George partit dans les arbres. Au signal de Jack, Matthew s'éloigna pour l'attendre juste après la clairière.

Kit leva les yeux. Il était temps pour elle de partir. Elle sourit, sans savoir combien elle semblait fatiguée.

— Mes hommes et moi viendrons pour la rencontre de lundi. C'est bien ça ?

Jack opina, espérant pouvoir l'accompagner jusque chez elle. Il n'avait pas pensé à elle en train de chevaucher seule dans le noir avant. Il ne l'avait jamais regardée quitter la chaumière. La laisser dans la nuit, fatiguée et seule, semblait être un acte d'une dureté absolue. Il envisagea d'insister pour l'accompagner, mais rejeta cette idée. Elle aurait refusé et argumenté, et il aurait probablement perdu. Et il n'avait pas l'intention de lui dévoiler son véritable intérêt pour elle tout de suite. L'ignorer tandis qu'elle croyait qu'il était indifférent était assez difficile. L'ignorer quand elle saurait qu'il s'était entiché d'elle serait impossible, s'il se fiait à ses actes de la nuit dernière. Comme toutes les autres femmes, elle serait incapable de le laisser seul, le provoquant pour obtenir des attentions qu'il serait trop sage pour lui accorder... du moins, pas encore.

À moitié endormie et songeuse, Kit se surprit en train de fixer le visage ovale et pâle de Jack. Elle se reprit.

— J'y vais alors. Bonne nuit.

Jack se retint de parler. Raide, il la regarda quitter la clairière, se dirigeant vers le sud pour une chevauchée de près de dix kilomètres dans le noir.

Réprimant un juron, il fit tourner Champion vers l'est et alla retrouver Matthew. En silence, ils partirent. Champion menait le cheval noir de Matthew, qui somnolait sous le ciel sombre, à travers les champs et les prairies. Ils avaient franchi près de deux kilomètres quand Jack s'arrêta brusquement, faisant sursauter Matthew, qui s'était endormi sur sa selle.

— Zut! Va devant. Je te rejoindrai plus tard.

Jack fit tourner Champion et planta ses talons dans les flancs lisses et brillants de son cheval gris, laissant un Matthew perplexe dans son sillage. Quand il atteignit l'église en ruine, Jack fit tourner la tête de son cheval vers le sud et relâcha les rênes. Il était sûr que Champion suivrait la jument arabe, peu importe le chemin que Kit avait emprunté.

Chapitre 12

Chapitre 12

A près la première contrebande, Kit était sûre qu'elle ne rencontrerait aucun problème à être le jeune Kit pendant le mois requis. Malheureusement, les affaires ne pouvaient pas si bien se dérouler. Elle devait faire face à un problème, sa fierté! Elle s'était manifestée dans deux situations différentes, toutes deux en réaction au comportement agaçant de Jack.

Lors de la troisième semaine de leur association, elle rechercha la solitude dans le belvédère pour réussir à trouver comment contrecarrer le refus catégorique de Jack de l'intégrer totalement dans leurs affaires. Elle était toujours le guetteur — ce qu'elle pouvait comprendre —, mais très probablement en raison de toute son expérience, Jack persistait à la placer à l'est de la zone du trafic, loin de Hunstanton. Or, si les douaniers entreprenaient une sortie, ils viendraient assurément *de* Hunstanton.

S'installant sur le siège en bois du belvédère, Kit fixa les roses. Toute tentative de mettre en doute les ordres bizarres de Jack rencontrait son air menaçant hautement décourageant, couronné par un grognement, si elle insistait. Un rugissement s'ensuivrait certainement, mais elle n'avait jamais osé aller jusque-là. Elle avait l'impression bien nette qu'elle était mise de côté, en sécurité. Kit plissa les yeux. C'était presque comme si Jack savait qu'il n'y aurait pas d'intervention des douaniers, mais qu'il l'envoyait dans la direction opposée juste au cas où.

Bon sang! C'était à cause de *son* insistance qu'elle continuait sa comédie. Se faire donner des tâches de service n'était pas ce à quoi elle s'était attendue. Assez! Elle lui en parlerait ce soir. Il devait y avoir un autre trafic sur le promontoire entre Holme et Brancaster. Depuis qu'ils avaient uni leurs forces, le trafic avait été constant — deux livraisons par semaine, toujours sur des plages différentes, le plus souvent par Nolan, une fois par un autre agent. L'alcool et la dentelle avaient été les principaux produits, de la marchandise de haute qualité qui fournissait de bons revenus aux contrebandiers.

Kit se leva en faisant bruire le bas de sa robe. Elle descendit du belvédère et chemina entre les massifs de roses, indifférente aux magnifiques fleurs ondulant de chaque côté. Son manque de participation significative dans les affaires du gang n'avait pas été le seul sujet de dispute. Son interaction personnelle avec Jack, ou plutôt, son manque d'interaction personnelle avec Jack, avait été le deuxième.

Elle avait compris son comportement durant sa première visite à la chaumière. Ce qui l'avait troublée, c'était tout ce qui avait, ou n'avait pas, suivi. Il s'était d'abord montré intéressé, mais depuis cette nuit-là, il semblait désintéressé, comme s'il l'avait trouvée peu attirante au second regard. Le fait qu'elle avait eu les plus grands séducteurs de Londres à ses pieds et qu'il ne lui succombait pas était vexant.

Kit jeta les pétales qu'elle avait ôtés d'une rose blanche fanée et se dirigea vers la maison. Tous les autres hommes bien de leur personne qui avaient tourné autour d'elle l'avaient fait sans qu'elle exerce le moindre effort pour attirer leur attention. L'attention de Jack, passagère comme elle l'avait été, avait stimulé son intérêt comme aucun autre ne l'avait fait. Elle en voulait plus. Mais Jack, damnés soient ses yeux d'argent, semblait très peu disposé à la contenter. Il agissait maintenant comme si elle était bel et bien un garçon, comme s'il ne voulait pas se donner la peine d'agir avec elle en tant que femme.

Grimpant les marches jusqu'à la terrasse, Kit réalisa que ses dents étaient serrées. Détendant vigoureusement sa mâchoire, elle fit un vœu. Avant qu'elle quitte le gang de Hunstanton, elle aurait le capitaine Jack à ses pieds. C'était peut-être une résolution irréfléchie, mais cette pensée osée la fit délicieusement frissonner.

Elle sourit. C'était ce dont elle avait envie, ce dont elle avait besoin. Un défi. Si Jack ne voulait plus lui offrir d'occasions de frissonner, il n'était que justice qu'il lui fournisse une compensation appropriée.

Entrant dans le petit salon, Kit s'effondra dans la méridienne et envisagea les différentes possibilités. Elle devait être sur ses gardes pour s'assurer que Jack ne pousserait pas les choses plus loin qu'un simple badinage. Son comportement lors de cette première nuit dans la chaumière avait été largement la preuve qu'il pourrait et qu'il voudrait amener les choses plus loin qu'elle l'approuverait. Il n'était pas commun. Aucun pêcheur n'avait un tel air, une telle maîtrise, une telle autorité et, souvent, une arrogance si marquée. Son langage, sa connaissance des duels à l'épée, son étalon..., tout témoignait que ses origines étaient considérablement plus élevées que celles d'un villageois. Et, bien sûr, il était incroyablement beau. Néanmoins, une aventure, même brève, entre la petite-fille de Lord Cranmer et le capitaine Jack, chef du gang de Hunstanton, n'était pas dans le domaine du possible.

«Mais il pense que tu es illégitime, tu te souviens?»

«Mais je ne suis pas illégitime, souligna Kit à son moi plus aventureux. Je ne peux absolument pas oublier mes devoirs par rapport à la famille.»

«Pourquoi? La famille était prête à te sacrifier pour réaliser ses propres buts.»

«Seulement mes oncles et mes tantes, pas Spencer ni mes cousins.»

«Tu es sûre que ce n'est pas dû simplement à ton côté vieux jeu de jeune fille prude? Comment sauras-tu si Amy avait raison si tu n'essaies pas? Et si tu ne te jettes pas à l'eau? C'est le bon. Pourquoi n'admets-tu pas que tu as les jambes qui flageolent à la seule pensée de tous ces beaux muscles virils et ces yeux d'argent diaboliques?»

«Oh, tais-toi!»

Kit tendit les bras vers sa broderie. Elle ôta l'aiguille et l'inséra dans le modèle. Elle passa le fil à travers et serra les lèvres. Elle s'ennuyait. Elle avait besoin d'un peu d'excitation. Ce soir, elle s'assurerait d'obtenir certaines choses.

Le mugissement des vagues quand elles heurtaient le sable assourdissait Kit. Elle se trouvait à l'abri de la falaise, tenant les rênes de Delia, en train de regarder le gang de

Hunstanton se rassembler. Les hommes formaient des petits groupes, leurs grosses voix à peine audibles à cause des vagues. Personne ne l'approcha. Ils voyaient tous le jeune Kit comme un jeune homme délicat, un jeune aristocrate. Pour eux, il valait mieux laisser au capitaine Jack le soin de traiter avec lui.

Kit leva les yeux et vit Jack approcher, monté sur son étalon gris et flanqué de George et Matthew. Elle avait entièrement confiance dans les capacités de Jack à organiser et à commander. Elle avait entendu des histoires, certaines franchement horribles, sur les activités du gang de Hunstanton avant que Jack en prenne le contrôle. Au cours des trois dernières semaines, elle n'avait vu aucune manifestation de tels excès. Jack ne se fatiguait même pas à accentuer son autorité. Les hommes lui obéissaient d'instinct, comme s'il était né pour commander.

Kit regarda fixement les vagues, noires au bout nacré à la faible lumière du clair de lune. Elle ne voyait aucune trace des bateaux.

Jack s'éloigna de quelques mètres, et les hommes se rassemblèrent autour de lui pour recevoir les ordres. Puis, ils se retrouvèrent en bas sur la plage pour attendre, regroupés sur le sable comme des rochers juste en haut de la ligne de flottaison. Descendant de cheval, Jack demanda à Matthew et à George de guetter le signal du navire qui leur indiquerait que les bateaux étaient en route, puis il avança péniblement dans le sable pour rejoindre Kit.

Il s'arrêta en face d'elle.

— Vous auriez une bonne vue d'en haut.

À la grande surprise de Kit, il indiqua la falaise au-dessus de l'extrémité ouest de la plage. Puis, elle se souvint qu'ils étaient sur le promontoire. Si les douaniers arrivaient, ce serait de l'est. Au-delà de la pointe à l'ouest, c'était la mer. Son moment était venu.

— Non !

Elle dut crier plus fort que le vacarme des vagues.

Il fallut un moment à Jack pour comprendre ce qu'elle avait dit. Il prit une mine renfrognée.

— Que voulez-vous dire par « non » ?

— Je veux dire qu'il n'y a aucune raison pour que je fasse le guet de cet endroit. Je peux aussi bien rester sur la plage et regarder les bateaux arriver.

Jack la fixa. Il refusait d'envisager l'idée qu'elle déambule au milieu des bateaux et qu'elle se fasse pousser sur le côté par le premier pêcheur à qui elle couperait le chemin. Un cri lui annonça que le signal avait été donné. Les bateaux accosteraient bientôt. Il regarda la mince silhouette devant lui et secoua la tête.

— Je n'ai pas le temps d'argumenter là-dessus maintenant. Je dois aller voir les bateaux.

— Parfait. Je viens aussi.

Kit noua les rênes de Delia à un des rares buissons collés à la falaise et se tourna pour suivre Jack.

— *Montez au sommet de cette falaise immédiatement !*

Le souffle la souleva presque de terre. Kit recula, apeurée, les yeux écarquillés. Jack la surplombait de manière imposante, un bras en l'air, le doigt pointé vers la falaise, à l'ouest. Paralysée, elle le fixa et le vit serrer les dents.

— *Nom de Dieu, allez-y !*

Tremblant comme une feuille et extrêmement furieuse, Kit ôta brusquement les rênes de Delia du buisson et monta en selle. Elle baissa les yeux vers Jack, qui se tenait toujours devant elle, les poings sur les hanches, lui barrant le chemin vers la plage, puis tira sur les rênes et fit monter le sentier de la falaise à Delia.

Au sommet de la falaise, à l'ouest, Kit descendit de cheval. Elle laissa Delia brouter les herbes drues à quelques mètres du bord. Bouillant de colère, elle se jeta sur un large rocher plat et prit un petit caillou qu'elle lança en bas, sur la plage. Elle espéra qu'elle heurterait Jack avec celui-ci. Il était nettement visible, en bas près des bateaux qui accostaient. Un lance-pierres aurait permis de le viser.

Avec un grognement de dégoût, Kit enfonça ses coudes dans ses cuisses et plongea son menton dans ses mains. Bon sang! Ce qu'il pouvait crier! Spencer hurlait quand il était furieux, mais le bruit ne l'avait jamais affectée. Elle l'avait toujours considéré comme le signe infaillible que son grand-père avait presque perdu le fil de son argumentation et qu'il allait bientôt succomber à la sienne. Mais quand Jack avait hurlé ses ordres, il s'était attendu à ce qu'elle lui obéisse. Immédiatement. Toute trace du courage rebelle qu'elle possédait s'était réduite jusqu'à se dissiper totalement. L'idée qu'elle puisse faire quelque chose pour surmonter cette force invisible semblait manifestement ridicule.

Profondément dégoûtée de s'être retirée comme une poltronne, Kit regardait le gang décharger les bateaux d'un air sombre.

Quand le dernier baril se retrouva éloigné des vagues et que les poneys furent presque complètement chargés, Kit se leva et épousseta ses hauts-de-chausse. Peu importe ce qui se passerait, peu importe combien Jack crierait, c'était la dernière, la *toute dernière fois* qu'elle ferait le guet au mauvais endroit pour le gang de Hunstanton.

— Alors, qu'y a-t-il?

Jack déchargea le baril qu'il avait rapporté de l'opération de contrebande sur la table et se tourna pour regarder Kit. George avait chevauché directement vers chez lui depuis la plage, et, après un regard vers le visage fermé de Kit, Jack avait envoyé Matthew directement au château. Sur la plage, il avait espéré que son obéissance à ses ordres signifiait qu'elle avait laissé tomber son reproche d'être un guetteur inutile. C'était mal la connaître.

Kit ignora sa demande abrupte et ferma la porte. Impassible, elle avança vers la lueur de la lampe que Jack avait allumée. Elle ôta son chapeau et le posa sur la table, puis, dans un parfait silence, elle défit son écharpe.

Se redressant après avoir allumé la lampe, Jack appuya ses mains sur la table et resta debout. Il se sentait bien plus en mesure d'intimider Kit quand il était debout. En présumant, bien sûr, qu'elle aussi était debout. Si elle ne se dépêchait pas d'en arriver à son but, il lui laisserait peu de chances d'y parvenir. Jack serra les dents et attendit.

Quand son écharpe rejoignit son chapeau, Kit se tourna pour faire face à Jack.

— Je suggère qu'à l'avenir, vous révisiez votre politique de surveillance. Si vous me demandez de me mettre en place de toute évidence à un mauvais endroit, je me rendrai à un lieu plus judicieux.

Le visage de Jack se durcit.

— Vous ferez ce que je vous dis.

Kit leva un sourcil d'un air condescendant.

Jack perdit un peu son calme.

— Bon sang! Si vous faites le guet et que les douaniers arrivent, comment diable pourrais-je être certain que vous ne ferez rien de stupide?

Les yeux de Kit s'enflammèrent.

— Je ne risque pas de m'enfuir.

— Je le sais! Si je pensais que vous vous *enfuiriez*, je n'aurais aucun scrupule à vous placer du côté de Hunstanton.

— Vous admettez que vous m'avez placée délibérément du mauvais côté?

— Bon sang!

Jack passa sa main dans ses cheveux.

— Écoutez... Vous ne pouvez pas décharger les bateaux, alors vous pouvez tout à fait être notre guetteur. S'il arrive...

— En ce moment, vous n'avez pas vraiment besoin d'un guetteur.

Le ton de Kit était profondément sarcastique.

— En effet, comme vous le savez très bien, les douaniers de Hunstanton ont reçu l'ordre de patrouiller sur les plages au sud de Hunstanton.

Les yeux de Jack se plissèrent.

— Comment le savez-vous?

Kit leva une épaule.

— Tout le monde le sait.

— Qui vous l'a dit?

Kit regarda Jack avec méfiance.

— Spencer. Il le tient du propriétaire du Rose and Anchor, à Lynn.

Les muscles des épaules de Jack se relâchèrent. Elle n'avait pas de contact avec la douane. Il était parti si longtemps qu'il avait oublié comment les choses se passaient à la campagne.

— Je vois.

— Je suppose que ça veut dire que je ne devrai plus rester plantée sur la falaise à me tourner les pouces la prochaine fois?

Le regard de Kit le défia de s'y opposer.

Il l'ignora.

— Que diable pouvez-vous faire d'autre?

— Je peux aider à décharger la dentelle, déclara Kit, le menton relevé.

— Parfait, dit Jack. Et qu'arrivera-t-il la première fois que quelqu'un vous tendra un baril à la place? Tenez, apportez ça sur le buffet.

Sans avertissement, il leva le baril qu'il avait rentré et le lui tendit.

De manière automatique, Kit déploya ses mains pour le saisir. Jack la laissa aller.

Il pouvait transporter le baril sous un bras. Même s'il n'avait aucune idée de ce que Kit pouvait transporter, il ne s'attendait pas à la voir plier sous son poids.

Les genoux de Kit cédèrent. Ses bras glissèrent autour du baril tandis qu'elle s'efforça d'équilibrer le poids contre son corps et échoua. Elle tomba, les fesses les premières, et le baril roula sur elle. Juste avant qu'il ne crée de sérieux dommages, Jack le souleva.

Dans un silence horrible, Kit resta étendue de tout son long sur le sol et regarda Jack. Puis, elle retrouva sa respiration. Ses seins comprimés, qui se gonflaient sous l'effet d'une indignation justifiée, luttaient contre les bandages restrictifs. Ses yeux lançaient des flammes pourpres.

— Pauvre type! Pourquoi avez-vous fait une chose aussi stupide?

Jack replaça avec soin le baril sur la table. Il regarda une fois Kit, étalée à ses pieds, puis détourna rapidement le regard, réprimant le rire qui menaçait de surgir. Elle semblait capable de tuer.

— Allez, laissez-moi...

Baissant les bras, il saisit ses deux mains. Lentement, il la hissa debout. Il n'osa pas croiser son regard. Il était assez perçant pour le réduire en charpie, ce que sa langue ferait sans doute bientôt.

De nouveau debout, Kit était atrocement consciente qu'une certaine partie de son anatomie était très meurtrie.

— Bon sang. Ça fait mal!

L'accusation était adoucie par la façon dont ses lèvres tremblaient. Elle grimaça, et Jack se sentit vraiment stupide. Il avait essayé de la protéger et, à la place, il l'avait presque mortellement écrasée.

— Désolé.

Il commençait à revêtir un sourire contrit, conçu pour la charmer et la calmer, quand il se souvint de ce qui arriverait s'il le faisait. Elle lui sourirait en retour. Il pouvait l'imaginer... un léger sourire peiné. Il en serait anéanti.

— Mais j'ai peur que ce soit précisément ce qui vous arriverait si vous jouiez la contrebandière avec moi.

Réalisant combien il était près du danger, Jack s'éloigna de l'autre côté de la table.

Kit se raidit. Ses doigts se recroquevillèrent tant elle était furieuse. Son moi plus aventurier surgit. « Te souviens-tu d'avoir choisi de ressentir des frissons en jouant les contrebandières ? »

Kit sourit à Jack et remarqua son battement de paupières défensif. Elle élargit son sourire. Elle mit ses mains derrière sa taille et se tourna légèrement, grimaçant avec art.

— Comme vous avez raison ! ronronna-t-elle. Je suppose que vous n'avez rien ici pour les bleus ?

Elle laissa ses mains descendre et prendre position sur les courbes de ses fesses.

Malgré des années de formation dans l'art de dissimuler, Jack ne parvenait pas à arracher ses yeux de ses mains. Son corps passa de semi-excité, son état habituel en présence de Kit, à une dureté douloureuse devant ses mains qui atteignaient le haut de ses cuisses. Son cerveau remarqua l'insinuation dans sa voix rauque, ce qui brouilla le peu d'esprit qui lui restait. Seul son instinct d'autoconservation le maintenait figé sur le sol, avec la table, son dernier bastion, entre eux.

Ce fut le silence qui finit par infiltrer l'abasourdissement de Jack. Il leva les yeux et, étrangement, saisit comme une lueur de satisfaction dans les yeux violets qui le regardaient.

— Euh... non. Rien pour les bleus.

Il fallait qu'il la fasse sortir d'ici.

— Mais vous devez avoir quelque chose, dit Kit, les paupières mi-closes.

Son regard tomba sur le baril, et son sourire s'élargit. Elle ajouta :

— Pour autant que je m'en souvienne, on peut se frictionner avec du cognac.

Elle leva les yeux pour voir le visage de Jack se vider de toute expression.

Une friction à base de cognac ? L'esprit de Jack s'emballa. L'image que ses mots firent apparaître, de lui en train d'appliquer du cognac sur sa chair meurtrie, de sa main caressant les courbes chaudes qu'il venait de lui voir tracer, le laissa paralysé par l'effort nécessaire pour rester où il était. Seule la pensée qu'elle le taquinait délibérément le maintenait immobile. Lentement, il secoua la tête.

— Ça n'aidera pas.

Kit fit la moue.

— Vous en êtes sûr ?

Ses mains massèrent doucement ses fesses.

— J'ai vraiment mal.

Jack tendit vigoureusement chaque muscle de son corps. Ses poings se recroquevillèrent. Il se sentit comme si sa mâchoire était scellée quand il réussit à dire :

— Dans ce cas, vous feriez mieux de partir avant que ça empire.

Les yeux de Kit se plissèrent, puis elle haussa les épaules et se tourna à moitié pour prendre son écharpe et son chapeau.

— Donc, je peux aider à décharger les bateaux à partir de maintenant ?

Elle commença à enrouler son écharpe autour de son visage.

Argumenter davantage était au-delà des forces de Jack, mais il s'en serait voulu s'il l'avait laissée le vaincre comme ça.

— Nous en parlerons demain.

Sa voix semblait fatiguée.

Kit mit son chapeau et s'apprêtait à en discuter davantage quand Jack passa devant elle pour se diriger vers la porte.

— Nous verrons quel chargement Nolan nous a trouvé. Après tout, vous n'avez plus qu'une semaine à faire.

Jack s'arrêta, la main sur le loquet de la porte, et regarda derrière lui, priant pour qu'elle parte.

Kit avança vers lui, une lueur résolue dans les yeux et un sourire entendu sur les lèvres.

— Je pensais que vous vouliez deux mois ?

Elle était beaucoup trop près. Jack respira difficilement et ouvrit la porte.

— Vous étiez d'accord pour un mois, car cela suffirait à notre but. Pas besoin de plus.

Pas besoin de plus de torture.

Kit s'arrêta à côté de lui et inclina la tête pour lever vers lui ses yeux cachés par le rebord de son chapeau.

— Vous êtes sûr qu'un mois sera suffisant ?

— Tout à fait sûr.

La voix de Jack reprenait de la force. Encouragé, il saisit son coude et la fit avancer sur le seuil, risquant un contact dans l'intérêt d'une plus grande sécurité.

— Nous nous verrons ici à vingt-trois heures, comme d'habitude. Bonne nuit.

Les yeux de Kit s'écarquillèrent devant son insistance pour qu'elle parte, mais elle accepta de bonne grâce, s'arrêtant dans la tache de lumière qui filtrait à travers la porte ouverte pour lui sourire.

— À demain, alors, ronronna-t-elle.

Jack ferma la porte.

Quand il entendit le bruit des sabots de la jument, il poussa un profond soupir et s'affala contre la porte. Il regarda ses mains, les poings toujours serrés, et étira lentement ses longs doigts.

Encore une semaine. Bon sang ! Il serait à bout à la fin !

S'écartant de la porte, il se dirigea vers le baril de cognac. Avant de l'atteindre, l'image de l'objet de son supplice, chevauchant seule dans la nuit, refit surface. Jack pencha sa tête en arrière pour regarder le plafond et évacua son mécontentement par un grognement frustré. Puis, il sortit seller Champion.

Chapitre 13

— Eh bien, ma chère Kathryn, vous êtes notre experte locale. Si nous faisons un vrai bal masqué et que personne ne doit savoir qui est qui, comment allons-nous l'organiser ?

Lady Marchmont but une gorgée de son thé et regarda Kit d'un air interrogateur.

La connaissant depuis longtemps, Kit n'imaginait pas qu'elle puisse avoir oublié comment donner un bal. Il était tout à fait clair pour toutes celles qui se trouvaient dans le salon de Lady Marchmont — Lady Dersingham ainsi que Lady Gresham avec Amy dans son sillage — que le bal devait avoir un double usage : extirper l'insaisissable Lord Hendon de son château et le présenter à Kit. S'y étant attendue, Kit avait réfléchi à la question. Un bal masqué aurait bon nombre d'avantages.

— Pour commencer, nous devons faire clairement comprendre que le bal est un vrai bal masqué, pas seulement des dominos sur des robes de bal, dit Kit en fronçant les sourcils au-dessus de sa tasse de thé. Pensez-vous que les gens auront assez de temps pour s'organiser avec les costumes ?

— Ils auront largement le temps.

Lady Dersingham agita une main blanche avec dédain.

— Nous ne sommes pas si nombreux, en fin de compte. Ça ne devrait pas être un problème. Qu'en pensez-vous, Aurelia?

Lady Gresham hocha la tête.

— Si les invitations partent cet après-midi, tout le monde aura une semaine pour arranger son déguisement.

Elle sourit.

— Je dois dire que j'ai hâte de voir comment nos amis se déguiseront. C'est si révélateur de voir la fantaisie des gens.

Assise en silence sur la méridienne à côté de Kit, Amy la regarda.

Lady Marchmont tendit le bras pour prendre un autre petit pain au lait.

— Nous n'avons pas eu de telles distractions prometteuses depuis des années. Excellente idée, Kathryn.

Kit sourit et but une gorgée de thé.

— Si on ne peut reconnaître personne, comment être sûr que ce seront bien les personnes invitées qui viendront? demanda Lady Dersingham. Souvenez-vous des problèmes que les Colville ont eus quand les amis d'université de Bertrand sont venus sans invitation? Dulcie était en larmes, la pauvre chérie. Ils ont gâché toute la soirée avec leur chahut, et bien sûr, il a fallu un temps fou pour découvrir qui ils étaient et les expulser.

Lady Marchmont et Lady Gresham ne savaient quoi répondre. Elles regardèrent Kit.

Elle avait une réponse toute prête.

— Les invitations pourraient mentionner que les invités devront présenter un signe, de sorte que nous serons certaines que seules les personnes invitées viendront, sans qu'aucune s'identifie en dehors d'afficher le bon signe.

— Quelle sorte de signe? demanda Lady Marchmont.

— Que pensez-vous d'un rameau de laurier dans une boutonnière ou dans un corsage pour les femmes?

Lady Marchmont opina.

— Plutôt simple, mais pas quelque chose qu'on peut deviner. Ça pourrait être ça.

Tout le monde accepta. Kit sourit. Amy dressa un sourcil méfiant que Kit ignora.

Les ladies passèrent l'heure suivante à dresser la liste des invités et à dicter les invitations à Kit et à Amy, qui agirent consciencieusement comme scribes. Une fois le paquet de missives scellées dans les mains du majordome, les ladies partirent.

Lady Dersingham avait pris Kit dans sa voiture. Amy et sa mère étaient venues dans la leur. Tandis qu'elles attendaient sur les marches que leurs attelages leur soient amenés, Amy regarda de nouveau Kit.

— Que manigances-tu?

Sa mère et Lady Marchmont bavardaient. Lady Dersingham avait descendu les marches pour examiner un rosier dans une urne. Kit se tourna vers Amy.

— Pourquoi penses-tu que je manigance quelque chose?

Ses grands yeux violets échouèrent à convaincre Amy de son innocence.

— Tu planifies quelque chose de louche, déclara Amy. C'est quoi?

Kit sourit d'un air coquin.

— J'ai envie de voir Lord Hendon sans que lui en ait l'occasion. Hors de question que je les laisse me présenter à lui comme un pigeon sur un plateau, tel un plat succulent à déguster.

Amy pensa défendre les deux femmes plus âgées, puis décida de ne pas gaspiller sa salive.

— Que prévois-tu ?

Le sourire de Kit devint diabolique.

— Disons juste que personne ne pourra prévoir mon costume.

Elle regarda Amy affectueusement.

— Je me demande si tu me reconnaîtras !

— Je te reconnaîtrais n'importe où, peu importe ce que tu portes !

Kit rit.

— Nous verrons la qualité de tes pouvoirs d'observation mercredi prochain.

Amy n'eut pas l'occasion d'insister pour avoir des détails sur le déguisement de Kit. Les voitures tournaient le coin du domaine Marchmont, et elle fut forcée de dire au revoir à Kit.

— Viens me voir demain. Je veux en savoir plus sur ton plan.

Kit hocha la tête et la salua de la main, mais ses yeux rieurs laissèrent Amy avec l'impression bien nette qu'elle n'avait pas l'intention d'en révéler davantage sur ses plans.

Jack se tenait debout, les pieds bien séparés et plantés dans le sable, résistant aux secousses des vagues qui surgissaient au niveau de ses genoux. Il regardait Kit, toute frêle à ses côtés, et pria pour qu'elle ne perde pas l'équilibre. Même dans la nuit sombre, trempée jusqu'aux os, son anatomie montrerait à coup sûr ses faiblesses.

Le voilier qu'ils attendaient pour monter à bord arriva avec la vague suivante et vira quand le barreur lâcha le gouvernail. Matthew, quelque part à leur droite, stabilisa la proue. Kit saisit le côté du bateau avec ses deux mains gantées et se hissa à bord. Du moins, elle essaya.

Anticipant son impuissance, Jack planta une large paume sous ses fesses et la souleva sur le côté. Il l'entendit gémir quand elle atterrit sur le pont, s'étalant de tout son long. Puis, il se souvint de son postérieur meurtri. Il grimaça et la suivit. Ça lui apprendrait si elle ressentait un coup ou deux. Lui, il ressentait une douleur constante qu'elle prenait plaisir à lui imposer.

Kit se précipita pour se mettre hors du chemin de Jack quand il grimpa sur le voilier, le regardant à travers la nuit une fois qu'il arriva à son niveau. Elle aurait aimé lui dire une partie de ce qu'elle pensait, mais n'osa pas ouvrir la bouche. Le simple fait de se trouver où elle était avait augmenté la tension entre eux jusqu'à un point critique. Elle était trop raisonnable pour ajouter de l'huile sur le feu en ce moment.

En ce qui la concernait, ce soir était une occasion unique, et elle n'avait aucune intention de laisser Jack la gâcher. Elle était allée avec eux au Blackbird comme d'habitude mercredi, il y a deux nuits. Un agent les avait abordés avec un chargement inhabituel, des balles de tissu flamand trop encombrantes pour être chargées dans des barques. À sa grande surprise, Jack avait accepté. L'argent offert avait certainement été un motif ; toutefois, elle ignorait totalement où il trouverait des bateaux assez grands pour faire le travail.

Mais il avait trouvé. Elle se garda bien de lui demander comment.

Elle était venue sur la plage, ce soir, préparée à se battre s'il osait suggérer qu'elle fasse le guet. Même s'il l'avait regardée avec appréhension, Jack l'avait incluse dans le groupe pour aller dans les bateaux. Elle n'aurait jamais cru être aussi soulagée quand elle apprit qu'elle allait accompagner Jack et le taciturne Matthew à bord du voilier plutôt que d'aller sur un des autres bateaux avec les autres hommes. Le résultat pour le moins refroidissant fut contrebalancé par son excitation de monter sur le voilier, qui était le bateau le plus rapide de la petite flotte. Elle avait toujours rêvé de naviguer, mais Spencer n'avait jamais voulu céder à ce caprice particulier.

Kit se tenait au garde-corps quand le voilier fendit la houle. Le bateau qu'ils devaient rencontrer était une pointe de lumière brillant par intermittence dans la rade.

Jack gardait ses distances. Il avait emmené Kit, car il ne voulait pas risquer de la laisser hors de sa portée. Forçant son regard à quitter la silhouette frêle avec le vieux tricorne enfoncé sur ses boucles, il se concentra sur leur destination, une forme noire à l'horizon qui grossissait à chaque crête de vague qu'ils passaient. Par l'intermédiaire de Matthew, il avait déjà lancé des rumeurs sur les difficultés du jeune Kit à continuer à faire partie du gang. Les histoires étaient axées sur le grand-père de Kit, non identifié, qui piquait des crises devant les absences nocturnes fréquentes de son petit-fils.

Le retrait du jeune Kit était trop long. Jack serra les dents en repensant à leur dernière soirée au Blackbird. Kit s'était assise à côté de lui à sa place habituelle. Mais au lieu de garder ses distances comme elle l'avait fait dans le passé, elle s'était rapprochée, bien plus près que ce qui pouvait se détecter depuis l'autre côté de la table. La pression insistante de sa cuisse contre la sienne avait été assez pénible, et il s'était presque étouffé quand il avait senti sa main sur sa cuisse, ses doigts effilés caressant le long muscle.

Heureusement, elle s'était arrêtée quand l'agent était apparu, sinon il n'aurait jamais eu les idées assez claires pour négocier. En fait, il doutait qu'il aurait eu la force de résister à lui rendre la monnaie de sa pièce, ce qui, étant donné la prédilection des femmes à oublier où elles étaient et ce qu'elles faisaient à de tels moments, les aurait probablement conduits à un désastre épouvantable et potentiellement fatal.

Ensuite, il avait gardé Matthew avec lui, ce qui avait surpris son acolyte. Mais il préférait un Matthew surpris plutôt qu'une femme déterminée à l'abaisser d'une façon typiquement féminine. Elle pourrait le traiter de lâche — comme elle l'avait fait la nuit précédente, quand Matthew les avait consciencieusement suivis dans la chaumière après la rencontre dans la taverne —, mais elle ne savait pas avec quel genre d'explosif elle jouait. Elle le découvrirait bien assez tôt. Des images indécentes de la façon dont il exigerait sa rétribution avaient rempli ses nuits blanches.

Le voilier dépassa trois lougres plus lents gréés en carré, le reste de la flotte du gang de Hunstanton, puis il dévia subitement pour se placer le long de la coque du brigantin néerlandais. Matthew se trouvait à la proue, un cordage enroulé dans les mains. Les deux autres hommes d'équipage descendirent les voiles. Tandis que les vagues rapprochaient les coques, Matthew lança l'amarre aux mains en attente. En quelques minutes, ils étaient stabilisés contre la coque du navire néerlandais.

Jack se tourna vers le barreur.

— Attache le gouvernail! Le garçon le surveillera.

L'homme obéit. Jack se tourna pour voir Kit déjà au milieu du navire. Il sourit. Les balles de tissu n'étaient pas des paquets de dentelle.

Ils déchargèrent le chargement en douceur, faisant descendre les balles au bout d'un ensemble de cordages sur le côté du brick, directement dans la cale du voilier.

Les mains sur le gouvernail immobilisé, Kit regardait la scène. Son cœur s'emballa quand une balle se balança follement vers elle, menaçant de se libérer de ses cordes. Jack sauta sur le toit de la cabine directement entre le gouvernail et la cale, et retint le gros rouleau. Il leva haut les mains pour l'attraper et se coucha de tout son poids dessus pour contrer son balancement. Kit fut soulagée quand la balle se stabilisa. Elle descendit davantage sans nouveau drame.

Le navire néerlandais transportait un plein chargement. À la fin, chacun des quatre bateaux de contrebande était plein, transportant même des balles sur le pont, attachées aux garde-corps. Toute l'opération fut exécutée dans un silence complet. Le bruit voyageait trop bien sur l'eau.

Les hommes travaillaient sans interruption, rangeant les balles. L'esprit de Kit dévia vers le commentaire que Jack avait émis la nuit précédente, quand elle était arrivée en retard pour la rencontre à la grange. Elle avait passé la porte discrètement, mais Jack l'avait vue immédiatement. Il avait souri et lui avait demandé si elle avait eu des problèmes avec son grand-père. Elle ignorait ce qu'il avait voulu dire, mais avait pris un air renfrogné et avait opiné, puis elle avait été étonnée du visage compréhensif et rieur de bon nombre d'hommes. Plus tard, elle en avait appris assez pour deviner que Jack avait commencé à ouvrir la voie pour son départ du gang. Manifestement, il pensait bien ce qu'il avait dit, à savoir qu'un mois était bien assez long.

Elle était devenue le jeune Kit sous la contrainte; à présent, elle rechignait à se défaire de sa fausse identité, son passeport pour l'excitation.

«Et il n'est toujours pas à tes pieds, n'est-ce pas?»

Kit regarda les larges épaules de Jack, à présent directement en face de lui, et fantasma sur ses muscles sous sa chemise rêche. Avant qu'elle rompe avec lui, elle était résolue à transformer au moins quelques-uns de ses fantasmes en réalité. Jusqu'ici, la seule réaction que ses stratagèmes lui avaient apportée, c'était un durcissement général de ses muscles et un serrement de la mâchoire. Elle était déterminée à obtenir plus que ça.

Un faible sifflement signala qu'ils avaient fini. Les amarres furent larguées; les plus petits bateaux furent repoussés de la coque du brick. Ils se laissèrent dériver jusqu'à ce qu'ils soient hors du coupe-vent que constituait le plus gros bateau avant de hisser les voiles.

Cessant de surveiller le gouvernail, ce qui s'était avéré tout aussi inutile que sa tâche de guetteur, mais infiniment plus excitant, Kit flâna sur le pont, se dirigeant vers la proue.

Elle arrivait au logement de la cabine quand le voilier passa la proue du brick et qu'il eut le vent dans les voiles. Le voilier bondit en avant.

Kit cria et réussit juste à étouffer le bruit. Elle fut projetée contre une balle fixée au garde-corps. Ses doigts terriblement hésitants s'emmêlèrent dans les amarres. Prenant une profonde respiration, elle se redressa.

Aussitôt qu'elle fut debout, elle entendit un énorme craquement, comme une branche d'arbre qui se casse.

— *Kit ! Baissez la tête !*

Elle réagit plus au ton de Jack qu'à ses mots et baissa la tête. La bôme passa juste au-dessus d'elle, là où sa tête aurait été fendue quelques secondes plus tôt. Kit regarda le long mât se balancer vers l'extérieur au-dessus des vagues, un cordage pendant derrière lui. Elle saisit la corde.

Elle comprit immédiatement son erreur. La soudaine secousse sur ses bras fut épouvantable, et elle se retrouva soulevée dans le sillage de la bôme, le vent remplissant la voile et faisant virer le bateau lourdement chargé à tribord.

Les yeux de Kit s'écarquillèrent de frayeur. Elle examina les vagues noires par-dessus le garde-corps et se souvint qu'elle ne pouvait pas nager.

Son ventre heurta la balle. Le prochain coup de vent la soulèverait, et elle se retrouverait à moitié sur le garde-corps. Elle n'était pas un marin d'expérience, mais si elle laissait aller la corde, le voilier risquait probablement de chavirer.

Des mains fermes se refermèrent autour des siennes sur la corde et tirèrent vers l'arrière. Kit ajouta son poids à celui de Jack, et la bôme revint. Mais le vent reprit, remplissant la voile de nouveau. La secousse sur la corde repoussa fortement Kit contre la balle, ses bras se retrouvant tendus au-dessus du garde-corps. Jack se plaqua sur son dos.

Kit oublia la bôme, le vent, la voile. Elle oublia les vagues et le fait qu'elle ne pouvait pas nager, oublia tout, sauf la sensation grandiose d'un corps masculin très ferme pressé vigoureusement contre le sien. Elle était coincée entre la balle et Jack. Elle pouvait sentir les muscles dans sa poitrine bouger contre elle, tandis qu'il luttait pour ramener la bôme. Elle pouvait sentir les muscles de son ventre se contracter un à un pendant qu'il utilisait son poids pour garder leur équilibre. Elle pouvait sentir le poids de ses cuisses pressées contre ses fesses contusionnées. De chaque côté de ses jambes élancées, elle pouvait sentir ses longues jambes tels des supports d'acier qui les ancraient tous deux sur le pont, défiant la violence du vent qui hurlait. Elle pouvait aussi sentir son membre durci par le désir pousser dans le creux de son dos. Cette découverte la figea.

Comme ça, il n'était pas intéressé? Il ne la trouvait pas séduisante? À quel genre de jeu jouait-il?

— Bon sang, les femmes! Penchez-vous en arrière!

Le chuchotement furieux de Jack rappela à Kit l'urgence de la situation. Elle ajouta scrupuleusement son poids au sien tandis qu'il tirait sur la bôme.

Derrière elle, Jack faisait face à une énigme différente de tout ce qu'il avait vécu. Le fait que Kit soit coincée contre lui était un véritable enfer. Il aurait tout donné pour être capable de la repousser, mais n'osa pas. Il avait besoin de son poids en plus pour contrebalancer le vent dans la voile. Et il ne pouvait détendre suffisamment la tension de la corde pour l'enrouler autour du garde-corps.

Le voilier filait dans le vent, scindant les vagues. Le barreur manœuvra le voilier de sorte qu'ils soient menés par la voile que le vent gonflait et qu'ils ne risquent plus de chavirer.

Matthew apparut près de l'épaule de Jack et cria dans le vent :

— Si vous pouvez tenir comme ça, on s'en sortira.

Jack opina et tourna la tête avec l'intention que Matthew remplace Kit à la corde, mais Matthew était déjà parti. Incrédule, il regarda son acolyte se retirer.

Kit ne sut pas trop d'où cette idée surgit, mais il lui apparut soudain que Jack était tout aussi coincé qu'elle. Et, cela étant, c'était l'occasion parfaite de faire avancer son but en toute sécurité. Elle était cachée des autres hommes par le corps massif de Jack. Il avait les deux mains sur la corde et il pouvait difficilement faire plus alors que la plage n'était qu'à quelques minutes. Afin de déterminer les possibilités, Kit s'appuya davantage contre lui.

Le résultat fut une brusque inspiration juste sous son oreille gauche.

Son geste avait donné à Kit un peu plus de marge de manœuvre. Elle tortilla ses fesses, lentement, et sentit l'onde d'une tension traverser les muscles des cuisses de Jack. Le membre qui s'éleva entre eux était comme du fer, une force solide mais vivante. Bougeant doucement, gardant son poids arc-bouté contre la corde, Kit frottait son corps, de ses épaules à ses hanches et au-delà, côte à côte contre l'homme derrière elle.

Jack étouffa un juron. Il serra ses dents sur sa lèvre inférieure pour réprimer un grognement de frustration. Satanée bonne femme! Quel diable possédait ses sens déchaînés pour lui avoir fait choisir ce moment précis pour lui offrir une démonstration de son potentiel? Il pouvait sentir chaque ondoiement de sa silhouette élancée, chaque mouvement sensuel. Elle bougeait comme un chat, ondulant contre lui.

Le vent donna une nouvelle secousse, et ils furent de nouveau collés l'un sur l'autre. Jack ferma les yeux et força son esprit à se concentrer pour maintenir sa prise sur la corde. La maîtrise de son esprit, quant à elle, était anéantie.

Kit se retrouva écrasée contre la balle, presque incapable de respirer. Elle attendit, mais Jack ne fit aucun mouvement pour se repousser. Son souffle flottait dans ses boucles au-dessus de son oreille gauche.

Jack était satisfait de rester comme ils étaient. Il n'avait aucune intention de lui laisser la liberté de manœuvre pour continuer son petit jeu. Il pensa murmurer quelques menaces soigneusement formulées, mais ne trouva rien d'approprié. Il avait le désagréable pressentiment que sa voix le trahirait s'il essayait de parler. Il serra les mâchoires et supporta, inscrivant chaque petit mouvement qu'elle faisait dans son grand livre pour le moment où, dans moins d'une semaine, le paiement viendrait à échéance. Il avait pleinement l'intention de s'assurer qu'elle paierait. En totalité. Plus intérêts.

La vue de la plage fut plus accueillante que les falaises de Dover l'avaient jamais été. Jack vit le barreur faire un signe.

— Lâchez la corde! Lentement!

Kit fit ce qu'on lui demandait, se méfiant de la voile fouettée par le vent. Jack attendit d'être sûr que les mains de Kit furent dégagées, puis il lâcha aussi. La bôme s'éloigna brusquement, mais le gouvernail tourna aussi; le voilier vira et ralentit tandis que le vent quittait la voile. La bôme revint à bord.

Jack l'observait. Il baissa la tête, entraînant Kit sur le pont avec lui. Elle s'affala de tout son long à côté de lui.

Un regard rapide révéla à Jack que le barreur était concentré sur son voilier tandis que les autres hommes, y compris Matthew, étaient occupés à bien attacher la bôme. Le moment était trop tentant pour le laisser passer.

Kit avait vu la bôme revenir, mais elle ne s'était pas attendue à ce que les mains de Jack s'accrochent si brusquement à ses épaules. Le pont était dur et inconfortable, mais c'était assurément mieux que de se retrouver avec la tête brisée. Elle vit les hommes s'efforcer de fixer la fameuse bôme en place et plaça les paumes de ses mains sur le pont. Elle se prépara à se lever. À la place, elle se figea, car une main massive s'ouvrit sur ses fesses.

Kit en eut le souffle coupé. La main appuya légèrement, se déplaçant en un mouvement lent et circulaire, puis changea d'orientation. Une chaleur humide parcourut ses fesses. Deux longs doigts glissèrent entre ses cuisses.

Haletant de façon audible, Kit se mit à genoux, mais ceci ne fit qu'appuyer davantage ses fesses contre la main qui les caressait, la laissant plus exposée à ces doigts intimement explorateurs.

Trop choquée pour réfléchir, elle se pencha en arrière sur ses fesses. Les longs doigts la massèrent plus profondément. Kit se leva d'un bond, le visage enflammé.

Elle entendit derrière elle un rire moqueur très masculin.

— Plus tard, chérie.

Deux mains fermes la mirent de côté, et Jack passa devant elle pour vérifier la bôme.

Kit échappa à la dangereuse présence de Jack dès qu'elle en eut l'occasion. Furieuse, nerveuse et tremblante, elle attendit le bon moment jusqu'à ce que l'opération délicate de déchargement commence. Puis, elle alla trouver Matthew.

— Je monte sur la falaise pour surveiller.

Matthew opina. Sans aide extérieure, Kit descendit sur le côté du voilier, qui ondulait lentement sur la légère houle, et regagna le rivage.

À bord du voilier, Jack la vit avancer dans l'eau. Il jura et se dirigea vers le garde-corps, les mains sur les hanches.

— Où diable va-t-il?

Matthew passait.

— Le jeune Kit?

Comme Jack opinait, il répondit :

— Faire le guet.

Matthew poursuivit son chemin et rata ainsi le sourire diabolique qui traversait le visage de Jack.

Devait-il en déduire qu'elle préférait faire le guet plutôt que de rester près de lui? Jack sentit le rire monter. Incroyable! Il avait senti sa chaleur, même pendant ces quelques minutes sur le pont. Elle était aussi attirée par lui qu'il l'était par elle, son petit chat. Et bientôt, très bientôt, il allait la faire ronronner et s'arquer comme elle ne l'avait jamais fait avant.

Jack réussit à forcer son esprit à revenir à la tâche terre-à-terre mais difficile qui consistait à décharger les balles.

Kit attendit jusqu'à ce qu'elle voie le premier homme partir. Puis, elle pressa ses talons sur les flancs lisses et brillants de Delia et se dirigea vers chez elle, le visage ayant encore plusieurs nuances trop roses. Elle ne pouvait s'empêcher de s'attarder sur ces quelques minutes sur le pont. Et sur la promesse dans les derniers mots de Jack.

Elle était à présent convaincue qu'il était bien attiré par elle. En fait, sa préoccupation la plus urgente devrait sans doute être de savoir s'il serait plus sage de ne plus jamais le revoir.

À la grande consternation de Kit, son esprit refusa catégoriquement d'envisager une telle option.

« Au moins, maintenant tu sais un peu ce qu'Amy a voulu dire. »

« Oh, mon Dieu, pensa Kit, c'est tout ce que j'ai besoin de savoir. Je ne peux absolument pas être amoureuse de Jack. C'est un contrebandier. »

Les souvenirs de ce qu'elle avait ressenti sur le pont encombraient son esprit. Même maintenant, la peau sur ses fesses semblait enfiévrée tandis qu'elle se rappelait le jeu de sa main. Ses bleus lui firent mal. Sa mémoire repassait inexorablement sur le délicieux frisson qu'elle avait vécu quand ses doigts avaient exploré la chair douce entre ses cuisses. Kit rougit. Tandis qu'elle réentendait ses mots, son cœur s'emballa. Et si c'était bien ce qu'il avait voulu dire ?

Elle réfléchit aux implications et avala sa salive.

Qu'avait-il voulu dire en fait ? Avait-il vraiment l'intention de… ?

Les cuisses de Kit se resserrèrent, et le pas de Delia s'allongea dangereusement.

À moins de deux kilomètres derrière Kit, Jack enfourcha la selle de Champion. Le dernier homme était parti, et les marchandises étaient déchargées. Il se tourna vers Matthew.

— Je vais faire un tour à cheval. Je rentrerai plus tard.

Sur ce, il poussa Champion à monter le sentier vers le haut de la falaise, sur les traces de Delia. Jack était très fatigué de ses chevauchées nocturnes, mais il ne pourrait pas dormir, même d'un sommeil agité, sans savoir si Kit était en sécurité chez elle. Au moins, il restait moins d'une semaine avant que le jeune Kit laisse le gang de Hunstanton. Après, quand ils se rencontreraient la nuit, si tant est qu'elle le quitte, ce serait à une heure plus raisonnable — une heure plus près de l'aube.

La lumière du soleil de l'après-midi donnait aux mèches de Jack des teintes dorées plus claires. Il était assis, paressant avec élégance, dans le fauteuil sculpté derrière son bureau. Immense et massif, le bureau se trouvait devant les fenêtres de la bibliothèque, ses lignes classiques complétant les étagères épurées longeant les murs.

La lumière fracturée bleu clair tomba de la chevalière de Jack sur le sous-main immaculé tandis que ses longs doigts tapotaient paresseusement un coupe-papier en ivoire. Ses vêtements lui donnaient l'allure d'un gentleman, mais il gardait toujours une apparence reconnaissable de l'armée. Tout le monde savait en le voyant qu'il s'agissait de Lord Hendon, du château Hendon, le haut-commissaire du nord du Norfolk.

Un air renfrogné et distant se lisait dans les yeux expressifs du haut-commissaire. Son regard gris était distrait.

Devant le bureau, George arpentait la pièce, jetant un œil aux nombreuses publications sportives et militaires posées sur les tables basses, avant de s'arrêter devant le manteau de cheminée en marbre. Un grand miroir au cadre doré réfléchissait l'image rassurante d'un fils de propriétaire terrien, sobrement vêtu, avec un peu moins de l'élégance frappante qui caractérisait Jack, une nature plus décontractée perceptible dans les yeux bruns francs de George et son doux sourire.

George tira d'un coup sec un message aux bords dorés sur le cadre du miroir.

— Je vois que tu as eu une invitation pour le bal masqué des Marchmont. Iras-tu ?

Jack leva la tête, et il lui fallut un moment pour saisir la question. Puis, il grimaça.

— Il m'est malheureusement difficile de refuser. Je suppose que je devrai y faire une apparition.

Son ton reflétait parfaitement son manque d'enthousiasme. Il ne souhaitait pas le moins du monde faire le beau en société — à sourire et à discuter, en prenant soin de ne pas dépasser les limites avec les demoiselles en âge de se marier, en les prenant pour partenaires pour danser. Tout ça était d'un ennui mortel. Et, à présent, son esprit était absorbé par une affaire bien plus importante.

Il n'était pas sûr du tout de ne pas avoir dépassé les limites avec Kit. Elle n'était pas venue à la rencontre la nuit dernière. C'était la première rencontre qu'elle ratait. Il avait mis son absence sur le compte de l'influence de son grand-père. Mais au fond de lui, il soupçonnait que c'était sa propre influence qui était à blâmer. Il ne parvenait pas à s'expliquer pourquoi elle se serait offusquée de ses caresses, même si elles avaient été des plus explicites.

C'était une femme mûre, et même si elle aimait manifestement jouer comme bon nombre de femmes, ses actions, ses mouvements, la force et l'extravagance de ses réactions, tout cela témoignait du fait qu'elle savait pertinemment comment de tels jeux finissaient. Après ses actions sur le voilier et au Blackbird, il était difficile de douter de sa volonté à poursuivre vers ce dénouement inévitable avec lui. Mais il ne voyait aucune autre raison pour laquelle elle serait restée éloignée la nuit dernière.

Il écartait l'idée qu'elle était seulement une allumeuse qui ne finissait pas ce qu'elle commençait. Aucune femme aussi enflammée que Kit ne renoncerait à cette scène culminante. Et même si elle était de ce genre, il n'avait aucune intention de ne pas lui rendre la monnaie de sa pièce.

— Que vas-tu porter?

La question de George ramena l'esprit de Jack de ses préoccupations.

— Porter? dit-il en grimaçant. Je dois avoir un domino qui traîne quelque part.

— Tu ne l'as pas lue, n'est-ce pas?

George posa l'invitation sur le bureau.

— Il est clairement dit qu'un costume convenable est obligatoire. Aucun domino n'est permis.

— Bon sang!

Jack lut l'invitation, ses lèvres faisant la moue en signe de dégoût.

— Tu sais ce que ça veut dire ? Un défilé de bergères et de trayeuses de Saxe qui nous donnent toutes des coups sur la tête avec leurs houlettes et qui nous frappent les tibias avec leurs seaux.

George rit et s'installa dans le fauteuil en face du bureau.

— Ce ne sera pas si terrible.

Jack leva un sourcil d'un air cynique.

— Comment vas-tu t'habiller ?

George rougit.

— En Arlequin.

Jack rit. George sembla peiné.

— On m'a dit que c'était un des sacrifices que je devais faire étant donné que je suis sur le point de me marier.

— Dieu soit loué que je ne sois pas fiancé !

Jack regarda de nouveau l'invitation. Puis, un sourire de ceux que George connaissait bien s'afficha sur son visage.

— Que vas-tu faire ? demanda George avec une vive inquiétude dans la voix.

— Eh bien… C'est tout à fait évident, non ?

Jack se cala dans son fauteuil, le plaisir anticipé brillant dans ses yeux.

— On s'attend à ce que je vienne déguisé, mais encore reconnaissable, de la chair à canon de premier choix pour les projets de mariage, n'est-ce pas ?

George opina.

— T'ai-je dit que j'avais entendu d'une source irréprochable que Lady Marchmont elle-même m'avait dans sa ligne de mire pour une protégée inconnue ?

George secoua la tête.

— Eh bien, oui. Il m'apparaît que, si je dois me présenter à cette réception, je devrais revêtir un déguisement qui ne sera pas facilement percé. Si je réussis, je pourrai reconnaître le terrain sans trahir mon identité. J'irai en capitaine Jack, pirate et contrebandier, chef du gang de Hunstanton.

George sembla sceptique.

— Et tes cheveux ?

— Il y a une perruque ayant appartenu à mon grand-père quelque part. En faisant attention, je devrais être capable de ne pas être reconnu, tu ne crois pas ?

Devant le regard interrogateur de Jack, George hocha légèrement la tête. Avec ses cheveux recouverts, la taille de Jack était inhabituelle, mais pas distinctive. Toutefois... George regarda la silhouette derrière le bureau. Peu d'hommes dans le nord du Norfolk étaient bâtis comme Jack, mais il se garda bien de le mentionner. Jack ferait ce que Jack voulait faire, sans tenir compte de difficultés si mineures. Le succès de son déguisement dépendrait du degré d'observation des femmes de la région. Et la plupart n'avaient pas vu Jack depuis dix ans et plus.

— Qui sait ? songea Jack. Une de ces femmes pourrait me convenir en fait.

George le regarda.

— Tu veux dire que tu envisages sérieusement de te marier ?

Son ton était bien davantage qu'incrédule.

Jack agita une main avec langueur, comme si le sujet n'avait pas tant d'importance.

— Je vais devoir le faire un jour ou l'autre, si ce n'est que pour avoir un héritier. Mais ne crois pas que je suis tenté de suivre ton exemple. Le mariage est manifestement une entreprise fichtrement risquée.

George se détendit, puis saisit l'occasion fournie par cette rare allusion sur un sujet que Jack évitait généralement pour demander :

— Quel genre de femme imagines-tu pour toi ?

— Pour moi ?

Les yeux de Jack s'écarquillèrent. Il réfléchit.

— Elle devra être capable de supporter sa situation, être une Lady Hendon convenable, me donner un héritier, ce genre de choses.

— Naturellement.

— En dehors de ça... dit Jack en haussant les épaules, puis en souriant. Je suppose que ça rendrait la vie plus agréable si elle était au moins passablement belle et qu'elle pouvait tenir une conversation au petit déjeuner. À part ça, tout ce que je demande, c'est qu'elle reste en dehors de ma vie privée.

— Ah, dit George, qui semblait sceptique. Quelle vie privée ?

— Si tu imagines que je vais m'installer dans un bonheur conjugal monogame avec une femme qui est seulement belle, tu te trompes.

L'aigreur de Jack était marquée.

— Je n'ai jamais compris toutes ces histoires sur la fidélité et le mariage. D'après ce que j'en sais, les deux ne sont pas nécessairement reliés.

George se pinça les lèvres, mais il ne se risqua pas à faire la leçon à Jack sur ce sujet.

— Mais tu n'as pas de maîtresse en ce moment.

Le sourire de Jack fut fulgurant.

— Pas en ce moment précis, non. Mais j'ai une candidate en vue, qui remplirait admirablement le poste.

Son regard gris d'argent devint distant tandis que ses pensées s'attardaient sur les courbes délicates de Kit.

George bougonna et se tut.

— De toute façon, dit Jack, sortant de sa rêverie, peu importe qui sera ma femme, elle devra comprendre qu'elle n'aura aucune influence dans de telles zones de ma vie.

Avec Kit comme maîtresse, il ne pouvait même pas imaginer vouloir une femme. Il n'en voulait assurément pas une pour réchauffer son lit. Kit s'en chargerait très bien.

Chapitre 14

L e bruit, les rires et le grattement au loin d'une corde de violon accueillirent Kit tandis qu'elle montait les marches de la propriété des Marchmont. À la porte se trouvait le majordome, qui examinait de ses yeux perçants chaque invité à la recherche du brin de laurier requis. Arrivant à sa hauteur, Kit sourit et leva ses doigts gantés vers les feuilles enfoncées dans la boutonnière de son revers.

Le majordome la salua. Kit inclina la tête, heureuse que le domestique ne l'ait pas reconnue. Il l'avait vue assez fréquemment pour être un bon test. Pleine de confiance, elle s'avança d'un pas nonchalant vers les grandes portes à deux battants qui donnaient sur la salle de bal, s'y arrêtant pour vérifier que son masque noir uni était bien en place, cachant ses yeux tout comme sa bouche caractéristique et son menton.

Dès qu'elle passa le seuil, elle fut consciente d'être examinée par bon nombre d'yeux. Sa confiance faiblit, puis revint quand personne ne sembla plus que perplexe. Ils ne pouvaient bien sûr pas reconnaître l'élégant jeune homme. Calmement, comme si elle pensait mériter de l'attention, Kit pénétra dans la foule grouillant autour de la piste de danse.

Elle avait demandé à Elmina de recouper un manteau de soirée d'un bleu nuit profond ayant appartenu jadis à son cousin Geoffrey, et avait contraint sa domestique âgée à créer une paire de pantalons chamois qui collaient à ses longs membres comme s'ils les moulaient. Son gilet bleu et doré avait déjà été un jupon broché. Il avait été coupé long pour couvrir les inadéquations anatomiques autrement révélées par les hauts-de-chausse serrés. Sa cravate blanche immaculée, empruntée à la collection de Spencer, était nouée dans une juste imitation du style oriental. La perruque brune avait été le défi le plus difficile. Elle avait trouvé une malle pleine dans le grenier et avait passé des heures à choisir, puis à recouper les boucles pour lui donner un style plus moderne. Globalement, elle était assez fière de son déguisement.

Son principal objectif était de trouver Lord Hendon au milieu des invités. Elle s'était imaginé le trouver adulé par les ladies du coin, mais une rapide étude de la salle ne mit aucun spécimen si intéressant en vue. Lady Dersingham était près de l'estrade des musiciens, Lady Gresham était assise non loin de la porte et Lady Marchmont rôdait aussi près que possible du portail. Toutes trois montaient manifestement la garde.

Kit sourit sous son masque. Elle faisait partie de ceux que ces ladies tenaient à identifier. Leur autre cible de choix était sa proie. Convaincue que Lord Hendon n'était pas encore arrivé, Kit circula parmi les invités, gardant en tout temps un œil sur l'une ou l'autre de ses trois ladies attentionnées. Elle était sûre qu'elles réagiraient quand le nouveau haut-commissaire passerait le seuil.

Selon elle, cette occasion d'évaluer Lord Hendon était sans égale et ne risquait pas de se répéter. Elle avait l'intention d'étudier l'homme derrière le titre et, si l'apparence lui semblait prometteuse, d'enquêter davantage. Déguisée comme elle était, il y avait un grand nombre de sujets de conversation sur lesquels elle pouvait astucieusement lancer le nouveau haut-commissaire.

Kit aperçut Amy dans son costume de Colombine à l'autre extrémité de la pièce et se dirigea de ce côté. Elle passa devant Spencer, qui parlait agriculture avec le père d'Amy, et évita prudemment d'attirer son attention. Elle l'avait convaincu de venir seul dans sa calèche, car elle devait arriver sans son grand-père des plus reconnaissables pour rester incognito. Pensant qu'elle voulait tromper Amy et les ladies, il avait accepté sans hésiter, présumant qu'elle utiliserait la petite calèche. À la place, elle était venue à cheval sur Delia. Elle n'avait jamais conduit Delia au domaine Marchmont auparavant, ce qui évitait que les palefreniers reconnaissent la jument.

La salle de bal de la propriété des Marchmont était longue et étroite. Kit avança d'un pas nonchalant à travers la foule, adressant des signes de tête ici et là aux gens qu'elle connaissait, ravie de leur perplexité. Tout le long, elle resta silencieuse. Ceux qui la connaissaient pourraient reconnaître le timbre rauque de sa voix et être suffisamment fins pour penser l'impensable. Elle était parfaitement consciente que son entreprise était scandaleuse à l'extrême, mais elle n'avait aucune intention de se trouver dans la propriété des Marchmont quand le temps viendrait de se démasquer.

Tandis qu'elle se rapprochait de l'estrade des musiciens, elle les entendit accorder leurs instruments.

— Vous voilà, jeune homme !

Kit se tourna et vit son hôtesse se ruer vers elle, une fille quelconque dans son sillage. Retenant son souffle, Kit salua, priant pour que son masque n'ait pas glissé.

— Je n'ai pas la moindre idée de qui vous êtes, mon cher, mais vous savez danser, n'est-ce pas ?

Kit opina, trop soulagée que Lady Marchmont ne l'ait pas reconnue pour réaliser qu'il serait sage de nier ce talent.

— Bien ! Vous pouvez être le partenaire de cette belle bergère alors.

Lady Marchmont tendit la main gantée de la jeune fille. Doucement, Kit la prit et lui fit le baisemain.

— Enchantée, murmura-t-elle, se demandant désespérément si elle pouvait se souvenir comment inverser les pas qu'elle avait été habituée à faire automatiquement pendant les six dernières années.

La bergère fit la révérence. Derrière son masque, Kit prit un air grave. La jeune fille chancelait trop. Elle aurait dû s'exercer devant un miroir.

Lady Marchmont soupira de soulagement et, tapotant le bras de Kit en signe d'au revoir, les laissa pour partir à la recherche d'autres gentlemen convenables pour s'associer avec les jeunes filles célibataires.

Au grand soulagement de Kit, la musique commença immédiatement, rendant toute conversation inutile. La bergère et elle prirent place dans la troupe la plus proche, et l'épreuve commença. Dès le premier tour, Kit réalisa que le cotillon était plus une épreuve pour la bergère que pour elle.

Kit avait appris à ses deux cousins plus jeunes à danser, alors elle connaissait les mouvements du gentleman. Connaissant les mouvements des femmes par cœur, il lui était assez facile de se souvenir et de prendre la position appropriée. Sa confiance augmentait à chaque pas. La bergère, au contraire, était un paquet de nerfs, craquant de plus en plus.

Quand, à cause d'une hésitation, la jeune fille faillit glisser, Kit dit de façon aussi encourageante que possible.

— Détendez-vous. Vous vous débrouillez plutôt bien, mais vous vous amélioreriez si vous n'étiez pas si tendue.

Elle répondit par un sourire contraint qui ressemblait plus à une grimace.

Soupirant intérieurement, Kit se résolut à calmer la jeune fille et à lui insuffler un brin de confiance. Elle réussit suffisamment, de sorte que la bergère se mette à sourire normalement vers la fin de la mesure et se confonde en remerciements.

Depuis l'autre côté de la pièce, Jack observait les danseurs. Il était arrivé quinze minutes plus tôt, vêtu de ses «frusques de pauvre hobereau», d'un demi-masque noir et d'une perruque brune nouée. Pendant les trois premières minutes, tout se déroula très bien. Ensuite, la soirée se dégrada. D'abord, Lord Marchmont le reconnut. Comment, il n'en avait aucune idée! Son hôte l'enleva immédiatement pour le présenter à sa femme. Malheureusement, elle se trouvait avec trois autres ladies du coin. Il était à présent en train de saluer les ladies Gresham, Dersingham et Falworth.

Lady Marchmont l'avait achevé en lui annonçant malicieusement qu'il fallait absolument qu'elle lui présente

« quelqu'un ». Il avait réprimé un frisson, intensifié par la lueur qu'il voyait dans les yeux des autres ladies. Elles étaient toutes de mèche pour le coincer avec une fille sans intérêt. Une légère agitation vint à son secours. Il usa de son charme pour les quitter et partir immédiatement à la recherche d'un rafraîchissement, se souvenant juste à temps de se remettre à boiter. Au moins, ça lui fournissait une excuse pour ne pas danser. Il avait besoin d'un alcool fort pour retrouver son aplomb. Matthew était allé seul au Blackbird, pour choisir la prochaine cargaison. Jack aurait aimé être avec lui, avec une chope de leur horrible bière maison devant lui.

Dans un renfoncement de la salle de bal, où les boissons étaient exposées, il tomba sur George, un Arlequin franchement sombre. En le voyant, il éclata de rire, ce à quoi George répondit par un air renfrogné.

— Je sais que j'ai l'air stupide, mais que pouvais-je faire ?

— Rompre les fiançailles ?

George lui lança un regard irrité, puis ajouta :

— Non pas que je ne sois pas sûr que cela constitue une cause suffisante.

Jack lui asséna un coup sur l'épaule.

— Ne t'en fais pas avec tes problèmes… Les miens sont pires.

George étudia sa moue grave.

— Ils t'ont reconnu ?

Tendant le bras vers un cognac, Jack opina.

— Presque immédiatement. Dieu seul sait ce qui m'a trahi.

George ouvrit la bouche pour lui dire, mais il n'en eut pas l'occasion.

— Dieu Tout-Puissant! s'exclama Jack en s'étouffant avec son cognac.

Tout à coup, il se détourna de la salle de bal.

— Ça alors, que diable Kit fait-il ici?

Fronçant les sourcils, George examina les invités.

— Il danse, tu te rends compte! Avec une bergère en rose pâle… Troisième couple près de la porte.

George repéra le jeune homme mince plongé dans les derniers pas du cotillon.

— Tu es sûr que c'est Kit?

Jack ravala son «Bien sûr que j'en suis sûr. Je reconnaîtrais ses jambes n'importe où». Il y substitua un sec :

— Absolument.

George étudia la silhouette de l'autre côté de la pièce.

— Une perruque?

— Et une du dimanche, dit Jack, risquant un rapide coup d'œil dans la salle de bal.

La dernière chose qu'il voulait, c'était que Kit le voie. Si le représentant de la Couronne l'avait reconnu immédiatement, il était certain que Kit en ferait autant. Mais elle le connaissait comme le capitaine Jack.

— Peut-être que Spencer est venu avec lui?

— Tu rigoles? C'est probablement plus le jeune diable qui a décidé de venir voir comment vivent les autres.

George sourit.

— Eh bien, c'est assez judicieux. Il n'aura qu'à partir avant qu'on ôte nos masques, et personne n'en saura rien.

— Mais *lui* saura tout, s'il pose les yeux sur toi ou sur moi.

Le sourire indulgent de George s'effaça.

— Oh.

— En effet. Donc, comment allons-nous enlever Kit à cette charmante petite assemblée sans créer d'incident ?

Ils burent tous deux une gorgée de cognac et considérèrent le problème. Jack resta dos à la salle. George, bien moins reconnaissable dans son costume d'Arlequin, continua à surveiller Kit.

— Il a quitté sa partenaire et se dirige dans la salle.

— Est-ce que ta fiancée est là ? demanda Jack. Pourrais-tu lui demander de faire passer un message à Kit ?

George opina. Jack sortit un petit carnet et un crayon. Après une légère hésitation, il griffonna quelques mots, puis plia et replia minutieusement le message.

— Ça devrait marcher.

Il tendit la note à George.

— Si je ne reviens pas à temps pour le dévoilement des invités, fais mes excuses.

Jack reposa son verre vide sur la table et se tourna pour partir.

Consterné, George lui barra le chemin.

— Que diable pourrais-je bien dire ? Ce bal a presque été organisé pour toi.

Jack fit un sourire amer.

— Dis-leur que j'ai été appelé pour régler un cas d'erreur d'identité.

Réussissant à se défaire de l'adoration excessive de la bergère, Kit partit précipitamment pour se diriger vers le coin où elle avait vu Amy la dernière fois. Quand elle y parvint,

Amy n'était plus visible nulle part. Flânant dans la salle, Kit garda un œil méfiant sur la bergère et Lady Marchmont.

En fin de compte, ce fut Amy qui la trouva.

— Excuse-moi.

Kit se retourna. Le masque de Colombine d'Amy croisa son regard. Sous son propre masque bien plus efficace, Kit sourit, ravie, et salua avec élégance.

Elle se redressa et vit l'expression confuse des yeux clairs d'Amy.

— On m'a demandé de te donner ce message à toi... *Kit*!

Kit saisit le bras d'Amy et le serra en signe d'avertissement.

— Baisse le ton, bécassine! Qu'est-ce qui m'a trahie?

— Tes yeux, essentiellement. Mais il y a quelque chose d'autre, quelque chose dans ta taille et ton poids, et dans la façon dont tu tiens tes mains, je crois.

Le regard d'Amy s'attarda sur la perfection vestimentaire de Kit, puis passa à ses jambes élancées parfaitement visibles dans ses hauts-de-chausse ajustés arrivant aux genoux et ses bas à baguette.

— Oh, Kit!

Kit sentit une pointe de culpabilité devant le chuchotement stupéfait d'Amy.

— Oui, eh bien, c'est pour cette raison que personne ne doit savoir qui je suis. Et pour l'amour du ciel, ne rougis pas comme ça, ou les gens vont croire que je t'ai fait des suggestions indécentes!

Amy rit nerveusement.

— Et tu ne peux pas prendre mon bras non plus, ni venir trop près. S'il te plaît, réfléchis, Amy! l'implora Kit, ou tu vas me mettre dans de beaux draps!

Amy essaya consciencieusement de se souvenir que Kit était un garçon.

— C'est très difficile parce que je te connais depuis toujours et que je sais que tu n'es pas un garçon.

— Où est ce message?

Kit prit le petit papier blanc de la paume d'Amy et le déplia. Elle lut le court message trois fois avant de pouvoir en croire ses yeux.

Kit, venez me retrouver sur la terrasse dès que possible. Jack.

— Qui t'a donné ça? demanda Kit en regardant Amy.

Amy regarda derrière elle. George avait insisté pour qu'elle ne dise pas au jeune homme élancé qui lui donnait le message, mais George savait-il que le jeune homme élancé était Kit? Elle fronça les sourcils.

— Tu ne sais pas de qui ça vient?

— Si. Mais je me demande qui te l'a donné. L'as-tu reconnu?

Amy cligna des yeux.

— On me l'a fait passer. J'ignore qui l'a écrit.

Ça, au moins, c'était la vérité.

Trop préoccupée par la découverte saisissante que Jack était quelque part pas loin, probablement parmi les invités, Kit rata la nature pour le moins directe de la réponse d'Amy. Oubliant ses propres instructions, elle mit une main sur le bras d'Amy.

— Amy, tu dois me promettre que tu ne parleras à personne de mon déguisement.

Amy la rassura sur-le-champ à ce sujet.

— Et je ne serai pas là, bien sûr, pour le dévoilement. Peux-tu dire à Lady Marchmont — et à Spencer aussi — que j'étais ici, mais que je ne me suis pas sentie bien et que je suis rentrée ? Dis à Spencer que je ne voulais pas gâcher sa soirée.

Kit sourit ironiquement. Si elle restait pour le dévoilement, elle ruinerait assurément la soirée de Spencer.

— Mais, et le message ? demanda Amy.

— Oh, ça.

Kit fourra le papier blanc dans sa poche.

— Ce n'est rien. Juste une plaisanterie. D'une autre personne qui m'a reconnue.

— Ah.

Amy regarda Kit, étonnée. Le déguisement masculin était presque parfait. Si elle avait eu tant de difficulté à reconnaître Kit, qui d'autre avait réussi ?

— Et maintenant, ma très chère Amy, nous devons nous séparer, ou les gens vont commencer à se poser des questions.

— Tu ne vas rien faire de scandaleux, n'est-ce pas ?

Kit réprima le désir de serrer Amy dans ses bras.

— Bien sûr que non. Pourquoi ? Je fais tout ce qui est possible pour éviter un tel résultat.

Les yeux pétillants, Kit la salua.

Tout en lui lançant un regard qui affichait que, pour elle, assister à un bal dans des vêtements d'homme était en contradiction avec le fait de prétendre vouloir éviter un scandale, Amy fit la révérence et partit à contrecœur.

Kit se réfugia derrière un grand palmier sur le côté de la salle de bal. La prudence lui dictait qu'elle devait éviter Jack autant que possible, mais était-ce possible ? Ou sage ? Si elle n'allait pas sur la terrasse, il était parfaitement capable d'apparaître dans la salle de bal, à ses côtés, dans des dispositions des plus diaboliques. Non. Le moindre des deux maux, c'était la terrasse. Après tout, que pouvait-il lui faire sur la terrasse du représentant de la Couronne ?

Elle scruta la foule, étudiant les hommes de la taille de Jack. Ils étaient quelques-uns à correspondre à ce critère, mais aucun n'était Jack. Elle se demanda quelle folie l'avait conduit au bal. Discrètement, elle se rendit jusqu'aux portes-fenêtres donnant sur la terrasse, qui occupait toute la longueur de la maison.

L'air du soir était vif, rafraîchissant, après l'atmosphère étouffante de la foule compactée à l'intérieur. Kit prit une grande respiration, puis regarda autour d'elle. Il avait dit sur la terrasse, mais où sur une terrasse aussi longue ?

Quelques couples prenaient l'air. Personne ne lança un regard vers le jeune homme mince dans un manteau bleu nuit. Kit erra sur les dalles, regardant le ciel, feignant de se reposer de l'affairement à l'intérieur. Puis, elle vit Jack, une vague ombre assise sur la balustrade à l'autre extrémité.

— Que diable faites-vous ici ? siffla-t-elle tandis qu'elle approchait.

Il était assis le dos contre le mur, faisant balancer son pied.

Jack, qui l'avait vue approcher, était déconcerté.

— Qu'est-ce que *moi*, je fais ici ? Que diable faites-vous ici, *vous*, ma petite écervelée ?

Kit remarqua le dangereux scintillement dans les yeux qui la regardaient à travers les fentes de son masque noir sobre. Elle releva le menton.

— Ça ne vous regarde pas. Et j'ai posé la question en premier.

Jack jura dans sa barbe. Il n'avait pas pensé le moins du monde à trouver un prétexte au fait qu'il était au bal, tellement il s'était concentré sur la nécessité de faire quitter cet endroit de révélation à Kit.

— Je suis ici pour la même raison que vous.

Kit réprima un éclat de rire. L'idée de Jack, déguisé, à la recherche d'une future épouse potentielle parmi les ladies du coin était vraiment drôle.

— Comment m'avez-vous reconnue ?

Les lèvres de Jack formèrent un sourire moqueur.

— Disons simplement que je suis bien renseigné sur votre physique viril.

Le menton de Kit se redressa tandis qu'elle rougissait.

— Pourquoi vouliez-vous me voir ?

Jack cligna des yeux. Pourquoi diable imaginait-elle qu'il voulait la voir ?

— Je voulais m'assurer que, ayant vu à présent comment les autres se comportent, vous réalisiez qu'il était sage que vous vous éclipsiez avant que quelqu'un découvre votre identité.

Derrière son masque, Kit grimaça. Cet homme était insupportable. Pour qui se prenait-il pour lui donner des ordres à peine voilés ?

— Je suis parfaitement capable de m'occuper de moi, merci.

Son ton sec convainquit Jack qu'elle ne risquait pas d'approuver sa suggestion. Poussant un soupir exaspéré, il se leva.

— Quel genre de chaos pensez-vous causer si cette perruque se mettait à glisser pendant une des danses ?

Stephanie Laurens

Jack fit un pas vers elle, mais s'arrêta quand elle recula. Un rapide regard le long de la terrasse révéla un seul couple enlacé à l'autre extrémité.

Kit pensa pousser Jack à s'asseoir de nouveau, mais douta qu'il obtempère. Il était bon pour donner des ordres, mais des plus résistants pour en recevoir. Et à la lumière du clair de lune sur la terrasse, sa taille et sa corpulence étaient intimidantes. Particulièrement quand il ne voulait pas faire ce qu'il voulait apparemment qu'elle fasse. Elle fit un autre pas en arrière.

— Le bal est fini pour vous, Kit. Il est temps de rentrer.

Kit fit un troisième pas en arrière, puis évalua que la distance entre eux était suffisante pour qu'elle puisse dire :

— Je n'ai aucune intention de partir pour le moment. La personne...

Sa phrase fut interrompue quand Jack plaqua sa main sur sa bouche. Au même moment, son autre bras enveloppa sa taille et la souleva. Elle ne l'avait même pas encore vu bouger, pourtant il se trouvait à présent derrière elle et la portait vers la balustrade. Kit lutta frénétiquement en vain.

Jack s'assit sur la balustrade, Kit sur ses genoux, puis se laissa glisser sur le bord. Il atterrit debout dans un massif de fleurs à un mètre quatre-vingts sous la terrasse, Kit saine et sauve devant lui.

Bouillant de colère, Kit attendit qu'il la libère. Quand il le fit, elle se tourna vers lui.

— Espèce de mufle! Comment osez-vous...

À sa grande surprise, une grande main l'aida à se tourner jusqu'à ce qu'elle se retrouve dos à lui de nouveau. Ses paroles furent de nouveau interrompues, cette fois par son propre masque, détaché, plié puis renoué sur sa bouche. Le cri de rage de Kit fut camouflé par le feutre noir. Elle se retourna de nouveau, ses mains se tendant automatiquement vers son masque pour l'arracher, mais Jack avança avec elle, restant derrière elle. Il saisit ses mains dans les siennes, ses longs doigts se refermant comme un étau autour de ses poignets, les forçant à descendre et les mettant derrière elle. Incrédule et stupéfaite, Kit sentit un tissu, plus probablement le foulard de Jack, se serrer autour de ses poignets, les immobilisant derrière son dos. Elle explosa en une série de protestations, mais aucune ne passa son bâillon.

Jack apparut devant elle. À travers les fentes de son masque, ses yeux brillaient.

— Vous devriez adopter un comportement plus féminin à un bal, vous savez.

Une autre bordée de protestations sortit de sa bouche. Riant, Jack se pencha. Soudain, Kit se retrouva à regarder les pétunias détruits de Lady Marchmont depuis une hauteur d'un mètre vingt. Avec Kit perchée sur ses épaules comme un sac de pommes de terre, ses jambes bien tenues sous un bras musclé, Jack s'éloigna de la maison. Les grognements assourdis de Kit cessèrent tout à coup quand il passa sa main libre sur les courbes de ses fesses, parfaitement placées pour ses attentions. Un lourd silence s'ensuivit. Assénant aux fermes monticules une petite tape affectueuse, Jack sourit et allongea le pas.

Il se rendit dans le massif d'arbustes au bout de la pelouse. Empruntant un chemin clos par de hautes haies, il chercha un endroit pour cacher son butin. Le chemin finissait dans un renfoncement en éventail juste après l'intersection avec deux autres chemins. Un banc de pierre avec un dossier sculpté se trouvait dans le renfoncement. Derrière lui, entre la haie incurvée et le dossier du banc, Jack trouva l'endroit parfait où cacher de force son compagnon.

Avant de mettre Kit à terre, il défit sa ceinture, la passa autour de ses genoux et la serra. Puis, il la fit glisser de son épaule, et elle se retrouva dans ses bras.

Kit leva les yeux vers son visage, fulminant en silence, le cerveau bouillonnant d'épithètes qu'elle voulait lui hurler.

Jack sourit et l'assit sur le banc. Il ôta son masque et le fourra dans sa poche.

— Je dois vous quitter tandis que je m'occupe de votre transport. Comment êtes-vous venue ici? Vous feriez mieux de me le dire... Je le découvrirai bien assez tôt

Kit le regarda fixement.

Jack devina.

— Delia?

Kit opina à contrecœur. Un coup d'œil à l'écurie l'aurait renseigné tout aussi bien.

— Très bien.

Jack la releva, et Kit comprit alors où il allait la laisser. Elle se débattit et secoua violemment la tête, mais Jack n'en fit pas de cas. Puis, elle se retrouva allongée sur le côté dans le recoin sombre derrière le banc.

Jack se pencha sur elle.

— Si vous restez tranquille, personne ne viendra vous déranger.

«Et les araignées?» fut la pensée tourmentée de Kit. Elle mit toutes les pointes de supplication qu'elle possédait dans ses yeux, mais Jack ne le remarqua pas.

Imperturbable, il ajouta :

— Je reviens bientôt.

Ensuite, il disparut de sa vue.

Kit resta tranquille et réfléchit à sa situation. L'incrédulité fut son émotion prédominante. Elle était kidnappée ! Kidnappée du bal du représentant de la Couronne par un homme à qui elle n'était pas certaine de pouvoir faire confiance. Il croyait qu'elle raterait son coup et qu'elle courait au désastre, alors, de manière tout à fait autoritaire, il avait décidé de l'enlever pour son propre bien. Il n'y avait aucun doute dans son esprit que c'était ainsi que Jack avait vu les choses. Ses actes ne la surprenaient pas vraiment. Ce qui l'inquiétait, ce qui menaçait d'être une source potentielle de panique dans son cerveau, c'était ce qu'il avait l'intention de faire d'elle.

Où l'emmènerait-il ? Et que ferait-il quand ils y seraient ?

De telles questions n'étaient pas favorables à ce qu'elle reste calme dans le noir tandis qu'elle avait été enlevée. Sa main effrontée sur ses fesses l'avait fait étrangement frissonner jusqu'aux orteils.

Essayant d'étouffer son hystérie croissante, Kit se força à réfléchir à la raison pour laquelle Jack assistait au bal. Il avait dit que c'était pour la même raison qu'elle. Sans doute voulait-il dire qu'il y était pour s'amuser, juste pour voir comment les nobles vivaient. Pour elle, il était possible qu'il puisse faire ça, juste pour rire… Le chef des contrebandiers au bal du représentant de la Couronne.

Dans l'obscurité devant l'écurie, Jack s'arrêta pour faire le point. Seuls deux palefreniers étaient assis dans la zone de lumière projetée par une lampe juste à l'intérieur de la porte ouverte. Les cochers en visite, le sien y compris heureusement, devaient se trouver dans la cuisine, à s'amuser. Tout ce qu'il avait à faire, c'était de prier pour que le palefrenier qui avait libéré Kit de Delia ne soit pas un des deux qui étaient restés pour surveiller l'écurie.

— Vous deux ! Mon cheval, et vite ! dit Jack en approchant, une autorité habituelle colorant ses mots.

— Votre cheval, Monsieur ?

Les hommes se levèrent fébrilement.

— Oui, mon cheval, bon sang ! Le cheval arabe noir !

— Oui, Monsieur. Tout de suite, Monsieur.

L'empressement avec lequel les deux hommes agirent pour aller dans les boxes indiqua à Jack que ses prières avaient été exaucées. Delia, toutefois, n'approuva pas les tentatives maladroites des palefreniers pour la seller. Jack passa devant eux.

— Laissez-moi faire.

Il s'était occupé de Delia assez souvent pour qu'elle accepte ses soins. Dès qu'elle fut sellée, Jack la conduisit dans la cour. Priant une dernière fois pour que Delia ne rechigne pas à le transporter et que les palefreniers ne remarquent pas que les étriers étaient trop courts pour lui, Jack se mit en selle.

Les dieux lui souriaient. Delia avança de biais et s'ébroua, mais répondit aux rênes. Adressant un hochement de tête dédaigneux aux garçons d'écurie, Jack la fit galoper pour quitter la cour. Dès qu'il fut hors de vue des écuries, il fit tourner la jument vers le massif de buissons.

Le premier indice selon lequel Kit sut qu'elle n'était pas seule fut un petit rire nerveux suivi d'une plainte féminine. Elle se figea. Un instant plus tard, le bas d'une robe en soie se froissa tandis qu'une femme s'installa sur le banc de pierre.

— Mon cher! Vous êtes vraiment *trop* fougueux!

La femme inconnue avait une silhouette peu nette, le clair de lune brillant par intermittence sur ses boucles blondes et ses épaules nues.

— Fougueux? dit l'homme assis à côté de la femme.

Son ton suggérait le dépit plutôt que l'orgueil.

— Comment décririez-vous votre propre comportement à faire les yeux doux à ce séduisant Hendon?

Les sourcils de Kit se dressèrent. «Séduisant?»

— Vraiment, Harold! J'agissais tout à fait normalement. Je ne faisais pas une telle chose. Vous êtes juste jaloux.

— Jaloux? s'exclama Harold en levant la voix.

— Oui, jaloux, fut la réponse. Juste parce que Lord Hendon a les plus *merveilleuses* épaules.

— Je ne pense pas que ce sont les *épaules* de cet homme qui vous ont impressionnée, ma chère.

— Ne soyez pas grossier, Harold.

Une pause s'ensuivit, interrompue par la femme.

— Faites attention, il est probable que Lord Hendon soit également imposant dans d'autres secteurs.

Un grognement de frustration émana de Harold, et les deux silhouettes au-dessus de Kit fusionnèrent.

Kit se blottit dans son coin et essaya d'ignorer les murmures nasillards, les aspirations et les drôles de petits gémissements en provenance du couple sur le banc. C'en était assez pour dégoûter n'importe qui pour la vie. Elle se tourna pour réfléchir à la nouvelle vision de Lord Hendon qui s'était formée dans son esprit. Peut-être l'avait-elle jugé trop rapidement en le voyant comme un vieux croulant. Il était sûr qu'un homme séduisant avec des épaules imposantes et d'autres parties tout aussi imposantes ne correspondait pas avec l'image qu'elle s'était construite. Et la femme sur le banc semblait avoir suffisamment d'expérience pour savoir de quoi elle parlait.

Peut-être devrait-elle regarder Lord Hendon de plus près. Tel avait été son but, après tout, en venant au bal, même si elle n'avait plus beaucoup de chances de le voir maintenant. Mais qui sait ? Or, Jack arriverait bientôt, résolu à l'emmener.

Se souvenant qu'elle devait encore trouver où Jack l'emmènerait, Kit testa les liens à ses poignets. Ils ne cédèrent pas le moindrement. Elle pouvait gémir et attirer l'attention du couple sur le banc, en supposant qu'elle parviendrait à leur faire comprendre que le gémissement ne venait pas d'eux, mais la pensée des explications auxquelles elle ferait face lui fit rejeter cette idée.

En fait, s'il y avait une justice dans ce monde, Lord Hendon devrait tomber sur elle par hasard et la sauver de Jack et de ses propensions tout à fait terrifiantes. Résignée, Kit regarda la petite partie de ciel qu'elle pouvait voir et espéra que le couple sur le banc partirait.

— Qui vient ? demanda la femme d'une voix paniquée.

— Où ?

La même panique se dégageait du ton de Harold.

— De ce côté. Regarde. Là !

Une longue pause s'ensuivit. Les trois personnes dans le jardin retinrent leur respiration. Puis :

— Bon sang ! C'est Hendon !

Harold se leva et aida la femme à faire de même.

— Peut-être devrions-nous l'attendre. Il pourrait être perdu.

Harold grogna de dégoût.

— Vous, les femmes, vous êtes toutes les mêmes. Vous vous aplatiriez devant lui, s'il vous en donnait la moindre occasion. Mais nous ne pouvons pas le laisser nous voir ensemble, et comment expliquer que vous soyez seule ici ? Venez !

Les deux silhouettes partirent, et Kit fut seule.

Lord Hendon était près, mais elle ne pouvait pas se lever. Les chances que quelqu'un arrive et regarde derrière le banc pour la trouver étaient négligeables. Kit ferma les yeux d'exaspération et jura sous son bâillon.

Deux minutes plus tard, la haie fit du bruit. Kit ouvrit les yeux et vit Jack penché sur elle. Il la souleva du sol, puis l'appuya contre sa hanche et se pencha pour défaire sa ceinture. Une fois ses jambes libérées, Kit s'affala sur le banc.

Pendant que Jack remettait sa ceinture, Kit regardait autour d'elle, observant chacun des trois chemins qui partaient du banc. Où Lord Hendon était-il allé ?

— Qui cherchez-vous ? demanda Jack, perplexe devant sa recherche peu discrète.

Kit le regarda.

Avec un sourire de travers, Jack tendit le bras vers les attaches du masque de Kit.

Libérée de son bâillon, Kit s'humecta les lèvres et regarda de nouveau autour d'elle.

— Il y avait un couple ici, assis sur le banc. Ils sont partis il y a quelques minutes parce qu'ils ont vu Lord Hendon arriver. L'avez-vous vu ?

Les muscles de l'estomac de Jack se contractèrent. Il secoua la tête lentement et répondit honnêtement :

— Non. Je ne l'ai pas vu.

Qu'est-ce qui le rendait si facile à reconnaître ? Une perruque recouvrait ses cheveux, et il n'avait même pas boité.

Il observa Kit regarder autour d'elle de nouveau. Pourquoi Lord Hendon l'intéressait-il ? Avait-elle entendu des descriptions de lui qui l'émoustillaient ? Jack cacha un petit sourire en coin. Si c'était le cas, il serait plus facile de lui dire la vérité plus tard. Il prit son bras et l'aida à se mettre debout.

— Venez. J'ai pris Delia.

Ils traversèrent le vaste massif d'arbustes, la main de Jack sur le coude de Kit. Il n'avait pas libéré ses mains. Il n'avait pas envie de savoir quelle vengeance elle lui ferait subir, si elle en avait l'occasion.

Kit marcha à côté de lui, l'estomac noué d'une façon particulière. La prise sur son bras était possessive, un sentiment amplifié par le fait qu'elle avait encore les mains attachées. Elle ne s'était pas donné la peine de lui demander de la détacher. Il l'aurait fait s'il l'avait voulu, et elle ne lui donnerait pas la joie de le lui refuser.

Delia était attachée à une branche juste après la dernière haie. Jack mena Kit à côté de la jument, puis, au grand soulagement de Kit, il se plaça derrière elle et détacha ses mains.

Son soulagement fut de courte durée. Il ne détacha qu'une main, puis plaça les deux devant elle pour les nouer de nouveau.

— Pourquoi diable... ?

La protestation d'incrédulité resta suspendue dans l'obscurité.

— Vous ne pouvez pas faire de cheval avec les mains liées dans le dos.

— Je ne peux pas faire de cheval avec les mains attachées, un point c'est tout.

Jack fit un sourire en coin.

— Vous ne pensiez quand même pas que j'allais vous laisser monter Delia en toute liberté, n'est-ce pas ?

Kit avala sa salive. Elle n'avait pas pensé à ça. Mais elle n'était pas du tout certaine de ce qu'il allait faire.

— Si je le faisais, continua Jack en détachant les rênes de Delia, vous seriez retournée au bal aussi vite que Delia aurait pu aller.

Kit pouvait difficilement le contredire. Elle resta silencieuse.

Jack ôta sa perruque et la fourra dans la poche de la selle.

— Montez.

Jack, qui tenait les rênes de la jument dans sa main, aida Kit à monter.

Kit balança sa jambe et s'installa. Puis, elle réalisa que les étriers avaient été rallongés. Elle regarda Jack.

— On ne peut pas la monter à deux. Elle ne supportera jamais un tel poids.

— Si. Nous ne ferons pas de grand galop, si c'est ça qui vous inquiète. Avancez-vous !

Pendant un instant, Kit le regarda d'un air rebelle, mais quand il plaça son pied dans l'étrier, elle réalisa que si elle ne faisait pas ce qu'il disait, elle serait écrasée. Plaquée par-derrière... Encore! De toute façon, même en avançant jusqu'à ce que le pommeau appuie contre son ventre, c'était serré. Delia avança de côté, mais les accepta tous les deux. Jack, avec son poids bien plus élevé, s'installa correctement sur la selle et plaça ses pieds dans les étriers. Il la souleva, puis la réinstalla contre lui, dans une position plus confortable, mais tout aussi perturbante qu'elle l'avait craint.

Jack toucha les flancs de la jument, et Delia se mit en route. Kit était trop bonne cavalière pour qu'il se risque à la laisser placer ses pieds dans les étriers. Ce qui voulait dire qu'il devait supporter ses courbes, chevauchant devant lui, bougeant contre lui à chaque pas de la jument.

En quelques minutes, sa patience fut menacée. Sa mâchoire se serra, un écho minime du mal bien plus puissant qui élançait dans ses reins. Le frottement cadencé des fesses fermes de Kit transforma une simple excitation en une rigidité dure comme du roc et réduisit de façon considérable sa résolution. Jack serra les dents plus fermement. Il ne pouvait rien faire d'autre. Elle était comme une démangeaison, et il ne pouvait pas encore gratter.

Ce qui, pour un séducteur invétéré, était une situation terriblement douloureuse.

Chapitre 15

Dans l'obscurité, Kit rougissait et aurait aimé porter encore son masque. À chaque pas de Delia, le membre rigide de Jack appuyait dans son dos. Pas question de l'aguicher pour qu'il aille plus loin. À la place, elle pria avec ferveur pour qu'il ne l'aguiche pas, *elle*. Dans un accès d'irritation devant une occasion ratée — quand aurait-elle de nouveau l'occasion de voir Lord Hendon? —, aggravée par les effets inévitables de la présence de Jack si près d'elle et de la peur qui en résultait à cause de ce qui pourrait se passer, Kit ne tenait pas en place, se tortillait et frétillait, tentant désespérément de s'écarter de lui.

— Bon sang, les femmes! Restez calme!

Le grognement de Jack fut tout aussi intimidant que la pression dans son dos. Kit se figea, mais en quelques secondes, elle se trouva de nouveau mal à l'aise. Elle devait se changer les idées et oublier le physique.

— Où allons-nous?

Ils contournaient le domaine Marchmont en direction nord-ouest. Ils pouvaient se diriger n'importe où.

— Cranmer.

— Ah.

Jack fronça les sourcils. Avait-il détecté de la déception dans sa voix rauque? Peut-être devrait-il changer ses plans et l'emmener à la maison de pêcheur à la place. Était-elle prête à cesser de jouer et à s'offrir à lui? La dernière question refroidit ses ardeurs. Malgré son calme relatif, il ne pensait pas qu'elle était particulièrement heureuse d'avoir été enlevée du bal. Quelques nuits supplémentaires estomperaient suffisamment sa mémoire. Deux nuits, pour être précis.

Kit essaya de rester calme, mais son esprit ne se détachait pas du sujet fascinant de l'anatomie de Jack. Elle se demanda si Lord Hendon était mieux équipé et aurait aimé que la femme dans le massif d'arbustes soit plus explicite. Sa propre expérience en la matière était presque inexistante. Mais la pression insistante dans le creux de son dos provoquait la plus intense des spéculations.

Heureusement pour la paix de son esprit, le souvenir de Lord Hendon, l'objet jamais atteint de son escapade hautement scandaleuse, ranima sa colère. Son plan brillamment conçu et impeccablement exécuté pour connaître de première main ce monsieur insaisissable finissait dans une retraite ignominieuse avant même qu'elle ait vu sa proie. Cette pensée atteignit radicalement l'humeur de Kit. Pendant plus d'un kilomètre, elle resta engouffrée dans une humeur dangereusement boudeuse et irascible.

Jack la ramenait chez elle. La gratitude n'était pas l'émotion prédominante qui parcourait ses veines. Quel droit avait-il d'intervenir?

Brusquement, Kit s'assit bien droite. Peu importe combien il était logique, il n'avait aucun droit de se mêler de ses affaires. Pourtant, elle était là, à se faire ramener chez elle comme un enfant rebelle qui se serait fait prendre à regarder des adultes folâtrer. Et elle l'avait laissé faire ! Qu'est-ce qui n'allait pas avec elle ? Elle n'avait jamais laissé personne, même Spencer, la traiter avec un tel autoritarisme.

— Vous êtes vraiment un beau goujat arrogant ! s'exclama-t-elle.

Sortant de ses rêveries indécentes, Jack n'en crut pas ses oreilles.

— Je vous demande pardon ?

— Vous m'avez entendu. Si vous aviez le moindre intérêt pour mon bien-être, vous auriez fait faire demi-tour à Delia immédiatement et vous m'auriez ramenée au bal. Seulement maintenant, il est trop tard.

Kit finit sa phrase sans grande conviction.

— Il ne reste pas grand temps avant le dévoilement.

— De temps pour faire quoi ?

Jack était perplexe. Si elle n'était pas allée au bal pour s'amuser, quelle raison pouvait-elle avoir ?

— Je voulais rencontrer quelqu'un — pour voir à quoi il ressemblait —, mais vous m'avez enlevée avant que j'en aie eu l'occasion !

Le ton fâché de Kit était suffisamment sincère pour toucher en lui une corde sensible. Et éveiller la curiosité de Jack.

— Vous attendiez un homme ? Qui ?

Kit jura en silence. Bon sang ! Comment avait-il deviné ?

Malgré son élan de courage aidé par son caractère, Kit n'avait pas perdu ses esprits.

— Aucune importance. Personne que vous connaissiez.

— Dites pour voir.

Les sens de Kit furent piqués. La voix grave de Jack avait rapidement revêtu ce ton autoritaire auquel elle avait beaucoup de mal à résister.

— Je vous assure que ce *n'est sûrement pas* quelqu'un avec qui vous entretenez une relation amicale.

L'attention de Jack se concentra radicalement. Quel homme Kit pouvait bien attendre et, encore plus important, pourquoi ? Quelle raison pouvait pousser une femme de son rang à rechercher un homme incognito ? La réponse était si évidente que Jack se demanda pourquoi il n'y avait pas pensé au moment où il avait posé ses yeux sur elle dans la salle de bal. Kit, qui, s'il pouvait se fier à son expérience, avait plus de vingt ans, était récemment revenue de Londres, où sa vie avait été sans doute plus que remplie. Particulièrement pour ce qui était de la compagnie des hommes. Elle n'avait aucun amant actuellement — un fait sur lequel il était prêt à parier tout son domaine — et était à la recherche d'un candidat du coin. Quelqu'un d'autre que lui.

Puis, sa préoccupation dans le massif d'arbustes surgit brusquement dans son esprit.

— Vous attendiez Lord Hendon.

Devant cette déclaration directe, Kit fit une moue marquée.

— Quand bien même ce serait le cas, cela ne vous regarde pas.

Un rire hystérique se manifesta derrière les lèvres de Jack. Vaillamment, il l'étouffa. Bon sang ! Cette mission se transformait en farce ! Devait-il lui dire ? Et si elle ne le croyait pas ? Il devait admettre que c'était une forte possibilité qu'il ne pouvait pas facilement maîtriser. La *convaincre* pouvait compromettre sa mission. Lui *dire* le ferait aussi. Bon sang! Il allait devoir la convaincre qu'il était une meilleure fréquentation que sa réputation le laissait entendre.

Une soudaine vision de ce que son sort aurait pu être, s'il n'avait pas reconnu Kit et était resté au bal, menaça son calme. Réapparaître au nord du Norfolk avec sa propre apparence se serait avéré bien plus dangereux que sous couvert de chef de contrebandiers. Les ladies du coin auraient rôdé autour de lui pour de bon. Il aurait tiré profit de ses deux identités et aurait pu finir avec Kit comme maîtresse et la protégée sans intérêt de Lady Marchmont comme femme!

Les yeux de Jack se plissèrent. Il y avait toutes les chances que ce scénario se réalise quand même, mais ce serait selon ses critères, pas les leurs.

Un grognement de dégoût ramena son attention à la mince silhouette devant lui. Il sentit la chaleur émaner de son corps, séparé du sien par une largeur de main. Ce ne fut qu'en exerçant une discipline des plus sévères qu'il résista à la tentation de la tirer contre lui, d'incurver son corps dans le sien.

— Merci à vous. Je n'aurai probablement pas une autre chance!

Mécontente, Kit bougea et se souvint immédiatement de ce qui appuyait dans son dos. Sa colère prit le dessus sur sa réticence de jeune femme.

— Bon sang! Pouvez-vous arrêter ça? Envoyez-le ailleurs ou faites quelque chose!

Elle se tortilla pour essayer de voir le membre en cause. Les mains de Jack se plaquèrent sur ses épaules et la continrent de force.

Les paroles de Jack qui suivirent furent marquées d'une tension indéniable.

— Il y a une façon de l'envoyer ailleurs. Si vous ne restez pas assise calmement, vous allez le constater.

L'excitation pénétrante dans sa voix pétrifia Kit et la plaça dans un état d'obéissance abjecte. Intérieurement, elle se répandait en injures. Comment se faisait-il que Jack exerce cet étrange pouvoir sur elle? Même le plus ardent séducteur de Londres ne l'avait pas fait se sentir comme une proie hypnotisée sur le point d'être dévorée, petit à petit. Sa peau était animée, ses terminaisons nerveuses vacillaient d'un plaisir anticipé enfiévré. Il était son prédateur; chaque fois qu'il la menaçait, elle se figeait. Comme si l'immobilité pouvait la protéger de son attaque! Sa réaction instinctive était si irrationnelle qu'elle en rirait si elle pouvait détendre suffisamment les nœuds qu'elle avait dans l'estomac.

Jack regarda l'arrière de la perruque de Kit. S'il grimaçait, c'était seulement dû à un inconfort physique. Il pouvait difficilement rater l'effet que ses mots avaient eu. Kit était raide comme la justice. Toute sa chaleur séduisante était partie, et une aura de désapprobation enveloppait sa mince ossature. Il jura intérieurement. Il aurait aimé qu'elle arrête d'hésiter — d'abord chaude, puis froide. Torride une minute, glaciale celle d'après. Chaque fois qu'il faisait allusion à leur inévitable intimité, elle se raidissait. La vertu virginale n'était certainement pas en cause. Ce qui le menait à la conclusion agaçante que son étrange comportement était sa façon à elle de jouer aux allumeuses.

Jack plissa les yeux.

— Un conseil... Si vous voulez que Lord Hendon devienne votre protecteur — quelle blague! Elle l'aurait comme protecteur de toute façon —, vous feriez mieux de calmer vos airs prétentieux, de laisser tomber vos simagrées manipulatrices et de compter sur vos *beaux yeux*[4] pour marquer des points.

Kit en fut béate.

Ce n'était pas le choc de la raison pour laquelle il pensait qu'elle était intéressée par Lord Hendon qui la maintenait dans un silence furieux, après la surprise initiale qui l'avait frappée tant c'était délicieusement drôle. Mais le fait qu'il ait le culot de suggérer que l'effet qu'il exerçait sur elle était faux, sans doute pour l'attirer, et de suggérer qu'elle était *manipulatrice*, voilà ce qui la faisait sortir de ses gonds. Son larynx se gonfla, et ses doigts se recroquevillèrent fermement. Elle avait vu une quantité de femmes manipulatrices à Londres — des femmes dans tous leurs états, des idiotes avec plus de cheveux que d'esprit. Et elle avait ri de leurs singeries théâtrales et souvent évidentes avec ses cousins. Se retrouver cataloguée comme étant de leur espèce était la pire forme d'insulte.

— Mes propensions à la manipulation? demanda-t-elle d'une voix suave, dès qu'elle eut retrouvé le contrôle de sa voix.

Son intonation aurait fait boire un cognac à Spencer, mais Jack avait déjà fait l'expérience de son tempérament déchaîné.

— Ça, mon cher Monsieur, c'est vraiment l'hôpital qui se moque de la charité.

---

4   N.d.T. : En français dans le texte original.

« Mon cher Monsieur ? » L'air renfrogné de Jack devint aussi noir que le ciel.

— Que diable voulez-vous dire par là ?

Avait-il dit « prétentieux » ? Cette satanée bonne femme pourrait faire du théâtre. Voilà qu'elle abusait de son rang avec lui comme si elle était une vraie duchesse !

Aux oreilles de Kit, le grognement de Jack était comme une musique. Elle cherchait un argument à lui rétorquer, lui qui était un mufle exaspérant d'arrogance.

— Je veux dire, dit-elle en prononçant ses paroles avec soin, qu'il ne m'a pas échappé que chaque fois que je m'apprête à marquer un point, vous brandissez ce... cette chose entre vos jambes comme une épée de Damoclès !

Jack s'étouffa.

— Marquer un point ? Est-ce ainsi que vous appelez votre petit spectacle sur le voilier l'autre nuit ?

Kit haussa les épaules.

— C'était juste de la curiosité.

— De la *curiosité* ?

Jack tira sur les rênes et fit arrêter Delia.

— Alors que vous vous tortillez devant moi depuis des semaines ?

— *Oh !*

Kit se tourna à moitié pour lui faire face.

— *Je* l'ai fait seulement parce que *vous* agissiez comme un bloc de pierre complètement froid. Et *vous* me traitez, *moi*, de manipulatrice ! Pff !

Jack en avait assez. Comment pourrait-il argumenter quand tout ce qu'elle avait à faire pour démolir ses arguments, c'était de rouler des hanches ? Il balança une jambe par-dessus le cou de Delia, prenant Kit avec lui. Ensemble, ils glissèrent sur le sol.

Kit se défit de la main qui la maintenait et s'en prit à lui :

— Pour ce qui est de la manipulation, je suis innocente et naïve comparativement à vous ! Vous prétendiez m'être totalement indifférent, juste pour que je me sente assez piquée pour essayer de capter votre intérêt. *Je ne suis pas* manipulatrice. *Vous* l'êtes !

Son accusation ne toucha pas Jack. Une de ses phrases s'était logée dans son cerveau, le perturbant, obscurcissant toute pensée rationnelle.

— Indifférent ? dit Jack en la regardant fixement.

Comment diable pouvait-elle penser qu'il avait voulu *prétendre* lui être indifférent ? Il souffrait le martyr et elle l'accusait de... Il tendit le bras vers ses mains, toujours liées ensemble avec son foulard.

— Est-ce que *ça*, ça a l'air indifférent ?

Le halètement de Kit à son premier contact direct avec un membre masculin excité ne franchit jamais ses lèvres. La fascination l'étouffa. Entre ses mains, le pénis de Jack battait, émettant de la chaleur à travers le velours de ses hauts-de-chausse. Il était dur, proéminent et étrangement animé. Involontairement, ses doigts effilés se courbèrent autour de lui.

Ce fut Jack qui haleta. N'étant pas préparé aux conséquences de son acte farfelu et indiscipliné, à plus forte raison à sa réaction totalement inattendue, il ferma les yeux et laissa sa tête tomber en arrière, serrant les poings le long de son corps, tandis qu'il luttait pour reprendre le contrôle. Avec un étonnement naissant, Kit leva les yeux et vit l'effet de son contact. Sa pudeur de jeune femme ne se manifesta pas quand, les yeux plissés pour saisir tout changement dans l'expression de Jack, elle fit lentement glisser ses doigts en remontant le long manche jusqu'à ce que l'extrémité de ses doigts chercheurs trouve le gland lisse et arrondi.

Elle entendit la respiration de Jack s'arrêter, vit la tension qui lui faisait déjà contracter sa prise. Son souffle faiblit. Instinctivement, elle changea de direction, descendant la tige rigide jusqu'à sa source, au milieu de la chair encore plus douce. Ses doigts découvrirent les fruits ronds dans les bourses moelleuses. Elle les sentit se durcir.

Le gémissement de Jack la ravit, la transporta. Puis, il bougea.

Jack prit ses épaules entre ses mains. Sa bouche ne manqua pas de trouver la sienne, toute manière sauvage étant déchaînée par son contact osé. Un bras glissa autour de son dos pour la rapprocher de lui. L'autre main glissa dans ses cheveux, déplaçant sa perruque. Elle tomba sur le sol, un rond sombre dans la lumière du clair de lune, qu'ils ignorèrent tous les deux.

Jack n'arrivait absolument pas à reprendre le contrôle. Ses années à sévir comme séducteur l'avaient endurci. Il contrôlait toujours ses sens, jamais le contraire. Mais son toucher direct et pourtant étrangement innocent l'avait atteint profondément, avait trouvé quelque chose de caché sous des couches de maîtrise de lui et l'avait fait renaître, quelque chose de caché depuis si longtemps qu'il avait oublié comment c'était d'être totalement consumé par la passion.

Un sentiment d'urgence parcourut ses veines. L'expérience lui disait que la femme dans ses bras était loin d'être dans le même état. Il usa de ses considérables talents pour rectifier la situation.

Kit était figée. Elle ne pouvait pas bouger. Ses bras étaient pris entre leurs corps, ses mains encore appuyées intimement contre lui. Mais elle oublia tout ça. Ses lèvres étaient en feu. Et la chaleur venait de lui. Elle essaya d'apaiser la revendication de ses lèvres fermes et chaudes pressées contre les siennes. Elle adoucit ses lèvres, mais ce n'était pas suffisant. Ensuite, la langue de Jack longea les contours gonflés de la bouche de Kit, et elle frissonna avant de lui offrir la récompense qu'il recherchait.

Elle s'attendait à être révoltée, comme elle l'était avant. À la place, tandis que sa langue caressait la sienne, des flammes surgirent, la réchauffant de l'intérieur. La lente et sensuelle spoliation de sa bouche la troubla, vidant toute force de ses membres. Elle voulait désespérément s'agripper à lui, mais ne le pouvait pas.

Entièrement absorbé par ses réactions, Jack sentit son besoin. Il leva la tête et remercia le ciel pour son instinct. Distrait par leur dispute, il n'avait pas prêté attention à leur direction, pourtant il avait arrêté Delia sous les branches étendues d'un arbre, à l'abri de tout observateur éventuel. Se dégageant de Kit, il recula, leva ses mains attachées et les mit autour de son cou. Il reprit sa position et l'attira davantage contre lui.

Kit n'eut pas le temps de réfléchir. À peine avait-elle été libérée qu'il l'avait reprise, cette fois ses seins contre sa poitrine, plaquée fermement contre Jack des épaules jusqu'aux cuisses. Ses lèvres capturèrent de nouveau les siennes, et sa langue reprit où elle en était restée, anéantissant ses défenses.

Ses défenses? Quelle farce! Sa tête tournait, mais son corps semblait vivant. Vivant comme il ne l'avait jamais été avant. Kit sentit les bras de Jack se détacher d'elle et s'interrogea sur la perversion de ses sens. Elle ne pouvait plus voir ni entendre. Elle ne pouvait prononcer deux mots cohérents ensemble. Mais elle pouvait assurément sentir. Ses larges mains vinrent se poser derrière ses épaules. Pendant un moment déroutant, elle pensa qu'il avait l'intention de mettre fin au baiser. Un frisson de soulagement la traversa quand ses paumes parcoururent son dos, descendant vers sa taille, traçant ses courbes avec autorité. Quand ses mains prirent ses fesses, sa chair enfiévrée se mit à brûler.

Poussant un grognement de satisfaction, Jack changea de prise et la souleva, faisant deux pas pour l'installer dos au tronc de l'arbre et amenant sa tête au même niveau que la sienne. Il la laissa glisser doucement jusqu'à ce que ses pieds touchent le sol et qu'une de ses propres cuisses se cale fermement entre les siennes.

Le feu se déchaîna à travers Kit, la laissant brûlée, desséchée, assoiffée. Ses lèvres se collèrent aux siennes, comme si la passion du baiser de Jack était son seul salut. De petites rivières de flammes parcoururent ses veines, formant une flaque de liquide entre ses cuisses. Elle appuya fermement ses cuisses contre le membre rigide entre eux, mais n'éprouva aucun soulagement. Les flammes s'embrasèrent brièvement, puis s'affaiblirent en une douce sensation.

Puis, les lèvres de Jack quittèrent les siennes. Trop faible pour se plaindre, elle laissa sa tête retomber en arrière, surprise du léger gémissement qui s'en échappa.

— Expirez !

Sans réfléchir, Kit s'exécuta.

— Encore.

D'un geste adroit, Jack libéra les seins de Kit de leurs bandages. Son halètement surpris fut interrompu quand les lèvres de Jack retournèrent aux siennes. Sa bouche s'ouvrit devant sa pénétration, telle une caverne engageante lui cédant le passage comme une offrande. Même aux prises avec un désir violent différent de tout ce qu'il avait jamais vécu, il prenait le temps de la savourer tandis que ses mains ôtaient sa chemise de sa ceinture, ouvrant largement les pans de son manteau et de son gilet afin de découvrir ses seins. Quand sa main se referma autour d'une des exquises rondeurs, il sentit un frisson de pur plaisir la traverser et sut qu'elle était sienne.

Kit était incapable de penser tant son esprit était submergé par les sensations. La main possessive et assurée que Jack posait sur son sein entraîna un murmure de rejet sur ses lèvres, mais il l'ignora. Elle l'ignora aussi tandis que les doigts de Jack cherchaient son mamelon raffermi et qu'ils le caressaient à le rendre encore plus douloureusement dur. Il semblait savoir ce dont sa chair avait besoin, bien plus qu'elle-même. Quand il dévia son attention vers son autre sein, elle appuya le doux monticule dans sa paume, cherchant à satisfaire son besoin intense.

Jack recula légèrement pour mieux voir ses conquêtes. La peau ivoire de ses seins luisait comme de la soie sous ses mains; on aurait dit du satin. Les pics roses étaient des petites masses fermes, mates par rapport à sa peau ivoire. Elle avait des seins magnifiques, pas très gros, mais fermes et parfaitement arrondis. Un mamelon au bout rouge telle une fraise l'attira. Il baissa la tête pour y goûter, attirant le fruit succulent dans sa bouche. Puis, il fit tourner sa langue autour de la pointe sensible.

Kit perdit le combat pour étouffer ses halètements. Ses doigts s'entortillèrent dans les cheveux de Jack, libérant de longues mèches du ruban sur sa nuque. Il tétait tandis que les doigts de Kit se resserrèrent sur son crâne. Mon Dieu! Elle ne savait pas qu'elle pouvait *ressentir* un frisson si intensément. Sa respiration était inégale, désespérée, mais elle passait outre. Il n'y avait plus que ses sensations.

Le désir tambourinant dans ses veines, Jack libéra son sein. Ses lèvres revinrent aux siennes tandis que ses doigts cherchaient sa ceinture.

Le soulagement envahit Kit. Jack semblait satisfait de mordiller ses lèvres d'une façon cruellement tentante, forçant l'esprit de Kit à tenter de se libérer de l'effet de dépendance de ses baisers. Elle essaya d'ignorer la douleur chaude et étrange au plus profond d'elle, conséquence de la passion de Jack, et qui se développait tranquillement même si son ardeur à lui semblait avoir diminué. Grâce à Dieu, il s'arrêtait! Son sens du bien et du mal était tout à fait compromis.

Qu'avait dit Amy? Le baiser était venu en premier — Jack avait assurément surmonté l'obstacle. Elle se serait adossée contre l'arbre pour le reste de la nuit si seulement il avait continué à l'embrasser comme avant, en profondeur, chaudement et avec vigueur. Que s'était-il passé ensuite? Ses seins — Amy avait eu raison sur ça, aussi. Les mains de Jack sur ses seins avaient été une expérience purement sensuelle. Elle comprenait maintenant la tendance jusqu'ici inexplicable des femmes à permettre aux hommes de caresser leur poitrine. Kit frissonna en repensant à la bouche de Jack sur son mamelon. Ayant très envie de se rappeler l'étape suivante d'Amy concernant l'amour, elle écarta ce souvenir. Qu'est-ce qui venait ensuite ?

Peu importe de quoi il s'agissait, Kit doutait qu'elle puisse attendre de voir si Jack le tenterait. Même son moi plus aventurier était d'accord qu'il était temps de s'emparer de sa récente expérience et de s'enfuir. Pendant qu'elle savourait le goût grisant de son professeur, affairé, viril et excité, elle luttait pour reprendre un certain contrôle, un certain pouvoir d'action. Jack était déjà allé trop loin, mais au moins, il avait cessé ses caresses scandaleusement effrontées. Il l'avait attirée dans des eaux profondes, et il était temps de se retirer vers des rivages plus sûrs.

Kit parvint à force d'efforts à rassembler ses esprits et à repousser ses lèvres du baiser enflammé et insistant de Jack. Il la laissa aller sans se plaindre, plongeant sa tête immédiatement sur son sein, traçant un sentier de feu autour de son mamelon qui pointait de plus en plus.

Kit secoua la tête. Des mots de refus fermes se formèrent sur ses lèvres.

Ils explosèrent en un traînant et à moitié soupiré «Ja-ack !» de protestation tandis qu'elle sentait ses paumes s'écraser de façon possessive sur son ventre nu.

Les yeux de Kit s'écarquillèrent. Tandis qu'elle rassemblait ses esprits, il ouvrait ses hauts-de-chausse ! Jack tétait un mamelon, et les doigts de Kit s'accrochaient à ses cheveux, maintenant sa tête sur son sein tandis que ses hanches s'inclinaient à son contact terriblement intime.

Puis, les choses empirèrent.

Ses longs doigts se glissèrent dans les poils soyeux entre ses cuisses.

Kit gémit et lutta pour trouver la force de se libérer de la conflagration de ses sens. Il les enflammait, et elle ne pouvait contenir le feu. Elle ne voulait même plus le faire.

Mais elle devait l'arrêter.

Ses doigts séparèrent de sa douce chair et s'enfoncèrent délicatement.

Kit oublia de l'interrompre. Le plaisir l'envahissait, intense et tangible. Ses doigts décrivirent un mouvement résolument circulaire, d'abord dans un sens, puis dans l'autre. Ses lèvres se raffermirent sur son mamelon, et un ouragan de désir ardent émergea de son sein au point où ses doigts insufflaient des flammes à travers sa peau.

Son nom était sur ses lèvres, tel un doux soupir qu'il ne rata pas. Kit reconnut le grognement traînant qu'il émit en signe de satisfaction. Puis, ses lèvres retournèrent aux siennes. Il ne lui vint jamais à l'esprit de le repousser — elle l'accueillit, écartant ses lèvres pour le recevoir. Elle sentit son poids tandis qu'il s'appuyait contre elle, les muscles durs de sa poitrine soulageant ses seins douloureux.

Le tissu de ses hauts-de-chausse se tendait sur ses hanches tandis que sa main appuyait entre ses cuisses. Sans réfléchir, elle les écarta davantage, l'invitant silencieusement à un contact intime. Quand un long doigt glissa lentement en elle, elle frissonna. Les paroles d'Amy s'éveillèrent dans son cerveau. Chaude et humide. Kit le savait à présent. Elle était chaude et humide. Chaude et humide pour Jack.

Chacun de ses sens était concentré sur son doigt, sur sa lente et inexorable invasion. Kit se sentait en fusion, ses nerfs liquéfiés. La chaleur manifestait des pulsations régulières en elle. Elle essaya de se dégager de son baiser, de rependre sa respiration, mais il ne la laissa pas faire. À la place, la langue de Jack entama une danse lente et répétitive de poussée et de retraite. À l'intérieur d'elle, son doigt prit le même rythme.

Au-delà de toute pensée, au-delà de tout sentiment de honte, Kit réagit au rythme, son corps se tortillant et se soulevant sous son étreinte intime, s'ouvrant à ses caresses de plus en plus profondes.

À présent certain de sa victoire, Jack fit dévier ses pensées vers sa réussite. Et il se heurta à un obstacle. À plusieurs obstacles.

Trois secondes de pensées rationnelles furent suffisantes pour comprendre l'énormité de ses problèmes. Le sol autour d'eux était inégal et parsemé de pierres coupantes. Son programme était donc impossible, même s'ils avaient eu une couverture, ce qui n'était pas le cas. Il ne savait pas sous quel genre d'arbre ils étaient, mais son écorce était épaisse, rugueuse et coupante. S'il l'adossait contre celui-ci, il râperait sa peau douce. Mais la difficulté la plus insurmontable à laquelle il devait faire face, c'étaient les hauts-de-chausse de Kit. Ils étaient si ajustés qu'ils collaient à sa peau comme si on l'avait coulée dedans. Il était habitué à quitter lui-même ce genre de vêtements. Ils se décollaient facilement de son corps. Mais ils ne se décollaient pas du tout facilement de celui de Kit. Il avait ouvert le rabat pour la caresser. À présent, il avait besoin d'un accès plus large, mais il avait essayé tant qu'il pouvait, et aucun tiraillement ne semblait les faire bouger de ses hanches bien galbées.

Jack râla au fond de lui et inclina sa bouche sur celle de Kit, approfondissant le baiser afin de tenter de cacher la vérité. Bon sang ! Elle était si passionnée ! Passionnée et prête pour lui. Son doigt glissa sans effort le long de son canal chaud, découvrant à quel point Kit était excitée. Le désir de se brûler dans cette chaleur glissante était irrésistible.

Il connaissait trop bien le corps féminin pour rater la tension qui montait en elle. Il n'avait pas le temps d'arrêter et de lui demander son aide. Il ne pouvait pas se permettre de la laisser se refroidir. Il l'avait conduite sur la route de l'épanouissement, et il était maintenant impossible de reculer.

Frustré au plus haut point, poussé par une urgence hors de son contrôle, Jack libéra son pénis. Il surgit en érection, engorgé. Il retira sa main d'entre les cuisses de Kit, ignorant sa plainte d'impuissance. D'un coup sec, il réussit à dégager autant d'espace que ses hauts-de-chausse le permettaient. Ce n'était pas assez.

Avec un grognement angoissé, Jack glissa son gourdin palpitant dans la fournaise entre ses cuisses soyeuses. Si cela devait être le seul coin de paradis à s'offrir cette nuit, son besoin était trop important pour le dédaigner.

Kit gémit dans la bouche de Jack. Elle n'avait aucun doute sur ce qu'était la pression qui avait remplacé sa main. Mais ça lui était égal. Non, ça comptait. Elle voulait que son sexe soit là. Même plus. Elle voulait qu'il la pénètre. Il recula et s'introduisit dans le creux soyeux entre ses cuisses. Dans leur étrange position entièrement debout, il ne pouvait pas la pénétrer, mais elle sentit le gland gonflé de son membre frôler sa chair tendre. Instinctivement, elle se contracta autour de son membre rigide et doux, reculant ses lèvres pour haleter.

La tête de Jack s'inclina, sa tempe s'appuya sur ses cheveux, et elle entendit son souffle rauque dans son oreille. Kit le sentit se retirer. Elle gémit en signe de désapprobation et pencha ses hanches, essayant de le retenir. À son grand soulagement, il revint, la poussant de ses propres hanches, la colonne rigide de son pénis écartant sa chair glissante et enflée avant de pousser plus profondément, la soudaine friction envoyant des éclairs de pur ravissement la parcourir. À la pénétration qui suivit, la fournaise s'ouvrit en grand. Les mains de Kit saisirent les cheveux de Jack, et elle plaqua son corps contre le sien.

Puis, cela se produisit.

Elle fut saisie d'une tension qui cerna et comprima son cœur jusqu'à ce qu'il explose, faisant surgir des vagues de sensations en fusion le long de chacune de ses veines. Une excitation indescriptible la saisit, et son âme s'enflamma, consumant ses sens surchargés. Figée au sommet de leur passion, abandonnée à ses sentiments, elle se cramponna à Jack, son nom suspendu silencieusement à ses lèvres.

Les flammes retombèrent et répandirent leur chaleur à travers sa chair. Kit inclina les hanches, cherchant instinctivement l'épanouissement de Jack comme faisant partie du sien.

Tout aussi instinctivement, Jack profita des deux centimètres supplémentaires qu'elle lui offrait pour pénétrer encore plus profondément dans sa chaleur glissante.

Il haleta tandis que la douceur brûlante de sa chair enflée l'engouffrait. Cependant, la caresse ultime du corps de Kit restait hors d'atteinte. Ses muscles tremblèrent tandis que la frustration empiétait fugitivement sur le désir envahissant. Le miel chaud de la passion de Kit se déversa sur lui. Les légères impulsions du soulagement de Kit le caressèrent. Il se retira avant de pousser de nouveau, de plus en plus. La vague de sa libération le saisit, le faisant entrer dans un état d'oubli et de plaisir.

Il avait raté ses yeux quand elle avait joui.

La première pensée de Jack pour se remettre de ses efforts semblait parfaitement rationnelle. La prochaine fois, il s'assurerait de satisfaire sa curiosité. À présent, il était trop content de lui pour laisser tout détail assombrir son humeur. Malgré les limitations rencontrées, l'expérience méritait qu'on s'en souvienne.

Il baissa les yeux vers Kit. Les répliques de sa puissante jouissance étaient terminées, mais elle était encore abasourdie. Conscient de la bienséance qu'exigeaient de tels moments d'intimité, même dans des circonstances si exceptionnelles, Jack se retira du doux creux entre les cuisses de Kit.

Kit reprit contact avec la réalité tandis que Jack remettait les pans de son manteau en place. Elle se raidit et cligna des paupières. Avait-elle rêvé ?

Un regard sur le visage de Jack dissipa ce léger espoir. Ses lèvres semblaient ne pas pouvoir cesser de sourire. D'un air suffisant. Kit se sentit mal. Ses vêtements étaient de nouveau en place, boutonnés, tous sauf ses bandages, qu'il avait laissés autour de sa taille.

Elle essaya d'ignorer l'humidité entre ses cuisses.

Heureusement, Jack prit les choses en main, sans qu'on le lui demande, naturellement. Il l'installa sur Delia, puis ils reprirent la route vers l'ouest, au pas.

Les murs du domaine Cranmer prirent forme à l'horizon avant que Kit ne se soit concentrée sur ce qui s'était passé. Jack et elle avaient été intimes. Cette réflexion la conduisit dans un état de panique vertigineux, amenuisé seulement légèrement par la conclusion saisissante que, malgré tout, elle était encore vierge. Il ne l'avait pas déflorée ; ça, elle en était certaine. Des années auparavant, sa grand-mère lui avait exposé franchement les devoirs d'une bonne épouse. Kit n'avait ressenti aucune douleur ni inconfort, pas le moindre. Jamais elle n'avait ressenti de gêne ou de timidité à laisser Jack la caresser comme il l'avait fait, bien que cela ait été terriblement intime, ni à le laisser insérer cette partie de lui entre ses cuisses — pas à ce moment-là. À présent, elle était rongée par la culpabilité, se vautrant dans l'incroyable pudeur qu'elle n'avait pas ressentie quand elle était dans ses bras, embrassée en toute complaisance. Comment avait-elle pu laisser cela arriver ?

« Facilement » fut la réponse languissante à sa question. « Et tu le referais, et plus, s'il voulait de toi. »

Kit étouffa son grognement et pencha la tête en arrière contre l'épaule de Jack, trop fatiguée pour renier la déclaration scandaleuse de son moi plus aventurier. Au moins, le confort de sa position à cheval s'était amélioré. Jack avait dénoué ses mains — après, le scélérat ! Il y avait eu des moments sous cet arbre où elle aurait tué pour avoir les mains libres. À présent, elles reposaient, croisées, sur le pommeau tandis que Jack tenait les rênes. Son corps se lovait parfaitement dans le sien, la courbe de ses fesses se collant à son ventre. Les cuisses de Jack de chaque côté des siennes la maintenaient en place. La pression dans le bas-ventre de Jack avait disparu. Elle avait apparemment réussi à en prendre soin. Rien dans leur contact ne méritait de s'inquiéter. Elle pourrait s'endormir, si elle le voulait.

Delia continuait à avancer d'un pas lent.

— Quel chemin pour les écuries ?

Kit ouvrit les yeux au son du léger chuchotement de Jack. Des points de repère familiers s'érigeaient dans le noir. Ils étaient dans une pente juste derrière la propriété. Pendant un instant, elle se pencha contre la poitrine de Jack, savourant la chaleur de son corps ferme, désirant irrationnellement que ses bras l'entourent et la tiennent. À cette pensée, la panique la poussa à se redresser.

— Je vais emmener Delia dans le paddock. Je vais devoir sauter la barrière.

L'homme derrière elle resta calme, puis dit :

— Très bien. Je vous quitterai ici.

Une main ferme se posa sur sa taille. Kit se raidit, mais Jack avait simplement besoin d'elle pour son équilibre quand il pivota pour descendre de la selle. Il lui tendit les rênes.

— Attendez seulement que j'ajuste les étriers.

Tout en raccourcissant les courroies de sorte que les étriers retrouvent le trou qui correspondait à Kit dans le cuir épais, Jack força son esprit à fonctionner. Ce n'était pas une tâche facile dans son état actuel légèrement grisé. S'il avait à juger de telles expériences, ce qui s'était passé sous l'arbre devrait stimuler l'appétit d'une femme qui était actuellement contrainte à une existence proscrite.

Pourtant il y avait quelque chose dans la réaction de Kit qui l'avertissait de ne pas la tenir pour acquise. Son silence pouvait simplement être dû à la fatigue ; sa jouissance avait été particulièrement puissante. Mais il y avait plus que ça. Peut-être était-elle vexée qu'il l'ait trouvée si facile à soumettre. Bien caché par l'obscurité, Jack sourit fugitivement. Il avait le pressentiment qu'elle pouvait être peu disposée à céder davantage qu'elle l'avait déjà fait, pas sans davantage de concessions de sa part. Et à présent, il ne pouvait rien lui offrir, pas même son nom.

Peu importe, dans deux nuits, elle passerait du temps dans son lit. Et il était prêt à risquer sa réputation durement gagnée qu'ensuite, elle ne le fuirait pas avec son nez espiègle en l'air.

Jack se redressa et ôta sa perruque de la poche de la selle. Il recula.

— Nous nous verrons demain à l'Old Barn.

Des excuses se bousculèrent sur la langue de Kit, mais elle les avala. Elle avait accepté les quatre semaines, et il aurait quatre semaines. D'un rapide hochement de tête, elle fit tourner Delia et lui fit sauter la clôture.

Galopant du paddock en pente jusqu'à l'écurie, Kit résista à la tentation de regarder derrière elle. Il devait se trouver où elle l'avait quitté, les mains sur les hanches, à la regarder. Elle se présenterait demain et, s'ils faisaient un chargement, la nuit d'après. Mais d'ici là, elle éviterait le capitaine Jack. La distance était impérative. Elle connaissait les dangers maintenant ; il ne pouvait y avoir aucune excuse.

Quand la sombre caverne de l'écurie eut avalé Kit, Jack se tourna et se dirigea vers le nord. La lune se dégageait de ses nuages et éclairait son chemin. À des kilomètres en avant, le château Hendon attendait son maître, son lit pourvu de draps en soie, frais et non réchauffés. Jack sourit en coin. Il rêvait de voir Kit se tortiller d'extase sur ce lit, ses cheveux bouclés formant une auréole de flammes autour de sa tête, et ses poils, qu'il avait touchés mais qu'il n'avait pas vus, le brûlant. Il avait compté les nuits depuis qu'il l'avait touchée la première fois et qu'il avait su que ses sens ne l'avaient pas trahi. Maintenant, elle était presque devenue une obsession.

Tandis qu'il avalait les kilomètres à un rythme cadencé, son esprit restait concentré sur la femme qui avait capturé ses sens. Elle ne serait jamais une maîtresse de plus. Celles qui s'étaient présentées avant elle ne l'avaient jamais intrigué comme elle. D'elle, il voulait bien plus qu'une simple satisfaction physique, même si, chaque fois qu'il posait les yeux sur elle, il était conduit par un désir primitif d'aller s'enfouir au plus profond d'elle. Son besoin de la posséder allait bien plus loin que ça.

Il voulait lui faire revivre la jouissance à plusieurs reprises. Il voulait que ses cris de plaisir résonnent dans ses oreilles. Il avait besoin de savoir qu'elle était proche et en sécurité à tout moment.

Jack fronça les sourcils. Il ne s'était jamais senti comme ça auprès d'une femme auparavant.

Chapitre 16

L e claquement des vagues contre la coque du bateau de
pêche était noyé par le rugissement des déferlantes. Les
cuisses ancrées dans la marée, Jack inclina ses épaules, puis
tendit les bras vers le fût que lui tendait Noah. Avec le tonneau en équilibre sur son épaule, il regagna la rive à pied, là
où les poneys se faisaient charger.

Jack attendit que les hommes attachent les fûts sur la
selle des poneys pour prendre le tonneau le plus lourd, puis
il se tourna pour surveiller son entreprise.

Ils maîtrisaient parfaitement leur routine. Pendant qu'il
regardait la scène, les hommes dans les bateaux vidés se pen-
chaient sur les rames et repartaient en mer sur les six embar-
cations pour pêcher du poisson qu'ils pourraient rapporter
chez eux. Les derniers barils furent maintenus en place, puis
les paquets de dentelle empilés contre un rocher à proximité
seraient balancés sur le dessus et solidement attachés.

Tandis que la dentelle était chargée, Jack laissa son
regard s'élever vers la falaise surplombant la plage. Il avait
posté Kit sur la pointe à l'est, mais ignorait totalement où elle
se trouvait en fait. Sans doute la jeune femme entêtée avait-
elle mis sa menace à exécution et s'était rendue plus à l'ouest.

Elle avait assisté à la rencontre à l'Old Barn la nuit précédente, s'y glissant en retard pour se tenir dans l'obscurité en arrière. Immédiatement après qu'il eut fini de détailler la contrebande de la nuit, elle avait disparu.

Il n'avait pas été surpris. Mais il était hors de question qu'il la laisse lui échapper ce soir.

* * *

Trois kilomètres à l'ouest, Kit arrêta Delia. Elle était assez loin. Il était temps de revenir si elle voulait retrouver Jack sur la falaise comme convenu. Toutefois, elle resta assise à regarder distraitement vers l'ouest.

Son estomac était noué. Ses nerfs ne se calmaient pas, battant comme des ailes de papillon chaque fois que l'image de Jack émergeait dans son horizon mental. Les idées qu'il avait pour la nuit, pour autant qu'elle se permît de les imaginer, étaient de la pure folie, mais ce qu'elle pouvait faire pour les éviter était plus que ce qu'elle pouvait comprendre.

Elle allait devoir le voir, ça, c'était évident. Y avait-il une chance qu'elle puisse le persuader de changer son «plus tard»? Ses paroles sur le trajet du retour du malheureux bal costumé avaient mis au clair qu'il avait perçu ses taquineries comme des encouragements. Kit grimaça. Elle n'avait simplement pas réalisé combien elle l'affectait. Peu importe les raisons de Jack justifiant sa réticence, elle était tombée dans le piège.

Poussant un petit soupir tendu, elle détermina la suite. Elle devait s'expliquer. En tant que jeune femme bien élevée, elle ne pouvait pas — ne pouvait simplement pas — envisager une autre possibilité.

Une légère bruine commença à tomber, rendant le souffle de Delia brumeux. Les doigts de Kit se serrèrent sur les rênes pour diriger la jument quand elle entendit un cliquetis.

Suivi d'un autre.

Ses sens étaient piqués. Les poils sur sa nuque se hérissèrent. Elle avait déjà entendu ce bruit avant. Le cliquetis plus fort d'un étrier confirma ses déductions. Un instant plus tard, elle vit toute une troupe qui avançait dans un galop constant.

Kit n'attendit pas d'en voir plus. Elle prit le premier chemin qu'elle vit descendre vers la plage et laissa retomber les rênes de Delia. Les joues cinglées par la crinière noire qui volait, elle se cramponna au cou de la jument tandis que le sable défilait à vive allure sous les sabots noirs.

Vérifiant de manière automatique les liens qui maintenaient le précieux chargement en place, Jack passa la file de poneys. Il s'était assuré que Kit ne disparaîtrait pas comme un spectre dès que le dernier poney atteindrait le sommet de la falaise en lui ordonnant simplement de le retrouver en haut du chemin qui montait de la plage — en présence d'une demi-douzaine d'hommes. Elle n'était pas stupide. Elle ne risquerait pas les soupçons instantanés qu'un non-respect de tels ordres explicites générerait.

Il était presque au bout de la file de poneys, et les hommes à sa tête étaient déjà en selle, quand l'écho de sabots de chevaux au galop sur du sable compact l'alerta immédiatement.

Émergeant dans la nuit, un cheval noir apparut. Kit. Galopant vivement. En provenance de l'ouest.

Le temps qu'elle ralentisse, afin de ne pas effrayer les poneys, Jack était déjà en train de se précipiter en tête de file, où Matthew attendait, à cheval, les rênes de Champion dans sa main. Le gros étalon bougeait, excité par l'arrivée précipitée de la jument martelant le sable de ses énormes sabots. Jack monta énergiquement en selle alors que Kit s'arrêtait devant lui, Delia donnant des coups de sabot dans les airs.

— La douane. En provenance de Hunstanton, dit Kit, le souffle court. Mais ils sont encore à un kilomètre et demi ou plus.

Jack la regarda fixement. Un kilomètre et demi ou plus ? Elle avait réinterprété ses ordres pour de bon ! Il réprima le désir de la secouer — il s'occuperait de son insubordination plus tard et en profiterait d'autant plus.

Il se tourna vers Shep.

— Décharge la marchandise dans la vieille crypte. Ensuite, renvoie tout le monde. Je te nomme responsable.

La file de poneys devait aller à l'Old Barn, mais c'était impossible à présent. Kit leur avait offert une chance de s'en sortir ; ils devaient la saisir.

— Nous quatre — son signe de tête indiqua Matthew, George ainsi que Kit —, nous attirerons les douaniers vers Holme. Avec de la chance, ils ne sauront même pas que vous existez.

Shep hocha la tête, signifiant qu'il avait compris. Une minute plus tard, la file de poneys partait, disparaissant dans les dunes masquant le promontoire de l'est. Ils avançaient prudemment, cheminant le plus possible à l'abri, près de Brancaster, avant de prendre vers le sud, là où se trouvait l'église en ruine.

Jack se tourna vers Kit.

— Où, exactement ?

— Sur la falaise. Ils chevauchaient près du bord.

La voix de Kit, teintée d'excitation, laissait transparaître une fâcheuse tendance à devenir trop haut perchée.

Jack espéra que George ne l'aurait pas remarqué.

— Restez à côté de moi, marmonna-t-il, priant pour qu'elle ait assez de bon sens pour obtempérer.

Il appuya ses talons sur les flancs de Champion, et l'étalon partit en direction du sommet de la colline. Delia suivit, avec les montures de Matthew et de George pas loin derrière. Ils avançaient à l'intérieur des terres pour être protégés par la rangée d'arbres parallèles au bord de la falaise, à une centaine de mètres ou plus. Nul besoin d'aller loin pour tomber sur les douaniers.

À l'abri d'un sapin, Jack se trouvait près de la tête de Champion, la main fixée sur le nez du cheval gris pour étouffer tout hennissement révélateur. Il regardait les douaniers sous ses ordres galoper bruyamment comme un troupeau de bovins sans penser à une stratégie quelconque. Il secoua la tête, incrédule, et échangea un regard affligé avec George. Dès que l'escouade fut passée, ils remontèrent en selle.

Un sifflement soudain à côté d'elle surprit Kit alors qu'elle installait son pied dans l'étrier. Elle s'assit bien droite et entendit un long cri d'oiseau en réponse à environ un mètre. Puis, Jack ôta son couteau de la boucle de sa ceinture et marmonna confusément. George et Matthew répondirent de la même façon. Kit les fixa du regard.

Le tambourinement des sabots des chevaux des douaniers qui étaient passés cessa tout à coup. Matthew et George continuèrent avec leurs bruits tandis que Jack pressa Champion à se rendre à l'orée des arbres. Le vacarme feutré continua jusqu'à ce que Jack se tourne et siffle :

— Les voilà !

George et Matthew se turent, regardant la main levée de Jack. Puis, il la laissa tomber.

— Maintenant !

Au milieu des cris comme « Les douaniers ! », ils sortirent des arbres, galopant vers l'ouest. Jack jeta un œil autour de lui et vit la tête noire de Delia au niveau de ses genoux. Kit était penchée sur le cou de la jument. Elle revêtait un sourire étincelant. Il était bon de galoper dans le vent avec elle à ses côtés.

Ils furent des plus bruyants. Au départ. Quand il fut clair que les douaniers s'étaient lancés dans une poursuite acharnée, galopant derrière eux, Jack s'arrêta à l'abri d'une petite colline. Matthew et George arrêtèrent leurs montures à un endroit abrupt à côté de lui. Kit fit arrêter Delia à quelques mètres plus loin. Son écharpe avait légèrement glissé. Elle ne voulait pas que George ni Matthew voient son visage. La bruine s'était intensifiée en pluie. Une goutte coulant de ses cheveux humides collés à son front descendit sur le bout de son nez. Levant la tête, elle regarda vers l'est. Les nuages bas, pourpres et noirs, fuyaient devant le vent rafraîchissant.

Elle entendit la voix de Jack.

— Nous allons nous séparer. Kit et moi avons les chevaux les plus rapides. Vous deux, allez au sud. Quand ce sera sûr, vous pourrez vous séparer et rentrer chez vous.

— Quelle route allez-vous prendre ? demanda George en secouant l'eau de son chapeau avant de l'enfoncer de nouveau sur sa tête.

Le sourire de Jack était confiant.

— Nous allons vers l'ouest, sur la plage. Ce ne sera pas long avant qu'on les sème.

George fit un signe de tête et se tourna, suivi de Matthew. Tous deux se glissèrent dans les arbres bordant la route vers le sud. Ils ne pouvaient pas dévier jusqu'à ce que les douaniers se soient éloignés — les champs étaient trop à découvert et visibles de la route.

L'escouade de douaniers ne se voyait toujours pas de l'autre côté de la colline. Jack poussa Champion à s'approcher de Delia.

— Il y a un chemin vers la plage par là-bas.

Il indiqua la direction. Kit plissa les yeux à travers la pluie.

— Le chemin où les buissons surplombent la falaise. Prenez-le. Je vous suivrai dans un moment.

Kit résista à l'impulsion de dire qu'elle attendrait. Son ton n'était pas de ceux qu'on met en doute. Elle talonna Delia pour la faire galoper et traversa rapidement la zone à découvert vers le bord de la falaise. Au bout du chemin, elle s'arrêta pour regarder derrière elle. Les douaniers firent le tour de la colline et les virent, elle sur la falaise, Jack chevauchant juste derrière elle. Il avait traîné pour s'assurer que la troupe ne les raterait pas. Poussant un cri, les douaniers mordirent à l'hameçon. Kit mena Delia sur la plage, atteignant la fin du chemin, tandis que Champion surgit en dérapant bruyamment à quelques mètres. Elle avait oublié cette manie.

— À l'ouest !

Devant cet ordre ainsi hurlé, Kit fit tourner la tête de Delia dans cette direction et relâcha les rênes. Prévenue par la tension, la jument se lança docilement dans un grand galop, laissant Champion dans son sillage. Kit sourit à travers les gouttes de pluie sillonnant son visage. Assez rapidement, elle entendit le martèlement régulier des sabots de Champion juste derrière elle, maintenant le même rythme entre elle et leurs poursuivants.

Derrière Kit, Jack regardait la jument devant lui galoper, émerveillé de l'aisance et du naturel de la chevauchée de Kit. Il n'avait jamais vu meilleur cavalier — ensemble, Delia et elle étaient de la pure magie en mouvement. Elle maintenait le rythme de la jument au grand galop, se gardant une longueur en réserve. Jack regarda derrière lui. Les douaniers étaient des formes diminuant sur le sable, distancées et dominées.

Jack regarda devant lui, ouvrant la bouche pour crier à Kit de tourner vers la falaise. Une image floue en haut du chemin, le dernier avant qu'ils arrivent sur la partie ouest du promontoire en forme d'enclume au-dessus de Brancaster, saisit son regard. Il ôta l'eau de ses yeux et regarda à travers la pluie.

Que le diable l'emporte ! Tonkin n'avait pas seulement désobéi aux ordres pour aller à l'est, mais il avait eu le bon sens de scinder ses hommes en deux. Kit et lui ne menaient pas les douaniers à l'ouest. C'était eux qui avaient été incités à aller vers l'ouest. Le plan de Tonkin était évident. Il voulait les pousser vers le promontoire étroit à l'ouest, puis les y coincer. Un imposant cordon de douaniers s'interposerait entre eux et la sécurité du continent.

Kit, aussi, avait vu les hommes sur la falaise. Ralentissant, elle jeta un œil derrière elle. Champion ne s'arrêta pas. Jack le fit avancer pour rester entre Delia et la falaise.

— Ne vous arrêtez pas! hurla-t-il en réponse à la question dans les yeux de Kit.

— Mais…

— Je sais! Continuez vers l'ouest!

Kit lui lança un regard furieux, mais obtempéra. Cet homme était fou. C'était bien beau de continuer, mais bientôt, ils arriveraient au bout. Elle pouvait distinguer qu'en avant, la falaise se terminait à pic. Il n'y avait que la mer au-delà.

Indifférent à de telles considérations, Jack maintint Champion au grand galop et réfléchit à sa nouvelle impression du sergent Tonkin. Manifestement, il avait sous-estimé cet homme. Il trouvait encore difficile à croire que Tonkin avait eu assez d'intelligence pour concevoir un piège, encore moins pour le mettre en pratique. Bien sûr, ça ne fonctionnerait pas, mais à quoi pouvait-on s'attendre? Le filet de Tonkin avait un énorme trou, un trou de trop pour attraper le capitaine Jack.

Un coup de tonnerre surgit de l'est. Le ciel se mit à déverser des trombes d'eau. Une pluie pénétrante s'abattit sur leur dos. Jack rit, envahi d'une joie intense. La pluie retarderait Tonkin. Le matin se lèverait avant que les douaniers détrempés aient réalisé que leur proie s'était défilée.

Kit entendit son rire et le regarda.

Jack saisit son regard et sourit. Ils chevauchaient encore à vive allure directement vers l'ouest. La marée montait rapidement et rongeait déjà la plage. À leur gauche, la falaise surplombait un affleurement rocheux, puis donnait sur une pointe parsemée de rochers. La plage finissait. Kit s'arrêta. Champion ralentit, puis Jack le dirigea vers les rochers.

— Venez.

Jack passa en tête, poussant Champion à se frayer un chemin au milieu des rochers, les vagues remontant sur ses lourds sabots. Delia suivait, ses sabots claquant légèrement.

Autour de la pointe se trouvait une petite crique de sable. Au-delà, au sud-est, les plages du côté sud du promontoire brillaient, un chemin pâle repartant vers le continent. Mais les douaniers devaient rôder quelque part dans le brouillard à attendre.

À l'abri des falaises, la pluie tombait moins fort. Jack s'arrêta dans la crique. Kit immobilisa Delia à côté de Champion. Elle retint son souffle, regardant fixement à travers la pluie en direction du continent du côté opposé à la petite baie.

— Bien, vous êtes prête ?

Kit cligna des yeux et se tourna vers Jack.

— Prête ?

La vue de son sourire, qui reflétait un mélange d'excitation, de rire et de pure diablerie, la fit frissonner. Elle suivit son regard vers l'autre côté de la baie.

— Vous plaisantez.

Ces mots étaient prononcés telle une affirmation.

— Pourquoi ? Vous êtes déjà trempée jusqu'aux os. Alors, qu'est-ce qu'un peu plus d'eau ?

Il avait raison, bien sûr. Elle ne pouvait pas être plus mouillée. Il y avait toutefois un problème.

— Je ne sais pas nager.

Ce fut au tour de Jack de la regarder fixement, le souvenir de leur nuit qui avait frôlé le désastre sur le voilier bien net dans son esprit. Avec quelques phrases piquantes, il lui ôta toute envie de revendiquer un quelconque bon sens, lui donnant en plus son opinion sur la stupidité des femmes qui allaient sur des bateaux alors qu'elles ne savaient pas nager. Kit écouta calmement, accoutumée à ce raisonnement. C'était la réponse habituelle de Spencer à son désir de naviguer.

— Oui, mais qu'allons-nous faire maintenant ? demanda-t-elle, alors que Jack s'arrêtait.

Jack prit un air renfrogné, fixant le lointain rivage en plissant les yeux. Puis, il rapprocha Champion de Delia. Kit sentit ses mains se refermer autour de sa taille.

— Venez ici.

Elle n'avait guère le choix. Jack la fit traverser et la hissa sur la selle de Champion devant lui. C'était juste. Kit sentit la crosse du pistolet d'arçon de Jack dans une de ses cuisses. Il prit les rênes de Delia et les attacha à un anneau à l'arrière de la selle de Champion, puis il prit sa ceinture dans ses mains.

— Restez calme !

Regardant sa taille, il passa sa ceinture dans la sienne.

— Que faites-vous ?

Kit se tourna pour essayer de voir.

— Bon sang, les femmes ! Restez calme. Vous pourrez tortiller vos hanches comme vous voudrez plus tard, mais pas maintenant !

Les mots marmonnés réduisirent Kit à l'obéissance, et elle se figea. «Plus tard.» Avec toute cette excitation, elle avait oublié son obsession à propos de plus tard. Elle avala sa salive. Le moment semblait mal choisi pour entamer une discussion sur ce sujet. Il était déjà à moitié excité avant qu'elle se tortille; à présent...

— Je fais juste une boucle pour pouvoir vous maintenir si vous glissez.

L'observation n'aida en rien la confiance de Kit.

— *Si* je glissais?

Jack se redressa avant qu'elle puisse penser à un autre itinéraire pour s'échapper.

— Tenez bien le pommeau. Je nagerai à côté une fois que nous serons dans l'eau.

Cela étant dit, il appuya ses talons sur les flancs de Champion.

Les deux chevaux avancèrent dans l'eau comme si nager dans la baie en pleine nuit faisait partie de leur routine quotidienne. Kit leur enviait leur naïveté. Elle était désespérée. Elle s'accrocha au pommeau, les deux mains figées. Elle suivait parfaitement l'affleurement régulier de Jack. Quand la première vague lapa ses jambes, elle sentit que le corps massif et réconfortant de Jack, chaud et solide derrière elle, s'était évaporé. Ravalant sa protestation, elle tourna la tête et le vit apparaître et disparaître dans l'eau à côté d'elle.

— Penchez-vous en avant comme si vous chevauchiez vite.

Kit obéit, soulagée de sentir le poids de sa main dans le bas de son dos.

Un instant plus tard, une vague s'abattit sur elle, l'aspergeant d'eau glacée. Elle cria tout en recrachant de l'eau. Immédiatement, Jack se trouva à côté d'elle, son visage à côté du sien, son bras sur son dos, une grande main étalée sur ses côtes et sa poitrine.

— Chut! Ça va. Je ne vous laisserai pas tomber.

Le réconfort dans sa voix la parcourut. Kit se détendit assez pour remarquer la position de sa main, sans qu'elle ait envie de protester. Si elle avait pu se rapprocher davantage de lui, elle l'aurait fait, malgré la rétribution qu'elle lui devrait plus tard.

La marée se rua à travers le col étroit et dans la baie, les projetant sur la plage du continent. Dès que les sabots de Champion effleurèrent le fond, Jack se mit en selle derrière Kit. Elle poussa un soupir de soulagement et décida de ne pas s'offusquer du bras musclé qui enveloppa sa taille, la repoussant fermement contre lui afin qu'elle se retrouve en sécurité.

Jack poussa l'étalon à monter sur la plage, le retenant jusqu'à ce que les jambes plus courtes de la jument atteignent le sable. Dès qu'ils quittèrent la mer, il fit avancer Champion au galop en le dirigeant vers le chemin le plus court pour quitter la plage et retrouver la relative sécurité des arbres.

Kit resta tranquille et attendit que Jack s'arrête et l'aide à descendre. Mais il n'en fit rien. À la place, il orienta Champion directement à travers les arbres bordant la falaise et prit vers le sud dans la forte pluie. Désorientée, Kit eut besoin de quelques minutes pour réaliser où il se dirigeait. Puis, ses yeux s'écarquillèrent. Il l'emmenait directement à la maison de pêcheur!

— Jack! Arrêtez… Euh…

Kit s'efforça de penser à une raison urgente justifiant un départ soudain, mais son esprit resta figé.

Le pas de Champion ne faiblit pas.

— Vous devez ôter ces vêtements dès que possible, dit Jack.

Elle resta paralysée. Pourquoi dès que possible ? Un autre moment ne ferait-il pas l'affaire ? Kit était incapable de trouver les mots pour riposter contre son affirmation. Elle décida de l'ignorer.

— Je peux parfaitement bien monter à cheval. Vous n'avez qu'à vous arrêter et à me laisser monter Delia.

La seule réponse qu'il donna fut de faire tourner Champion sur la route de Holme. Quelques minutes plus tard, ils atteignirent le chemin qui menait au sud, vers la maison de pêcheur. La peur dégourdit la langue de Kit.

— Jack…

— Bon sang, les femmes ! Vous êtes trempée. Vous ne pouvez pas chevaucher tout le trajet jusqu'à Cranmer comme ça ! Et au cas où vous ne l'auriez pas remarqué, un orage est à la veille d'éclater.

Kit n'avait pas remarqué. Un rapide coup d'œil autour de l'épaule de Jack dévoila de gros nuages s'abaissant dans l'obscurité. Tandis qu'elle regardait, un éclair traversa le ciel vers la terre. Kit cessa de discuter et se blottit dans la chaleur de la poitrine de Jack. Elle détestait les orages ; encore plus important, Delia aussi. Pourtant, la jument ne semblait pas perturbée, avançant à un rythme régulier à côté de Champion. Peut-être pourrait-elle demander à Jack de la raccompagner chez elle. Non. Ils devraient s'arrêter sous un arbre.

Il était indéniable qu'elle ne pouvait pas se permettre un coup de froid qu'elle ne pourrait expliquer. Mais que diable ferait-elle une fois dans la maison de pêcheur ? Cette pensée concentra son esprit sur ce qui s'avéra être jusqu'ici sa réflexion la plus fiable sur l'état d'esprit de Jack. À sa grande surprise, elle ne sentait rien. Il n'y avait aucune pression contre elle qu'elle aurait reconnue, malgré le fait qu'elle était calée plus fermement contre lui que jamais auparavant. Qu'est-ce qui n'allait pas ?

Puis, la signification de ses paroles lui apparut. Il avait seulement voulu dire qu'elle devait quitter ses habits mouillés, pas qu'elle... Kit rougit. À sa grande honte, elle réalisa qu'elle ne ressentait aucun soulagement devant sa découverte, seulement une déception des plus intenses. La vérité la frappa, impossible à renier. Son rougissement s'intensifia.

« Pourquoi n'admets-tu pas que tu aimerais bien essayer avec lui ? Qu'as-tu à perdre ? Seulement ta virginité... et pour qui la gardes-tu ? Tu sais que Jack ne te fera jamais de mal — un bleu ou deux, peut-être, mais rien d'intentionnel. Tu seras en sécurité avec lui. Pourquoi ne pas te jeter à l'eau ? Et quoi de plus parfait que cette nuit pour ça ? Tu sais que tu détestes essayer de t'endormir pendant les orages. »

Kit resta silencieuse, combattant ses démons.

Malgré ce qu'elle croyait, l'esprit de Jack était bel et bien préoccupé par la conquête à venir de Kit. Mais il était figé, aussi. Tous deux devaient sortir de ce vent et de cette pluie violente qui les fouettaient à travers la campagne. Le double sens de sa première déclaration avait été tout à fait intentionnel. Il ne pouvait pas mieux avoir planifié cette nuit. Il avait hâte d'enlever les vêtements mouillés de Kit. Ensuite, il savait exactement comment les réchauffer tous les deux. Ce qu'il avait prévu éradiquerait toute sensation de froid persistante.

Il n'y avait pas de meilleur moyen de faire passer une tempête.

Chapitre 17

L a maison de pêcheur surgit dans le noir, trapue et solide, nichée à l'abri de la berge derrière. Jack se dirigea droit vers l'écurie. Il descendit de cheval, puis fit glisser Kit.

— Entrez. Le feu doit être allumé. Il y a du bois à côté et des serviettes dans l'armoire. Je vais m'occuper de Delia.

Kit regarda dans l'obscurité, mais ne put distinguer son expression. Elle hocha légèrement la tête et se dirigea vers la porte de la maison de pêcheur. Son dernier commentaire visait manifestement à lui faire comprendre qu'elle avait le temps de se déshabiller et de se sécher avant qu'il entre. Il y avait sans doute un peignoir ou quelque chose dans l'armoire pour qu'elle s'y emmitoufle. Vraisemblablement, les hauts-de-chausse qu'elle portait l'autre nuit avaient éteint le désir de Jack, du moins pour le moment. Ça ou le fait qu'elle soit trempée avait éteint ses ardeurs. Kit grimaça et tendit le bras vers le loquet.

La pièce principale était éclairée par la lueur rouge d'une bûche qui se consumait. Poussant un soupir, Kit s'agenouilla sur le tapis devant la cheminée. Le bois était dans un panier sur le côté. Elle déposa des bûches sur les flammes, puis s'assit et les regarda brûler. La chaleur réchauffa lentement ses muscles froids. Poussant un autre soupir, elle se releva péniblement.

Il y avait des serviettes sur l'étagère supérieure de l'armoire. Kit en prit quelques-unes délicieusement sèches et se rendit près du feu. Laissant la pile à l'extrémité du lit, elle étendit une serviette sur le tapis, puis tira une chaise et commença à ôter ses vêtements mouillés. Elle posa son chapeau, son écharpe et son manteau sur la chaise. Elle s'assit et ôta ses bottes, puis s'agenouilla sur un bout de la serviette et, après un regard méfiant vers la porte, passa sa chemise par-dessus sa tête.

Ce fut un véritable combat pour libérer ses épaules et ses bras, mais elle finit par réussir. Ses bandages étaient encore plus difficiles à ôter, avec le nœud serré et le tissu trempé collant à sa peau. Tout son répertoire d'injures y passa avant que le nœud finisse par céder. Ce fut un soulagement de dérouler les mètres de tissu et de libérer sa poitrine.

Kit laissa tomber le long bandage sur la serviette et se rassit à genoux, laissant le feu chasser ses frissons. Tendant le bras en arrière, elle attrapa une serviette sur la pile. Elle se pencha en avant et l'enveloppa sur son cou avant de frictionner ses cheveux avec les extrémités, envoyant des gouttes se répandre dans le feu. Une fois que ses cheveux cessèrent de dégoutter, elle sécha ses bras et son dos, puis commença à éponger ses seins.

La porte s'ouvrit.

Kit se tourna, le souffle coupé, maintenant fermement la serviette sur sa poitrine.

Jack resta sur le seuil avec l'air de quelqu'un qui vient juste d'oublier ce qu'il était venu faire. Son expression révélait qu'il ne fallait pas se fier aux apparences. Il était entré pour séduire Kit Cranmer, et rien ne pouvait lui faire oublier ça. Son air confus était dû à la vision devant lui : Kit, nue jusqu'à la taille, à genoux devant le feu, les cheveux avec des reflets dorés à cause des flammes. Kit, les yeux écarquillés passant d'améthyste à violets, la serviette tenue fermement sur sa poitrine, sans parvenir à cacher la pointe de ses seins, qui dépassait de façon suggestive de chaque côté, la longue ligne de ses jambes exposée par ses hauts-de-chausse mouillés.

Lentement, Jack ferma la porte, ne quittant jamais du regard la femme dont les flammes révélaient la silhouette. Sans se tourner, il ferma la porte et fit glisser le verrou. Il traversa la pièce jusqu'à la table et déposa son pistolet avant d'ôter son manteau.

Tenue immobile par son regard argenté, Kit le regardait sans pouvoir bouger. Quand il passa sa chemise par-dessus sa tête, elle battit des paupières tant elle était fascinée par le jeu de lumière sur les muscles de sa poitrine. Elle ne le vit pas s'interrompre pour dégager ses cheveux, qui se balancèrent librement, bruns avec des mèches dorées, effleurant ses épaules, quand il s'agenouilla sur la serviette à côté d'elle.

Les mains de Jack se refermèrent sur ses épaules nues. Doucement, il l'attira vers lui pour qu'elle soit en face.

Kit le regarda droit dans ses yeux d'argent, plus brillants sous l'emprise de la passion. Le désir y brûlait telle une flamme immuable. Sa bouche devint sèche. Elle eut un soubresaut, envahie d'une force supérieure à tout ce qu'elle avait connu.

Jack observa la passion naissante transformer les yeux de Kit en un pourpre incandescent. Quand elle humecta ses lèvres avec sa langue, il jugea qu'il était temps de tendre le bras vers la serviette. Elle la céda sans protester. Il baissa les yeux vers le trésor à présent complètement exposé et vit, tandis qu'il les caressait de son regard ardent, ses mamelons se raffermir.

Avec un lent sourire de satisfaction et de plaisir anticipé, Jack posa de nouveau son regard vers son visage, remarquant ses yeux écarquillés et ses lèvres déjà entrouvertes pour qu'il l'embrasse.

Kit pouvait à peine respirer quand Jack leva ses mains, frôlant le contour de son cou pour tenir délicatement son visage, ses longs doigts pénétrant dans ses cheveux. Pendant un moment, il s'arrêta, les yeux fixés sur les siens, une question restée sans réponse dans la profondeur de son regard argenté.

Elle comprit qu'elle voulait que ça se produise. Tout autant que lui. À cet instant, Kit prit sa décision. Elle mit de côté tous les préceptes de vingt-deux ans d'instruction et tendit la main vers ce que son cœur désirait.

Tandis que Jack inclinait sa tête, elle se redressa sur ses genoux pour l'atteindre.

Jack prit sa bouche dans un baiser ardent, penchant la tête tandis qu'elle s'ouvrait à sa pénétration. Kit plaqua ses mains sur le haut de sa poitrine et se courba pour recevoir sa caresse. En quelques secondes, son sang s'embrasa, enflammé par la fougue de Jack.

Fort heureusement, ses mains étaient libres, libres de parcourir la surface chaude de sa peau virile, de caresser les bandes de ses muscles durs, de s'entortiller dans ses cheveux bruns si souples. Les doigts explorateurs de Kit trouvèrent un mamelon caché. À son grand ravissement, elle le sentit durcir à son toucher. Elle déploya ses mains, traça les lignes de ses muscles au-dessus de sa taille avant de se déplacer sur son dos large. Ses mains trouvèrent de l'eau. Il était encore mouillé.

Kit se retira de leurs langues en duel. Jack haussa un sourcil, surpris. Il tendit le bras vers elle, mais elle l'arrêta, sa petite main contre sa poitrine tandis qu'elle tendait son autre bras vers une serviette.

Une goutte d'eau tomba des cheveux de Jack et ruissela, vainement, le long de sa poitrine. Kit la vit. Elle sourit, puis se pencha et la lécha. Jack frissonna et ferma les yeux, les poings serrés le long de ses côtes.

Le sourire aguicheur de Kit s'élargit. Elle se mit à sécher sa poitrine en décrivant de petits cercles avec la serviette, agissant avec un manque d'empressement délibéré. Elle se leva et se plaça derrière lui pour sécher son dos.

Jack s'agenouilla et la laissa faire, maintenu sous son emprise par ses attentions sensuelles. Le jeu excitant de la serviette aurait fait fondre une statue. Ou du moins l'aurait enflammée. Son corps était presque dans le même état.

Quand elle réapparut devant lui, il prit ses mains et la poussa à s'agenouiller de nouveau. Il prit la serviette et la posa à côté. Mais il ne l'attira pas dans ses bras. Il toucha ses seins, prenant un des monticules pulpeux dans chaque main, les serrant légèrement, puis décrivant des cercles autour de ses mamelons tendus avec ses pouces.

Les yeux de Kit se fermèrent. Elle chancela vers Jack, ses sens étant surmenés.

Jack l'embrassa, laissant ses mains glisser vers sa taille. Elle allait trop vite... Il voulait faire traîner en longueur autant qu'il pourrait. Il ne voulait pas qu'elle atteigne déjà l'orgasme. Il avait d'autres plans.

Le baiser ralentit Kit, transformant son bouillonnement intense en un doux frémissement. Instinctivement, elle réalisa que Jack la voulait dans cet état. Elle ne savait pas pourquoi, et ce mystère la dépassait. Les mains de Jack s'étaient déplacées vers la fermeture de ses hauts-de-chausse. Le tissu mouillé retenait les boutons. Il fallut qu'ils joignent leurs efforts pour finir par gagner. Une fois le rabat ouvert, Jack baissa les pantalons de Kit, parcourant de ses mains la peau froide de ses fesses.

Kit arriva à dégager les plis collés, remerciant le ciel que ses hauts-de-chausse d'équitation ne soient pas aussi serrés que ses pantalons. Si elle les avait portés cette nuit, elle était sûre qu'il les aurait déchirés. Devant l'empressement de Jack, elle se leva. Il descendit ses hauts-de-chausse jusqu'à ses pieds et l'aida à les retirer. Mais avant qu'elle puisse se remettre à genoux, les mains de Jack se posèrent autour de ses hanches, la maintenant là où elle était, totalement nue devant lui.

Pendant un long moment, Jack observa sa beauté. Puis, il pencha la tête pour lui rendre hommage.

Le gémissement de plaisir de Kit quand ses lèvres se posèrent sur son nombril résonna dans la pièce silencieuse. Ses doigts se faufilèrent entre ses cheveux ; ses mains agrippèrent sa tête. Elle sentit sa langue, languissante et rythmée, puis sa peau s'enflamma. Quand ses lèvres finirent par se déplacer, elle poussa un soupir qui remplit la pièce.

Elle attendit qu'il la relâche, mais Jack n'avait pas fini. Sa langue explora la courbe de sa hanche. Kit sentit ses mains descendre jusqu'à ce que chacune de ses larges paumes prenne fermement ses fesses en coupe. Ses doigts la saisirent, la maintinrent prisonnière. Elle sourit... Elle ne comptait pas essayer de s'échapper.

Puis, il bougea, descendant davantage sur ses genoux. Ses lèvres descendirent plus bas. Plus vers l'intérieur.

— *Jack!*

La protestation de stupéfaction de Kit se termina en un gémissement de plaisir. Ses genoux perdirent toute capacité à la soutenir, mais Jack la maintenait debout tandis que ses lèvres se refermaient autour de ses poils chatoyants au sommet de ses cuisses et que sa langue explorait la douce chair qu'ils cachaient.

Kit chancela, les yeux fermés. Elle l'avait voulu à ses pieds, mais ce n'était pas ce qu'elle avait voulu dire. *Ceci* était plus que scandaleux ; c'était une situation au-delà de tout ce qu'Amy ne pourrait jamais rêver. Kit frissonna et laissa sa tête retomber en arrière. Son esprit se fragmenta. Jack déplaça sa prise et leva sa jambe gauche afin de faire passer son genou sur son épaule, remontant avec de chauds baisers la peau satinée de l'intérieur de sa cuisse, avant de se livrer au pillage de sa douce cavité avec la même minutie constante qu'il avait utilisée plus tôt sur sa bouche.

Kit ne pouvait plus penser. Toute sa conscience était centrée sur cet endroit où la bouche chaude de Jack et sa langue encore plus chaude lui soutiraient une réaction de chaleur. Elle posa ses mains sur ses épaules, ses ongles s'enfonçant profondément dans une attitude convulsive.

Se concentrant sur chaque spasme de sa réaction, Jack sut quand elle approcha du point au-delà duquel sa jouissance deviendrait inéluctable. Il changea de tactique, la ramenant de la mince frontière, laissant les flammes qu'il avait attisées diminuer en un feu qui couve avant de les alimenter patiemment jusqu'à former de nouveau des flammes. Après ses baisers avides autour du mont recouvert de poils, il progressa dans une lente exploration de la chair chaude qui entourait l'entrée de sa grotte secrète.

Il la maintenait parfaitement en équilibre. Le genou de Kit sur son épaule lui permettait de la maintenir d'une seule main, ce qui laissait sa main gauche libre de caresser ses fesses. Sa peau était humide, mais pas à cause de la pluie. Sa main parcourut un hémisphère plein, puis ses doigts cherchèrent la fente au milieu, glissant pour trouver l'endroit où une légère pression porterait ses fruits. Il déplaça son genou, l'ouvrant ainsi pleinement, s'arrêtant pour décrire des cercles sur son bourgeon enflé de désir avec sa langue avant de piller les délices de sa grotte au goût de miel.

Il se demanda combien de temps elle tiendrait. Et combien de temps, lui, tiendrait-il?

De plus en plus de sensations submergèrent Kit. Elle se sentit ravagée par un feu roulant de passions qui parcouraient ses veines. Hypersensible, elle était cruellement consciente de chaque geste érotique que Jack entreprenait. Effrontée, elle céda au plaisir, se délectant d'une intimité scandaleuse. Il la conduisait de plus en plus vers le point où elle pouvait sentir ces étranges ondulations de tension se développer en elle. Puis, l'attention de Jack s'égara, la ralentissant tandis qu'elle voulait se précipiter à toute vitesse vers son sort. Quand il le fit de nouveau, elle gémit de mécontentement. Elle se tortilla sous sa prise.

— Bon sang, Jack !

Mais elle ne pouvait pas lui dire d'arrêter. Elle ne savait pas ce qu'elle voulait.

Mais elle était tout à fait sûre que lui le savait. Elle entendit son rire profond et en sentit les répercussions à travers ses mains. Il se recula pour lever les yeux vers elle, son regard embrasé par un feu d'argent incandescent.

— Vous en avez assez ?

— Oui… Non !

Kit tenta de lui lancer un regard furieux, mais le résultat fut moyen.

Jack rit et reposa son genou. Il se leva, et Kit chancela contre lui. Ses lèvres trouvèrent celles de Kit, et elle goûta son propre nectar sur ses lèvres et sa langue. Les flammes recommencèrent à se former.

Puis, Jack recula. Kit s'affala contre lui, trop faible pour protester. Il la maintint, ses mains parcourant son dos soyeux, étonné de la texture de sa peau. Elle était bel et bien prête, sur le point d'exploser. Et, merci mon Dieu, il était toujours en contrôle. Dieu sait combien de temps ça durerait !

Kit gémit en signe de désapprobation et leva son visage pour l'embrasser. Jack s'exécuta, mais lui rendit un baiser succinct. Il se retira, et ses lèvres effleurèrent les siennes.

— Je suppose que cela signifie que vous me voulez en vous ?

Kit cligna des yeux.

Elle ne pouvait pas en croire ses oreilles. Après ce qu'il venait juste de lui faire — après ce qu'elle venait juste de le laisser lui faire —, il voulait qu'elle le lui dise. Tout haut. Elle serra ses lèvres d'un air rebelle.

Il dressa les sourcils.

— Oui, bon sang! Je veux que vous mettiez votre satanée épée en moi. C'est clair?

Jack exulta, puis la souleva dans ses bras.

— Loin de moi l'idée de décevoir une femme!

En deux enjambées, il atteignit le lit. Ce n'était pas le lit du château, avec ses draps de soie, mais ça ferait l'affaire pour le moment. Le vent hurlait autour des avant-toits tandis qu'il déposait Kit, repoussant les couvertures qui étaient sous elle. Ils n'en auraient pas besoin pendant une heure ou deux.

Ainsi couchée au milieu du lit, Kit lutta contre un désir automatique de couvrir sa nudité. Mais le regard avide de Jack dissipa ses inhibitions. Elle s'étira comme un chat, s'installant sur les oreillers, et le regarda se dévêtir.

Il ôta ses bottes en premier, puis il se leva et enleva ses hauts-de-chausse mouillés. Le cœur de Kit se mit à battre la chamade quand elle vit ce qu'elle n'avait à présent que senti. Jack tendit la main vers une serviette et sécha ses jambes. Lorsqu'il détourna son attention sur ce qui pendait entre elles, la bouche de Kit devint sèche. Ce n'était pas possible, n'est-ce pas? Or, il était manifestement évident que d'autres femmes avaient satisfait Jack, même si elle ne pouvait imaginer comment.

Une bûche dans le foyer fit voler des étincelles, rappelant à Jack ses devoirs en tant qu'hôte. Lançant la serviette, il s'accroupit pour s'occuper du feu.

Kit prit une profonde respiration, puis une autre. Ça irait. Il savait ce qu'il faisait, même si ce n'était pas son cas.

Il ne lui ferait pas mal, elle le savait. Qu'allait-elle ressentir, une fois que ce serait entré en elle ?

Elle força son esprit à se concentrer sur d'autres choses — sur l'éclat des flammes sur sa peau, sur ses muscles sculptés recouvrant sa large ossature. Son regard fut conduit vers un grand nombre de cicatrices parsemant son corps. Une en particulier attira son attention, une longue entaille à l'intérieur de son genou gauche, rehaussée par les flammes tandis qu'il se levait et se tournait vers elle.

Son poids abaissa le lit, la faisant rouler dans ses bras. Kit perdit tout espoir de garder un brin de lucidité à l'instant où ses lèvres rencontrèrent les siennes.

Jack savoura leur parfum, se réjouissant de l'ardeur qu'il sentit sous son air calme. Elle s'était en quelque sorte refroidie, mais tout ce que cela signifiait, c'était qu'il aurait le plaisir d'alimenter ses flammes de nouveau. En dépit de l'expérience passée de Kit, il avait la nette intention de s'assurer que ce serait une nuit, un moment, un homme qu'elle n'oublierait jamais. Il programma son esprit et ses mains à agir.

Ses doigts connaisseurs cherchèrent et trouvèrent tous ses points de passion, ces zones particulières où elle était le plus sensible. La courbe inférieure de ses fesses devint rapidement sa préférée. Elle se réchauffa immédiatement sous ses caresses légères. Un frôlement plus net provoqua un gémissement sur ses lèvres. Satisfait qu'elle fût à l'abri de tout coup de froid, Jack l'attira contre lui, appuyant son corps élancé contre le sien, des épaules aux genoux. Mais avant qu'il puisse la faire rouler sous lui, il fut séduit par la sensation de sa peau douce et soyeuse glissant sensuellement sur lui.

Kit réagit instinctivement à la nouvelle texture du corps de Jack. Elle n'avait jamais rien ressenti de tel auparavant. Consumée par la curiosité, elle frotta ses douces cuisses contre son corps dur et viril, s'étonnant de la friction des poils de Jack contre sa peau, du contraste entre son membre raide et sa chair souple.

Elle sentit le temps d'arrêt dans l'attention de Jack et présuma que c'était à son tour d'explorer. Elle avait pris sa décision. Il n'y avait aucune raison de se priver. Peu importe, la pénitence qu'elle aurait à payer serait la même. Ouvrant les yeux, elle étala ses mains sur la poitrine de Jack et s'étonna de la largeur des muscles qui s'y étendaient. Elle regarda le visage de Jack et vit que ses yeux étaient fermés, sa mâchoire serrée, ses lèvres pincées.

Souriant, elle déplaça ses mains plus bas et vit la tension sur son visage — tout son corps — s'accentuer. Timidement, elle tendit un bras vers lui, le prenant entre ses mains comme elle l'avait fait deux nuits auparavant. Ses doigts remontèrent le manche palpitant et trouvèrent le gland arrondi. Une goutte de moiteur colla à ses doigts.

Jack perdit subitement le contrôle. Il oublia toute pensée de lente torture mutuelle, consumé par le besoin d'éteindre les flammes qui faisaient rage en lui. Sa chaleur avait besoin de la sienne pour se réaliser. Lentement, il l'installa sous lui, se plaçant sur elle pour se retrouver sur les coudes.

Le gémissement de Kit se perdit quand la bouche de Jack prit la sienne dans un pillage acharné de ses sens. Ses doigts se mêlèrent à ses cheveux, tenant sa tête en place tandis qu'il ravissait sa bouche, envoyant un désir enflammé dans chaque partie de son corps. Ses hanches étaient lourdes sur les siennes, l'enfonçant dans le lit. Elle accueillit son poids et en voulait plus, mais il ignora ses petites saccades. Elle le sentit bouger légèrement, puis sa main se glissa entre eux pour caresser habilement la douce chair entre ses cuisses. Kit gémit et s'ouvrit à ses doigts, retenant son souffle tandis qu'ils se glissaient lentement en elle. Elle sentit son pouce jouer sur elle et projeter des étincelles. La fournaise s'embrasait de plus en plus en elle.

Il retira sa main. Elle fronça les sourcils et secoua la tête, trop haletante pour trouver les mots pour protester. Elle se tortilla, cherchant sans réfléchir à atteindre l'orgasme. Puis, elle sentit ses cuisses se presser lourdement entre les siennes, les poussant plus fermement de chaque côté. Une pression régulière et dure libéra sa chair douloureuse.

Voilà ce qu'elle voulait. Kit gémit et inclina ses hanches dans une invitation instinctive.

Malgré les voiles du désir qui obstruaient son esprit, les facultés de Jack fonctionnaient toujours. Elles détectèrent la tension inattendue dans les ligaments des cuisses de Kit et lui transmirent l'information.

Au prix de grands efforts, Jack ôta ses lèvres de celles de Kit. Il inclina la tête, prit une profonde respiration, puis secoua la tête pour libérer son esprit de la tracasserie irritante qui menaçait de gâcher sa soirée. Mais cela ne fit que rendre le fait plus évident. Bon sang! C'était comme si elle n'avait jamais écarté les jambes avant. Il grimaça, et Kit gémit d'impatience. Jack mit de côté son imagination ridicule. La femme qui se tortillait de désir sous lui avait assurément déjà connu cet acte. Il inclina ses hanches et la pénétra, lentement, laissant sa chaleur l'accueillir, son excitation faciliter son entrée.

À quelques centimètres à l'intérieur, la vérité le frappa comme une masse.

Jack se figea. Incrédule, il regarda fixement la femme étendue nue dans ses bras, sa peau laiteuse rougie par la passion, les traits extasiés, l'esprit concentré sur l'endroit où leurs corps se rejoignaient. Il pouvait la sentir se resserrer autour de lui, même s'il était à peine en elle.

— Bon sang!

Jack laissa retomber sa tête, sa mâchoire reposant sur la pommette de Kit.

Kit ouvrit les yeux, déconcertée et perplexe.

Jack ne la regarda pas. Il ne pouvait pas.

— Kit, êtes-vous vierge?

Son silence fit office de réponse, mais il avait besoin de l'entendre de sa bouche, indéniablement.

— Bon sang, les femmes! *Vous l'êtes?*

Le léger «Oui» de Kit fut couvert par le grognement de Jack. Elle le sentit se crisper. Son corps devint rigide. Puis, lentement, il se retira.

L'effort faillit l'anéantir, mais Jack força son corps à obtempérer. Il sortit de sa chaleur collante, puis s'assit brusquement et posa ses pieds à terre. Il plongea sa tête dans ses mains, réprimant la tentation de la regarder. S'il le faisait, il perdrait la bataille contre son corps, qui était déjà dans un acte de rébellion violent.

Il devait réfléchir. Ce n'était pas simplement le fait qu'elle était vierge, car il s'était déjà livré il y a longtemps à déflorer des jeunes femmes. Il y avait quelque chose de plus important dans ce fait. Poussant un grognement, il lutta pour mobiliser son esprit à se défaire de sa préoccupation à atteindre un but qui, d'après lui, n'était peut-être plus approprié.

Kit fronça les sourcils devant le large dos de Jack, seule partie de lui qu'elle pouvait voir. Quelque chose l'avait trahie, mais avec la passion qui battait immuablement dans ses veines, elle n'était pas d'humeur à céder à un quelconque et étrange caprice. Elle avait su par ses cousins que les vierges n'étaient pas le lot préféré des séducteurs, le consensus étant que les femmes expérimentées étaient plus appréciées en plus de ne craindre aucune complication potentielle. Ce serait vraiment dommage que Jack souscrive à une telle absurdité. Il l'avait conduite si loin ; elle serait dépitée de quitter son lit sans avoir essayé.

Comme il ne donnait aucun signe qu'il revenait à lui et qu'il retournait immédiatement dans ses bras, Kit s'assit. Manifestement, si elle voulait qu'il revienne là où elle le désirait, ainsi que tout son corps, elle allait devoir lui faire comprendre ses désirs.

Elle se redressa à genoux sur le lit près de lui. Lentement, elle plaça ses mains sur son dos, déployant largement ses doigts, puis les fit glisser autour de lui, s'introduisant sous ses bras jusqu'à ce qu'elle arrive aussi loin qu'elle pouvait. Elle s'accrocha à lui, pressant ses seins, ses hanches, contre son dos, enfonçant ses doigts dans les muscles puissants de sa poitrine.

Jack se raidit. Il releva la tête. Ses mains tombèrent, serrées, sur ses genoux.

Kit se blottit dans son cou et murmura doucement à son oreille :

— Jack ? S'il vous plaît ? Quelqu'un doit le faire. Je veux que ce soit vous.

La pensée que c'était la première fois dans toute sa carrière qu'il connaissait un problème dans une chambre à coucher flotta dans le cerveau fébrile de Jack. Il ne pouvait pas réfléchir avec elle si près, dans son état actuel en plus. Il y avait quelque chose d'important à propos du fait qu'elle était vierge qu'il aurait dû saisir, mais ce quelque chose d'insaisissable s'échappa discrètement quand Kit posa sa joue contre son épaule.

— Jack ? S'il vous plaît ?

Quel homme de chair et de sang pourrait résister à une telle demande ? Certainement pas lui.

Poussant un soupir de défaite, Jack écarta la conviction troublante qu'il était sur le point de commettre un acte irrévocable qui scellerait son destin pour toujours et se tourna. Kit était juste derrière lui, à attendre, l'air anxieux.

Le cœur battant la chamade, Kit rencontra le regard de Jack, un feu d'argent qui couvait. Le ferait-il ? Quand ses yeux restèrent braqués sur les siens, comme s'il essayait de voir au-delà de la passion du moment, sa confiance faiblit. Elle laissa tomber ses bras le long de son corps. Le regard argenté se posa sur ses lèvres entrouvertes, puis sur ses seins, qui se levaient et retombaient rapidement, et pour finir, sur les poils auburn entre ses cuisses bien écartées.

Jack grommela et la coucha sur les draps, puis la prit dans ses bras.

— Bon sang, Kit Cranmer, vous êtes la vierge la plus dévergondée que j'ai jamais connue !

Ce fut la dernière pensée lucide qu'ils eurent tous les deux. Leurs lèvres se rencontrèrent dans une frénésie de désir trop longtemps réprimé pour être doux. Le feu de leur passion les engloutit, anéantissant toute réserve subsistante. Quand Jack se plaça sur elle, Kit accepta son poids avec empressement, ses mains pétrissant son dos dans une supplication éperdue.

Les yeux fermés, savourant la sensation du corps mince de Kit qui se cambrait contre le sien, Jack grimaça. Elle allait essayer de mettre son contrôle à l'épreuve comme jamais on ne l'avait fait avant.

— Relevez vos genoux. Ce sera plus facile.

Kit se conforma à cet ordre brutal, étant rendue trop loin dans le désir pour se soucier de sa position intime et vulnérable. Elle sentit ses doigts l'écarter, puis son membre dur, lisse et ferme, la pénétra. La pression augmenta tandis qu'il s'enfonçait plus profondément, inexorablement vers l'intérieur, forçant sa chair chaude à lui céder le passage. Elle ne ressentit pas de douleur, mais une tension quand il se heurta à la barrière qui indiquait incontestablement sa virginité. À sa grande consternation, il se retira. Kit comprima fermement ses muscles pour le retenir en elle.

S'arc-boutant au-dessus d'elle, il poussa un petit rire qui se changea en un grognement.

— Détendez-vous !

La passion fit jaillir en elle de la rancœur. Se détendre ? Il devait avoir fait ça un nombre incalculable de fois, mais il savait qu'elle était novice. Avait-il la moindre idée de ce que ça faisait, de le laisser envahir son corps d'une façon si intime? À cette pensée, Kit enfonça sa tête dans l'oreiller. Elle gémit, avec soulagement, avec excitation, tandis qu'elle le sentit revenir, s'engouffrer vers l'obstacle pour finir par s'arrêter et se retirer de nouveau.

Peu à peu, tandis qu'il répétait le mouvement, Kit saisit son rythme. Instinctivement, elle s'y associa, se contractant quand il se retirait, se détendant quand il entrait. En dépit de son habileté, elle sentait le frottement dans sa chair. Une flamme d'un genre différent s'élevait progressivement, de légères vagues de tension se cachant à l'intérieur.

Le grognement de Jack fut encourageant. Il se laissa retomber de ses coudes, la pression de sa poitrine apaisant ses seins douloureux. Kit le serra contre elle. Ses lèvres cherchèrent les siennes. Elle était tout aussi enflammée que lui. Son souffle se suspendit quand sa langue la pénétra profondément. La sensation qui la parcourut était totalement différente maintenant qu'il était en elle. Sa tension s'intensifia. Elle sentit son corps s'arquer nettement contre celui de Jack et redressa les hanches à la recherche d'une position. Une main imposante se déploya sous elle jusqu'à ce qu'elle saisisse ses fesses. À la limite de son mouvement de retrait suivant, il fit glisser ses longs doigts entre ses cuisses, au point de leur union. Et appuya.

Kit se souleva du lit, se cambrant fortement sous l'emprise d'une passion qu'elle n'avait aucune chance de contrôler. Ayant désespérément besoin d'air, elle retira ses lèvres de celles de Jack et laissa retomber sa tête sur l'oreiller. Elle le sentit s'enfoncer puissamment, et une douleur ardente éclata en elle. Elle planta ses doigts dans le dos de Jack tandis qu'il plongeait profondément dans son corps. Brusquement, la douleur de son invasion disparut en une explosion de soulagement délicieux, sa tension culminant et débordant sous forme d'intenses ondulations dans ses muscles crispés, les flammes qu'il avait alimentées transformant la douleur en plaisir.

Il fallut quelques minutes avant que l'esprit de Kit atteigne quelque chose au-delà de la chaleur laissée par les flammes. Elles continuèrent à vaciller, la ramenant à la réalité et au fait que Jack était calme, la joue appuyée fermement contre ses cheveux, son souffle irrégulier et vaincu près de son oreille. Kit reprit ses esprits, et elle sentit les battements réguliers de son membre enfoncé en elle.

C'était une torture des plus exquises, mais Jack resta calme, chaque muscle crispé par l'effort. Il aurait dû s'y attendre. Cette satanée bonne femme avait tout fait pour l'affaiblir, de sorte que, bien sûr, elle atteigne l'orgasme juste à ce moment-là. Tandis que leurs battements de cœur fusionnaient, la tension de la libération de Kit faiblit. La réaction instinctive de son corps à son invasion se calma tandis que ses muscles s'adaptèrent à la nouveauté de l'avoir enfoui en elle. Quand ses hanches s'inclinèrent légèrement, à titre d'expérience, comme pour l'attirer plus profondément, il relâcha le souffle qu'il avait contenu et se mit à se mouvoir.

Kit réagit immédiatement, se faisant prendre par la découverte de la facilité avec laquelle il la chevauchait à présent, sans aucune barrière pour le retenir. Ses lèvres se reposèrent sur les siennes, et elle accepta son baiser avidement, son corps se tendant contre le sien, tandis qu'elle était traversée par de plus en plus de sensations. La pointe durcie de ses mamelons effleurait la poitrine de Jack, encore et encore. Avec une crainte mêlée d'admiration, elle sentit cette étrange tension grandir de nouveau, gonflant, grossissant et se développant en elle.

Jack quitta ses lèvres, le souffle court. Ses pénétrations la secouaient. Elle le pressait, ses hanches rencontrant les siennes, ses mains insistantes sur son dos.

— *Jack !* dit Kit, le souffle coupé par un sanglot.

Son second orgasme la frappa, la projetant dans les limbes des amants. Elle n'entendit pas le cri de triomphe de Jack quand il la suivit.

La lumière du feu remplissait la pièce avec ses ombres mouvantes, dorant la lourde musculature du dos de Jack, qui se trouvait à l'extrémité du lit et regardait, en fronçant les sourcils, la femme aux cheveux bouclés nue sous les draps.

La vision de sa silhouette étendue, rassasiée et en paix sous lui, le secoua. Il n'eut pas de mal à imaginer ses seins aux extrémités rosées, fermes et fiers, sa taille fine et ses hanches qui l'avaient vaincu sous l'arbre. Et ses jambes — longues et élancées, ses cuisses fermes et fortes à force d'équitation. Elle lui avait donné la chevauchée de sa vie. Il baissa les yeux et fut soulagé de voir que le souvenir ne lui inspirait pas qu'un intérêt moyen. Elle était épuisée — plus de ses propres excès que des siens. Il n'avait aucune intention de la chevaucher de nouveau cette nuit.

Jack prit une longue gorgée de cognac du verre qu'il tenait dans sa main. Elle s'était endormie presque instantanément la première fois. Il l'avait prise délicatement dans ses bras, fatigué mais pas prêt à dormir, en proie à une émotion qu'il ne pouvait définir. Il l'avait oubliée dès qu'elle avait bougé. Elle avait battu des paupières, puis ouvert grand ses yeux améthyste brillants. Il l'avait regardée, curieux de voir sa réaction. S'étant souvent retrouvé dans cette situation auparavant, il était préparé à tout, des reproches scandalisés à une autosatisfaction suffisante. Il n'était pas préparé au sourire d'une beauté éblouissante qui avait illuminé son visage, à la chaude tendresse dans ses yeux. Et encore moins préparé au baiser qu'elle lui offrit.

Son corps avait réagi de plus belle. Son contrôle en suspens, il avait été incapable de ralentir la passion qui s'était embrasée. Quand ses doigts l'avaient touché, l'avaient caressé, il s'était durci et était devenu prêt. Il l'avait entendue rire de plaisir, ravie de sa réaction tandis qu'elle continuait à le caresser.

— Vous êtes folle! Vous devez avoir assez mal comme ça.

Elle avait seulement ri, un rire grave, rauque, naïf, qui lui avait ôté toute bonne intention.

— Je n'ai pas mal du tout.

Il s'était étendu sur le dos et avait essayé de l'ignorer. Elle était venue sur lui, ses seins frôlant sa poitrine, pour l'embrasser longuement et lentement, explorant sa bouche tout comme il avait exploré la sienne. Son contrôle s'était retrouvé réduit à néant quand elle avait reculé pour murmurer contre ses lèvres :

— Je vous veux, Jack. En moi. Maintenant.

Il ne sut jamais comment il avait pu rester figé devant une telle invitation. Mais elle ne s'était pas avouée vaincue.

— Je suis chaude et humide pour vous, Jack. Vous sentez?

Et la femme audacieuse avait pris sa main et avait guidé ses doigts vers le liquide mielleux et chaud qui s'écoulait sur ses cuisses.

Poussant un grognement, il l'avait fouillée profondément et l'avait entendue cesser de respirer. Un instant plus tard, il l'avait fait rouler sur le dos et, avec une poussée puissante, il était rentré jusqu'au bout dans sa chaleur accueillante. Et ça ne s'était pas arrêté là.

Il avait essayé de se souvenir qu'elle était novice dans ce jeu, mais ses réactions l'avaient mené loin de toute pensée rationnelle. Peu importe combien il la pénétrait durement, elle s'en satisfaisait et insistait. Il faisait correspondre sa passion à celle de Kit. De son propre chef, elle avait enveloppé ses longues jambes autour de sa taille, s'ouvrant complètement à lui. Tandis que la tension était montée en elle une deuxième fois, il s'était souvenu de ce qu'il s'était promis.

— Ouvrez les yeux.

Heureusement, elle avait répondu à son ordre proféré d'une voix grave et les dents serrées. La poussée qui suivit l'avait envoyée monter en flèche au-dessus du précipice. Tandis qu'elle avait levé les paupières, il avait fermé ses propres yeux de satisfaction. Les yeux de Kit étaient devenus noirs.

Sentant que la libération de Kit était totale, il l'avait ouverte encore plus grand et l'avait pénétrée profondément, en quête de son propre billet pour le paradis dans son feu intérieur. Il l'avait trouvé.

Quand il fut ensuite en mesure de sentir quelque chose, il avait senti sa douce respiration sur sa joue. Elle s'était endormie avec un léger sourire satisfait sur les lèvres tandis qu'il était encore en elle. Se sentant ridiculement content de lui, il l'avait tenue près de lui et s'était tourné sur le côté, prenant soin de ne pas déranger leur union. Il avait cédé au sommeil, sentant les battements du cœur de Kit dans ses propres veines.

Il s'était réveillé il y a dix minutes. Après avoir rassemblé ses esprits, il avait pris soin de dénouer leurs membres enchevêtrés et avait tiré les draps sur elle. Puis, il s'était dirigé vers le cognac.

L'intensité de sa satisfaction était une chose. Ce qui était encore plus inquiétant, c'était l'autre sentiment, une émotion irrationnelle que les événements de la nuit avaient développée de façon alarmante. La demande qu'elle avait chuchotée avait causé sa perte, à plus d'un niveau.

Jack grommela et but son cognac, levant la tête pour écouter la tempête autour de la maison de pêcheur. Le vent hurlait encore ; la pluie tambourinait toujours contre les volets. Il y avait eu de nombreux coups de tonnerre. D'après eux, il jugea que le pire était passé. À l'extérieur. À l'intérieur, il était loin d'être convaincu que la séduction de Kit était la fin de quoi que ce soit. Ça ressemblait plutôt à un début.

Avec ses yeux, il traça les courbes cachées sous les draps. Si cela n'avait été que du désir, tout irait bien, mais ce qu'il ressentait pour cette femme était bien plus que ça. Jack grimaça. Aucun doute que George définirait cette émotion pour lui, mais lui, selon son propre souhait, n'était pas prêt à le faire encore. Il ne se fiait pas à ce sentiment. Il attendrait de voir ce qui se passerait ensuite. Qui sait comment elle se conduirait le lendemain ? Jusqu'ici, elle lui avait réservé surprise après surprise.

Stephanie Laurens

Poussant un soupir, Jack vida son verre et le replaça sur la table. Il alimenta le feu, puis rejoignit Kit entre les draps. Elle remua et, dans son sommeil, se blottit plus près. Jack sourit et se tourna sur le côté, l'attirant contre lui, incurvant son dos dans sa poitrine. Il entendit son soupir satisfait tandis qu'elle s'installait sous son bras. Au moins, il n'aurait pas à passer plus de soirées à la suivre jusque chez elle dans la nuit.

Chapitre 18

L'aube colorait le ciel quand Kit s'approcha du paddock, derrière les écuries du domaine Cranmer. Elle descendit de Delia et la conduisit à l'intérieur, puis elle dessella la jument et la frictionna. Delia avait survécu à la tempête, en sécurité dans sa stalle avec Champion. Pour ce qui était d'elle, Kit n'en était pas si sûre.

Elle ne se souvenait même pas des coups de tonnerre, encore moins de la panique qui l'envahissait habituellement en de telles occasions. Ce dont elle se souvenait avait gardé ses joues rouges tout le long, de la maison de pêcheur à chez elle.

Le poids du bras de Jack autour de sa taille avait pénétré son sommeil et l'avait amenée à se réveiller complètement. Elle avait passé quelques minutes à se souvenir confusément tandis que les événements de la nuit repassaient dans son cerveau. Jack dormait profondément à côté d'elle. Elle s'était retirée de son bras, consciente d'une réticence à laisser sa chaleur réconfortante, mais tout à fait sûre qu'elle ne voulait pas être là quand il se réveillerait.

Donnant une dernière petite tape à Delia, Kit quitta les écuries. Les portes-fenêtres du petit salon qui donnait sur la terrasse avaient longtemps été son chemin favori pour ses excursions clandestines. Quelques minutes plus tard, elle était en sécurité dans sa chambre. Elle ôta ses vêtements, ce qui était facile maintenant qu'ils étaient secs. Elle s'était habillée à la hâte et en silence, pétrifiée de peur que Jack puisse l'entendre et se réveiller. Mais il avait continué à dormir, un sourire dont elle se souviendrait longtemps sur les lèvres.

Elle se rappellerait ses lèvres longtemps aussi. Kit rougit et se hissa dans son lit. Ah, cet homme! Elle avait voulu être initiée, mais avait-il besoin d'être allé si loin? Elle rougissait juste au souvenir de l'expérience. Elle devait s'en remettre, ou Amy aurait des soupçons. L'idée de se confier à Amy fit surface, mais fut immédiatement écartée. Amy serait horrifiée. Scandalisée par son audace. Mais Amy se mariait par amour. Kit, elle, ne se mariait pas du tout.

Kit tira les couvertures sur son menton et se tourna sur le côté, consciente du vide dans le lit derrière elle et s'en voulant pour ça. Elle devait sortir toute cette relation de son esprit, ou même Spencer le remarquerait. Elle n'était pas en forme pour analyser ses sentiments et quelles étaient ses conclusions sur sa liaison — elle le ferait une autre fois, quand elle pourrait de nouveau penser normalement.

Elle ferma les yeux, résolue à trouver le sommeil. Elle avait appris ce qu'elle voulait savoir — Jack avait été un parfait professeur. Sa curiosité avait été bel et bien satisfaite. Elle était libre et n'avait plus d'obstacles. Elle n'était plus responsable des contrebandiers; elle n'avait plus besoin d'apparaître à leurs trafics pour être un guetteur inutile. Tout allait pour le mieux dans le meilleur des mondes.

Pourquoi ne pouvait-elle pas dormir?

À une dizaine de kilomètres au nord, Jack se réveilla et sut immédiatement qu'il était seul. Il s'assit et scruta la pièce, puis une fois certain d'être seul, il se laissa retomber sur les oreillers, perplexe. Avait-il rêvé?

Il regarda vers la gauche et vit deux mèches éclatantes de cheveux roux bouclés dans le pli d'un oreiller. Jack les prit; la faible lumière qui filtrait à travers les volets accentuait leurs reflets. Les souvenirs l'envahirent. Il haussa un sourcil, puis leva le drap et regarda vers l'endroit où quelques taches rougeâtres teintaient les draps crème.

Non. Il n'avait pas rêvé. Une fois sa mission achevée, il donnerait suite à ce début qu'il avait amorcé la nuit dernière.

Jack grommela. Était-il fou? Sa mission pouvait prendre des mois. Il ne pourrait pas attendre si longtemps. Après la nuit dernière, il doutait sincèrement qu'elle puisse attendre aussi. Non pas qu'elle le sache, mais elle le découvrirait bien assez tôt. Il pourrait aussi y faire face. Pour le meilleur ou pour le pire, Kit Cranmer et sa propre mission semblaient demeurer liées, du moins dans l'immédiat.

Son regard s'égara sur les mèches vives autour de ses doigts. Il devrait, bien sûr, se sentir irrité, mais l'irritation n'était pas ce qu'il ressentait.

*

Quatre jours plus tard, il n'était pas loin d'être fort irrité. Il avait passé son samedi et son dimanche dans un étrange hébétement. Les deux nuits, il était allé à la maison de pêcheur, mais Kit ne s'était pas montrée. Il avait soulagé ses frustrations en se présentant au bureau de la douane à Hunstanton le lundi et en gâchant la vie du sergent Tonkin. Il avait énoncé ses questions de façon désinvolte, cachant le fait qu'il connaissait parfaitement la tentative infructueuse de Tonkin d'attraper sa «grosse bande». Il avait rendu Tonkin très mal à l'aise, puis s'était senti coupable. L'homme avait été une ombre au tableau, mais dans ce cas-ci, il n'avait fait que son travail.

Jack s'était rendu à la rencontre du lundi à l'Old Barn, répétant en silence les mots avec lesquels il avait l'intention d'incendier les oreilles de Kit quand ils se retireraient à la maison de pêcheur après. Elle ne s'était pas montrée.

Ce qui le contrariait le plus, c'était qu'il se sente en fait blessé par son absence. Et la blessure émotionnelle était bien pire que la manifestation physique. Au moins, grâce aux cabrioles antérieures de Kit, il s'y était habitué.

À présent, il se tenait sur la plage à l'abri de la falaise et attendait que le premier «chargement humain» débarque. Il força son esprit à revenir au présent, fermant violemment une porte dans sa tête à toute pensée d'une houri aux cheveux roux en hauts-de-chausse. Il leva les yeux vers la falaise. Joe surveillait, mais Jack doutait que le sergent Tonkin tente sa chance si tôt après son dernier lamentable échec.

Le premier bateau arriva, suivi de près par trois autres. Une cargaison de fûts et un homme. Il était dans le premier bateau, une silhouette mince emmitouflée jusqu'aux yeux dans un vieux pardessus. Matthew, à côté de Jack, grommela en le voyant.

Jack grimaça.

— Je sais, mon vieux grognard, j'aimerais mettre mes mains autour de son cou aussi. Mais il ne s'échappera pas.

Matthew bougea, vérifiant les alentours.

— Penses-tu que le commandant Smeaton est parvenu à Londres à cette heure-ci?

— George n'a pas dû traîner sur la route. Il doit avoir livré le message maintenant. Il y aura tout un comité d'accueil quand il arrivera à Londres. Un accueil auquel il ne s'attendra pas.

— Pourquoi ne pas simplement l'arrêter ici?

— Parce que nous devons savoir qui il rencontre à Londres.

Jack avança sur la plage. Matthew le suivit à contrecœur.

Jack prêta peu d'attention à l'espion, ce qui laissa de la même manière peu d'occasions à l'espion de l'étudier. Son déguisement était bien, mais pas parfait. Il ignorait qui était l'homme ou ce qu'était son poste. Un officier ou le serviteur d'un officier pourrait facilement le reconnaître, ou du moins comprendre qu'il y avait quelque chose de bizarre chez le chef du gang de Hunstanton. Jack trouva de quoi s'occuper avec le chargement matériel et ignora l'homme.

L'espion fut mis sur un poney, et Shep et deux des plus anciens membres du gang se mirent en route pour le conduire aux ruines de l'abbaye de Creake. De là, il partirait discrètement vers Londres, pris en filature par un homme du ministère de la Marine.

Satisfait que tout se soit déroulé sans heurts, Jack suivit les fûts jusqu'à l'Old Barn. Ils seraient transportés à l'abbaye la nuit suivante. Une fois les hommes dispersés, Matthew et lui chevauchèrent jusqu'à l'ancienne maison de pêcheur. Dès le début, il avait fait exprès de changer ses habits et son identité à la maisonnette. Ce soir, il avait une autre raison d'y passer. Il avait peu d'espoir que Kit apparaisse, mais il ne serait pas capable de dormir seul dans ses draps de soie s'il ne vérifiait pas.

La maison était vide.

Lord Hendon rentra chez lui, au château, maudissant toutes les houris aux cheveux roux.

Il n'y avait pas de lune dans le ciel la nuit de mercredi. Montant Delia, Kit resta cachée dans la profonde obscurité sous les arbres devant la maison de pêcheur de Jack en attendant qu'il revienne du Blackbird. Elle était résolue à ne pas approcher de lui. Rien n'était censé l'avoir ramenée à la maison de pêcheur — rien excepté la nouvelle que le gang de Hunstanton avait fait le trafic d'un «chargement humain» la nuit dernière.

Les cinq derniers jours avaient semblé une éternité. Elle avait été consumée par une étrange impatience qui s'était intensifiée chaque jour. Sans doute le résultat d'une culpabilité à retardement. Cela avait même perturbé son sommeil. Elle n'avait pas besoin de se convaincre de la menace que représentait Jack. Il était un contrebandier, et donc pas de son milieu, ce qui en faisait un soupirant difficilement acceptable. Elle était obsédée par les événements de la nuit de vendredi. Elle avait voulu savoir, et maintenant, elle savait. Mais ça ne signifiait pas qu'elle pouvait tourner le dos à Spencer et à tout ce qu'il représentait. Elle était une dame de la société, peu importe combien cela l'irritait parfois. Après la nuit de la tempête, Jack n'était pas simplement un fruit défendu; il était le danger personnifié.

Alors, elle avait évité la rencontre nocturne de lundi, mais était passée par le petit village de pêche cet après-midi.

Noah et les autres étaient là. Sans hésiter, ils l'avaient mise au courant des activités de la nuit précédente.

Leur manque de loyauté envers leur pays ne la surprit pas trop. Elle doutait qu'en vivant isolés comme ils le faisaient, ils comprennent l'implication d'un « chargement humain ». Jack ne leur avait pas expliqué clairement. Or, elle était certaine que Jack avait un passé militaire. Il était donc impossible qu'il n'ait pas saisi l'importance des hommes qu'il faisait passer dans le pays.

Delia bougea. Kit soupira. Elle n'aurait pas dû venir. Elle ne voulait pas être ici. Mais elle ne pouvait pas laisser le trafic de « chargements humains » s'exécuter et ne rien faire. Si elle pouvait arrêter Jack, elle le ferait. Sinon… Elle y penserait plus tard.

Un cliquetis de harnais arriva à ses oreilles, clairement transporté au-dessus des champs silencieux. Il fallut cinq minutes avant que n'apparaissent, remontant le sentier depuis la côte nord, Matthew, George et Jack. Kit retint son souffle.

Ils faisaient avancer leurs chevaux vers la petite écurie quand Jack réalisa que Kit était proche. Ou plutôt, Champion sentit la présence de Delia et montra des signes de refus d'entrer dans l'écurie sans sa bien-aimée. Jack descendit de cheval et prit la bride de l'étalon au niveau du mors.

— Matthew, je vais rester ici un moment. Rentre.

Marmonnant un « oui », Matthew fit tourner son cheval et se dirigea vers le sud, au château.

Jack se tourna vers George, qui le regardait d'un air soupçonneux. Le capitaine Jack revêtit son sourire diabolique.

— Je t'aurais bien demandé d'entrer, mais je pense avoir de la compagnie.

George baissa les yeux vers lui, l'air résigné. Jack savait qu'il ne demanderait jamais de quelle compagnie il s'agissait. George n'approuvait pas ses manières de coureur de jupons.

— Je suppose que tu es certain que tu peux faire face à cette compagnie seul ?

Le sourire de Jack s'élargit.

— Tout à fait certain.

— C'est ce que je pensais.

George tira les rênes de son alezan, puis s'arrêta pour ajouter :

— Un jour, Jack, tu te feras avoir. J'espère juste que je serai dans le coin quand ça arrivera pour te dire « Bien fait pour toi ! ».

Jack rit. George appuya ses talons sur les flancs de son cheval et partit.

Jack remarqua la direction du regard fixe de Champion, mais ne la suivit pas. À la place, il parla durement au cheval. L'étalon rejeta sa tête grise en arrière sous la réprimande, mais consentit à être conduit dans l'écurie. Jack dessella la grande bête et la frictionna en un temps record.

Il s'attendait à ce que Kit apparaisse dès que les autres seraient partis. Comme elle n'en fit rien, Jack repartit pour se placer devant la maison de pêcheur, se demandant si Champion avait pu se tromper.

Depuis l'obscurité des arbres, Kit l'observait. Jusqu'au moment où il était arrivé, sa conduite avait été claire. Mais le voir avait réveillé les souvenirs de cette nuit de tempête dans la maison de pêcheur, la rendant nerveuse et hésitante. Peut-être ferait-elle mieux de le rencontrer de jour.

Convaincu par l'agitation de ses propres sens que Champion ne s'était pas trompé, Jack perdit patience. Il se plaça sur le seuil de la maison de pêcheur, les mains sur les hanches, et fit face aux arbres à l'autre bout de la clairière.

— Sortez Kit. Je n'ai aucune intention de jouer à cache-cache dans le noir.

La menace subtile dans son ton réveilla l'esprit de Kit. À contrecœur, elle poussa Delia à sortir des arbres. Brusquement, se souvenant qu'elle ignorait ce que Jack avait pensé de son absence, elle ralentit. Mais elle était déjà allée trop loin. Jack avança et saisit la bride de Delia. L'instant suivant, Kit sentit ses mains sur sa taille. Elle ravala une protestation qui n'aurait pas été écoutée de toute façon, trop étonnée par la force de sa réaction à son contact pour faire quoi que ce soit d'autre que rassembler ses défenses. Les choses étaient plus sérieuses qu'elle pensait. Elle allait devoir s'assurer qu'elle ne se trahirait pas.

À son grand soulagement, Jack la relâcha immédiatement. Sans un mot, il conduisit Delia à l'écurie. Ignorant l'accueil qui lui serait réservé et bon nombre de points qui y étaient reliés, Kit le suivit.

Jack n'avait pas remarqué sa réaction, pour la simple raison qu'il était trop occupé à réaliser la violence de ses propres sentiments. Il n'avait jamais connu de femme qui l'affectait autant que Kit. C'était nouveau, déroutant et très agaçant en plus. Il souffrait le martyr à deux endroits totalement différents. Il avait l'intention de voir si elle calmerait au moins un des maux qu'elle lui infligeait, le plus accessible. L'autre, il n'était pas certain encore qu'elle puisse le guérir.

Delia entra sans hésiter dans l'écurie à côté de Champion. Jack la dessella et la frictionna. Il était conscient que Kit attendait à la porte de l'écurie, mais il l'ignora du mieux qu'il put. S'il réagissait à sa présence, elle se retrouverait couchée dans le foin en moins d'une minute.

Quand elle vit que Jack dessellait Delia, Kit chercha les mots pour protester, car elle n'allait pas rester longtemps. Rien ne vint. En fait, elle se demandait sérieusement s'il était raisonnable de parler à Jack. Il y avait une tension dans sa large musculature, une tension qui la rendait nettement inquiète.

Avant qu'elle ait le temps de penser à quelque chose à ce sujet, Jack en avait fini avec Delia et sortait de l'écurie.

— Venez !

Agacée, Kit se retrouva à courir dans son sillage tandis qu'il avançait à grandes enjambées vers la porte de la maison de pêcheur. Il la passa et la lui tint ouverte. La lumière du feu diffusait une lueur rosée à travers la pièce. Rassemblant autant de dignité qu'elle pouvait, Kit avança nonchalamment vers la table et posa son chapeau sur une chaise. Elle déroulait son écharpe quand le bruit du verrou de la porte qui se refermait la fit frémir. Les sens en ébullition, elle se força à continuer sa tâche, pliant l'écharpe et la plaçant près de son chapeau. Puis, elle se tourna pour lui faire face.

Mais il était juste derrière elle. Elle se retrouva dans ses bras, et les lèvres de Jack descendirent vers les siennes. Son gémissement de protestation se transforma en un gémissement de désir, puis s'estompa en un geignement de plaisir quand la langue de Jack toucha la sienne. Incapable de résister, Kit plaça ses mains sur les épaules de Jack et s'abandonna à son baiser. Elle se souvint de sa mission — lui faire entendre raison, lui faire promettre de ne plus faire passer d'espions —, mais elle ne serait pas en mesure de faire quoi que ce soit jusqu'à ce que son accueil passionné s'achève. Autant en profiter jusque-là. En plus, réfléchir tandis que les lèvres de Jack étaient sur les siennes, tandis que sa langue dévastait ses sens, était pratiquement impossible.

Réfléchir n'était certainement pas à l'ordre du jour de Jack. Quelle était la nécessité de réfléchir ici ? Il n'avait même pas besoin de ralentir son désir. Elle s'était déjà offerte à lui. Son expertise comme amant prendrait soin de ses besoins à elle. Sa pensée la plus urgente, la seule qui restait dans son cerveau, était de satisfaire ses propres besoins. Le désir primitif qu'il avait renié pendant trop longtemps, celui qu'elle avait nourri puis qui l'avait laissé affamé pendant cinq jours et quatre nuits, se déchaînait et devait être apaisé.

Le ramollissement de son corps contre le sien et l'abandon qu'il insinuait, voilà tout ce qu'il attendait.

Kit sentit son corps l'envelopper, sa chaleur et sa fermeté la rassurer et l'exciter. Ses mains se déplacèrent, et il la fit reculer jusqu'à ce que la table touche ses cuisses. Même dans son état semi-drogué, grisé par le goût de sa passion, une petite partie de son cerveau était suffisamment éveillée pour se méfier. Mais avant qu'elle puisse réfléchir, les mains de Jack bougèrent. Sur ses seins, oppressés sous ses bandages. Immédiatement, Kit sentit un inconfort qui se transforma rapidement en douleur. Ses seins se gonflèrent au contact de Jack. Les bandages rentraient dans sa peau douce.

Heureusement, Jack comprit la source de son halètement soudain. Il sortit d'un coup sec sa chemise de ses hauts-de-chausse et la leva suffisamment pour dévoiler les bandes de tissu. Kit leva son bras pour qu'il puisse atteindre le nœud. En un instant, il était défait. Quelques secondes plus tard, les bandages tombèrent sur le sol, et elle respira de nouveau.

Puis, les lèvres de Jack trouvèrent son mamelon, et son diaphragme se bloqua. Un son à mi-chemin entre un gémissement et un halètement sortit de sa bouche. Tandis que la langue de Jack râpait sa chair sensible, Kit se cambra dans ses mains. Elles se refermèrent autour de sa taille, et il la souleva, posant ses fesses sur le bord de la table, se déplaçant avec elle de sorte qu'il se place entre ses cuisses largement écartées.

La vulnérabilité de sa position convainquit Kit que l'accueil de Jack n'allait pas se terminer par un baiser, ni même par une caresse, même intime. Elle n'était pas totalement certaine de la façon dont il le ferait, mais elle savait qu'il en avait l'intention.

Un frisson de pur plaisir la parcourut. Elle eut un soubresaut et sut qu'il le pousserait à continuer. Ses lèvres revinrent aux siennes, sa langue engageant un duel de désir. Elle participait pleinement, toute pensée sur son but noyée par la passion qui l'inondait. Serrant ses bras autour de son cou, elle colla son corps contre le sien. Elle pouvait sentir la preuve de son désir, poussant fort et insistant contre la douceur de son ventre.

Quand les mains de Jack arrivèrent à ses genoux, puis parcoururent les longs muscles de ses cuisses jusqu'à ses hanches, le ventre de Kit se serra d'excitation. Une main se glissa entre ses cuisses pour prendre en coupe le mont entre elles, de longs doigts la caressant à travers le tissu de ses hauts-de-chausse. Kit gémit de mécontentement, mais le son resta prisonnier entre eux. Elle ressentit une chaleur familière dans ses veines, et un vide se forma profondément en elle. Elle avait besoin qu'il le remplisse.

Elle reconnut le petit rire connaisseur de Jack avant que ses mains se déplacent sur les boutons de ses hauts-de-chausse. Kit n'avait aucune idée de ce qu'il allait faire. Pourquoi ne pas simplement la conduire dans le lit? Mais elle n'allait pas commencer à argumenter. Le rabat ouvert, ses mains écartèrent le vêtement au niveau de ses hanches. Il la hissa, l'inclinant sur la table, reculant pour baisser les hauts-de-chausse jusqu'à ses chaussures. Les bottes s'ôtèrent facilement. Les hauts-de-chausse suivirent, la laissant nue depuis la taille, sa chemise remontée pour dévoiler ses seins. Penchée sur les coudes, Kit rougit. Mais elle oublia ses inhibitions à l'instant où son regard entra en collision avec celui de Jack. Des flammes argentées se consumaient dans ses yeux. Des étincelles de pure passion les illuminaient.

Kit le regarda se redresser, le souffle pris dans sa gorge, la sensation d'être sur le point d'être dévorée montant en elle. Elle frissonna devant le plaisir anticipé et tendit un bras vers lui. Il sourit, suprêmement mâle, et diminua la distance entre eux, ses mains sur les boutons de ses propres pantalons en velours. Tandis qu'il avançait entre ses cuisses, les écartant largement, son membre se libéra, engorgé et en pleine érection.

Les yeux de Kit s'écarquillèrent, son esprit se figea, son cœur s'emballa. Il allait la prendre ici et maintenant — *sur la table.*

Elle n'eut pas le temps de faire plus que pousser un cri. Les mains de Jack se fixèrent sur ses hanches, et il entra en elle. L'esprit de Kit s'attendit à une douleur. Il n'y en eut aucune. À la place, son corps l'accueillit, se cambrant, l'attirant plus profondément. Tandis que Jack se retirait puis s'enfonçait de nouveau, s'installant fermement en elle, Kit sentit la surface glissante qui avait facilité son passage.

Elle était prête pour lui. Elle le voulait, et son corps le savait. Jack le savait.

Les yeux de Kit devinrent vitreux quand les pénétrations de Jack prirent un rythme régulier. C'était différent de la dernière fois. L'urgence qui parcourait les veines de Jack se communiquait à elle. Elle réagissait instinctivement, levant ses hanches, les faisant bouger pour l'attirer encore plus profondément. Elle sentit ses doigts se resserrer sur ses hanches. Ses paupières se fermèrent tandis qu'elle dépliait ses coudes pour s'allonger sur la table, ses mains se refermant sur les avant-bras de Jack, ses doigts s'enfonçant dans ses muscles qui se contractaient tandis qu'il la maintenait immobile contre ses invasions répétées.

La fièvre en elle s'intensifia, dépassant rapidement toute autre sensation. Tout son être était concentré sur le fait qu'il la possédait, une possession complète et foudroyante.

— Levez vos jambes.

Kit les enveloppa autour de la taille de Jack.

Jack gémit et continua, voulant atteindre chaque millimètre de pénétration possible. Le corps de Kit l'accueillait avec de plus en plus de chaleur, et ses muscles s'agrippaient autour de lui en même temps que ses intrusions.

Une explosion aveuglante renversa Kit. Son corps se cambra, ses ongles s'ancrèrent profondément dans les bras de Jack. Sa réaction fut de se pencher en avant et de prendre un de ses mamelons dans sa bouche. Il le téta, et elle cria. Les vagues de sensation s'intensifièrent brusquement, se projetant dans un magnifique orgasme pour circuler comme une passion en fusion à travers ses veines. Ses contractions lancinantes continuèrent longtemps. Elles étaient toujours présentes quand Jack atteignit son propre orgasme, déversant sa semence profondément en elle.

Le souffle hésitant, Jack baissa les yeux vers Kit, étendue dans un abandon libertin devant lui. Elle était à peine consciente, adossée sur la table, s'efforçant de respirer comme lui, attendant d'avoir suffisamment d'assurance physique pour se redresser.

Il ne put résister à un sourire suffisant, qui se transforma presque en grimace quand la réalité s'imposa. Cinq jours étaient passés avant qu'elle revienne à ses côtés. Quand il la touchait, elle devenait sienne, mais hors de sa portée, elle était manifestement une de ces femmes qui savait rester calme. Il y avait un moyen d'attiser son humeur, des choses qu'il pouvait faire pour s'assurer qu'elle brûle d'une passion qui correspondait à la sienne, non seulement en intensité, mais en fréquence aussi. Il ne savait pas où leurs vies les mèneraient, seulement qu'ils resteraient inextricablement entrelacés, et, du moins pour lui, les attaches étaient solides.

Renforcer les attaches qui la gardaient avec lui semblait une bonne idée.

Kit était couchée immobile et attendait que Jack fasse quelque chose. Elle ne pouvait rien faire seule. Son orgasme prolongé l'avait épuisée, physiquement et mentalement. Elle se souvint qu'elle était venue ici pour parler, mais ne pouvait se rappeler aucune urgence en la matière. Tandis que sa chair vibrait encore et qu'il restait à l'intérieur d'elle, elle ne pouvait même pas se rappeler ce qu'était son point de vue.

Quand il se retira d'elle, Kit ouvrit les yeux. Sous ses paupières alourdies, elle le vit laisser tomber ses vêtements. Nu, il vint vers elle, un sourire de triomphe masculin sur les lèvres, son expression se reflétant dans ses yeux d'argent. Elle pensa devoir s'offusquer, mais elle ne réussit qu'à revêtir un sourire las.

— Venez. Allez!

Jack prit ses mains et la tira pour qu'elle s'assoie sur le bord de la table. Tandis qu'il lui ôtait sa veste et passait sa chemise par-dessus sa tête, Kit se demanda si elle serait encore capable de lui faire face à cette table si particulière. Tout ce qu'il aurait à faire, ce serait d'en regarder la surface, et elle se pelotonnerait avec embarras. À son grand soulagement, il la prit dans ses bras et se dirigea vers le lit, comprenant probablement que ses jambes étaient aussi handicapées que son cerveau. Kit soupira de contentement quand Jack la coucha dans les draps. Elle se blottit dans ses bras, totalement en paix.

Avec un lit, elle pouvait s'en sortir. Pour les tables, c'était autre chose.

Chapitre 19

C'était une nuit d'été parfaite, où le fond de l'air était doux. Kit se tenait à côté de Delia, près de la falaise, à attendre le capitaine Jack. Un croissant de lune voguait dans le ciel pourpre, diffusant juste assez de lumière pour distinguer les silhouettes regroupées à quelques mètres de là, plutôt que les rochers. Leur conversation assourdie dériva vers les oreilles de Kit.

Face aux vagues, Kit observait leur flux et reflux régulier, une parodie de sa confusion. Jack avait déchaîné en elle toute attitude de désir fou, ce qui la propulsait vers un destin inconnu. Une connaissance profondément ancrée de ce que son statut impliquait, sa loyauté envers Spencer, lui fit recouvrer ses esprits. Mercredi soir avait été un désastre. Les lèvres de Kit se redressèrent pour former un sourire d'auto-dérision. Un désastre délicieux, mais un désastre tout de même. Elle avait eu l'intention de convaincre Jack de la folie de faire le trafic de «chargements humains». À la place, elle avait été convaincue de la folie de l'aveuglement.

Personne, pas même Amy, ne l'avait avertie de la fièvre qu'elle ressentirait. Du vide douloureux qui, maintenant que la voie était ouverte, semblait grandir en elle. Son esprit rêvait de s'emparer de nouveau de ce moment de complétude. Son corps aspirait à la flamme qui transformerait sa fièvre en une passion dévorante. Elle l'avait sentie même après la première nuit dans la maison de pêcheur — une impatience, un besoin qu'elle avait essayé d'ignorer et qu'elle avait fait de son mieux pour réprimer. La nuit de mercredi l'avait laissée sans autre choix que d'admettre sa dépendance à l'amour de Jack.

Delia bougea, soufflant légèrement. Kit scruta la plage, mais ne vit rien. Elle avait l'intention d'aborder le sujet des espions une fois qu'elle se serait remise de l'accueil amoureux de Jack. Mais il ne la laissait jamais se remettre. Il l'avait excitée bien trop tôt ; avoir une conversation rationnelle n'était pas son but. La nuit s'était dissoute en une orgie de satisfaction mutuelle. Elle ne pouvait pas nier qu'elle avait aimé ça — il lui avait offert ce plaisir.

Avec une grimace, Kit changea de position. Elle pouvait se délecter des attentions de Jack, mais elle n'allait pas laisser la passion mener sa vie. Pourtant, le soupçon insidieux que Jack ait eu l'*intention* mercredi soir, certainement la dernière moitié de la nuit, et qu'il ait planifié d'exécuter leurs prouesses comme une campagne restait telle une ombre dans son esprit. À l'aube, il l'avait aidée à s'habiller, son contact profondément troublant, puis il avait sellé Delia. Il lui avait parlé du trafic de la soirée, ce qui impliquait qu'il n'était pas nécessaire qu'elle assiste à la rencontre de la nuit dernière à l'Old Barn.

Naturellement, elle n'y était pas allée, sachant que, si elle se montrait, elle admettrait sa dépendance à son égard. À la place, elle était allée se coucher plus tôt. Mais pas pour dormir. Elle avait passé la moitié de la nuit à s'agiter et à tourner, la fièvre la brûlant lentement et régulièrement, inassouvie.

L'avait-il intentionnellement étourdie par la passion ?

Les épaules larges de son être tentateur se soulevaient et s'abaissaient sous ses yeux. Kit l'observait tandis qu'il chevauchait Champion, escorté comme toujours de George et Matthew. Le regard gris argenté de Jack se porta sur elle, un regard complet suivi d'un sourire fugace. Il descendit de cheval, et les hommes grouillèrent autour de lui.

Kit attendit que les hommes aillent prendre leurs postes, George et Matthew avec eux, avant d'avancer.

— Où me voulez-vous ce soir ?

Elle retint immédiatement sa langue. Jack regardait la plage. À ses mots, il tourna la tête, une expression arrêtée sur le visage. Pendant une fraction de seconde, elle pensa qu'il répondrait avec ce qui lui passait par la tête.

Jack était fortement tenté. Le son de la voix rauque de Kit exprimant avec assurance une telle question envoya un spasme de pur désir à travers ses veines. Mais il contint cette idée particulière et la mit de côté pour l'instant. Ses lèvres revêtirent lentement un sourire extrêmement diabolique.

— Je vais y penser pendant la prochaine heure ou plus. Je vous ferai part de ma décision plus tard… à la maison de pêcheur.

Kit aurait aimé pouvoir dire quelque chose pour effacer l'expression suffisante de son visage.

— Mais pour le moment, continua Jack, soudainement abrupt, je veux que vous fassiez le guet. Où vous voulez, puisque vous n'obéirez pas à mes ordres.

Kit pencha son menton. Elle se tourna et plaça ses pieds dans les étriers, continuant ostensiblement à travailler.

La large main qui caressa ses fesses bouleversa son assurance. Après avoir effleuré l'ensemble de son fessier, il l'aida à monter en selle. Kit s'exécuta, le souffle coupé. À la lumière du jour, son regard l'aurait figé. À la lueur de la lune, il resta là, les mains sur les hanches, une expression condescendante sur le visage, et il lui lança son regard arrogant.

Une véritable fureur brûla dans les veines de Kit. Elle serra ses lèvres et tira sur les rênes de Delia. Si elle évacuait ses sentiments ici et maintenant, son déguisement serait irrémédiablement découvert.

Une fois sur la falaise, elle trouva un endroit surplombant les opérations de Jack et descendit de cheval. Trop furieuse pour rester calme, elle fit les cent pas, tordant ses gants entre ses doigts, le regard sur la plage, l'humeur bouillonnante.

Son esprit était envahi de questions. « Comment osait-il ? » semblait beaucoup trop doux. En plus, elle savait combien il osait — il savait très bien qu'elle n'était pas assez forte pour résister à une attaque sur ce front, avec ses satanés yeux d'argent ! Si elle n'avait pas besoin d'en savoir plus sur les espions, elle ne se présenterait plus jamais près de lui. Mais elle avait passé en revue tous les arguments, avait évalué toutes les possibilités. Jusqu'à ce qu'elle obtienne des faits, une date de trafic par exemple, il lui était impossible de révéler son imposture. Si Spencer l'apprenait, il lui défendrait de continuer, et ils n'arrêteraient jamais les espions.

La colère n'était pas la seule émotion qui la parcourait. Kit frissonna. Cet homme ! Si elle avait besoin d'une confirmation des activités de la nuit de mercredi qu'il avait planifiées, ses caresses entendues la lui avaient fournie. Il avait délibérément allumé les flammes d'un plaisir sensuel dans sa chair, et il ne faudrait qu'une caresse pour les faire exploser. Kit grinça des dents et donna un coup de pied à un caillou pour le chasser de son chemin.

Il était vraiment trop sûr de lui ! Il était vraiment trop sûr d'elle.

Le trafic se déroula sans heurts, comme toutes les entreprises de Jack. Kit observait le gang, retournant ce fait dans sa tête. La maison de pêcheur de Jack était sur les terres de Lord Hendon. Et Lord Hendon avait choisi d'envoyer le sergent Osborne patrouiller sur les plages de Sheringham et le sergent Tonkin surveiller les rives du Wash. Quelqu'un de cynique y verrait un lien.

Kit grommela. Le seul véritable lien serait que Lord Hendon, comme toute la bourgeoisie des environs, tolère les contrebandiers. Mais pas les espions. Sur ce point, Jack avait dépassé les limites.

Tandis que les poneys se dirigeaient vers la falaise, Kit se leva et prit les rênes traînant sur le dos de Delia. Elle monta en selle et conduisit la jument dans les arbres bordant le premier champ. De là, elle regarda jusqu'à ce que le dernier poney émerge du chemin de la falaise. Puis, avant que l'étalon gris apparaisse, Kit fit tourner la tête de Delia vers la propriété des Cranmer et relâcha les rênes.

Elle maintint la jument à un galop régulier, les sabots noirs avalant les kilomètres. Quand l'ombre de la propriété surgit de l'obscurité, Kit émit un léger cri et fit sauter Delia par-dessus la barrière de l'enclos de l'écurie.

En sécurité chez elle. Elle avait échappé au piège de Jack, pour une nuit du moins. Une fièvre serait le prix qu'elle paierait, mais elle le paierait volontiers. En dehors de tout le reste, c'était plus sain ainsi.

Jack et son arrogance passeraient la nuit seuls.

Le dimanche après-midi, après avoir passé une matinée vertueuse à l'église, puis à présider la table du déjeuner, Kit installa Delia dans l'ombre des arbres faisant face à la maison de pêcheur de Jack, sa confiance au plus bas. Se méfiant de ses raisons d'être là, doutant de ses chances de succès, elle se mordit les lèvres et regarda la porte fermée. Rien ne lui indiquait si la maison de pêcheur était habitée ou non.

Si elle restait tranquille longtemps et que Champion était dans l'écurie, l'étalon sentirait la présence de Delia et hennirait, détruisant tout avantage que la surprise lui offrirait autrement. Si elle restait tranquille encore plus longtemps, son courage l'abandonnerait, et elle tournerait les talons vers la maison. Kit fit faire le tour de la clairière à Delia. Elle approcha de l'écurie et descendit de cheval, puis mena Delia à l'intérieur.

L'imposante croupe grise de Champion surgit de l'obscurité.

Kit s'arrêta, ne sachant pas trop si elle se sentait rassurée, excitée ou consternée. L'étalon tourna la tête. Kit mit Delia dans la stalle à côté. Après avoir attaché la jument, elle se demanda si elle devait la desseller ou pas. Finalement, elle le fit, refusant de reconnaître que cette action sous-entendait quoi que ce soit de ses intentions, et encore moins de ses espoirs. Elle frictionna la jument, les oreilles dressées pour détecter tout bruit de danger à proximité.

Elle savait pourquoi elle était là. Elle devait se réconcilier avec Jack. Il était sa seule source fiable d'information sur les espions. Son moi plus aventureux se moqua. Kit l'étouffa. Il devait y avoir d'autres raisons pour lesquelles elle était tourmentée de cette façon, mais elle n'était pas prête à les reconnaître, pas à la lumière du jour. Ses entrailles étaient dans un état épouvantable. L'appréhension lui mettait les nerfs à fleur de peau. Elle n'avait jamais ressenti ça auparavant, pas même quand elle avait reconnu avoir monté l'étalon préféré de Spencer à l'âge de dix ans. La colère de Spencer n'était pas parvenue à la faire frémir. La pensée de la façon dont Jack la regarderait quand elle le verrait, dans quelques minutes, le faisait.

Comment l'accueillerait-il cette fois ?

Cette pensée lui coupa ses élans tandis qu'elle atteignait la porte de l'écurie. Elle faillit faire demi-tour pour seller Delia. Mais sa raison de se trouver ici refit surface. Elle ne pouvait pas se détourner des « chargements humains ». Kit serra les mâchoires. Empruntant une démarche déterminée, elle se rendit vers la porte de la maison de pêcheur.

Kit s'arrêta, la main sur le loquet, freinée par l'impression d'être sur le point d'entrer dans le repaire d'un animal potentiellement dangereux. Le fer froid du loquet la fit frissonner jusqu'au bout des doigts. Tout son être vibrait de plaisir anticipé. En vérité, elle n'était pas sûre de la provenance du danger. Lui ? Ou elle ?

À l'intérieur de la maison de pêcheur, Jack était étendu sur le dos au milieu du lit, les mains refermées derrière sa tête. Il regardait le plafond.

Combien de temps cela prendrait-il avant qu'elle cède? Combien de temps avant qu'elle vienne le trouver?

Il poussa un grognement de mécontentement. Ses sourcils se baissèrent. Quand il avait comploté pour graver profondément un désir passionné sous la peau satinée de Kit, il avait négligé l'effet inévitable qu'une telle entreprise aurait sur ses propres appétits luxurieux. Depuis la nuit de mercredi, il était vorace. Et, grâce à Kit, il n'avait pas été capable de rassasier sa faim. Aucune autre femme ne le pouvait. Il s'était retiré dans la maison de pêcheur pour ruminer sur son désir.

Il la voulait, *elle* — Kit —, la houri aux cheveux roux en hauts-de-chausse.

Quand il la caressait, elle ronronnait. Quand il la montait, elle se cambrait violemment. Et ensuite, quand leur passion était passée, elle se lovait dans son flanc comme un petit chat crème et roux. Son petit chat à lui.

Son petit chat de race. Quand venait le temps de faire l'amour, elle était une aristocrate, peu importe son éducation. Jusqu'ici, les performances de Kit lui avaient ouvert les yeux, particulièrement par rapport à sa propre expérience. Il avait pensé tout savoir des femmes. Elle lui avait prouvé le contraire. Les réactions feintes des prostituées de luxe de la ville l'avaient toujours ennuyé. Le naturel de Kit, son plaisir sincère dans leurs ébats malgré la pruderie sous-jacente derrière ses protestations scandalisées occasionnelles, l'enchantait. Il était parvenu à transformer ses protestations en gémissements avec une régularité satisfaisante.

Poussant un grognement étouffé, Jack étira ses bras et ses jambes, essayant de libérer la tension emprisonnée dans ses muscles massifs. Son froncement de sourcils céda la place à un air renfrogné. Vingt-quatre heures s'étaient avérées trop longues pour lui. Soixante-douze avaient été un enfer. Le fait qu'elle puisse faire face à cette maladie particulière mieux que lui était un coup sévère à sa fierté masculine.

Le loquet de la porte remonta.

Jack fut alerté immédiatement. Il se redressa sur le lit avant que son esprit prenne le contrôle et calme sa réaction instinctive. Son impulsion était de traverser la pièce en silence pour se poster derrière la porte. Mais si son visiteur était Kit, il pourrait l'effrayer bêtement en apparaissant à côté d'elle de façon si inattendue.

La porte s'ouvrit lentement vers l'intérieur. L'ombre d'une silhouette mince, recouverte d'un tricorne, apparut sur le sol. Jack se détendit. Il se permit un sourire suffisant, puis le souvenir des soixante-douze dernières heures s'imposa. Il ne pouvait pas garantir qu'elle venait pour soulager sa douleur. Son expression se ternit, et il se cala de nouveau sur les oreillers.

Kit scruta la pièce dévoilée par la porte ouverte. Jack n'était pas à la table. Ravalant sa nervosité, elle prit une profonde respiration et passa le seuil. Elle s'arrêta près de la porte, une main sur le bord du panneau de bois usé, et se força à regarder vers le lit.

Il était allongé là, étendu de tout son long sur les couvertures, son arrogance masculine inscrite sur chaque ligne de son corps aux muscles tendus. À la regarder. Avec une lueur manifeste de prédateur dans ses yeux d'argent.

La respiration de Kit se suspendit. Sa bouche devint sèche. Elle sentit ses yeux s'écarquiller de plus en plus.

Jack lut son état dans ses yeux et sut précisément pourquoi elle était venue. Cette découverte aiguisa ses sens, mais il les réprima avant qu'ils embrouillent son esprit. Son corps était tendu par le désir instinctif de se lever et d'aller vers elle, de la prendre dans ses bras et d'écraser ses lèvres, ses seins, ses hanches, contre lui. Mais s'il le faisait, que se passerait-il ensuite ?

La porte était à mi-chemin entre le lit et la table, pas particulièrement près des deux. À en juger par son dernier effort pour l'accueillir, ils finiraient probablement sur le sol. Tandis qu'il n'avait rien contre des rapports sexuels *al fresco*, il n'était pas particulièrement fier de son manque de contrôle quand il l'avait prise sur la table. Il ne savait pas ce qu'elle avait pensé de cette expérience, mais il avait vu les marques rouges sur ses fesses plus tard. Et s'était senti affreusement coupable. Il l'avait couverte de bleus déjà trop souvent, même si c'était involontairement. Certaines marques, comme celles de ses doigts, laissées sur les courbes moelleuses de ses hanches, étaient inévitables, étant donné qu'elle marquait facilement. Mais il n'avait pas besoin d'en ajouter par manque de réflexion.

— Verrouillez la porte.

Il essaya d'empêcher la passion exacerbée qui vibrait dans ses veines de teinter son intonation et y réussit seulement partiellement.

Les yeux de Kit devinrent encore plus ronds. Ses membres devinrent lourds, tandis que, le regard captif par celui argenté de Jack, elle avançait lentement pour obéir. Ses doigts tâtonnèrent, et elle détacha son regard du sien. Le verrou glissa avec un bruit sourd. Lentement, elle se retourna pour lui faire face, s'attendant à le voir se lever.

Il n'avait pas bougé.

— Venez ici.

Kit y réfléchit attentivement. Elle devait être hypnotisée ; elle n'était pas stupide. Mais elle était prisonnière, très solidement, dans la toile sensuelle qu'il avait tissée avec une habileté si parfaite que son pouls s'accélérait déjà à l'idée de ce qui allait suivre. Reconnaissant l'inévitable, elle mit un pied devant l'autre. Lentement, avec prudence, elle approcha du lit.

— Arrêtez.

L'ordre prononcé d'une voix râpeuse la fit s'arrêter à un mètre de l'extrémité du lit.

— Ôtez votre chapeau et votre manteau.

L'estomac de Kit se contracta. Elle enleva son chapeau et le laissa tomber, puis ôta son manteau et le laissa glisser sur le sol. Tandis que le regard argenté de Jack laissait son visage pour survoler sa silhouette, Kit sentit les braises de la passion rougeoyer.

— Enlevez ces satanés hauts-de-chausse.

Les braises de Kit s'enflammèrent. Elle fixa Jack, choquée et émoustillée par sa suggestion.

Jack contracta chacun de ses muscles pour tenter de rester allongé sur le lit. Les yeux de Kit devinrent violets, des étincelles pourpres de passion remontant de leur fond.

Stephanie Laurens

Il ne fut pas du tout surpris de voir ses doigts se déplacer sur les boutons qui retenaient les hauts-de-chausse sombres. Il regarda les doigts délicats s'affairer à libérer les boutons. Puis, lentement, elle ouvrit le rabat, dévoilant une petite surface de son ventre crémeux avec une profusion de poils roux à sa base.

Kit avança comme dans un rêve, coupée de la réalité. Elle vit la tension dans le corps de Jack augmenter et se délecta de son pouvoir. Bougeant avec une lenteur volontaire, elle finit par ôter le vêtement de ses hanches, se tenant en équilibre sur un pied pour enlever ses chaussures. Quand la deuxième botte fut enlevée, elle libéra d'abord une jambe puis une autre de ses pantalons. Elle les envoya rejoindre son manteau, puis elle se tourna pour se présenter, s'appuyant sur une jambe, l'autre genou penché vers l'intérieur, face à Jack.

Il n'avait pas bougé, mais elle pouvait sentir l'effort qu'il lui en coûtait pour rester là où il était.

— Levez votre chemise et libérez vos seins.

Strict par nécessité, Jack força l'ordre à sortir entre ses dents serrées. Ses yeux étaient rivés sur cette riche offrande qui se découvrait peu à peu. Sa bouche était sèche du plaisir anticipé des dévoilements à venir.

Se demandant pourquoi il ne lui avait pas dit d'enlever sa chemise, Kit obéit à son ordre à la lettre, présumant qu'il y avait un point pertinent qu'elle devrait comprendre derrière cela. Elle réfléchit un instant, puis roula ingénieusement le devant de sa chemise jusqu'à ce qu'elle puisse tenir les plis entre ses dents. Un soudain mouvement du corps dans le lit lui indiqua que son impulsion avait valu la peine d'être poursuivie. À son grand soulagement, le nœud céda facilement. Elle déroula le bandage. Lentement. La longue bande faisait le tour cinq fois. Elle relâcha la chemise juste avant que le bandage tombe. Ses seins bondirent, libérés, pointant fièrement, à moitié dissimulés derrière le tissu délicat.

Jack ravala un grognement. Ses doigts, entrecroisés derrière sa tête, se serrèrent, rentrant dans le dos de ses mains. Il ne pouvait imaginer où elle avait appris ses tours. L'idée qu'ils étaient instinctifs commença à nuire à son contrôle déjà éprouvé. Pour gagner un peu de temps, et de force, il examina la silhouette devant lui d'un œil critique. De la lumière filtrait par la fenêtre de l'autre côté de la pièce. Kit se tenait juste entre le lit et la fenêtre. Il avait une vue complète de sa silhouette. Lentement, il examina chaque courbe, sachant que son regard la réchauffait. La pensée de ce que ça signifiait le força à parler.

— Venez et agenouillez-vous sur le lit à côté de moi.

Sans empressement, Kit obéit, grimpant sur le matelas en crin pour s'asseoir à genoux à ses côtés. Dans cette position, sa chemise recouvrait ses jambes, lui procurant un minimum de soulagement par rapport au regard ardent de Jack. Il ne portait pas de manteau. Sa chemise n'était pas de la même qualité que la sienne. Les muscles de sa poitrine et de ses bras montraient comme des crêtes arrondies sous sa surface. Elle parcourut des yeux sa poitrine, puis passa à l'endroit où sa chemise disparaissait dans la ceinture de ses hauts-de-chausse. Elle ne pouvait pas manquer le bombement juste en dessous.

Jack vit la direction de son regard. Il garda ses mains prudemment refermées derrière sa tête et lutta pour contrôler sa respiration.

— Déshabillez-moi.

Les yeux de Kit se reportèrent sur les siens, leurs abysses violets laissant transparaître la surprise. Ses lèvres se séparèrent, mais aucune protestation ne vint. À la place, elle sembla réfléchir à l'idée. Jack se demanda quelle forme de torture lente elle avait planifiée.

En plus de sa surprise et sa confusion, Kit était consciente que son excitation s'intensifiait. N'ayant jamais vécu une telle entreprise avant, elle prit une minute pour préparer son approche.

Jack retint son souffle quand elle bougea, appuyant ses mains, les paumes à plat, contre sa poitrine. Elle se plaça sur lui, le chevauchant.

Hardiment, Kit plaça ses fesses sur ses cuisses. Elle l'entendit inspirer et sentit le soudain bondissement de son membre rigide à moitié prisonnier sous elle. Elle bougea vers l'avant, s'appuyant contre lui, protégée d'une vengeance instantanée par le tissu de ses hauts-de-chausse. Elle leva les yeux. Ceux de Jack étaient encore bien fermés. Un muscle sautilla le long de ses mâchoires serrées. Avec un sourire de triomphe féminin, Kit se mit au travail, sortant sa chemise de ses hauts-de-chausse, tirant ses bras de derrière sa tête pour finir par l'asseoir à moitié et lui ôter la chemise par la tête.

Libéré de sa chemise, Jack retomba sur les oreillers, souffrant, mais avide de voir comment elle s'occuperait du reste.

Lançant la chemise sur le côté, Kit dévia son attention vers sa ceinture. Ce fut le travail d'un instant de dégager les boutons. Elle ouvrit le rabat et observa, impressionnée, le prix dévoilé. Épais comme son poignet, engorgé et empourpré, le membre de Jack battait contre les poils revêtant la surface ferme de son ventre. Sans réfléchir, les doigts de Kit se déplacèrent pour le toucher, pour le caresser.

Jack gémit, incapable de retenir le son. Il ferma les yeux, ne voulant pas voir ce qu'elle ferait ensuite. La douce caresse de ses lèvres le fit se durcir. La surface humide de sa langue, néophyte, mais guidée par un instinct infaillible, anéantit son contrôle. Il était impossible de rester allongé calmement devant une telle provocation. Mais il réussit à empêcher ses mains de jouer dans ses cheveux et de guider ses lèvres là où sa chair palpitante voulait le plus les sentir. À la place, il déplaça ses mains sur ses hanches afin de baisser ses hauts-de-chausse. Avec son aide, elle réussit efficacement, glissant sur le lit pour lui enlever ses chaussures et libérer ses jambes.

Kit glissa hors du lit, les hauts-de-chausse de Jack dans les mains, et se tourna pour regarder son ouvrage. Nu, exposé à sa délectation, Jack était simplement magnifique. Pour rien au monde, elle n'ôterait le sourire de son propre visage.

— Revenez ici.

Les yeux de Kit se dirigèrent vers ceux de Jack. Ce qu'elle vit dans leur profondeur argentée la fit frissonner de pur désir. Avec un empressement sincère, elle reprit sa position à ses côtés, frémissant doucement, intriguée de découvrir ce qu'il avait en tête pour la suite.

L'esprit de Jack ne fonctionnait pas avec sa clarté habituelle. Il était en surchauffe. Il regardait Kit remonter sur le lit, ses yeux brillants errant vers le bas de son torse. Elle s'agenouilla sur sa chemise qui se tendit, dessinant les contours des pointes tendues de ses mamelons, avant qu'elle puisse l'enlever. Il aurait été facile de la faire rouler sous lui et de s'enfoncer dans sa chaleur, mais au cours des soixante-douze dernières heures, son imagination était allée bon train. Il avait l'ambition de transformer ses rêves en réalité. Mais avait-il la volonté suffisante pour le faire ?

— Montez sur moi.

L'ordre tira brusquement Kit de sa profonde contemplation. « Monter sur lui ? »

Jack lut sa question dans ses yeux surpris, d'un violet profond qui s'assombrit rapidement. Malgré l'effort qu'il lui en coûtait, il sourit.

— Quand je suis sur vous, je fais tout le travail. Cette fois, c'est à votre tour.

Kit le regarda simplement, essayant de donner un sens à ses mots. Puis, elle baissa le regard jusqu'à son membre, qui se dressait de son nid velu.

— Je vais vous montrer.

Jack saisit ses mains et l'attira sur lui.

— Asseyez-vous à califourchon comme tantôt.

Kit s'exécuta et faillit se repousser du lit quand elle sentit son membre bondir vers elle. Elle se figea, son corps immobile contre le sien, les cuisses écartées, les genoux de chaque côté de ses hanches. Haletant, elle attendit, figée par le sentiment de vulnérabilité qui l'envahit.

Rigide à cause de l'effort, Jack força chaque muscle de son corps à une obéissance absolue. Une simple poussée plongerait son membre en elle fermement contre la source de chaleur qui se déversait sur lui depuis le centre de ses cuisses largement écartées. Mais en plus du fait qu'il savait qu'il pouvait lui faire mal avec une pénétration si agressive dans cette position, elle était tendue et probablement sèche.

Il prit une respiration inégale et évita de regarder la jonction de ses cuisses, où le gland de son pénis se nichait au milieu de ses poils flamboyants. Il relâcha sa prise convulsive sur ses mains et les leva, les plaçant sur l'oreiller, une au-dessus de chacune de ses épaules. Une autre profonde respiration lui permit de faire courir ses mains le long de ses bras pour se refermer autour de ses épaules.

— Penchez-vous et embrassez-moi.

Kit fit ce qu'il lui demandait, intriguée par ce dernier revirement dans son jeu. Il démarra comme il l'avait dit, avec elle qui l'embrassait, mais il reprit rapidement le contrôle, ses doigts s'emmêlant dans ses cheveux, gardant sa tête stable tandis que sa langue plongeait dans la douce caverne de sa bouche. Elle ne protesta pas devant le changement. Sa fournaise était en feu. Elle avait besoin de trouver le passage pour la flamme de Jack.

Jack baissa ses mains de la tête de Kit vers ses épaules, puis les posa de sorte qu'il puisse façonner son corps à sa guise, la faisant se redresser sur ses mains et ses genoux sur lui. Il ôta ses lèvres des siennes et l'incita à s'avancer pour qu'il puisse prendre un mamelon voilé par sa chemise dans sa bouche. Le halètement de Kit le poussa à continuer. Il lécha le tissu jusqu'à ce qu'il colle à la pointe bien ferme, puis amena la chair profondément dans sa bouche. Il téta et Kit gémit, son corps répondant par des spasmes. Ses yeux étaient fermés, ses lèvres entrouvertes. Jack bougea vers son autre sein et répéta l'exercice.

Kit gémit à chaque nouvelle attaque contre ses sens. Une douleur insistante s'était développée entre ses cuisses. Elle était impatiente de la soulager et elle savait comment. Mais Jack entretenait inexorablement son feu, apparemment inconscient du désir de Kit.

— Jack !

Kit mit tout le désir qu'elle put dans la syllabe. Immédiatement, elle sentit ses mains ouvrir sa chemise pour se rendre entre ses cuisses. Elle soupira de soulagement quand d'abord un long doigt, puis deux, se glissèrent en elle. Les doigts bougeaient, et elle haletait, se concentrant sur leur exploration. Ils instaurèrent un rythme qu'elle reconnaissait. Elle le suivit. La bouche de Jack poursuivit avec ses seins, sa langue lavant les pointes sensibles, envoyant des flots de feu parcourir ses veines.

Jack attendit que ses halètements soient rapides et irréguliers, que ses hanches se pressent contre sa main, que son corps recherche une plus grande satisfaction. Son miel se déversait sur ses doigts tandis qu'il les ôtait de son corps.

— Maintenant, prenez-moi en vous.

L'ordre grommelé était à peine audible, mais Kit l'entendit et n'eut pas besoin de plus d'insistance. Elle se recula doucement pour se placer au-dessus de son membre en attente, tremblant du désir de combler son besoin. Elle se baissa sur son sexe, inclinant ses hanches pour saisir son gland et le conduire en elle. Dès qu'elle le sentit la pénétrer,

Kit descendit, le prenant entièrement dans un mouvement fluide.

Jack ne pouvait plus respirer. Il saisit ses hanches et la releva légèrement. Immédiatement, Kit prit l'initiative, se levant jusqu'à ce qu'il soit persuadé qu'il allait perdre sa chaleur collante, pour ne s'empaler que plus profondément sur son membre. Une fois qu'il fut certain qu'elle avait le contrôle, Jack prit une respiration irrégulière et concentra de nouveau son attention sur ses seins, chauds et fermes sous la pellicule excitante de sa chemise.

Kit savoura la sensation d'exercer un contrôle total, capable de faire glisser sa force en elle au rythme qu'elle désirait. Elle écarta largement les cuisses et le prit plus profondément. Elle expérimentait, resserrant ses muscles autour de lui, refermant ses cuisses pour minimiser la pénétration.

Elle sentit les mains de Jack se refermer autour de ses seins, une main couvrant chaque mont ferme, le resserrant en cadence avec sa chevauchée. Ses doigts trouvèrent ses mamelons. Puis, il commença à frotter ses hanches contre ses cuisses, entrant en elle tandis qu'elle descendait. Brusquement, Kit comprit le but de sa chemise. Le bord flottait sur ses cuisses, se levant et retombant avec elle, lui faisant comprendre la vue que Jack aurait s'il regardait leurs corps se fondre ensemble.

Tandis qu'elle sentait les feux en elle fusionner, s'unissant en une conflagration qui finirait par consumer ses sens, Kit força ses yeux à s'ouvrir. Jack la regardait. Avidement.

Gémissant, elle referma les yeux. Sa tête retomba en arrière tandis que les feux en elle faisaient rage. Elle contracta son corps, essayant de retenir l'inévitable, de prolonger le doux supplice juste un peu plus longtemps.

Jack n'était pas prêt à prolonger quoi que ce soit. La vue sensuelle de leurs corps en fusion, de son membre en elle, pénétrant efficacement son corps fiévreux, n'était pas conçue pour empêcher l'accomplissement. Il sentit son corps se tendre contre la libération, se resserrant autour de lui. Il laissa ses seins et saisit ses hanches, la maintenant immobile. Se délectant de la vue, il entra plus profondément en elle.

Il n'en fallut pas plus.

Ils jouirent ensemble, haletant, les yeux ouverts, le regard fixe, leurs âmes aussi fusionnelles que leurs corps.

La libération de Kit l'emporta, la privant de toute force. Elle s'effondra sur Jack, qui la recueillit et arrangea ses jambes pour qu'elle puisse s'étendre sur lui et enfouir sa tête sous son menton.

Elle s'endormit avec les bras de Jack autour d'elle.

Quand Kit se réveilla, ils étaient étendus enchevêtrés sous les couvertures. Elle ne se souvenait pas avoir bougé, mais Jack dormait à présent à côté d'elle, un bras protecteur autour d'elle. Kit sourit, tout endormie, sentant le battement régulier de son cœur contre sa joue. Elle était calme et sereine, repue et contente. Ce qui était plus que ce qu'elle avait été capable d'exprimer depuis la nuit de mercredi.

Elle plissa les yeux et regarda la fenêtre par-dessus les couvertures. La teinte rosée du coucher du soleil colorait le ciel. Il était presque l'heure de partir.

Le souvenir de ses récentes activités traversa son cerveau. Elle étouffa un petit rire nerveux, puis se calma. Si elle devait apprendre quelque chose de l'épisode d'aujourd'hui, c'était qu'elle ne pouvait pas vivre sans Jack. Le feu dans ses veines était une drogue dont elle ne pourrait plus se passer. Seul lui pouvait entretenir cet embrasement.

Mais Jack faisait passer des espions.

Kit se blottit plus près de sa chaleur réconfortante. Elle savait hors de tout doute qu'il n'était pas personnellement impliqué dans l'espionnage. Il était juste malavisé, croyant que ce n'était pas différent du trafic de cognac. Elle devait s'assurer, la prochaine fois, de lui expliquer comme il faut. Il lui appartenait de lui faire comprendre.

Elle devait réussir. Il y avait trois vies qui en dépendaient — celle de Julian, celle de Jack et la sienne. Kit soupira. Elle lui en parlerait la prochaine fois qu'elle viendra. Il était inutile de gâcher cet instant maintenant.

Elle s'écarta prudemment de Jack, mais il la ramena contre lui, son bras alourdi par le sommeil. Kit regarda la fenêtre. Peut-être n'était-il pas si tard. Elle s'agita contre Jack, se redressant pour que ses lèvres rencontrent les siennes. Et elle se prépara à le réveiller en l'embrassant.

Chapitre 20

Kit était pleine d'espoir lundi soir. Elle avait décidé d'assister à la rencontre à l'Old Barn. Même si elle ne se sentait plus obligée de rejoindre les contrebandiers pour leurs trafics, elle devait voir Jack, essayer d'en apprendre plus sur son opinion sur les «chargements humains». Quel meilleur moment pour engager la conversation dans ce sens que lors du long retour vers la maison de pêcheur après la rencontre? Elle se faisait peu d'illusions sur toute discussion rationnelle possible une fois qu'ils seraient entrés dans la maisonnette. Mais il n'avait fait passer qu'un «chargement humain» au cours de deux derniers mois. Elle avait le temps, pensait-elle, de poursuivre sa conversion à un rythme tranquille.

La rencontre avait déjà commencé quand elle arriva. Elle se glissa dans l'obscurité protectrice au fond de la grange et trouva une caisse poussiéreuse pour s'asseoir. Certains remarquèrent son entrée furtive. Quelques-uns lui firent un signe de tête en la reconnaissant avant de reporter leur attention sur Jack, qui se tenait dans le cône de faible lumière diffusée par une seule lampe.

Kit vit ses yeux gris la parcourir, mais le récit des détails de Jack resta limpide. Il était au milieu d'une description d'un chargement qui devait être transporté la nuit suivante sur la plage à l'est de Holme. Kit écoutait à moitié, fascinée par la façon dont la lumière de la lampe dorait les mèches de ses cheveux.

Jack se tourna pour s'adresser à Shep :

— Johnny et toi, vous prendrez le passager de Creake à la tombée de la nuit. Emmenez-le directement à la plage.

Kit se figea.

Shep opina. Jack se tourna vers Noah.

— Vas-y et récupère-le. Ton bateau devra être le dernier du convoi. Transfère l'individu et prends les dernières marchandises.

— D'accord, dit Noah en baissant la tête.

— Parfait, alors.

Jack scruta les visages, tous hâlés, la plupart inexpressifs.

— Nous nous reverrons jeudi comme d'habitude.

La bande se dispersa avec des grommellements et des signes de tête, se glissant discrètement dans la nuit par groupes de deux ou trois. La lampe fut descendue et éteinte.

Kit était encore assise sur sa caisse, la tête baissée, le visage caché par le bord de son tricorne. Jack regarda la silhouette silencieuse. Ses craintes s'accrurent. Qu'est-ce qui n'allait pas maintenant ? Il s'était attendu à son arrivée, mais son air songeur le dérangeait. Il se serait attendu à un empressement après les efforts qu'elle avait déployés dimanche après-midi.

George et Matthew le rejoignirent près de la porte à présent ouverte.

— Je rentre directement chez moi, dit George d'une voix terne, manifestement conscient que Kit était derrière, dans l'obscurité.

Il dressa un sourcil interrogatif.

Les mâchoires de Jack se serrèrent. Il hocha résolument la tête. George se glissa dans la nuit.

— Tu ferais mieux de partir aussi.

— Oui.

Matthew partit sans poser de question. Jack le regarda monter à cheval et se diriger vers le sud, à l'abri des arbres, puis dans les champs au-delà.

Dans l'obscurité derrière Jack, Kit luttait pour mettre de l'ordre dans sa tête. Jack devait être au courant de ce dernier «chargement humain» depuis sa visite au Blackbird, mercredi dernier. Bien qu'elle eût passé toute la nuit du mercredi et le dimanche après-midi à ses côtés, il ne l'avait pas mentionné. Il n'y avait même pas fait allusion. Voilà qui en était fait de son idée d'être mise au courant à l'avance à propos des espions. À présent, elle avait moins de vingt-quatre heures pour prendre une décision et agir.

Comme le silence dans la grange se poursuivait, Jack se tourna et avança à l'intérieur. Il s'arrêta où la lumière de la lune se projetait et regarda vers l'endroit où il savait que Kit était assise.

— Qu'y a-t-il?

Devant son ton impatient, Kit s'irrita, un fait que Jack manqua dans le noir. Réalisant son avantage, elle prit un long moment pour évaluer sa stratégie. Elle avait l'intention de dissuader Jack de son acte de trahison. Cela valait encore la peine d'essayer. Mais la grange pleine de courants d'air, avec ses planches branlantes et ses portes tordues, n'était pas un endroit pour avoir une discussion sur la trahison, particulièrement pas avec la personne suspectée de la commettre.

— Je dois vous parler.

Les mains sur les hanches, Jack regarda dans le noir. Parler? Était-ce encore une de ses ruses? Il était de plus en plus fatigué de ses changements d'humeur. Il avait pensé, après dimanche, que leur relation était revenue à la normale, qu'elle avait accepté son statut de maîtresse. Il est vrai qu'elle ne savait pas de qui elle était la maîtresse, mais il ne pensait pas qu'elle rechignerait à changer de contrebandier à seigneur d'un château. Il ne pensait pas qu'elle rechignerait, point!

Puis, il se souvint qu'elle l'avait regardé avec avidité quand elle était entrée. Son attitude avait changé plus tard. Une petite idée sur son problème émergea dans le cerveau de Jack.

— Si vous voulez parler, ce serait mieux de retour à la maison de pêcheur.

Kit se leva et avança vers lui.

Jack l'entendit. Il se tourna et se dirigea vers la porte, sans regarder derrière lui pour voir si elle suivait. Il alla à l'endroit où Champion était attaché, sous un sapin noueux, et sauta en selle. Il fit avancer l'étalon au petit galop, ignorant la réticence du cheval. Champion ne se déplaça pas volontiers avant qu'ils soient à la moitié du premier champ, quand Delia arriva à côté.

Jack chevauchait en silence, les yeux examinant l'obscurité en avant, l'esprit fermement fixé sur la femme à ses côtés. Pourquoi s'énervait-elle à propos du trafic d'espions?

Était-elle même au courant qu'ils étaient des espions ? La route apparut devant, et il fit tourner Champion sur le sentier battu.

Approchant doucement Delia de Champion, Kit regarda le profil sévère de Jack. Ce n'était pas encourageant. Loin de refroidir sa détermination, l'observation renforça sa résolution. Matthew était le serviteur de Jack, et George, un ami très proche. Aucun n'avait montré la moindre aptitude à influencer Jack. Manifestement, il était temps que quelqu'un le force à prendre en considération sa conscience. Elle ne s'attendait pas à ce qu'il aime le fait qu'elle ait l'intention d'être cette personne, mais son arrogance masculine n'était pas une excuse. Elle lui dirait ce qu'elle pensait, peu importe ce qu'il ressentait.

Ils tournèrent au sud et firent remonter à leurs chevaux le sentier sinueux jusqu'en haut de la côte. Kit l'observait tandis que Jack regardait en bas, s'assurant de manière automatique qu'ils n'avaient pas été suivis. Le sentier en dessous était désert. Elle vit Jack grimacer avant qu'il fasse tourner la tête de Champion vers la maison de pêcheur. Plaçant Delia dans le sillage de Champion, elle se mit à organiser ses arguments.

Jack descendit de cheval devant l'écurie et conduisit Champion à l'intérieur. Kit fit de même, conduisant Delia dans la stalle voisine. Ayant décidé sa méthode d'attaque, elle alla droit au but.

— Vous savez que les hommes que vous allez chercher et que vous transférez sont des espions, n'est-ce pas ?

La réponse de Jack fut de poser violemment sa selle en haut du muret entre les stalles. Kit regarda dans l'obscurité. Ainsi, ça n'allait pas être facile.

— Vous avez été dans l'armée, n'est-ce pas ? Vous devez savoir le genre d'information que diffusent vos « chargements humains ».

Comme le silence persista, Kit posa sa selle sur le muret et se pencha dessus pour ajouter :

— Vous devez connaître des hommes qui y sont morts. Comment pouvez-vous aider l'ennemi à tuer plus de nos soldats ?

Dans le noir, Jack ferma les yeux devant les souvenirs que ses mots déclenchaient. S'il connaissait des hommes qui étaient morts ? Toute une troupe était morte près de lui, pulvérisée par les canons et la mitraille. Il avait réussi à s'échapper seulement parce qu'un destrier harnaché à l'un des canons qu'il avait essayé de remettre en place lui était tombé dessus. Et parce que Matthew, contre toute attente, l'avait trouvé au milieu du carnage sanglant de la troupe battant en retraite.

Champion bougea, le ramenant brusquement au présent. Desserrant ses doigts, il prit une poignée de paille et se mit à brosser la robe grise luisante. Il dut continuer à se mouvoir, à agir, en laissant ses mots, même immérités, glisser sur lui. S'il réagissait, la vérité jaillirait, et, de toute évidence, le jeu auquel ils jouaient était trop dangereux pour ça.

Comme Kit réalisa qu'elle n'obtiendrait aucune réponse verbale, elle surenchérit, résolue à faire comprendre à Jack qu'il commettait une erreur.

— Le fait que vous en soyez sorti indemne ne veut pas dire que vous pouvez oublier.

Jack s'arrêta et pensa lui dire combien il n'avait pas oublié. À la place, il se força à continuer silencieusement à s'occuper de Champion.

Kit lança un regard furieux dans sa direction, ne sachant pas s'il pouvait la voir ou non. Elle prit de la paille et se mit à brosser Delia.

— La contrebande, c'est une chose. C'est peut-être contre la loi, mais ce n'est que malhonnête. Il est plus que malhonnête de gagner de l'argent en vendant des renseignements militaires. Vendre d'autres vies humaines, c'est de la trahison !

Jack dressa les sourcils. Elle devrait faire de la politique. Il avait fini de frictionner Champion. Il laissa tomber la paille et se dirigea vers la porte. Tandis qu'il se dirigeait vers l'entrée de la maison de pêcheur, il entendit un juron étouffé en provenance de l'écurie. Comme il passait le seuil, il entendit les pas de Kit, qui le suivait. Jack se rendit directement vers le fût sur le buffet.

Kit le suivit dans la pièce, fermant la porte brusquement derrière elle.

— Bien, quoi qu'il en soit...

Sa voix s'atténua tandis qu'elle plissait les yeux devant l'espace noir une fois que la porte s'était fermée. Elle entendit un juron marmonné, puis une chaussure heurter une patte de chaise. Un instant plus tard, une allumette craqua, puis une douce lumière se diffusa. Jack régla la mèche jusqu'à ce que la lampe projette juste assez de lumière pour voir à côté. Puis, il prit son verre, à moitié rempli de cognac, et s'affala sur la chaise de l'autre côté de la table, ses longues jambes allongées devant lui, et il la regarda d'un regard sombre.

— Quoi qu'il en soit, réitéra Kit fermement, essayant d'ignorer toute cette virilité ainsi avachie, vous ne pouvez pas continuer à faire le trafic de «chargements humains». Même s'ils paient bien, vous courez un trop grand risque.

Elle regarda la silhouette de l'autre côté de la table, aussi inanimée que la chaise qu'il occupait. Dans le faible éclairage, elle pouvait à peine distinguer ses traits, encore moins son expression.

— Quel genre de chef exposerait sciemment ses hommes à de tels dangers?

Jack bougea, piqué par ses mots. Il était fier de prendre soin des hommes qui étaient sous ses ordres.

Kit sentit son avantage et en profita.

— La contrebande de marchandises est une infraction. La trahison est passible de pendaison. Vous conduisez délibérément ces hommes, qui n'en savent pas assez pour comprendre les risques, à la mort.

Comme aucune réponse ne vint, elle perdit patience.

— Bon sang! Ils ont des familles qui dépendent d'eux! S'ils se font prendre et qu'ils sont pendus, qui s'en occupera?

La chaise de Jack racla le sol, se renversant tandis qu'il se leva brusquement. Kit avait les nerfs à fleur de peau. Elle recula instinctivement.

— Que diable savez-vous de prendre soin de quelqu'un? D'avoir la responsabilité de quelque chose? Vous êtes une *femme*, bon sang!

Son accès de colère ramena Jack à la raison. Bien sûr qu'elle était une femme. Bien sûr qu'elle ne savait rien de commander et des soucis qui s'y rapportaient. Il ne devrait pas laisser les paroles des femmes lui taper sur les nerfs. Il fronça les sourcils et prit une autre gorgée de cognac, maintenant Kit silencieuse en lui lançant un regard noir. Ce qu'il ne pouvait pas comprendre, ce sur quoi il devait porter davantage d'attention pour comprendre, c'était pourquoi elle était si opposée à son trafic d'espions. Selon son expérience, les femmes de son espèce se souciaient peu d'affaires si abstraites. Depuis quand une femme de naissance douteuse faisait-elle la leçon à son amant aristocrate sur la moralité des intrigues politiques?

Avec un effort, Kit se libéra du regard intimidant de Jack et revêtit une expression furieuse. Posant ses mains sur ses hanches, elle ouvrit la bouche pour le corriger sur le rôle des femmes.

Jack se lança en premier, agitant un long doigt dans les airs pour insister.

— Vous êtes une femme. Vous n'êtes pas le chef d'un gang de contrebandiers. Vous avez joué à être un jeune garçon responsable d'un petit groupe, mais c'est tout.

Son verre vide heurta la table. Il posa ses deux mains à côté de lui et se pencha en avant.

— Si je n'étais pas arrivé et que je ne vous avais pas relevé de votre commandement, vous auriez disparu sans laisser de trace depuis longtemps. Vous ne connaissez rien — *rien* — de l'art de commander des hommes.

Les yeux de Kit lancèrent des pointes violettes. Ses lèvres se séparèrent pour réfuter ses dires.

Jack n'était pas d'humeur à lui laisser une chance.

— *Et* si vous avez l'envie soudaine de me faire la leçon à ce sujet…, je suggère que vous gardiez votre opinion malavisée pour vous !

La fureur se propulsa dans les veines de Kit, anéantissant toute prudence de sa part. Ses yeux se plissèrent.

— Je vois.

Elle étudia la grande silhouette, penchée sur la table de façon à l'intimider, la même table où elle s'était retrouvée allongée, étalée dans un abandon osé, il y a cinq nuits, avec lui, en érection, engorgé, entre ses cuisses largement écartées.

Kit plissa les yeux et mit de côté ses souvenirs qui n'apportaient rien d'utile. Elle se pressa de dire :

— Dans ce cas, je devrai prendre…

Son sixième sens la fit s'interrompre. Elle regarda les yeux gris qui la fixaient. Elle retint sa langue.

— Prendre ?

Le message de Jack prononcé doucement tira des sonnettes d'alarme dans le cerveau de Kit. Le désespoir vint à son secours. Elle releva le menton, masquant sa soudaine incertitude par de l'agressivité.

— Prendre les mesures que je pourrai pour veiller à ce que vous ne vous fassiez pas attraper.

Énervée, elle remit son écharpe. Il était temps qu'elle parte.

Un calme froid s'abattit sur Jack, laissant peu de place à l'émotion. Il comprit tout de suite pourquoi elle était déconcertée.

— Vous voulez dire que vous avertirez les autorités de nos activités ?

Sa déclaration interpella Kit si vite qu'elle n'eut pas le temps d'effacer la vérité de ses yeux. Le moment resta suspendu entre eux, son silence confirmant les conjectures de Jack plus encore que toute confession.

Réalisant le piège dans lequel elle était tombée, Kit rougit. Le déni était vain, alors elle opta pour une autre tactique.

— Si vous continuez à faire passer des espions, vous ne me laisserez pas le choix.

— Qui pensez-vous convaincre ? Spencer ?

Jack avança, lentement, pour faire le tour de la table.

L'esprit de Kit se concentra sur ses mots. Elle haussa les épaules et dressa les sourcils évasivement.

— Peut-être. Mais peut-être aussi que j'irai voir Lord Hendon. C'est sa responsabilité, après tout.

Elle se retourna pour faire face à Jack. Elle le trouva du même côté de la table. Il avançait lentement. Le cœur de Kit se serra. Elle se rappela le moment où, sur la terrasse de la propriété des Marchmont, elle avait sous-estimé sa vitesse. Prudemment, elle recula.

Ses yeux se levèrent pour rencontrer les siens. Elle lut son intention dans son regard gris foncé qui n'avait plus aucune teinte d'argent.

— Que pensez-vous faire ?

L'irritation colora son intonation. Il n'y avait que lui pour décider de se servir du physique juste maintenant.

Malgré ses années d'entraînement, Jack ne pouvait s'arrêter d'admirer la menace qu'elle constituait. Convaincu de pouvoir atteindre la porte avant elle, il s'arrêta à deux mètres d'elle et rencontra son regard améthyste exaspéré.

— J'ai peur, Madame, que vous ne puissiez pas encore partir d'ici. Pas après notre petite discussion.

Jack ne put empêcher un sourire de se former sur ses lèvres tandis que son esprit concoctait le reste de son plan.

— Vous devriez savoir que je ne peux pas vous laisser vous précipiter vers Lord Hendon.

Que Dieu le garde si elle le faisait !

Prudemment, Kit évalua la distance entre eux et décida qu'elle était suffisante. Malgré ses mots, il n'y avait pas de menace ouverte dans son ton ni dans sa posture.

— Et comment prévoyez-vous m'arrêter ? Ne serait-il pas plus facile de simplement arrêter de faire passer des espions ?

Jack secoua sa tête dorée pour nier de façon résolue.

— Pour autant que je puisse voir, dit-il, la meilleure chose que je puisse faire, c'est de vous garder ici.

— Je ne resterai pas, et vous savez que vous dormez à poings fermés.

Jack dressa un sourcil, mais ne tenta pas de nier.

— Vous resterez, si je vous attache les mains à la tête du lit.

Comme les yeux de Kit s'écarquillèrent, il ajouta :

— Vous vous souvenez de la dernière fois que je vous ai attaché les mains ? Cette fois, je vous maintiendrai allongée à plat sur le dos, au milieu de mon lit.

Le désir se manifesta voracement dans le ventre de Kit. Elle l'ignora, clignant des yeux pour dissiper les images qu'évoquaient les mots de Jack, dont le ton était plus grave.

— Ça fera tout un plat si je disparais. On me cherchera dans tout le pays.

— Peut-être, mais je peux vous assurer qu'on ne vous cherchera pas ici.

Son aplomb désinvolte frappa Kit. Un mélange de faits décousus s'assembla. Elle regarda fixement Jack.

— Vous êtes de mèche avec Lord Hendon.

Son ton, qui laissait transparaître la surprise de sa découverte, arrêta Jack. À ses mots, un frisson d'attente le parcourut. Elle était si près de la vérité. Devinerait-elle le reste ? Si tel était le cas, qu'en penserait-elle ?

Ce fut à son tour d'être trop lent dans son déni pour déguiser la vérité. À la place, il haussa les épaules.

— Et si c'était le cas ? Inutile que vous passiez votre temps à y réfléchir. J'ai des affaires plus urgentes vous concernant.

Tout en grommelant sa déclaration d'intention, Jack avança.

Kit recula immédiatement, les yeux écarquillés. Il était fou — elle l'avait pensé assez souvent.

— Jack !

Jack ne prêta pas attention à son avertissement impérieux.

Kit prit une profonde respiration et se précipita vers la porte.

Elle ne fit pas plus que deux pas avant de sentir de l'air dans son dos. Poussant un cri, elle se détourna de la porte. Le corps de Jack la dépassa tout à coup, se plaquant contre les panneaux de bois. Kit entendit le verrou se refermer.

Les yeux grands ouverts, Kit scruta la pièce et vit l'épée de Jack appuyée contre l'armoire. Son cœur s'emballa. Elle attrapa l'épée et se tourna, dégageant violemment la lame brillante de son fourreau. Elle la brandit, la faux argentée fatale décrivant un arc protecteur devant elle.

Jack s'immobilisa, hors de sa portée. Il jura intérieure-ment. Matthew avait trouvé l'épée dans le fond de la pen-derie. Il l'avait sortie et l'avait nettoyée avant de l'aiguiser pour obtenir un tranchant parfait. Manifestement, il l'avait laissée sortie, croyant que son maître pourrait la prendre.

À la place, son maître, en pleine possession de ses sens, aurait maintenant bien envoyé l'épée qu'il portait depuis dix ans et plus au diable. S'il s'était agi d'une autre femme, il aurait avancé calmement et s'en serait emparé. Mais même si Kit devait utiliser ses deux mains pour garder l'épée en équilibre, Jack ne commit pas l'erreur de penser qu'elle ne pourrait pas l'utiliser. Pendant un moment, il ne crut pas qu'elle se ruerait sur lui avec l'épée, mais le temps qu'elle le réalise, son mouvement était déjà trop avancé pour qu'elle s'arrête, étant donné son inexpérience de cette lame particu-lière, lestée pour des balancements cinglants, sans avancer ni parer. Elle ne pourrait pas le tuer, mais elle pourrait causer de sérieuses blessures. La possibilité qu'elle puisse se blesser elle-même était encore plus effrayante.

Cette pensée força Jack à se mouvoir avec précaution. Son regard était rivé sur celui de Kit, l'étudiant, essayant de transmettre un peu de son calme à ses yeux violets effrayés. Il ne savait pas trop à quel point elle était près d'une réelle panique, mais il ne pensait pas qu'elle lui remettrait son épée, pas après ses menaces. Lentement, il fit le tour du lit, s'éloignant d'elle. Elle le suivit des yeux. Ses mouvements étaient déterminés, et elle en était visiblement perplexe.

La respiration de Kit était trop rapide. Elle essaya de contenir sa panique, mais elle n'était plus sûre de rien. Elle fronça les sourcils quand Jack s'arrêta du côté opposé du lit.

Que se préparait-il à faire? Elle ne pouvait atteindre la porte. Il était trop rapide pour ça. Le coin de la pièce était juste à un pas. Elle avait déjà reculé le plus loin possible dans son retranchement protecteur.

Jack se déplaça si vite que Kit eut à peine le temps de voir la forme confuse. Un moment, il se tenait immobile, à quelques dizaines de centimètres, les mains détendues le long du corps. L'instant d'après, il avait saisi les couvertures et les envoyait sur l'épée, les suivant en enjambant le lit pour lui arracher la lame des mains. Par-dessus son cri, Kit entendit le bruit sourd quand l'épée heurta le sol, atterrissant en lieu sûr. Les bras de Jack se refermèrent autour d'elle, tel un piège étrangement protecteur.

Se débattre n'eut absolument aucun effet. Il appuya les jambes de Kit contre le lit, puis il la fit basculer dessus. Kit eut le souffle coupé quand Jack se hissa sur elle. Il utilisa son corps pour maîtriser ses mouvements de lutte, ses jambes coinçant les siennes, ses hanches posant leur poids sur les siennes, ses longs doigts maintenant sa tête, exerçant peu à peu une pression jusqu'à ce qu'elle reste immobile. À moitié étouffée par sa poitrine, Kit dut attendre qu'il bouge pour baisser les yeux sur elle avant d'ouvrir la bouche pour lui frotter les oreilles. Mais aucun son ne s'échappa d'elle. À la place, la bouche de Jack et sa langue remplirent le vide d'un feu chargé de cognac.

Kit sentit ses muscles cesser un à un le combat, se détendant tandis que son goût grisant emplissait ses sens, la réchauffant de l'intérieur. L'idée scandaleuse d'être attachée à la tête de son lit la fit rougir. Tandis que l'effet insidieux se répandit, son esprit accablé rassembla ses dernières défenses. Ça ne pouvait pas arriver. Mais elle n'avait qu'une chance de changer son sort.

Pendant un long moment, Kit se laissa porter par la marée, puis tout à coup, elle actionna chaque muscle contre lui, le poussant fortement jusqu'à le repousser et le faire rouler pour se dégager.

Jack fut surpris par la force de son geste. Mais au lieu de la contenir par son simple poids, il décida de rouler avec elle et de la placer sur lui. Étant complètement au-dessus d'elle, il ne pouvait pas atteindre cette zone particulière de ses fesses qui s'avérait toujours si excitante. Inverser leur position était une excellente idée. Il roula, l'entraînant avec lui.

Sa tête heurta l'extrémité du lit, cachée sous les draps en désordre.

Kit sut immédiatement quand il perdit connaissance. Ses lèvres quittèrent les siennes ; ses doigts glissèrent de ses cheveux. Elle baissa les yeux vers son visage, étrangement dépouillé d'émotions, détendu et en paix. Paniquée, elle gigota pour se dégager. Elle posa une main sur sa poitrine et poussa un soupir de soulagement quand elle sentit son cœur battre régulièrement. Perplexe, elle toucha sous sa tête et trouva le bois arrondi du pied du lit. Le mystère résolu, elle se redressa et le tira plus bas sur le lit, puis prit un oreiller pour y déposer sa tête.

Kit s'assit et fronça les sourcils, maintenant que la menace était terminée. Combien de temps resterait-il inconscient ? D'après elle, son crâne était suffisamment épais, et elle décida qu'un retrait était sa seule option. Elle avait fait de son mieux pour le raisonner. Ses actions, ses mots, ne lui laissaient aucun autre choix que d'agir.

La lumière du soleil de la fin d'après-midi filtrait par la porte de la maison de pêcheur, luisant faiblement le long des tranches dorées des cartes que Jack mélangeait. Ses longs doigts reformèrent le paquet, puis sans tarder, il les étala.

Jack grimaça devant sa main. Il avait beau jouer à la patience, il était désespérément en manque d'activité. Mais malgré les incitations de son moi plus aventurier, il ne pouvait pas faire grand-chose. Quand il s'était réveillé au milieu de la nuit, seul, à soigner son crâne douloureux, il avait d'abord pensé que Kit l'avait assommé. Puis, les derniers moments de leur bagarre s'étaient éclaircis dans sa tête endolorie, et il avait compris. Ce qui s'avéra lui fournir peu de réconfort. Elle avait déclaré catégoriquement qu'elle allait lui occasionner des tas d'ennuis.

Il en fut fort irrité. Il mit de côté ses pensées et regarda les cartes.

Que pouvait-elle faire? Il ne se sentait pas en mesure de deviner étant donné qu'il ne pouvait pas encore comprendre sa véhémence singulière par rapport aux espions. Elle avait menacé d'aller voir Lord Hendon. Il y avait réfléchi en long et en large pour finir par quitter la maison immédiatement après le petit déjeuner, laissant son majordome, Lovis, avec plusieurs instructions étranges. Heureusement, Lovis le connaissait assez bien pour ne pas ressentir la moindre surprise. Avec un peu de chance, aucune autre femme aux cheveux roux ne viendrait inopinément rendre visite à Lord Hendon.

Conduit par une inquiétude grandissante, il était allé à Hunstanton et avait mis Tonkin à l'épreuve. Son message devait avoir été clair, mais l'intérêt de Tonkin pour son « gros gang » s'était transformé en obsession. Malgré ses ordres, Jack ne pouvait absolument pas faire confiance au vieux bagarreur. Il ne pensait pas que Tonkin lui faisait confiance non plus. L'homme n'était pas stupide, juste complètement incompétent. Il avait quitté Hunstanton encore plus inquiet qu'avant.

Ce sentiment, qui avait pris racine dans ses tripes, lui était bien trop familier. Ses années à faire campagne, à la fois ouvertement et secrètement, lui avaient insufflé une vigilance, un sixième sens fort aiguisé, toujours à l'affût du danger. Avec le martèlement régulier des sabots de Champion qui remplissait ses oreilles, il s'était dirigé vers la maison de pêcheur, regardant l'orage se former à l'horizon et grossir, sachant qu'il déclencherait bientôt sa furie, anéantissant ses plans bien conçus. Il ressentit un sentiment d'impuissance absolue face au désastre imminent.

Mais il était habitué à faire face à ce genre de défi particulier et avait depuis longtemps parfait la discipline mentale et physique nécessaire pour passer à travers tout obstacle.

Toutefois, le fait que Kit soit mêlée au danger jusqu'à son joli cou ajoutait une inquiétude supplémentaire à sa nervosité. Théoriquement, il aurait déjà dû prendre des mesures pour annuler la menace qu'elle constituait. En réalité, il semblait pouvoir accomplir peu de choses sans compromettre davantage sa mission. Forcé de passer des heures avant le moment du trafic seul à paresser, il avait eu le temps de considérer ses choix. Le seul qui avait un réel mérite était l'enlèvement. Il devait être prudent pour ne pas se faire voir dans le domaine des Cranmer, mais il pourrait l'emmener ici, en lieu sûr et confortable, pour environ une semaine, jusqu'à ce que le pire soit passé. Si la mission se prolongeait, comme c'était tout à fait possible, il la conduirait au château une fois que la clameur aurait pris fin. Là, en lieu sûr et confortable, elle et lui seraient tous deux en sécurité. Elle serait sa prisonnière, mais après sa première inévitable réaction de colère, il ne pensait pas qu'elle serait offusquée. Il s'assurerait qu'elle serait occupée.

L'idée d'avoir le temps de connaître Kit, d'avoir le loisir de découvrir pourquoi elle pensait comme elle pensait et se sentait comme elle se sentait, s'épanouit devant lui. Jack oublia les cartes, envoûté par un soudain aperçu du futur qu'il n'avait jamais trouvé attirant auparavant. Il avait toujours fermement cru que les femmes avaient un seul véritable rôle dans la vie, celui de satisfaire les désirs des hommes. Une femme d'aristocrate − la sienne, par exemple − porterait ses enfants et s'occuperait de sa maison, agirait comme son hôtesse et contribuerait socialement à son statut. En plus, elle apparaissait dans son esprit plus comme Matthew ou Lovis. Ses nombreuses maîtresses avaient répondu à une seule sphère de responsabilités − la chambre à coucher −, où elles avaient passé la majorité du temps étendues sur le dos à s'occuper de ses désirs. La seule communication qu'il se souvenait avoir eue avec elles était par le biais de gémissements, de plaintes et de curieux petits halètements. Il n'avait jamais été intéressé par ce qu'elles pensaient. Sur aucun sujet.

Rassemblant distraitement les cartes, Jack concentra de nouveau son regard préoccupé. Plus il y pensait, plus il voyait d'avantages à enlever Kit. Après cette nuit, en supposant qu'ils survivraient tous les deux à l'orage qui se rapprochait, il agirait.

Spencer, bien sûr, devrait être mis au courant. Il ne pouvait pas kidnapper la petite-fille du vieil homme, de qui il se souciait manifestement, et lui causer de la peine inutilement. Ça signifiait contourner une de ses règles d'or. Il n'avait jamais, pas même enfant, dit aux autres plus que ce qu'ils avaient besoin de savoir, une habitude qui lui avait été très utile pendant des années. Mais il ne pouvait pas avoir Spencer sur la conscience, pas plus qu'il ne pouvait tolérer que Kit continue sa dangereuse croisade.

En pensant à elle, à cette houri aux cheveux roux, il fronça les sourcils et prit un air sévère. Il ne se serait pas attendu à penser à elle ainsi, mais il était impossible de le renier. Elle était plus que la dernière conquête d'une longue série. Il s'intéressait à elle d'une façon dont il ne se souvenait pas s'être intéressé à quelqu'un d'autre dans sa vie. Une fois qu'il l'aurait mise en sécurité, il n'aurait qu'à enfoncer dans sa tête rousse le résultat qu'il voulait obtenir. Elle devrait améliorer ses manières — plus d'escapades dangereuses.

Serait-elle assez stupide pour essayer de tourner certains des hommes contre lui ? Jack frissonna. Il n'avait aucun intérêt à se torturer lui-même. Chassant ses horreurs imaginaires, il mélangea de nouveau les cartes d'un air résolu.

Dix minutes plus tard, la paix du soleil couchant fut interrompue par le martèlement régulier des sabots en provenance de l'est. Jack leva la tête pour écouter. Le pas assuré et la direction suggéraient que George arrivait à leur rendez-vous en avance. Apercevant l'alezan à la robe luisante qui traversait la clairière, le visage de Jack revêtit un demi-sourire. Il avait besoin de distraction.

George passa la porte, le visage réprobateur.

Le sourire de bienvenue de Jack s'évanouit. Il haussa les sourcils.

George s'arrêta devant la table, son regard rivé sur les yeux gris de Jack. Puis, il regarda le fût sur le buffet.

— Il y a quelque chose là-dedans ?

Grommelant, Jack se leva et alla chercher un verre. Après une seconde d'hésitation, il se prit un verre pour lui et remplit les deux à moitié. Était-ce le début de sa mauvaise passe ?

George apporta une chaise à la table et s'y affala.

Plaçant un verre devant George, Jack regarda son visage sévère. Il reprit son siège.

— Eh bien ? Tu ferais mieux de me parler avant que Matthew arrive ici.

George prit une gorgée et jeta un œil vers la porte ouverte. Il se leva, la ferma, puis revint à la table, mais resta debout.

— Je suis allé voir Amy cet après-midi.

Comme George revêtit un air pensif et abasourdi et qu'il ne rapporta rien de plus, Jack ne put résister.

— Elle veut annuler le mariage ?

George rougit et fronça les sourcils.

— Bien sûr que non ! Pour l'amour du ciel, ne dis pas n'importe quoi ! C'est sérieux.

Jack revêtit un visage de circonstance. George grimaça et continua :

— Quand je suis parti, j'ai parlé à Jeffries, le chef palefrenier des Gresham. Cet homme est une mine d'informations sur les chevaux.

Le ventre de Jack se serra, mais son expression resta inchangée.

Le regard de George ne changea pas.

— Nous avons parlé des lignées dans la région. Il a mentionné une jument arabe noire capricieuse, un pur-sang. Selon Jeffries, elle appartient à une amie d'Amy.

— Une amie d'Amy?

Jack cligna des yeux, et le voile tomba. Il sut alors ce qui se passait. Il aurait dû deviner. Il y avait eu assez d'incohérences dans sa prestation. S'il n'avait pas été si épris d'elle, il l'aurait démasquée il y a longtemps. Il réalisa qu'une certaine partie de lui avait su, mais qu'il n'avait pas voulu faire face à la réalité.

— La meilleure amie d'Amy, confirma George, sa voix grave marquant sa désapprobation. Mlle Kathryn Cranmer. Connue comme Kit par ses intimes.

George s'avachit sur sa chaise.

— Elle est la fille de Christopher Cranmer et la petite-fille de Spencer.

George étudia le regard de Jack.

— Sa petite-fille légitime.

«La petite-fille légitime de Spencer.» Cette pensée tournoya dans l'esprit de Jack à lui donner le vertige. La stupéfaction et l'hébétement occasionnèrent un désir écrasant de s'occuper de Kit et de secouer cette satanée bonne femme comme elle le méritait. Comment avait-elle *osé* courir des risques si scandaleux? Manifestement, Spencer n'avait aucun contrôle sur elle. Jack se fit la promesse de s'assurer que sa houri aux cheveux roux en hauts-de-chausse prendrait pleinement conscience de l'ampleur de ses péchés — non pas qu'elle aurait l'occasion de reporter des hauts-de-chausse. Elle devrait apprendre à prendre grand soin d'elle-même et de sa réputation. En tant que Lord Hendon, il avait tous les droits de faire en sorte que la future Lady Hendon ne prenne pas de risques.

Voilà qui représentait, bien sûr, le couronnement des révélations de George. En tant que Mlle Kathryn Cranmer, Kit était plus que convenable pour occuper le poste vacant de Lady Hendon. Et après leurs récentes activités, il n'y avait aucune possibilité qu'il la laisse échapper au dispositif. Il l'avait emmenée exactement là où il la voulait — et de plus d'une façon. Après le trafic de ce soir, il passerait voir Spencer. Ensemble, ils détermineraient l'avenir d'une houri aux cheveux roux.

Un sourire de plaisir anticipé traversa le visage de Jack.

George le vit et soupira bruyamment.

— D'après cet air idiot, je suppose que les choses entre Kit et toi sont allées bien plus loin que ce qui m'aurait satisfait, n'est-ce pas ?

Jack sourit avec béatitude.

— Bon sang !

George passa une main dans ses cheveux bruns.

— Arrête de sourire. Que diable prévois-tu faire ?

Jack cligna des yeux. Son sourire s'éteignit.

— Ne sois pas idiot. Je vais épouser cette satanée bonne femme, bien sûr.

George le regarda simplement, trop stupéfait pour dire quoi que ce soit.

Jack ravala son irritation du fait que George se serait réjoui de toute autre option. Que George puisse penser qu'*il envisage* une autre option. C'était entièrement de la faute de Kit. Toute femme qui se promenait en hauts-de-chausse était une proie rêvée. Au moins, seul George savait qui elle était. Ensuite, il comprit tout à coup.

— Quand as-tu deviné qu'elle était une femme ?

George cligna des yeux et haussa les épaules.

— Il y a environ une semaine.

Surpris, Jack demanda :

— Qu'est-ce qui l'a trahie ?

Il avait trouvé le déguisement de Kit particulièrement réussi.

— Toi, surtout, répondit George distraitement.

— Que veux-tu dire par « moi » ?

Le ton agressif de Jack saisit de nouveau l'attention de George. Il sourit un court instant.

— La façon dont tu te comportais envers Kit ne pouvait mener qu'à une conclusion. Une issue sur laquelle, j'en suis sûr, le reste du gang a dû sauter. Matthew et moi te connaissons mieux. Ce qui nous a fait nous étonner au sujet de Kit.

— Hum !

Jack prit une gorgée de cognac. Est-ce que les autres ont deviné ? Maintenant qu'elle allait prendre le titre de sa future femme, il se sentait bien plus critique sur le côté aventurier de Kit. Il n'était pas sûr du tout d'approuver qu'elle ait l'audace de faire des choses si extravagantes. Ça augurait mal pour un mariage paisible.

Jack leva les yeux pour voir l'obscurité s'approfondir. Le trafic était prévu immédiatement après la tombée de la nuit. Il espéra que Kit viendrait. Maintenant qu'il avait compris la valeur qu'elle avait, il voulait l'avoir sous sa bonne garde. Il n'avait pas encore décidé comment il organiserait le retour de Kit à Cranmer et l'inévitable rencontre avec Spencer. Mais il la voulait avec lui cette nuit.

Il voulait lui faire part de son opinion, s'excuser, faire sa demande et lui faire l'amour.

Pour l'ordre, il l'ignorait. Il laissait ça dans les mains des dieux.

Chapitre 21

Un vif nordet fouettait les falaises au moment où Kit atteignit la côte. Des nuages noirs filaient devant la lune. Dans la lumière intermittente, elle trouva le gang de Hunstanton, qui déchargeait déjà les bateaux, et les poneys alignés sur la plage. Le ressac était violent; l'écrasement des vagues masquait le bruit des activités. Tandis qu'elle regardait, un léger crachin se mit à tomber.

Plissant les yeux à travers le voile humide, Kit repéra le guetteur de Jack. L'homme était perché sur une butte dominant une bonne partie de la zone. L'arrivée de Kit avait été cachée par les arbres entortillés par le vent, mais il n'aurait probablement pas raté un volume plus important de cavaliers.

Regardant les bateaux, Kit aperçut la silhouette du capitaine Jack, grand et les épaules larges, avançant dans l'eau au milieu des vagues, un fût sous chaque bras. Cette vision n'apporta aucun réconfort à son cerveau torturé.

Que devait-elle faire? Elle avait passé la dernière nuit à débattre seule, l'esprit torturé, tandis qu'elle passait au crible toutes les possibilités, considérait chaque avenue. À la fin, tout reposait sur un point : croyait-elle vraiment que Jack était impliqué lui-même dans une histoire d'espionnage ? La réponse avait été un «non» catégorique, ferme, bien que non corroboré. Pour cela, elle avait conclu que parler à Lord Hendon était le seul moyen sûr d'avancer.

Jack avait admis un lien avec le haut-commissaire, un lien qui impliquait vraisemblablement qu'il fournissait les caves du château en cognac. Avec un peu de chance, son puissant bienfaiteur serait en mesure de réussir là où elle avait échoué et forcerait l'esprit de Jack à raisonner. Elle ne pouvait pas croire que Lord Hendon puisse fermer les yeux sur un trafic d'espions. Elle était sûre qu'elle pouvait lui faire comprendre que Jack n'était pas impliqué personnellement, mais juste malavisé.

Mais Lord Hendon n'était pas chez lui. Elle avait pris son courage à deux mains et s'était rendue au château lors de sa chevauchée de l'après-midi. Le chef palefrenier s'était excusé. Lord Hendon avait quitté la maison tôt. Il ignorait quand il reviendrait.

Elle était retournée au domaine Cranmer encore plus inquiète que lorsqu'elle l'avait quitté. Elle devait s'assurer de parler bientôt à Lord Hendon, ou son courage la déserterait. Ou Jack l'attraperait et l'attacherait à la tête du lit.

Sa menace l'avait forcée à voir la réalité en face. Même si leur liaison n'avait rien d'innocent, elle avait des problèmes de conscience. La culpabilité reposait à présent sur ses épaules, un fardeau lourd et constant. Elle avait perdu toute chance de faire un mariage respectable, ce qui ne lui causait aucun regret, mais elle savait combien Spencer serait affligé s'il l'apprenait un jour. L'emprise de Jack sur elle, sur ses sens, était forte, mais elle était trop avisée pour que ça continue. Le désastre se profilait à l'horizon. Elle ne le savait que trop bien.

Elle s'était donc retrouvée ici, à observer les opérations de Jack dans l'espoir de suivre le prochain espion qu'il ferait passer. Si elle pouvait découvrir le contact suivant, elle pourrait le dire à Lord Hendon comme point de départ d'où pourrait démarrer l'enquête officielle, évitant de mentionner Jack et le gang de Hunstanton. C'était une chose de se montrer vertueux et de condamner des hommes qui faisaient le trafic d'espions. C'en était une autre de trahir des hommes qui, elle le savait, seraient pendus. Elle ne pouvait pas le faire.

Il y avait certains hommes dans le gang auxquels elle ne faisait pas confiance du tout, mais ils n'étaient pas de vrais méchants. Induits en erreur, mal influencés, ils pouvaient commettre des actes idiots, mais depuis qu'elle les connaissait, ils s'étaient comportés comme des êtres raisonnables, si ce n'est honnêtes. Ils n'avaient rien fait qui mériterait la mort. En dehors d'aider des espions.

Le crachin s'intensifia. Une goutte de pluie glissa de son tricorne et coula lentement dans son cou. Kit bougea et regarda vers l'ouest, vers Holme.

Ce que ses yeux virent tendit chacun de ses muscles. Delia, alertée, leva la tête pour regarder une petite troupe de douaniers avancer prudemment le long des falaises. Encore quelques centaines de mètres, et ils verraient l'activité sur la plage.

Étouffant des jurons, Kit se tourna pour regarder le guetteur de Jack. Il pouvait sûrement les voir, non? Une petite flamme fut sa réponse, suivie du bruit d'un coup de feu, immédiatement noyé par le mugissement des vagues. Elle entendit le tir, mais il fut immédiatement évident que ni Jack, ni ses hommes, ni la troupe de douaniers ne l'avaient entendu. Tous procédaient comme avant, imperturbablement.

— Oh, mon Dieu !

Kit restait assise sur Delia, souffrant de son indécision. Il n'y avait aucun moyen pour que le guetteur, se précipitant en bas de son perchoir, puisse se rapprocher suffisamment des hommes sur la plage avant que les douaniers les aient rejoints. Des hommes à pied n'avaient aucune chance contre une troupe à cheval armée de sabres et de pistolets. Son choix était clair. Elle pouvait avertir le gang ou rester assise à regarder leur destruction.

Delia sortit de l'abri des arbres et se dirigea droit vers le sentier de la falaise le plus près. En quelques secondes, Kit fut en bas, puis elle galopa sur le sable vers les hommes près des bateaux.

Jack prit un autre fût à Noah et avança lentement jusqu'au rivage. La marée devenait haute, le sable changeant sous les pieds. Des gouttelettes et de l'écume masquaient les falaises. Le mugissement des vagues noyait tout autre son. Mais le froncement de sourcils sur le visage de Jack n'était pas dû aux conditions. Il était inquiet au sujet de Kit.

Même George ne savait pas la menace qu'elle constituait pour les activités du gang. Cette information mettait trop sa vie en danger pour être partagée, même avec son meilleur ami. Mais le sentiment qu'une tempête se rapprochait, que le sort se resserrait, sur lui et sur elle, s'intensifiait à chaque heure qui passait. Et il ignorait où elle était, encore moins ce qu'elle faisait.

Matthew était arrivé du château avec les nouvelles troublantes qu'elle y était allée, mais qu'elle avait échappé à son dispositif. Le fait qu'elle avait eu la détermination d'essayer de rencontrer Lord Hendon lui causait de sérieux soucis. Incapable de voir le haut-commissaire, livrerait-elle l'information ailleurs ? Jack hissa le tonneau sur le dos d'un poney, espérant qu'il puisse facilement faire abstraction de ses soucis.

Une masse noire floue au coin de son œil le fit pivoter. Il reconnut Kit immédiatement. Au même moment, il comprit la raison de sa vitesse. La tempête était sur le point d'éclater.

L'ordre qu'il hurla fit que tous les hommes doublèrent le rythme, attachant solidement le dernier des fûts. Puis ils se ruèrent sur le dos des poneys de tête. L'effort désespéré pour quitter la plage avait déjà commencé quand George et lui atteignirent la fin du défilé, vers l'endroit où Kit allait s'arrêter.

Kit les vit l'attendre, les mains de Jack ouvertes sur les côtés, prêtes à attraper la bride de Delia et à calmer la jument excitée. Brusquement, elle s'arrêta à une dizaine de mètres, hors de leur portée.

Jack jura et avança.

Immédiatement, Kit fit cabrer Delia sur ses pattes arrière, ses sabots noirs anguleux s'agitant violemment dans les airs. Comme Jack s'arrêta, elle laissa Delia retomber sur le sol, mais garda les rênes bien serrées.

— Les douaniers ! Seulement six. Ils auront fait le tour de la falaise en une minute !

Elle devait crier par-dessus le bruit des vagues.

Jack hocha la tête avec brusquerie.

— Allez vers l'est!

S'il pouvait y avoir un doute quant à la nature absolue de l'ordre crié, son bras pointant vers Brancaster le dissipait. Mais Kit pouvait voir qu'ils ne quitteraient jamais la plage à temps. Les douaniers étaient trop près.

Un cri dans le vent détourna tous les regards vers la falaise. Les douaniers se précipitaient en bas de la crête, leurs chevaux dérapant dans les dunes.

Kit regarda de nouveau les contrebandiers. Les bateaux partaient. Les poneys étaient presque prêts à partir. Matthew était parti chercher les chevaux. Dans cinq minutes, ils seraient tous en sécurité. Ses yeux se rivèrent sur ceux de Jack. Il lut sa décision à cet instant et se rua vers ses rênes. Kit se déplaça plus vite. Elle mit Delia au galop. Vers l'ouest.

— Bon sang!

George rejoignit Jack, regardant, atterré, la silhouette de Kit se réduire.

— Elle ne fera jamais ça!

— Elle le fera! grommela Jack avant d'ajouter tout bas : Elle le doit.

Le filet noir que constituait Kit rejoignit la ligne des vagues, aussi loin de la falaise que possible. Les douaniers la virent galoper vers eux et vérifièrent le pied de la falaise. Comme il apparut clair qu'elle leur passerait devant, ils hésitèrent, puis, avec un cri pour se tenir prêts, ils se mirent en route pour l'intercepter. Mais ils avaient mal évalué la vitesse de Delia et partirent trop tard. Kit passa et se dirigea vers Holme. Poussant des cris et des jurons, les douaniers se lancèrent à sa poursuite.

Ravalant un juron, Jack se tourna et hurla ses ordres, mettant les hommes en route. Bientôt, George et lui furent les seuls à rester. Matthew arriva avec les chevaux. Sautant en selle, Jack cria :

— Il faut qu'elle prenne les terres avant Holme.

Puis, Champion se rua.

Jack se pencha sur le cou de Champion, maintenant le cheval gris à un rythme d'enfer et essayant, malgré les battements de son cœur, de faire le point. Kit avait-elle prévenu les douaniers, puis changé d'avis à la dernière minute ?

Cette pensée tournoya dans sa tête, tel un serpent diffusant son venin de doute. Brusquement, il l'écarta. Kit avait fait partir les douaniers à ses risques et courait maintenant un danger considérable. Il devait se concentrer à sauver sa peau satinée d'abord. Apprendre la vérité viendrait plus tard.

Jack força son esprit à réfléchir. Kit s'y connaissait peu en poursuites et en évasions. D'un autre côté, Delia était l'animal sur quatre pattes le plus rapide de ce côté de la Manche. Mais Holme, sur son promontoire rocheux qui mettait fin à la plage, était proche. Kit ne pourrait semer les douaniers avant de quitter la plage. Elle devait aller dans les terres, prendre les champs ou se diriger vers la côte ouest.

Le crachin s'intensifia. Jack reçut la pluie cinglante sur le visage. Il jura avec volubilité, de façon étendue, la gorge serrée, un frisson funeste parcourant ses veines. Ils se lancèrent derrière les douaniers. Quand ils virent le promontoire, la plage entre eux était déserte. Jack chevaucha vers l'endroit où le sentier battu de la falaise s'étrécissait tandis qu'il remontait la falaise. Le sable était fraîchement et profondément remué. Jack prit son pistolet et fit un signe à George et à Matthew avant de faire grimper Champion tranquillement en haut du sentier. Il n'y avait personne au sommet. Jack descendit de cheval et étudia le sol. George et Matthew chevauchèrent en décrivant de grands arcs.

— Par ici, déclara doucement George. On dirait qu'il y a toute la troupe.

Jack remonta en selle et fit avancer Champion pour voir l'étendue désertique du chemin menant à l'ouest. Quand il atteignit le bout, il revêtit une expression sévère. Kit avait conduit ses poursuivants aussi loin du champ d'opérations du gang de Hunstanton que possible. Elle s'était rendue vers la plage au nord de Hunstanton pour aller au sud le long des larges étendues de sable clair à un rythme que les douaniers ne pourraient jamais égaler. Elle pensait sans doute remonter les falaises quelque part près de Heacham ou Snettisham, pour disparaître dans les champs et les arbres en taillis du domaine Cranmer.

C'était un bon plan, jusqu'à un certain point. Il n'y avait qu'un seul problème. Avec son sentiment d'un destin sombre qui l'opprimait, Jack pria pour que, pour la première fois de sa vie, son pressentiment soit faux.

Sans un mot, il enfonça ses talons sur les flancs de Champion.

Loin devant, dans les bandes de sable clair contre lesquelles clapotaient les vagues du Wash, Kit étreignait le cou de Delia et galopait à vive allure. Une fois qu'elle fut sûre que les douaniers l'avaient suivie, elle avait surveillé son allure, la retenant pour qu'ils restent en vue, s'en tenant fermement à leur but en s'arrangeant pour que sa silhouette monte et descende toujours devant eux. Elle devait atteindre le sommet de la falaise près de Holme, les laissant se rapprocher suffisamment pour qu'ils la voient nettement. Comme des chiots obéissants, ils suivirent le nez collé à sa trace tandis qu'elle les conduisait sur la plage au-dessus de Hunstanton. Maintenant qu'ils étaient trop loin de Brancaster pour causer des problèmes à Jack et sa bande, elle avait l'intention de les perdre et de se diriger en lieu sûr, chez elle.

Les longues enjambées de Delia mangeaient les kilomètres. Kit vit le renfoncement qui marquait le sentier remontant vers Heacham juste devant. Elle retint Delia et regarda derrière elle.

Aucun signe de ses poursuivants.

Kit rejeta sa tête en arrière et rit, l'exaltation parcourant ses veines. Son rire résonna dans les falaises, ce qui la surprit et la poussa à se taire. Ici dans le Walsh, les vagues étaient bien plus modérées que celles qui battaient la côte nord. Tout était relativement silencieux, relativement serein. Réprimant un frisson d'appréhension, Kit dirigea Delia vers le sentier menant à Heacham.

Elle avait presque atteint le bas du sentier quand une horde de cavaliers surgirent, affluant sur la falaise. Il s'agissait d'un autre groupe de douaniers qui aboyaient des ordres qu'elle pouvait à peine entendre. Des flammes jaillirent dans la nuit.

Une douleur brûlante surgit dans son épaule gauche.

Delia recula. Instinctivement, Kit la dirigea tout à coup vers le sud. La jument alla directement au galop. Les rênes lâches, Delia allongea sa foulée, chevauchant rapidement au-delà du champ des pistolets. Les douaniers hurlèrent à sa poursuite.

Kit était sourde à leurs cris.

Résolument, elle tint bon, ses doigts enfoncés dans la crinière de Delia, les crins noirs filandreux fouettant sa joue tandis qu'elle couchait sa tête contre son cou brillant. Les sabots de Delia martelaient le sol, la transportant vers le sud.

Jack, George et Matthew rattrapèrent la petite troupe de douaniers sur la plage au sud de Hunstanton. Les douaniers avaient abandonné la chasse inégale. Ils s'étaient dispersés, mécontents et déçus, puis s'étaient regroupés et s'étaient dirigés vers le sentier qui remontait de la plage.

Caché dans l'obscurité de la falaise, Jack poussa un soupir de soulagement.

Un coup de feu retentit, résonnant de façon inquiétante sur l'eau.

Le sang de Jack se glaça. Il jura entre ses dents. Kit avait été touchée. Il en était sûr.

Les douaniers entendirent aussi le coup. Au lieu de retourner d'où ils venaient, ils firent demi-tour et galopèrent sur la plage. Une fois qu'ils atteignirent une distance suffisante, Jack donna le signal de suivre.

Luttant pour ne pas défaillir et combattant un voile blanc de douleur, Kit s'efforça de se concentrer sur ce qu'elle devait faire. La douleur brûlante dans son épaule lui ôtait sa force. Si elle restait sur la plage, Delia continuerait jusqu'à ce qu'elle tombe de selle. Chaque pas que la jument faisait provoquait des piqûres ardentes dans son épaule, qui ne tarderaient pas à l'anéantir. Et puis, les douaniers la captureraient.

L'image de Spencer surgit dans son esprit. Kit grinça des dents. Elle devait quitter la plage.

Comme en réponse à sa prière, le petit sentier menant en haut des falaises jusqu'à Snettisham apparut devant elle. Suffoquant sous l'effort, Kit fit tourner Delia dans l'étroite ouverture. La jument entama la montée sans plus d'indications.

Des vagues de froideur nocturne l'assaillirent. Kit lutta contre elles. Elle chevauchait avec les genoux et les mains, les rênes pendant inutilement autour du cou de Delia. C'était tout ce que Kit pouvait faire pour distinguer la direction des carrières et conduire Delia vers elles.

Dans son sillage, ses poursuivants continuaient, réclamant sa perte à grands cris, clamant presque leur enthousiasme.

Une brume froide l'enveloppa. Kit étreignit le cou luisant de Delia, la joue contre sa peau humide et chaude. Elle détendit son écharpe sur ses lèvres sèches et tenta de mieux respirer. Et toujours cette douleur.

L'entrée des carrières surgit dans l'obscurité. Obéissant à la faible pression de Kit, Delia ralentit. Utilisant ses genoux, Kit guida la jument dans les carrières. Si elle pouvait rester un certain temps et rassembler ses forces, le domaine Cranmer ne serait pas trop loin.

Delia avança parmi les rochers éparpillés, le martèlement de ses sabots amorti par l'herbe tassée recouvrant les chemins désaffectés. La joue de Kit se levait et retombait à chaque pas. L'obscurité était partout autour d'elle, froide et profonde, vide et indolore. Elle pouvait la sentir l'envelopper. Kit se concentra sur le noir brillant de la peau de Delia. Le noir surgit et remplit ses sens. Le noir l'engloutit. Le noir.

La scène sur laquelle Jack, George et Matthew tombèrent était risible. La troupe de douaniers était restée sur la plage tout le long du sentier de Heacham, puis était remontée jusqu'au sommet de la falaise et avait continué au sud. Ils les avaient suivis tranquillement. Le bruit émanant de Snettisham les avait poussés à s'éloigner et à entrer dans le minuscule village par l'est, restant à couvert.

Ils arrivèrent dans un véritable tollé. Les villageois avaient été réveillés et expulsés de leurs maisons. Une vaste troupe de douaniers fouillait les lieux.

Jack, George et Matthew restèrent sur leurs montures, perplexes. Un regard fut suffisant pour les convaincre que Kit et Delia n'étaient pas présents. Poussant un grognement, Jack tira sur les rênes de Champion. Ils se retirèrent vers un taillis sombre séparé par un champ de l'animation autour de Snettisham.

George amena son alezan à côté de Champion.

— Elle a dû partir.

Jack resta immobile et essaya de le croire, attendant que l'explication libère son cœur que la peur tenait captif. Il finit par soupirer :

— Possible. Vous deux, rentrez ! Moi, je vais vérifier si elle est retournée au domaine Cranmer.

George secoua la tête.

— Non. On restera avec toi jusqu'à ce que tout soit clair. Comment sauras-tu si elle est déjà rentrée ?

— Il y a un moyen avec les écuries. Si Delia y est, c'est que Kit est rentrée.

Le souvenir de la jument qui était restée près de Kit quand il l'avait fait tomber sur la plage il y a déjà bien longtemps le rassurait.

— Delia ne quittera pas Kit.

George grommela, faisant tourner son cheval vers le domaine Cranmer.

Se rendre aux écuries ne fut pas un problème. Vérifier la présence de Delia dans la noirceur fut plus long. Vingt minutes après les avoir laissés, Jack rejoignit George et Matthew à l'extérieur, dans l'enclos de l'écurie, son visage sombre leur indiquant sa découverte.

— Pas là ? demanda George.

Jack secoua la tête.

— Tu penses qu'on lui a tiré dessus ?

Ce fut Matthew, lugubre comme toujours, qui avait mis leurs pensées en mots.

Jack prit une respiration étranglée, puis laissa échapper un bref soupir.

— Oui. Sinon, elle serait ici.

— Elle les a semés à Snettisham, alors elle est probablement entre là-bas et ici.

George sursauta quand Jack lui tapa sur l'épaule.

— C'est ça ! siffla Jack. Les carrières de Snettisham. C'est là qu'elle se sera cachée.

Tandis qu'ils remontaient en selle, George grimaça. Les carrières de Snettisham étaient énormes, de nouvelles tranchées se joignant aux anciennes. Ni Jack ni lui ne les connaissaient bien. Snettisham était trop loin du château Hendon pour avoir été un de leurs terrains de jeu. Contrairement aux Cranmer. Snettisham était juste à côté. Trouver un Cranmer blessé dans les carrières allait prendre du temps, du temps que Kit pouvait ne pas avoir.

George ne tenait pas compte de Champion. Ils revinrent à Snettisham pour voir que les douaniers étaient partis et que le village était tranquille. À l'entrée des carrières, Jack laissa Champion marcher à sa guise. L'imposant cheval gris avança, s'arrêtant de temps en temps pour flairer. George s'étonna de la patience de Jack, puis aperçut son visage. Jack était crispé, plus tendu et grave que George l'avait jamais vu.

Champion les conduisit dans les vieilles tranchées. Soudain, l'étalon se rua. Jack tira sur les rênes, retenant le cheval gris. Se laissant glisser sur le sol, Jack calma la grande bête et fit signe à George et à Matthew de descendre de leur monture. Surpris, ils obtempérèrent, puis ils entendirent des murmures en provenance du dernier virage du chemin.

Matthew prit les chevaux et fit un signe de tête devant l'indication silencieuse de Jack de museler Champion. George suivit Jack vers le virage dans la tranchée.

Son pistolet d'arçon dans une main, Jack se tint dans l'ombre d'un rocher et avança jusqu'à ce qu'il puisse voir le tronçon suivant. Le clair de lune donnait des reflets argentés aux épaules voûtées du sergent Tonkin, qui marchait en traînant les pieds, les yeux rivés sur le sol, sa monture avançant de façon désintéressée derrière lui.

— Je suis sûr que nous l'avons eu. C'est impossible autrement. On l'a *au moins* blessé.

Toujours en train de marmonner, Tonkin continua dans le sentier. Une large ouverture d'un côté attira son attention.

Soudain, il s'arrêta de grommeler et disparut à travers l'entrée.

Jack et George se glissèrent en silence dans son sillage.

Un dégagement s'étendit devant eux. Tout au bout, l'entrée d'un vieux tunnel surgit comme la bouche noire de l'enfer. Devant, aussi noire que l'obscurité la plus noire, se trouvait Delia, la tête levée, les oreilles dressées. Aux pieds de Delia reposait une silhouette décoiffée, allongée et silencieuse.

— Je le savais ! se vanta Tonkin.

Il relâcha les rênes et avança. Delia broncha. Tonkin agita ses mains pour éviter les fougues de l'animal nerveux. Parvenant au corps immobile, il saisit le vieux tricorne et l'ôta.

Le clair de lune éclaira le visage pâle, créant des reflets dans ses boucles rousses.

Tonkin regarda.

— Eh bien, ça alors !

À ces mots, il tomba dans une inconscience paisible, rendu insensible par l'impact du coup de crosse du pistolet de Jack en arrière de son crâne.

Jurant, Jack poussa Tonkin et s'agenouilla à côté de Kit. Les doigts tremblants, il chercha son pouls sur sa gorge. Le battement était là, faible mais régulier. Jack prit une respiration inégale. Il ferma les yeux brièvement et les rouvrit quand George s'agenouilla de l'autre côté de Kit. Elle était étendue sur le ventre. Avec l'aide de George, Jack la tourna sur le dos.

— Bon sang ! s'exclama George, blême. Le devant de la chemise de Kit était imbibé de sang. Le trou dans son épaule saignait encore légèrement.

Jack serra les dents contre le froid qui se diffusait en lui. Des courants d'air gelé contractaient son cœur. Son visage revêtit une apparence glaciale quand il décolla le manteau de Kit de la blessure, luttant pour vaincre le choc et réagir avec professionnalisme. Il avait soigné des soldats blessés assez souvent. La blessure était sérieuse, mais pas forcément fatale. Toutefois, la balle s'était logée profondément dans la chair soyeuse de Kit.

Se tournant, Jack appela Matthew.

— Va chercher le Dr Thrushborne. Je me fiche de ce que tu devras faire, mais emmène-le au domaine Cranmer le plus vite possible.

Matthew grommela et partit.

Jack et George pansèrent la blessure avec les manches déchirées de leurs chemises, qu'ils maintinrent attachées solidement avec leurs foulards. Kit avait déjà perdu une quantité dangereuse de sang.

— Et maintenant? demanda George, qui se redressa sur ses talons.

— On la ramène au domaine Cranmer. On peut faire confiance à Thrushborne.

Jack se leva et claqua des doigts pour appeler Delia. La jument hésita, puis approcha lentement.

— Je dois dire la vérité à Spencer.

— Toute la vérité? dit George en se hissant sur ses pieds. Est-ce bien raisonnable?

Jack frotta un poing sur son front et essaya de réfléchir.

— Probablement pas. Je lui en dirai autant que nécessaire. Assez pour expliquer les choses.

Il attacha les rênes de Delia à la selle de Champion.

— Et pour Tonkin? Il en a trop vu.

Jack lança un regard malveillant en direction du corps inanimé du sergent.

— J'aimerais bien lui faire la peau, mais sa disparition provoquerait trop de remous.

Il serra les mâchoires.

— Nous devrons le convaincre qu'il s'est trompé.

George n'ajouta rien. Il se pencha et prit Kit dans ses bras.

Jack enfourcha Champion, puis il se pencha et prit le corps mou dans les bras de George. Avec précaution, il cala Kit contre sa poitrine, logeant sa tête dans son épaule. Il regarda George, un froncement de sourcils inquiet sur le visage.

— J'aurais besoin que tu viennes au domaine Cranmer. Ensuite, tu devrais rentrer chez toi.

Un léger sourire las, telle une parodie de l'exubérance habituelle du capitaine Jack, apparut malgré son inquiétude, puis s'évanouit.

— Je me sens assez responsable sans que tu en rajoutes.

Chapitre 22

La chevauchée jusqu'au domaine Cranmer représenta les trois plus longs kilomètres que Jack avait jamais parcourus. Kit était toujours inconsciente, ce qui s'avérait une mince chance. Qu'elle soit gravement blessée était assez pénible. Être forcé de la regarder subir la douleur aurait été une torture. Sa culpabilité grandissait, augmentant à chaque foulée de Champion. Sa crainte pour le sort de Kit était bien pire, s'éternisant dans son esprit et menaçant d'obscurcir sa raison par le désespoir.

Au moins, il savait maintenant qu'elle ne les avait pas trahis. Si Tonkin avait appris que son « gros gang » faisait le trafic d'un chargement cette nuit, tous les douaniers de Hunstanton se seraient trouvés sur les plages du nord. À la place, il semblait qu'il ait envoyé une petite troupe patrouiller dans la zone de son obsession. Ils avaient juste eu de la chance.

Le domaine Cranmer se dressa dans le noir. La maison de Kit sommeillait au milieu de jardins sombres, paisibles et sûrs. Jack s'arrêta devant l'escalier principal. Portant Kit dans ses bras, il se laissa glisser de sa selle. George attacha son alezan à un buisson près de l'allée, puis se dépêcha de prendre les rênes de Champion.

— Une fois que je serai à l'intérieur, conduis-le aux écuries avant de partir.

George opina et partit avec le cheval gris.

Jack grimpa l'escalier et attendit devant les portes de chêne massives que George le rejoigne. Quand il arriva, Jack, le visage impassible, fit un signe de tête vers l'imposant heurtoir de cuivre au milieu de la porte.

— Réveille-les !

George grimaça et s'exécuta. Le martèlement entraîna des bruits de pas. Les verrous furent ouverts, puis ce fut le tour des lourdes portes. George disparut dans l'obscurité en bas de l'escalier. Jack passa audacieusement le seuil.

— Votre maîtresse a eu un accident.

Jack scruta les quatre visages masculins choqués devant lui, puis se concentra sur le plus âgé et le plus digne, comme étant probablement le meilleur candidat pour être le majordome de Cranmer.

— Je suis Lord Hendon. Réveillez Lord Cranmer immédiatement. Dites-lui que sa petite-fille a été blessée. Je lui expliquerai dès que je l'aurai montée à l'étage. Laquelle est sa chambre ?

Au cours de cet échange, il s'était avancé avec assurance vers l'escalier. Se retournant, les sourcils levés avec impatience, il pria pour que le majordome croie sa déclaration et ne panique pas.

Jenkins réussit le défi.

— Oui, Monsieur.

Il prit une profonde respiration.

— Henry ici présent vous montrera la chambre de Mademoiselle Kathryn. Je fais immédiatement monter sa femme de chambre.

Jack hocha la tête, soulagé de ne pas devoir faire face à des domestiques hésitants.

— J'ai envoyé mon homme à tout faire chercher le Dr Thrushborne. Il devrait arriver bientôt.

Il commença à monter l'escalier, Henry se pressant en avant, tenant un candélabre en l'air pour éclairer le chemin.

Jenkins suivait.

— Très bien, Monsieur. Un de mes hommes le guettera. J'informerai Lord Cranmer de ce qui se passe en personne.

Jack hocha la tête et suivit Henry dans un couloir sombre à l'intérieur d'une des ailes de la bâtisse. Le valet s'arrêta près d'une porte vers la fin du corridor et l'ouvrit en grand.

Inquiet de la moiteur et de la froideur des vêtements de Kit, les yeux de Jack se portèrent immédiatement vers la cheminée.

— Faites du feu. Aussi vite que possible.

— Oui, Monsieur.

Henry s'attela à la tâche.

Jack traversa la pièce jusqu'au lit à baldaquin. S'agenouillant sur le couvre-lit blanc, il plaça délicatement Kit dessus, ôtant lentement ses bras placés sous son corps, puis arrangeant l'oreiller sous sa tête, mettant le traversin près d'elle pour protéger son épaule blessée. Puis, il se recula.

Et essaya de tenir ses pensées en échec. Il avait expérimenté la guerre, où il avait failli périr deux fois. Mais la crainte obsédante qui menaçait de le posséder à présent était supérieure à tout ce qu'il avait déjà ressenti. L'idée que Kit puisse ne pas survivre vidait son esprit. C'était une possibilité qu'il ne pouvait envisager. Respirant à un rythme irrégulier, il lutta pour concentrer son esprit sur l'endroit où il se trouvait et le moment, sur les tâches qui l'attendaient immédiatement. Les heures suivantes seraient cruciales. Kit devait vivre. Et elle devait être protégée des conséquences de ses actions. Il fallait procéder dans l'ordre. Il devait d'abord lui enlever ses vêtements mouillés.

Jack se tourna pour observer ce que faisait Henry. Le feu crépitait dans le foyer, répandant lumière et chaleur dans la pièce.

— Bien. Maintenant, allez secouer cette femme de chambre, qu'elle se réveille!

Les yeux de Henry s'écarquillèrent.

— Elmina?

Jack fronça les sourcils.

— La femme de chambre de Mademoiselle Kathryn.

Il fit un brusque signe de renvoi avec sa tête, se demandant ce qui n'allait pas avec Elmina.

Henry avala sa salive et sembla indécis, mais partit.

Jack avança devant le feu, frictionnant ses bras pour retrouver sensation et force. Comme Elmina ne venait pas, il jura et retourna à côté de Kit. Délicatement, il détacha le bandage qu'ils avaient fait. La blessure avait cessé de saigner. Il entama la tâche difficile de libérer Kit de ses vêtements mouillés.

Il avait ôté son manteau et détachait maladroitement les lacets de sa chemise quand la porte derrière lui s'ouvrit et se referma. Des bruits de pas rapides, et une femme aux jupes empesées qui bruissaient approcha.

— Mon Dieu ! Ma pauvre petite ! Qu'est-ce qui s'est passé[5] ?

Jack plissa les yeux devant le torrent de français qui suivit de près ces premiers mots. Il regarda la petite femme aux cheveux bruns qui apparut de l'autre côté du lit pour se pencher sur Kit, tendant une main sur son front. Puis, elle remarqua ce qu'il faisait et lui donna furieusement une tape sur les mains.

Jack eut un mouvement de recul devant son assaut féroce et ses mots tout aussi violents. Regardant vers l'extrémité du lit, il vit deux jeunes bonnes hésitantes. Devant leur regard déconcerté, Jack sut qu'elles ne comprenaient pas le français. La virago, probablement Elmina, divisait son temps entre se lamenter au-dessus de Kit et hurler des insultes à Jack. Traduites librement, « canaille » et « charlatan » étaient les moins injurieuses.

Tandis qu'Elmina s'agitait et essayait de le chasser de la pièce, Jack retrouva ses esprits.

— Silence ! dit-il doucement en français. Cessez vos hurlements, femme ! Nous avons besoin de lui mettre quelque chose de sec immédiatement.

Jack se pencha sur Kit et se remit à lui ôter ses lacets. Son français idiomatique avait remis Elmina au pas.

— Nous aurons besoin de bandages et d'eau chaude. Pouvez-vous nous organiser ça ?

Son sarcasme capta l'attention d'Elmina. Elle pesta. Jack la regarda et haussa impérieusement un sourcil. Le regard d'Elmina se reporta sur le corps immobile sur le lit, puis elle se tourna et s'adressa aux deux bonnes :

---

5   N.d.T. : En français dans le texte original.

— Ella, prenez tous les vieux draps que vous pourrez trouver. Demandez à Mme Fogg. Emily, courez à la cuisine et rapportez la bouilloire. Et dites au cuisinier de préparer de la bouillie d'avoine.

Jack secoua la tête.

— Elle ne sera pas capable de manger. Pas avant qu'on lui ait enlevé la balle.

— *Mon dieu*[6] ! Elle est encore là ?

Le dernier lacet fut défait. Jack leva les yeux vers ceux d'Elmina, noirs comme des morceaux de charbon dans un visage pâle qui exprimait son anxiété. Malgré ses mouvements vifs, elle était bien plus âgée qu'il l'aurait pensé. Et, à en juger par sa diatribe, diablement protectrice à l'égard de Kit. Comment son petit chaton avait-il pu échapper à cette mère chatte ?

— Votre maîtresse a de la chance d'être en vie. Elle va avoir besoin d'aide pour le rester. Maintenant, aidez-moi à lui enlever ceci.

Il ôta son couteau aiguisé du fourreau dans sa botte et découpa rapidement sa chemise.

— Venez par ici. Prenez cette serviette.

Retirant la petite serviette pliée sur la table de toilette de Kit, Elmina se pressa d'obéir.

Jack libéra la blessure des morceaux de chemises déchirées, puis couvrit la chair douloureuse avec la serviette.

— Aidez-moi à enlever cette manche.

Avec l'aide d'Elmina, la manche fut ôtée sans abîmer la blessure. Reprenant son couteau, Jack tendit les bras vers les bandages mouillés de Kit.

---

6   N.d.T. : En français dans le texte original.

— *Monsieur[7] !*

Jack répondit presque d'une voix rageuse :

— Quoi encore ?

Les yeux d'Elmina étaient d'énormes ronds noirs. Sous le regard de Jack, elle serra fermement ses mains.

— *Monsieur[8]*, ce n'est pas convenable que vous soyez ici. Je vais prendre soin d'elle.

Convenable ? Jack ferma les yeux de frustration. Ni lui ni Kit n'avaient jamais rien fait de convenable avec leurs corps. Il ouvrit les yeux.

— Bon sang, les femmes ! J'ai vu chaque centimètre carré de peau que votre *pauvre petite[9]* possède. Maintenant, j'essaie de faire en sorte qu'elle vive. On se fiche des convenances !

Il avait parlé rapidement. Elmina prit un moment à tout saisir. Pendant ce temps, Jack glissa adroitement le couteau entre les seins de Kit et découpa les bandes.

Le « *Sacre Dieu[10] !* » d'Elmina fut un faible effort, tandis qu'elle abandonnait le combat à contrecœur. Des allusions marmonnées contre la folie des Anglais et le scandaleux manque de délicatesse affiché par des nobles anonymes ponctuèrent les dix minutes suivantes.

L'eau chaude et les bandages arrivèrent. Jack observa Elmina laver la blessure. Les mains de la femme de chambre étaient stables, son toucher sûr. Une fois que le vilain trou fut nettoyé, il l'aida à y appliquer un tampon de draps déchirés.

---

7   N.d.T. : En français dans le texte original.

8   N.d.T. : En français dans le texte original.

9   N.d.T. : En français dans le texte original.

10   N.d.T. : En français dans le texte original.

La respiration de Kit s'était améliorée, mais son teint restait dangereusement blême.

Jack donna à Elmina des instructions strictes à assumer immédiatement si Kit reprenait connaissance ou si le Dr Thrushborne arrivait. Dans le couloir à l'extérieur de la chambre de Kit, il s'effondra le long du mur et ferma les yeux. Pendant un instant, le désespoir l'envahit. Kit était si immobile, sa peau si froide. Sa respiration était son seul signe de vie. Même si la blessure ne la tuait pas, dans son état de faiblesse, elle pouvait subir une inflammation pulmonaire.

Il essaya d'imaginer sa vie sans elle, mais ne pouvait pas. Brusquement, il ouvrit les yeux et se repoussa du mur. Kit n'était pas encore morte. Si elle pouvait se battre, il serait à ses côtés.

Le visage grave, Jack alla affronter Spencer.

Jenkins attendait en haut de l'escalier.

— Lord Cranmer est dans sa chambre, Monsieur. Si vous voulez bien me suivre.

Jack revêtit un sourire las. Toute expression formelle semblait déplacée. Il soupçonnait qu'il aurait l'air d'un gipsy peu honorable. Et il était sur le point de dire à un des meilleurs amis de son père qu'il avait séduit sa petite-fille.

Les appartements de Spencer étaient dans l'aile opposée. Jenkins cogna à la porte, puis l'ouvrit en grand. Jack prit une profonde respiration et entra.

L'obscurité était dissipée par une seule lampe, éclairant au minimum, posée sur une table au centre de la vaste pièce. Dans la faible lumière au-delà, Jack vit l'homme qu'il avait rencontré à King's Lynn quelques mois auparavant. Emmailloté dans un peignoir, Spencer était assis dans un fauteuil. La crinière de cheveux blancs était la même ; les sourcils en broussaille surplombant ses yeux enfoncés n'avaient pas changé. Mais l'anxiété dans ses yeux clairs était nouvelle, creusant des rides autour de ses lèvres serrées, approfondissant les ombres dans ses joues creuses.

Maintenant le regard de Spencer, Jack s'arrêta juste dans la tache de lumière, conscient du raidissement de Spencer quand il vit ses étranges habits. Brusquement, Spencer leva une main et congédia le petit homme qui se tenait immobile à côté de lui.

Tandis que la porte se fermait, Spencer leva son menton avec agressivité.

— Alors ? Que se passe-t-il avec Kathryn ? Et vous ?

Se sentant comme s'il faisait face à un tribunal militaire, Jack réprima son arrogance naturelle et répondit simplement et franchement :

— J'ai bien peur que Kit et moi soyons devenus plus proches que ce qui est acceptable. En bref, je l'ai séduite. Le seul fait que je peux vous présenter pour ma défense, c'est que je ne savais pas à l'époque qu'elle était votre petite-fille.

Spencer ronchonna, incrédule.

— Vous n'avez pas reconnu la couleur de la famille ?

Jack inclina la tête.

— Je savais qu'elle était une Cranmer, mais…

Il haussa les épaules.

— Il y avait d'autres possibilités.

Le regard de Spencer devint cinglant.

— Elle vous a conduit à penser qu'elle était quelque chose qu'elle n'était pas, c'est ça ?

Jack hésita.

— Vous feriez aussi bien de tout me dire, déclara Spencer. Je ne risque pas de m'évanouir devant le choc. Elle vous a dit qu'elle était illégitime, c'est ça ?

Jack grimaça, se souvenant de leur première nuit, il y a si longtemps.

— Disons simplement que lorsque j'ai émis clairement ma supposition, elle ne m'a pas corrigé. J'avais du mal à croire que votre petite-fille chevauchait la région seule la nuit en hauts-de-chausse.

Spencer soupira profondément. Lentement, il baissa la tête. Pendant un long moment, il regarda dans le vide, puis d'une voix bourrue, il marmonna :

— C'est ma faute. Inutile de le nier. Je n'aurais jamais dû la laisser devenir si aventurière.

Des minutes passèrent. Spencer semblait plongé dans une profonde tristesse. Jack attendit, ne sachant pas trop ce qui se passait dans la tête du vieil homme. Puis, Spencer secoua la tête et le regarda droit dans les yeux.

— Inutile de se lamenter sur le passé. Vous dites que vous l'avez séduite. Que prévoyez-vous faire maintenant, hein ?

Les lèvres de Jack firent une moue ironique.

— Je vais l'épouser, bien sûr.

— Grand bien vous fasse !

Les yeux perspicaces de Spencer se plissèrent.

— Vous croyez que vous apprécierez ? Vous retrouver ainsi marié à un chat sauvage !

Jack sourit un court instant.

— J'ai très hâte.

Spencer ronchonna et lui indiqua un fauteuil.

— Vous ne semblez pas particulièrement né de la dernière pluie. Mais Jenkins a dit que Kit avait été blessée. Que s'est-il passé ?

Jack tira un fauteuil vers la table et s'assit, se servant de cet instant pour rassembler les éléments essentiels de son récit.

— Kit et moi nous rencontrions la nuit à la vieille maison de pêcheur à la limite nord de mes terres.

Spencer hocha la tête.

— Oui. Je la connais. On l'utilisait pour aller pêcher avec ton père.

— J'étais en route pour m'y rendre ce soir quand j'ai entendu du vacarme. Des tirs et des cavaliers. Je suis allé vérifier. Depuis les falaises, j'ai vu une chasse sur la plage. Les douaniers suivaient un cavalier. Seulement le cavalier, c'était Kit.

— *Ils lui ont tiré dessus ?*

La question incrédule de Spencer resta suspendue dans les airs. La soudaine rigidité de son corps massif était alarmante.

— Elle va bien, se pressa de le rassurer Jack. La balle s'est logée dans son épaule gauche, mais trop haut pour être fatale. J'ai envoyé chercher Thrushborne. Il l'enlèvera, et elle ira bien.

Jack pria pour que ce soit vrai.

— J'aurai leur peau ! Je les enverrai se balancer à leur propre potence ! Je…

Spencer s'arrêta, le visage cramoisi de rage.

— Je préfère penser que nous devrions y aller en douceur, Monsieur.

Le ton calme de Jack eut l'effet désiré. Spencer se tourna vers lui.

— Voulez-vous dire que vous laisseriez ces bâtards s'en sortir en ayant fait un fichu trou dans votre future femme?

Les yeux furieux de Spencer le poussèrent à avouer un point faible.

— Euh... Voyez-vous, c'est justement là le problème, dit Jack en soutenant le regard de Spencer. Ils ne savent pas qu'ils ont tiré sur ma future femme.

Le silence qui suivit fut rompu par un craquement quand Spencer se cala dans son fauteuil.

Jack examina ses mains.

— Tout compte fait, je préfère que les autorités ne sachent pas que ma future femme se promène à cheval la nuit vêtue exactement comme un homme.

Spencer finit par soupirer profondément.

— Très bien. Faites à votre façon. Dieu sait que je n'ai jamais été bien bon pour réfréner les comportements de Kit. Peut-être aurez-vous plus de succès.

Se souvenant qu'il n'avait pas réussi à faire céder le jeune Kit comme il l'avait prévu, Jack n'était pas vraiment confiant sur ce point.

— Il y a une complication.

Spencer releva la tête, rappelant énergiquement à Jack un vieux taureau prêt à charger.

— Tonkin, le sergent de Hunstanton, a vu Kit sans le chapeau et l'écharpe qu'elle utilisait pour cacher son visage. Il l'a bien vue avant que je l'assomme. Quand il reviendra à lui, il viendra dans le coin aussi vite qu'il pourra.

L'expression sur le visage de Spencer suggérait qu'il aimerait enfermer Tonkin dans un cachot et que cela en serait fini. Il demanda à contrecœur :

— Alors, que faisons-nous ?

— Il va venir poser des questions et voudra voir Kit. La dernière personne qu'il s'attendra à voir, c'est moi. Il a besoin de ma permission pour aller plus loin que des questions. L'histoire que nous lui raconterons, c'est que j'ai dîné ici ce soir, avec vous et votre petite-fille — une célébration très privée de nos fiançailles. Je suis resté assez tard à discuter des arrangements avec Kit et vous. Votre santé étant incertaine, le mariage devra être une petite cérémonie qui devra se tenir dès que possible.

L'expression de Spencer devint sévère, mais il ne dit rien.

Jack continua :

— Le lendemain matin, je serais venu tôt pour vous voir seul, pour discuter du contrat de mariage. C'est la raison pour laquelle je serai ici quand Tonkin arrivera.

— Et s'il insiste pour voir Kit ?

— Je doute qu'il insiste. Pas si je suis ici. Mais le cas échéant, Kit sera allée rendre visite aux Gresham pour donner la nouvelle à son amie Amy.

Spencer hocha la tête lentement, réfléchissant au plan.

La porte s'ouvrit, et Jenkins entra.

— Le Dr Thrushborne est arrivé, Monsieur. Il a demandé à voir Lord Hendon.

Jack se leva. Spencer se redressa pour faire de même avec des difficultés évidentes. Jack lui fit un geste pour qu'il reste assis.

— Kit est inconsciente pour le moment. Il n'y a rien que vous puissiez faire.

Tandis que Spencer se cala dans le fauteuil, respirant bruyamment, Jack ajouta :

— Je vais y aller et je vous dirai ce que Thrushborne a dit.

Le visage pâle, les lèvres pincées, Spencer hocha la tête. Jack fit de même, puis repartit vers la chambre de Kit.

« Mon Dieu, pourvu qu'elle vive ! »

Parler à Spencer avait été assez pénible. Il partageait une part de responsabilité pour l'extravagance de Kit. Mais Jack ne pouvait pas excuser son propre comportement. Il aurait dû agir plus tôt, plus résolument, plus efficacement. Il aurait dû prendre plus soin d'elle. Au moins, Thrushborne était ici. Il soignait les Hendon et les Cranmer depuis des décennies. On pouvait compter sur lui pour qu'il ne parle pas. Jusqu'ici, ça allait. Mais il y avait encore du chemin à parcourir avant qu'ils soient sortis des problèmes.

Jack entra dans la chambre de Kit sans frapper. Une petite tornade noire s'abattit sur lui.

— Dehors ! *Monsieur*, nous n'avons pas besoin de vous ! Vous êtes dans nos jambes. Vous…

— Elmina, arrêtez ça ! J'ai demandé à Lord Hendon de venir.

Le ton léger du Dr Thrushborne arrêta Elmina au milieu de sa foulée. Jack la contourna. Thrushborne s'essuyait les mains avec une serviette propre. Non loin de lui, ses instruments étaient posés sur une table installée près du lit.

Thrushborne regarda Jack. Il fit un geste vers le corps immobile de Kit et haussa un sourcil interrogateur.

— J'ai cru comprendre que vous connaissiez très bien cette lady ?

Jack ne prit pas la peine de répondre.

— Est-ce qu'elle va vivre ?

C'était la seule question qui l'intéressait.

Thrushborne haussa les sourcils.

— Oh, oui. Je le crois bien. C'est une jeune femme robuste, comme vous le savez sans doute. Elle ira assez bien une fois qu'on lui aura enlevé ce morceau de métal.

Jack soupçonna Thrushborne de s'amuser de la situation. Ce n'était pas souvent qu'il avait un Hendon à sa merci. Mais Jack ne pouvait ôter son regard du corps immobile sur le lit. Il se fichait du reste et des autres.

Thrushborne s'éclaircit la gorge.

— J'aurais besoin que vous la teniez pendant que j'extrairai la balle. Elle est tout juste inconsciente, mais je ne veux pas encore lui donner de calmant.

Jack hocha la tête, se préparant à affronter l'épreuve à venir. Il obéit aux ordres de Thrushborne sans réserve, essayant de ne pas faire de mal à Kit tandis qu'il maintenait son épaule droite et était penché sur son bras gauche pour l'immobiliser. Quand les pinces du médecin s'enfoncèrent, elle gémit et lutta, essayant férocement de se dégager. Ses geignements torturaient Jack. Quand les larmes coulèrent sous ses paupières fermées et qu'un sanglot étranglé s'échappa d'elle, son estomac se contracta. Serrant les dents, Jack passa en revue mentalement tous les jurons qu'il connaissait et se concentra pour obéir aux ordres. Elmina rôdait, murmurant d'un ton apaisant, soutenant la tête de Kit, humectant son front avec de l'eau de lavande. D'après ce que Jack pouvait en juger, Kit ne ressentait rien sauf la douleur.

Finalement, Thrushborne se redressa, brandissant ses pinces.

— Je l'ai !

Il était radieux. Ensuite, après avoir posé les pinces dans un bassin, il concentra son attention à étancher le sang qui coulait à présent librement.

Pendant que Kit était bandée et qu'on lui administrait du laudanum, Jack se sentit étourdi et faible.

Prêt à partir, Thrushborne se tourna vers lui.

— Je suppose que je ne dois avoir rien vu du tout ayant rapport avec Mademoiselle Kathryn ?

Rassemblant ses esprits, Jack secoua la tête.

— Non. On vous a fait venir pour voir Spencer.

Le médecin fronça les sourcils.

— Ma gouvernante a vu votre homme venir me chercher. Comment l'expliquer ?

— J'étais ici quand Spencer s'est senti mal et j'ai envoyé Matthew plutôt qu'un membre du personnel de Spencer.

Thrushborne hocha vivement la tête.

— Je repasserai dans la matinée… pour voir Spencer.

Lui adressant un sourire las mais reconnaissant, Jack lui serra la main. Thrushborne partit. Elmina suivit, prenant les lambeaux souillés de sang pour les brûler. Seul avec Kit, Jack s'étira pour se détendre. Il devait voir Spencer et s'assurer que les domestiques, à la fois ici et au château Hendon, avaient suffisamment bien compris comment jouer leur rôle. Il ne doutait pas que ce soit le cas. Les Hendon et les Cranmer étaient servis par des gens du coin, dont les familles vivaient et travaillaient dans leurs propriétés. Tous se rallieraient à leur cause. Tonkin était extrêmement détesté de tous ceux qui le connaissaient. Les douaniers en général n'étaient aimés de personne. Avec de la prudence et de la prévoyance, tout devrait bien se passer. Poussant un long soupir, Jack se tourna vers le lit.

Kit reposait sagement allongée, mais pas étendue de manière osée comme il était habitué à la voir. Il faudrait du temps avant qu'il la revoie comme ça. Combien de temps? Trois semaines, peut-être quatre? Jack réfléchissait à l'attente, et grâce à sa seule détermination, il retint la pensée qu'il aurait pu ne jamais la revoir ainsi. Elle vivrait; elle le devait. Il ne pourrait vivre sans elle. L'espace à côté d'elle était invitant, mais Spencer attendait, et Elmina reviendrait bientôt. Soupirant bruyamment, Jack baissa les yeux devant la beauté silencieuse. Sa poitrine se levait et se baissait sous le drap, une respiration peu profonde mais régulière. Jack tendit une main pour ôter une boucle soyeuse de son front lisse, puis se pencha pour embrasser délicatement ses lèvres pâles.

Il se força à se retirer. Elmina avait dit qu'elle surveillerait Kit pendant le reste de la nuit, et Spencer devait attendre.

— Sergent Tonkin, Monsieur.

Jenkins tenait la porte de la bibliothèque ouverte avec un air condescendant.

Passant le seuil, le sergent Tonkin hésita, son chapeau réglementaire serré dans ses mains. Apercevant Spencer derrière le bureau, Tonkin se dirigea dans cette direction avec une démarche des plus confiantes.

Spencer le regarda approcher, ses traits aristocratiques revêtant une expression d'ennui et de calme. Depuis un fauteuil à mi-chemin de la longue pièce, Jack étudiait le visage de Tonkin. Le sergent ne l'avait pas vu tellement il était concentré sur son but. Un air de belligérance et de suffisance flottait autour de Tonkin tandis qu'il s'arrêta sur le petit tapis devant le bureau et saluait.

— Monsieur, commença Tonkin. Je me demandais si je pouvais dire un mot à Mlle Cranmer.

Les sourcils touffus de Spencer se baissèrent.

— À ma petite-fille ? Pourquoi ?

La question sèche et directe fit sourciller Tonkin. Il s'appuya sur son autre jambe.

— Nous avons des raisons de croire, Monsieur, que Mlle Cranmer pourrait nous aider dans notre enquête.

— Comment diable pensez-vous que Kathryn puisse connaître quoi que ce soit de vos affaires ?

Tonkin se raidit. Il lança un regard rapide à Spencer, puis il gonfla sa poitrine. Prenant un ton pompeux, il déclara :

— Certains de mes hommes ont pourchassé le chef des contrebandiers la nuit dernière. On a tiré sur cet homme... en fait, sur ce chef. J'ai trouvé le type — le chef — dans les carrières.

— Et alors ? demanda Spencer, le regard à présent impatient. Si vous avez eu cet homme, quel est le problème ?

Tonkin rougit. D'un doigt, il tira sur son col.

— Mais nous ne l'avons pas eu... je veux dire, ce chef.

— Vous *ne l'avez pas eu* ? dit Spencer en se penchant en avant. L'homme était blessé, et vous l'avez laissé s'enfuir ?

Observateur, Jack sentit le moment où l'obsession de Tonkin vint à son secours. Au lieu de perdre sa contenance sous l'intensité du regard de Spencer, il se tint droit comme la justice, et ses yeux perçants devinrent soudain résolus.

— Avant que les autres membres du gang m'assomment, j'ai réussi à bien voir le type. C'est une...

Serrant les dents, Tonkin prit une profonde respiration, puis continua :

— J'ai bien vu le visage du chef. Des boucles rousses, Monsieur.

Tonkin prononça ces mots avec délectation.

— Et un visage pâle aux traits délicats avec un petit menton pointu.

Comme Spencer avait simplement le regard vide, Tonkin ajouta :

— Un visage de *femme*, Monsieur.

Le silence remplit la bibliothèque.

Comme Spencer se renfrogna, Tonkin hocha la tête de manière décisive.

— Exactement, Monsieur. Si je ne l'avais pas vu de mes propres yeux, j'aurais ri à cette idée aussi.

L'expression de Spencer devint ouvertement perplexe.

— Mais je ne comprends toujours pas, Sergent, ce que ceci a à voir avec ma petite-fille. Vous ne pouvez pas sérieusement penser qu'elle puisse vous aider ?

Le visage de Tonkin s'affaissa. Une seconde plus tard, le soupçon brilla dans ses petits yeux malins. Il ouvrit la bouche.

Jack intervint en douceur :

— Je crois vraiment, Sergent, que vous allez devoir expliquer pourquoi vous pensez que Mlle Cranmer pourrait vous aider à identifier et à trouver une parenté avec les Cranmer… plus que Lord Cranmer lui-même. Je dois vous dire que de telles affaires ne sont habituellement pas du domaine des femmes.

Tonkin se retourna avec une expression qui passa de sans défense pendant un instant à simultanément furieuse et extrêmement soupçonneuse. Dès la respiration qui suivit, son masque déplaisant revint en place. Il se redressa et salua.

— Bonjour, Monsieur. Je ne vous avais pas vu, Monsieur.

Puis, il saisit les sous-entendus des mots de Jack.

— Une *parenté*, Monsieur ?

Jack haussa un sourcil, l'air ennuyé.

Se préparant visiblement au combat, Tonkin secoua la tête.

— Non, Monsieur.

Le menton relevé, attirant l'attention, il parla dans les airs au-dessus de la tête de Jack.

— Je sais ce que j'ai vu, Monsieur. Cette femme montait un magnifique cheval noir. J'ai vu de mes propres yeux le trou que mes hommes ont fait dans son épaule.

Tonkin colla fermement ses lèvres ensemble contre l'impulsion d'indiquer *quelle* épaule. Croisant son regard, Jack comprit. Une détermination fanatique flamboyait dans les yeux perçants de Tonkin, qui, le menton belliqueux, regarda Spencer de biais.

Jack réprima l'envie de l'étrangler.

— Peut-être, Sergent, que si vous nous disiez exactement ce qui s'est passé, ce monsieur serait en mesure de vous aider à clarifier cette affaire, n'est-ce pas ?

Tonkin hésita, son regard passant de Jack à Spencer, puis dans l'autre sens, avant de hocher la tête très lentement. Et il commença à raconter son histoire avec détermination.

Dans son lit, à l'étage, Kit était étendue sur le dos et essayait de se souvenir comment elle était arrivée là. Son épaule brûlait. Pendant une minute, elle se sentait bouillante et, l'instant d'après, aussi froide que la glace. Les yeux fermés à cause de la lumière, elle entendit la porte s'ouvrir et se fermer.

— Le sergent Tonkin est ici, Mademoiselle.

Kit identifia le chuchotement comme venant d'Emily, une des bonnes d'en haut.

— Jenkins vient de le faire entrer dans la bibliothèque.

— C'est le douanier, c'est ça ?

Elmina répondit depuis la cheminée. Kit se renfrogna. Le douanier ? *Ici ?*

— C'est une terrible brute, celui-là, expliqua Emily. Il a demandé à voir Mademoiselle Kathryn. Jenkins a dit qu'il avait vu son visage.

La réaction d'Elmina fut dédaigneuse.

— Monsieur va s'en occuper. Et puis Lord Hendon est ici aussi, non ? Soyez rassurée. Tout ira bien.

— Elmina !

Kit se redressa difficilement sur son coude sain, grimaçant à cause de la douleur dans son épaule gauche. Son faible appel amena Elmina et Emily à se précipiter à son chevet.

— Donnez-moi ma robe gris perle. Vite !

Son visage revêtant une expression d'horreur, Elmina resta figée sur place.

— Non, non, *petite*[11] ! Vous êtes trop faible pour vous lever ! Vous rouvririez votre blessure.

— Si je ne descends pas et que je ne laisse pas Tonkin me voir, je risque de ne pas vivre pour guérir de toute façon.

Serrant les dents, Kit réussit à s'asseoir sur le bord du lit. Soudain, elle se souvint très bien de tout. Fermant les yeux, elle lutta contre des vertiges.

— Bon sang, Elmina ! Ne discutez pas... ou je le ferai moi-même.

La menace fonctionna, comme d'habitude. Marmonnant, Elmina se rua vers la penderie. Revenant quelques minutes plus tard avec la robe grise et les sous-vêtements de Kit, elle se risqua :

— Lord Hendon est en bas.

— J'avais entendu.

Kit regarda ses vêtements et se demanda comment elle allait s'en sortir. Elle devait éviter à tout prix de lever son bras gauche. Elle portait une robe de nuit au tissu délicat avec un col haut orné de fanfreluches. Elle avait choisi la robe grise en raison de son encolure, ronde et assez haute pour cacher ses bandages. Si elle portait la robe sur sa chemise de nuit, avec un peu de chance, Tonkin ne verrait rien.

Réprimant ses vertiges, elle se leva. Avec une voix dénuée de toute force inutile, elle dirigea Elmina pour l'aider à s'habiller et à passer le corsage par-dessus son épaule blessée. Elle se sentait faible comme un chaton nouveau-né. Le simple fait de se tenir debout représentait un effort.

---

11   N.d.T. : En français dans le texte original.

Tandis qu'Elmina laçait rapidement la robe, Kit pensa à ce qui pouvait transpirer en bas. Si Tonkin avait vu son visage, elle doutait qu'il parte sans avoir posé les yeux sur elle. Elle espéra que Spencer ne perde pas patience avant qu'elle descende. L'aspect le plus curieux était la raison pour laquelle l'insaisissable haut-commissaire avait choisi cette journée particulière pour rendre une visite matinale. Peut-être que si elle jouait assez finement, elle pourrait obtenir son aide pour se débarrasser de Tonkin. Ensuite, plus tard, elle lui parlerait de Jack et lui demanderait son aide dans cette affaire aussi.

Pour l'instant, elle ignorait comment elle allait réussir avec Spencer, qui aurait toujours un œil sur elle. Elle s'en inquiéterait une fois que Tonkin serait parti.

Elmina finit de lacer la robe et s'empressa de brosser les cheveux de Kit. Puis, Kit baissa les yeux. La pièce oscilla, et elle leva rapidement la tête. Fixant son regard sur son miroir de l'autre côté de la pièce, elle essaya de faire un pas ou deux. Ça allait être risqué, mais elle devait réussir à tout prix. Elle redressa le menton. Elle n'avait rien fait dont elle puisse avoir honte. Elle n'allait pas laisser une brute de sergent traîner le nom des Cranmer dans la boue.

En bas, Tonkin s'efforçait de garder la tête hors de l'eau. Devant l'incitation maligne de Jack, il avait expliqué ce qui s'était passé, en détail. Une fois racontés d'une autre manière, ses efforts de la nuit avaient perdu beaucoup de leur gloire.

Une fois cela accompli, Jack se cala dans son fauteuil et engagea calmement Spencer dans une discussion détaillée sur toute la «parenté» connue actuellement. Tout le long, il garda un œil attentif sur Tonkin, remarquant l'impatience grandissante du sergent — et son irritation qui s'intensifiait. Bien que faisant l'objet d'un considérable découragement, Tonkin n'était pas sur le point de laisser tomber. Comme Spencer arrivait à la fin de la liste des enfants illégitimes connus de son fils, Jack ajouta calmement :

— Mais je crois que le sergent a dit que le visage qu'il avait vu était nettement féminin. C'est exact, Tonkin ?

Tonkin cligna des yeux, puis hocha la tête avec empressement.

— Oui, Monsieur. Un visage de femme, c'est ça.

Spencer fronça les sourcils, puis secoua la tête.

— Je ne vois aucun homme Cranmer avec des airs féminins.

— J'hésite à suggérer quelqu'un, dit Jack, mais est-il possible que ce soit une femme ?

Il put presque entendre le soupir satisfait de Tonkin.

— Impossible, répondit Spencer sans hésitation. Il n'y a qu'une fille dans la famille ; c'est Kathryn, et il va de soi que ça ne peut être elle.

Avec un sourire fugace, Jack acquiesça pour exprimer son accord.

Il fallait voir le visage consterné de Tonkin.

— Pardonnez-moi, Monsieur, mais pourquoi ça ?

Spencer le regarda, la mine renfrognée.

— Pourquoi ça, Sergent ?

Tonkin serra les dents.

— Pourquoi est-ce que ça *ne pourrait pas* être Mlle Cranmer, Monsieur ?

Jack et Spencer le fixèrent tous deux, puis ils éclatèrent de rire. Tonkin rougit. Son regard fort suspicieux passa de l'un à l'autre.

Spencer se reprit le premier, agitant les mains d'avant en arrière.

— C'est une bonne plaisanterie, Sergent, mais je peux vous assurer que ma petite-fille ne fréquente pas les contrebandiers.

Tonkin réagit comme si on l'avait giflé.

— Je pense que, peut-être, ajouta Jack, sentant la belligérance croissante de Tonkin, le sergent devrait être mis au courant. Ainsi, il pourra accepter l'innocence de Mlle Cranmer comme un fait éprouvé. Mlle Cranmer a dîné avec nous deux, hier soir. Nous sommes restés tard, avec Mlle Cranmer, à discuter des détails de nos noces imminentes.

Jack, visiblement très sûr de lui, sourit à Tonkin.

— Des noces ? dit Tonkin en le fixant.

— Exactement.

Jack ajusta le poignet d'une de ses manches.

— Mlle Cranmer et moi allons nous marier sous peu. L'annonce sera faite probablement demain.

Jack sourit de nouveau, toujours plein d'assurance.

— Vous pouvez être un des premiers à nous souhaiter vos vœux de bonheur, Tonkin.

— Euh… Oui, bien sûr. C'est que… J'espère que vous serez très heureux, Monsieur…

Tonkin hésita à s'arrêter.

La porte derrière eux s'ouvrit.

Les trois hommes se tournèrent. Trois paires d'yeux se rivèrent sur la silhouette grise élancée qui apparut sur le seuil. Le choc transparut, également, sur les trois visages.

Kit le vit et avança avec grâce, comblant le vide révélateur.

— Bonjour, Grand-père.

Elle traversa la pièce pour se placer à côté de Spencer. Plaçant sa main droite sur son épaule, elle posa un baiser respectueux sur sa joue, reconnaissante que l'impassibilité ait jeté comme un voile sur ses traits. Se redressant, réprimant la vague de douleur étourdissante qui menaçait de l'engloutir, elle regarda directement Tonkin.

— J'ai appris que le sergent Tonkin désirait me voir. Comment puis-je vous être utile, Sergent?

C'était une démarche hardie. Jack retint son souffle, se demandant si Tonkin pouvait voir combien elle était pâle. Pour lui, son état était évident, mais apparemment, Tonkin n'avait jamais posé les yeux sur Kit avant la nuit dernière. Tendu, Jack ordonna à ses muscles de se relâcher. Il s'était levé à l'instant où Kit était apparue. Ce ne fut qu'au prix d'un effort suprême qu'il étouffa le désir accablant de se placer à ses côtés. Comment diable avait-elle pu s'habiller et descendre l'escalier? C'était un miracle. Combien de temps elle resterait debout était un souci majeur. Elle l'avait vu en entrant. Tandis que son regard avait glissé sur lui, il avait décelé le choc de l'avoir reconnu sous le voile de la douleur.

Le sergent Tonkin la regardait simplement, interloqué. Son regard se déplaça vers Jack, puis Spencer, et ensuite, furtivement, il jeta un coup d'œil vers Kit, s'attardant sur son épaule gauche.

Consciente de son insistance, Kit se tint droite, l'air détendu et franc, attendant que Tonkin parle de ses affaires. Sa prise sur l'épaule de Spencer n'était rien d'autre qu'une étreinte de survie. Heureusement, Spencer avait posé sa main sur la sienne, la chaleur de sa grande main transmettant à Kit assez de force et de support pour qu'elle reste consciente. Elle s'y accrocha sans scrupule.

De là où elle se tenait, Kit pouvait voir l'expression de Spencer, hautaine et arrogante, lorsqu'il regardait Tonkin. Un silence étrange les entourait tous.

Jack le rompit, avançant nonchalamment du côté de Kit.

À l'instant où il bougea, il saisit le regard de Kit. Les lèvres légèrement entrouvertes pour faciliter sa respiration de plus en plus difficile, Kit le regarda approcher. Son esprit était ralenti, devenant plus engourdi. On lui avait dit que Lord Hendon se trouvait avec Spencer. Il n'y avait personne d'autre dans la pièce excepté Jack. Et c'*était* Jack, en dehors du fait qu'il était vêtu de façon plus élégante qu'elle l'avait jamais vu. Il se déplaçait avec une grâce alanguie qu'elle reconnut instantanément. L'homme qui l'approchait était un séducteur de premier ordre, qui avait pris ses habitudes récréatives au sein de la ville. L'homme qui l'approchait était aussi Jack. La confusion s'intensifia. Kit résista au désir de fermer les yeux pour y échapper.

Jack s'arrêta à côté d'elle. Elle regarda dans ses yeux et vit son inquiétude et sa force. Il tendit le bras vers sa main droite, la levant de l'épaule de Spencer. Elle le laissa faire, soudain soulagée par le réconfort de son contact. Son autre bras glissa autour de sa taille tel un véritable support.

Conscient de l'image qu'il donnait à Tonkin, Jack porta les doigts de Kit à ses lèvres.

— Le sergent pense vous avoir vue la nuit dernière, ma chère. Votre grand-père et moi étions justement en train de lui expliquer qu'il devait s'être trompé.

Jack sourit de façon rassurante devant ses grands yeux améthyste, incertains et ternes à cause de la douleur.

— Vous serez heureuse d'apprendre que je vous ai fourni un alibi. Même quelqu'un de si sérieux que le sergent Tonkin devra accepter que pendant que vous dîniez avec moi, et plus tard pendant notre discussion sur notre mariage, vous ne pouviez pas simultanément chevaucher dans les collines.

— Ah?

Il ne lui coûta aucun effort pour exprimer la syllabe d'un air dérouté. Kit ôta ses yeux de Jack pour porter son regard confus sur le sergent Tonkin. Le dîner? Un *mariage*? Sa faiblesse s'intensifia. Le bras autour de sa taille se raffermit de façon possessive, protectrice.

La confusion évidente de Kit dissipa les derniers vestiges de certitude de Tonkin. Jack pouvait le voir dans ses yeux, dans le soudain relâchement de ses traits. La pugnacité qui l'avait empêché d'abandonner le laissait à présent décontenancé.

Avalant sa salive, Tonkin salua à moitié.

— Je peux voir que vous ne savez rien à propos de cette affaire, Mademoiselle.

Il regarda Jack avec méfiance, puis Spencer.

— Si vous n'y voyez pas d'inconvénient, Messieurs, je m'en irais.

Jack hocha la tête. Spencer le regarda simplement.

Saluant une dernière fois, Tonkin se tourna et quitta rapidement la pièce.

Dès que la porte se ferma, Spencer se tourna dans son fauteuil, l'anxiété et le soulagement se mêlant dans un chuchotement rageur :

— Alors, qu'est-ce que tout cela signifie, Mademoiselle ?

Kit ne répondit pas. Tandis que la porte se fermait en émettant un bruit sec, elle se pencha contre le bras de Jack et ferma les yeux. La volonté qui l'avait maintenue en état disparut subitement. Elle sentit les bras de Jack se resserrer autour d'elle. Elle était en sécurité. Ils étaient tous en sécurité.

Elle avait entendu la question de Spencer comme s'il l'avait prononcée de loin, étouffée par une brume froide. Poussant un léger soupir, elle céda à l'inconscience qui l'attirait, plus que la douleur, plus que la confusion.

Chapitre 23

Au cours de la semaine suivante, les domestiques du domaine Cranmer et du château Hendon s'efforcèrent de préserver une apparence normale en l'absence de leurs maîtres. Lord Cranmer était gravement malade et alité. Mlle Kathryn Cranmer restait à ses côtés et dans l'impossibilité de voir qui que ce soit en raison des exigences des soins à lui apporter. Lord Hendon était mystérieusement insaisissable comme toujours.

En coulisse, Spencer restait dans ses appartements, trop inquiet pour être d'une grande utilité pratique. Jack passait la plupart de son temps avec Kit, à aider à la soigner. Sa blessure à l'épaule guérissait bien, mais étant donné sa faiblesse, le coup de froid qu'elle avait attrapé dans les carrières s'était vite aggravé. Tandis que la semaine avançait, la fièvre de Kit augmentait. Seul Jack avait la force de s'en occuper facilement, de la cajoler et si nécessaire de la forcer à boire les breuvages que le docteur lui préparait. Seule sa voix pénétrait l'épais brouillard où Kit errait, abasourdie. Faible et désorientée.

Le Dr Thrushborne passait chaque matin et chaque soir, inquiet de l'état de Kit.

— C'est un mélange de plusieurs choses, expliqua-t-il à Jack. Le coup de froid s'est ajouté à la perte massive de sang. Tout ce que nous pouvons faire, c'est maintenir chaleur et calme, et laisser la nature faire son travail.

Deux jours plus tard, il répondit à la question inexprimée de Jack, inquiet et las.

— Le fait qu'elle soit encore avec nous est le meilleur signe. C'est une jeune femme frêle, mais tous les Cranmer sont des plus entêtés. Je ne pense pas qu'elle prévoie déjà nous quitter.

Jack ne put même pas revêtir un sourire. Son monde était centré sur la chambre à l'extrémité de l'aile de la maison. En dehors des visites obligées à Hunstanton pour suivre les soupçons de Tonkin et des apparitions également obligatoires à l'église de Docking le dimanche, il ne quittait pas la propriété. Matthew agissait comme son intermédiaire, transmettant ses ordres au château Hendon et lui fournissant des habits, tout en livrant les messages à George, qui assumait temporairement la direction du gang. Le lit dans la chambre près de celle de Kit avait été fait, ainsi il pouvait grappiller quelques heures de sommeil chaque fois que la fatigue le forçait à céder sa place à Elmina.

Ce n'était pas qu'il se méfiait d'Elmina. Il avait appris qu'elle avait aussi été la femme de chambre de la mère de Kit et qu'elle était celle de sa *petite*[12] depuis sa naissance. Toutefois, comme Spencer, elle était incapable d'exercer un quelconque contrôle sur son ancienne protégée. La deuxième nuit, épuisé, il avait succombé à un profond sommeil et s'était étendu complètement habillé sur le lit dans la chambre

---

12 N.d.T. : En français dans le texte original.

voisine. Il avait été réveillé par une altercation aiguë. Dans la chambre de Kit, il avait été stupéfait de voir Kit, hors du lit, à fouiller dans sa garde-robe, tandis qu'Elmina protestait en vain. Il était entré et avait saisi Kit, ignorant ses coups et les jurons qu'elle lançait à ses oreilles. Il avait découvert qu'elle parlait parfaitement les deux langues.

Même quand il l'avait remise dans son lit, elle s'était battue contre lui, mais elle avait fini par céder à sa force, supérieure à la sienne. Prise de délire, elle n'avait pas reconnu qui il était. Sa confusion la poussant à croire que quelqu'un pourrait s'opposer à elle était évidente. La conviction que son petit chat n'en faisait qu'à sa tête depuis qu'elle avait quitté le berceau s'ancra solidement dans l'esprit de Jack.

Et quand sa fièvre monta, lui ôtant le peu de force qu'elle possédait encore, le laissant la regarder, impuissant, tandis que la mort luttait pour la réclamer, il avait fait le vœu solennel que, si elle était épargnée, il prendrait soin d'elle le reste de sa vie. Sans elle, sa vie ne valait pas la peine — il le savait à présent. Sa propre vulnérabilité le mettait en colère, mais il ne pouvait la renier. Comme il ne pouvait renier son propre rôle dans cette malheureuse mascarade. Quand tout serait fini, elle serait sous sa responsabilité — une responsabilité qu'il exercerait plus sérieusement que n'importe quelle autre dans sa vie.

Kit passa la semaine dans un étrange brouillard, avec des moments de lucidité submergés de voiles de confusion. Son corps était parfois secoué de frissons, parfois sujet à une forte chaleur humide. Son cerveau était terriblement douloureux chaque fois qu'elle essayait de penser. Tout le long, elle fut consciente de la présence protectrice à ses côtés, du roc qui restait immuable au milieu de son monde qui tourbillonnait. Pendant quelques moments épars, lorsqu'elle était pleinement consciente, elle reconnaissait cette présence comme étant celle de Jack. Elle ne pouvait pas comprendre pourquoi il était dans sa chambre. Elle pouvait seulement lui en être reconnaissante.

La fin arriva subitement.

Elle ouvrit les yeux tôt, à l'aube, et le monde avait arrêté de tourner. Elle vit Jack, qui dormait, affalé dans un fauteuil en face du lit. Souriant, elle gigota pour se tourner, afin de mieux apprécier cette vue inattendue. Une douleur émoussée dans son épaule gauche l'arrêta. Fronçant les sourcils, elle revécut la nuit sur la plage et sa course pour échapper aux douaniers. On lui avait tiré dessus, mais elle avait atteint les carrières. Jack devait l'avoir trouvée et l'avait ramenée chez elle.

Souriant devant son inquiétude évidente, qui devait l'avoir poussé à rester la nuit et à braver les foudres de Spencer, Kit tomba sur sa première difficulté. Comment Jack avait-il convaincu Spencer de le laisser rester, pas juste dans la propriété, mais dans sa chambre? Elle essaya de se concentrer, mais son esprit n'y était pas prêt. Des souvenirs fugaces la travaillaient. Le sergent Tonkin l'avait rattrapée quelque part. Peut-être avait-elle été consciente pendant un moment dans les carrières et avait-elle surpris le sergent et ses hommes? Kit se renfrogna, puis haussa mentalement les épaules. Aucun doute qu'il reviendrait la voir.

Penser à Spencer lui rappela qu'elle devrait aller le rassurer dès que possible. Elle savait combien il s'inquiétait quand elle souffrait. Kit fit jouer son épaule. Elle baissa les yeux. Tout ce qu'elle pouvait voir, c'était son bandage. Elle ne ressentait rien de plus qu'une légère douleur.

Son regard se posa sur le corps endormi de Jack, se délectant de ses traits familiers comme d'une boisson apaisante. Ses pommettes et ses sourcils semblaient plus anguleux que dans ses souvenirs. La surface normalement lisse de ses joues était rugueuse en raison de sa barbe de plusieurs jours. Il semblait tout décoiffé, rien à voir avec sa dernière image de lui. Kit fronça les sourcils. De nouveau, ce souvenir fugace la traversa, cruellement insaisissable. Elle grimaça et secoua la tête. Ses paupières étaient lourdes. Il était trop tôt pour se lever. En plus, Jack dormait toujours et semblait avoir besoin de repos. Peut-être qu'elle pourrait sommeiller jusqu'à ce qu'il se réveille ?

Souriant, elle se rendormit.

La sensation d'être regardé pénétra le sommeil de Jack. Ouvrant les yeux, il regarda directement ses améthystes choquées. Kit était réveillée et le fixait comme si elle avait vu un fantôme. L'expression de son visage lui indiqua qu'il n'avait pas besoin de s'inquiéter à savoir s'il devait lui rappeler la scène dans la bibliothèque de Spencer.

— Lord Hendon ?

La faiblesse dans sa voix traduisait plus le choc que la maladie. Soudain, des éclats pourpres surgirent dans ses yeux violets.

— *Vous êtes Lord Hendon !*

Jack tressaillit à cette accusation. Il se redressa et frotta ses mains sur son visage. C'était bien elle de revenir à la vie tout à coup. Tous ses projets d'expliquer les choses avec douceur à une femme docile et déconcertée s'envolèrent. Kit était réveillée, bien vivante, et en total contrôle de ses émotions. Et elle n'avait pas changé le moins du monde.

Kit sursauta quand les mains de Jack quittèrent son visage pour s'abattre sur les bras du fauteuil. Il se leva brusquement, souriant de façon idiote, avec un air à la fois de joie, de plaisir et de pur soulagement. Avant qu'elle puisse rassembler ses esprits, elle se retrouva soulevée de son lit et, dans un enchevêtrement de draps, posée sur ses genoux. Puis, il l'embrassa.

Pour Jack, les lèvres de Kit, chaudes et douces, avaient meilleur goût que l'ambroisie. Têtue, elle les garda fermées contre les siennes. Elle lutta, mais c'était un effort léger — il se sentit parfaitement en droit de l'ignorer.

Kit essaya de protester, mais ses marmonnements tombaient dans l'oreille d'un sourd. Elle était troublée et en colère — et elle avait l'intention de le lui dire avant qu'il monopolise son esprit. Mais il était déjà trop tard. Une chaleur familière la parcourut. Elle maintint ses lèvres bien fermées, seulement pour sentir son corps réagir honteusement à sa proximité. De leur propre gré, ses lèvres s'ouvrirent, impatientes de lui offrir la récompense qu'il cherchait. Kit céda. Elle enroula ses bras autour de son cou et lui rendit son baiser avec toute la ferveur d'une femme trop longtemps rejetée.

C'était un pur bonheur de se retrouver de nouveau avec lui.

Jack déplaça sa prise, et Kit grimaça. Il leva immédiatement la tête.

— Bon sang ! J'avais oublié votre épaule.

— Oubliez mon épaule !

Kit ramena sa tête vers la sienne, mais il était clair qu'elle l'avait involontairement ramené à ses sens. Quand il s'écarta de nouveau, elle le laissa faire.

Jack regarda profondément dans les yeux de Kit et se demanda ce dont elle se souvenait. Quelle que soit la réponse, il était maintenant temps de lui parler de leurs fiançailles. Il la souleva et la reposa sur le lit, redonnant du volume aux oreillers dans son dos et remontant le couvre-lit autour d'elle. Kit accepta ses soins, mais elle revêtit une expression méfiante.

Devait-il retourner à la formalité de son fauteuil ? Jack choisit un compromis et s'assit sur le lit, une main de Kit dans la sienne. Il jeta un œil vers ses yeux et redressa les épaules. Faire sa demande aurait été bien plus facile.

— Comme vous l'avez compris, je suis Lord Hendon.

— Pas le capitaine Jack ?

— Aussi, avoua-t-il. Lord Hendon est le capitaine Jack.

— Quand avez-vous compris qui j'étais ?

— Le soir avant qu'on vous tire dessus.

Jack se remémora la scène et se leva pour arpenter la chambre.

— Je vous ai reconnue comme étant une Cranmer au début, mais je pensais que vous étiez illégitime, comme vous le savez.

Il lui lança un regard accusateur. Elle le soutint avec une expression innocente et terne.

— Cet après-midi-là, George est venu me voir. Il avait rendu visite à Amy…

— Amy ? dit Kit en le regardant.

Jack s'arrêta et réfléchit, mais l'esprit de Kit avait fait le lien sans davantage d'aide.

— George est George Smeaton ?

Jack opina.

— Nous avons grandi ensemble.

Kit essaya de jongler avec les morceaux du puzzle qui lui tombaient entre les mains.

— Le palefrenier des Gresham a dit à George à qui appartenait la jument arabe noire. George est venu et me l'a annoncé.

L'esprit de Kit s'emballait, remplissant les trous, se rappelant des fragments ici et là. Une partie particulièrement troublante prit rapidement de l'importance.

— Ma mémoire est encore un peu floue, commença-t-elle, mais je crois me souvenir de la mention d'un mariage ?

Elle essaya de rendre la question aussi innocente qu'une telle question pouvait l'être. Comme les sourcils de Jack se dressèrent avec arrogance, son cœur s'arrêta.

— Naturellement, dans les circonstances, nous allons nous marier.

Jamais son intonation ni la lueur dans ses yeux gris ne suggérèrent qu'il y avait une autre possibilité.

Kit plissa les yeux.

— Nous marier ?

Comme ça ? À un homme comme Jack ? Pire… À un *lord* comme Jack. Dieu du ciel ! Elle avait complètement perdu le contrôle.

— Une minute !

Elle essaya de garder une voix égale.

— Je ne saisis pas très bien ce qui s'est passé. Quand nous sommes-nous fiancés ?

— En ce qui me concerne, maugréa Jack, les yeux brillants, nous nous sommes fiancés quand vous m'avez imploré de mettre fin à votre virginité.

— Ah.

Les yeux de Kit devinrent vitreux. Argumenter sur ce point était impossible. Elle essaya une tactique différente.

— Quand cette idée de mariage est-elle entrée dans votre tête ?

Fronçant les sourcils, Jack essaya de jauger où elle voulait en venir, prenant garde de ne pas répondre de la mauvaise manière.

— Après que vous ayez découvert qui j'étais ?

Jack se renfrogna.

Cela s'avéra une réponse suffisante pour Kit.

— Si vous avez décidé que nous devions nous marier uniquement pour sauver ma réputation, vous pouvez l'oublier.

Elle se redressa.

— J'avais déjà décidé de ne pas me marier, alors nul besoin d'une telle comédie.

L'idée qu'elle le rejetait laissa Jack sans voix pendant dix bonnes secondes.

— Une comédie ? grogna-t-il. Quelle comédie ? Si vous avez une aversion envers le mariage — quoique je doute de ce que vous pouvez savoir à ce sujet —, vous auriez dû y penser *avant* de vous offrir à moi. *Vous* vous êtes offerte, et j'ai accepté. Il est trop tard pour changer d'avis.

Les mains sur les hanches, il lança un regard noir à Kit.

— Et au cas où vous n'auriez pas encore compris, laissez-moi vous dire que des femmes de votre condition ne peuvent s'abandonner à des hommes comme moi et s'attendre à s'en tirer comme ça !

Les yeux de Kit s'embrasèrent.

— Bon sang ! Il n'y a aucune raison de m'épouser si vous ne le voulez pas !

Jack faillit s'étouffer.

— Qu'est-ce que la volonté a à voir là-dedans ? Bien sûr que je veux vous épouser !

La déclaration, exprimée en criant à moitié, les arrêta net tous les deux.

La retournant dans sa tête, Jack décida qu'il ne désirait rien ajouter de plus. Il devait se marier. Il voulait épouser Kit. En fait, en ce qui le concernait, ils étaient déjà mariés. Il devait juste avoir son accord.

Kit le regarda, haussant les sourcils en signe de réflexion. Lord Hendon devenait rapidement une bien plus grande menace à son avenir que le capitaine Jack l'avait jamais été. Jack était un voyou arrogant, qui pouvait la bouleverser avec une simple caresse et qui était prêt à la ligoter et à l'enlever si elle n'obéissait pas à ses ordres. Mais elle ne courait aucun danger en épousant le capitaine Jack. Lord Hendon avait tous les attributs de Jack, ou plutôt, dans une plus grande mesure. Tandis que Jack pouvait hurler pour vaincre une quelconque résistance, Lord Hendon, soupçonnait-elle, avait simplement à lever fièrement un de ses sourcils, et les gens se jetaient eux-mêmes à ses pieds pour obéir. Kit ravala un grognement. Et il s'attendait à ce qu'elle l'épouse ?

Elle leva les yeux vers ses yeux gris argent et vit quelque chose dans leur profondeur chatoyante qui lui serra la gorge. L'insinuation de son silence attentif éclata au-dessus d'elle.

Il voulait qu'elle l'épouse. Il la voulait.

Brusquement, Kit écarta ses couvertures et balança ses jambes sur le côté du lit. Elle avait oublié cette curieuse sensation d'être traquée. Au moment présent, elle aurait préféré être une cible mobile.

— Restez couchée, Kit.

L'ordre non masqué toucha un point sensible chez Kit. Elle lança à Jack un regard fulminant, mais avant qu'elle puisse prendre fait et cause pour elle, il reprit la parole :

— Le Dr Thrushborne sera ici bientôt, comme chaque matin cette semaine.

— Cette semaine ? dit Kit, incrédule.

Cela n'avait pas pu être aussi long.

— Quel jour sommes-nous ?

Jack dut réfléchir avant de répondre

— Mardi.

— Bon sang ! J'ai perdu une semaine.

— Vous avez presque perdu la *vie* !

Le ton posé de Jack ramena brusquement Kit à une conscience absolue. Jack s'approcha. Il se pencha et prit ses jambes dans son bras avant de la renverser sur les oreillers, enfouissant le bas de son corps sous les couvertures.

— Arrêtez de jouer, Kit. Pour l'amour du ciel, restez au lit et faites ce que dit le Dr Thrushborne. L'histoire que nous avons fait courir…

Tandis que Jack s'asseyait à côté d'elle et lui racontait leur histoire, Kit s'efforçait de retrouver un certain sens de la

Stephanie Laurens

réalité, un certain semblant de normalité. Mais rien ne semblait plus pareil.

Jack parvint à la fin de son histoire.

— Elmina sera ici bientôt, et je devrai retourner au château Hendon. Je reviendrai ce soir.

Il se leva, se demandant ce qu'il pourrait dire de plus. Il n'était pas sûr qu'elle accepte leur mariage comme un fait indéniable. Il ne lui avait pas encore dit que c'était pour très bientôt. Mais il était grand temps que quelqu'un s'occupe de Kit Cranmer, et il était cette personne.

Kit ne put s'empêcher de plisser le front en raison de la confusion et de l'incertitude qui s'étaient logées en elle. Elle leva les yeux vers Jack, qui la dominait. À sa grande surprise, son long et lent sourire transforma son visage. Rapidement, il se pencha pour poser ses lèvres sur son front, soulageant la tension. Puis, ses doigts inclinèrent son visage et ses lèvres touchèrent les siennes dans un baiser chargé de chaleur et de promesse.

Après une caresse dans ses cheveux, il partit.

Kit se cala dans ses oreillers en poussant un grognement. Elle devait réfléchir.

Mais le moment pour réfléchir fut dur à trouver.

Elmina entra dans la chambre avant que Jack ait atteint le haut de l'escalier. Intriguée par le fait que sa femme de chambre eut apparemment accepté la présence d'un homme dans sa vie, Kit ne put résister à quelques questions importantes. Ce qu'elle apprit la laissa encore plus troublée qu'avant. Il semblait qu'au cours de sa maladie, Jack ait pris le contrôle — ait pris *son* contrôle — avec la bénédiction de Spencer et de tous les autres.

422

Avant qu'elle puisse décider ce qu'elle ressentait, Spencer lui-même apparut. Cette rencontre fut plus douloureuse que ce qu'elle avait pensé. Il devint vite clair que Spencer se reprochait son effronterie, ce qui fâchait énormément Kit. Son effronterie était de sa responsabilité — elle n'était due à personne d'autre. Il n'y avait personne d'autre à blâmer. Elle avait toujours aimé Spencer précisément parce qu'il n'avait jamais cherché à la retenir. Dans son empressement à le rassurer, elle se trouva à accepter son mariage imminent avec une sérénité désinvolte. Elle convainquit Spencer. Quand il partit, plus heureux que lorsqu'il était entré, elle se demanda si elle pouvait se convaincre elle-même.

Le Dr Thrushborne fut le suivant à passer le seuil. Il était excité de la trouver éveillée et lucide. Il examina sa blessure et déclara qu'elle guérissait bien. Content, il la félicita pour ses noces à venir, la taquinant sur la date prévue de son premier accouchement. Comme elle l'aimait bien, Kit le dispensa d'un regard furieux.

En réponse à sa question, il accepta qu'elle quitte son lit, à la condition qu'elle reste à l'intérieur de la maison et qu'elle prenne soin de ne pas se surmener.

Ce qui expliquait pourquoi, quand Lady Grisham et Amy arrivèrent cet après-midi-là, elle était étendue sur la méridienne dans le petit salon.

— Amy !

Kit s'assit en sursaut, se souvenant simultanément de sa blessure et qu'elle n'avait aucune idée de ce qu'Amy savait. George s'était-il confié à Amy ? Kit hésita juste assez longtemps pour que Lady Gresham entre.

— Ne vous levez pas, Kit chérie.

Elle se pencha, offrant sa joue pour que Kit l'embrasse.

— Toute la région sait combien vous êtes occupée avec Spencer si malade. Je suppose qu'il va mieux ?

Kit opina, espérant vivement que Spencer reste dans ses appartements.

— Bien mieux, je suis heureuse de le dire.

Ça, au moins, c'était la vérité.

Tandis que Lady Gresham arrangeait ses jupes dans un fauteuil, Kit sourit à Amy, se posant encore des questions, mais son amie ne fit que lui rendre son sourire de bon cœur, apparemment inconsciente d'affaires plus sérieuses. Peut-être que George était aussi mystérieux que Jack.

— Bien !

Lady Gresham sourit béatement.

— Nous sommes passées la semaine dernière et encore hier, alors j'espère qu'on vous l'a dit. La première fois, c'était simplement pour voir comment vous vous débrouilliez, mais bien sûr, nous avons eu des nouvelles à votre sujet dimanche et nous ne pouvions pas attendre pour vous féliciter.

Kit essaya de camoufler son regard fixe. Quelles nouvelles ? Dimanche ? Le soupçon qu'elle venait de mettre les pieds dans une des histoires de Jack s'intensifia.

— J'ai été tellement sidérée d'entendre les bans lus à haute voix.

Amy mit une main sur le bras de Kit.

— Mais Lord Hendon s'est admirablement excusé, n'est-ce pas, Maman ?

— Il est très doué, soupira Lady Gresham. Et d'une beauté si saisissante ! En fait, il est comme son père.

Kit attendit que la pièce arrête de tourner. Elle aurait pu lui dire combien Lord Hendon était doué et combien sa beauté pouvait être excitante.

— Comment était son père?

Elle posa la question pour gagner du temps afin de lui changer les idées et de changer son humeur. Si elle criait, elle ne serait jamais capable de l'expliquer.

Mais des *bans*? Bon sang, comment avait-il réussi à faire ça?

Les réminiscences de la mère d'Amy sur le précédent Lord Hendon furent sans relief par rapport à ce que Kit savait du lord actuel. Mais le temps que Lady Gresham se rappelle la personne à qui elle parlait et qu'elle restreigne ses radotages, Kit était de nouveau en pleine possession de ses moyens.

Le reste de leur visite se passa en discussions joyeuses sur son mariage, un sujet sur lequel Kit inventait librement. Que pouvait-elle faire d'autre? Elle pouvait difficilement dire à Lady Gresham que les bans avaient été lus sans son consentement. Même si elle le faisait, elles auraient probablement mis son éclat sur le compte de l'épuisement occasionné par les soins dispensés à Spencer. Et peu importe combien Jack la mettait en colère, elle n'était pas prête à refuser des fiançailles. Il lui avait fait comprendre clairement comment il voyait la question. En fait, elle était coincée. Autant en sourire et apprécier.

Quand elle finit par se retrouver seule, dans la paix du belvédère avec les bannières rouges du soleil couchant parcourant le ciel, elle ne put que voir la réalité en face. Elle n'avait pas vraiment d'autre choix que d'épouser Jack, Lord

Hendon. À moins de créer un énorme scandale, elle ne pouvait rien faire pour l'éviter. Elle avait pris ses décisions, avait commis ses propres erreurs. Voilà où cela l'avait conduite.

Épouser Jack serait-il un sort si sombre? Kit s'assit et ne put réprimer un sourire. La perspective de devenir Lady Hendon n'était pas totalement sinistre. Sa satisfaction physique était garantie. Jack était un magnifique amant. De plus, il semblait très désireux de lui enseigner tout ce qu'elle avait toujours souhaité savoir. Mais elle n'était pas une jeune femme stupide, transportée par un beau visage. Elle connaissait très bien Jack. Ses tendances autocratiques, ses habitudes de commander, sa détermination à obtenir les choses à sa façon — tout cela, elle l'avait saisi dès le début. Cette attitude s'avérait assez désagréable chez le capitaine Jack, mais chez Lord Hendon, son mari, elle pouvait bien s'avérer écrasante.

Voilà ce qui l'inquiétait.

Kit croisa les bras sur le rebord, plongeant son menton dans sa manche. Son estomac se nouait chaque fois qu'elle essayait d'imaginer comment Jack se comporterait une fois qu'ils seraient mariés. Ces dernières années, sa liberté était devenue précieuse. En tant que mari, Jack aurait davantage le droit de la contrôler que n'importe qui d'autre ne l'avait jamais fait. Et il lui avait parlé de sa liberté, si ce n'est directement, du moins indirectement. Se marier avec lui ne lui accorderait que la liberté qu'il daignerait lui offrir. Pourrait-elle tolérer une telle situation?

Elle se mit à penser à Amy, et cela lui ramena en tête leurs vœux lors de leur enfance. Elle se marierait par amour ou pas du tout. Aimait-elle Jack?

Le front de Kit se plissa. Comment le savoir ? Elle n'avait jamais été amoureuse avant, mais elle n'avait jamais ressenti pour un homme ce qu'elle ressentait pour Jack. Était-ce de l'amour ?

Avec un grognement de dégoût, elle repoussa la question. Elle était hors de propos. Elle allait épouser Jack.

L'aimait-il ?

Un impondérable encore plus important, mais bien plus à propos. Il la désirait. Elle n'en avait jamais douté un seul instant. Mais l'amour ? Il n'était pas du genre à faire un tel aveu de faiblesse. C'était ainsi que beaucoup d'hommes voyaient l'amour, et qui était-elle pour le nier ? Chaque fois qu'elle pensait à Jack, chaque fois qu'il l'avait embrassée, elle s'était sentie faible. Mais l'idée de Jack réduit par l'amour à un état de faiblesse était simplement trop dure à avaler.

Pouvait-elle le rendre amoureux d'elle ? Il pouvait l'être, mais comment le saurait-elle s'il ne parvenait jamais à l'admettre ? Pouvait-elle le *faire* l'admettre ?

C'était tout un défi.

Kit haussa les sourcils. Peut-être qu'elle devait approcher le mariage comme ça, comme un défi. Un défi qu'elle devait saisir et qu'elle devait transformer en ce qu'elle voulait. Et avant qu'elle ait fini, elle devait s'assurer de l'entendre lui dire qu'il l'aimait.

La douce brise était devenue froide, emportant le dernier des parfums des roses. Kit regarda fixement les fleurs volumineuses fusionner avec le crépuscule. Il était presque l'heure de dîner, l'heure de rentrer et de faire face à son avenir.

Elle revêtit un sourire. Il était certain que se jeter dans les bras dominateurs de Jack allait pousser son tempérament à ses limites. Mais il y aurait des compensations, et elle était résolue à les réclamer.

— J'aurais dû deviner.

Surprise, Kit pivota. Jack se tenait sur le seuil du belvédère, les épaules appuyées contre le cadre. Avec le faible éclairage derrière lui, elle ne pouvait être sûre de son expression.

— Elmina a dit que Thrushborne vous avait demandé de rester à l'intérieur de la maison.

L'instinct naturel de Kit était de demander qui osait la remettre en question. Mais le ton de Jack n'était pas agressif. En fait, il était presque timide, comme s'il ne savait pas comment elle allait réagir. Kit resta imperturbable le temps qu'elle réfléchisse rapidement à ses options. Si elle devait vivre avec cet homme pour le reste de sa vie, elle ferait aussi bien de faire preuve d'une certaine réserve. Selon Lady Gresham, un peu de cette attitude pouvait lui permettre de tirer un bon parti de ses relations conjugales.

— J'étais ailleurs, dit-elle.

Puis, elle vit sa mâchoire se serrer dans un effort d'étouffer sa demande qu'elle lui dise à quoi elle pensait. Kit baissa la tête pour cacher son sourire.

— Il commence à faire froid. J'allais rentrer.

Elle entreprit de se lever, et immédiatement, il se trouva là, à ses côtés. Kit fut heureuse de lui laisser prendre sa main. Elle ne souleva aucune objection quand son autre bras glissa autour de sa taille pour l'aider. Il était assez plaisant, décida-t-elle, d'être traitée comme de la porcelaine — du moins, par Jack. Tandis qu'ils traversaient le jardin rendu sombre, des bouffées de santal se mélangèrent au parfum des fleurs. C'était quelque chose qu'elle aurait dû déceler. Un arôme de santal collait au capitaine Jack ; or c'était le parfum d'un homme riche. Mais l'odeur était si familière qu'elle ne lui avait pas paru étrange.

La chaleur de son corps massif si près du sien était à la fois réconfortante et gênante. Même dans son état de faiblesse, elle pouvait sentir l'excitation que sa présence occasionnait, faisant redoubler les battements de son cœur. Elle sentit son regard, toujours inquiet, scruter son visage. Son bras se raffermit, presque imperceptiblement. Kit savait que si elle levait les yeux, il l'attirerait vers lui et l'embrasserait.

Elle garda son regard au même niveau. Elle n'était pas encore prête pour ça. Quand il l'embrassait, elle ne savait plus où elle en était. Elle devenait sienne, et il pouvait faire d'elle ce qu'il voulait. Elle avait besoin de temps pour s'habituer au fait que, dans trois semaines, ce serait son état permanent.

Tandis qu'elle montait l'escalier au bras de Jack, Kit se demanda si elle serait assez forte pour être Lady Hendon… et rester elle-même.

Chapitre 24

L e mariage de Jonathon, Lord Hendon, et de Mlle Kathryn Cranmer fut le point fort de l'année dans cette partie du Norfolk. Des femmes de kilomètres à la ronde s'entassaient dans la cour de la toute petite église de Docking qui avait servi aux Cranmer et aux Hendon depuis des siècles. Les domestiques des maisons environnantes se bousculaient avec les femmes des fermiers, rivalisant pour avoir le meilleur point de vue, d'où elles pouvaient pousser des « oh » et des « ah ». Toutes s'entendaient pour dire que le marié n'aurait pu être plus beau, dans son manteau vert bouteille et ses pantalons ivoire, ses cheveux bruns attachés en arrière par un ruban noir, brillant à la lumière du soleil. Il arriva tôt, comme il convient, et disparut dans l'église, accompagné de son ami, M. George Smeaton, du domaine Smeaton.

L'attente qui suivit fut facilement remplie par des commérages substantiels. Le marié, avec sa carrière militaire ainsi que son héritage naturel en tant que Hendon, fournissait beaucoup de matière. Les seules histoires connues sur Mademoiselle Kathryn dataient de ses années d'école. Tandis que celles-ci avaient été suffisamment agitées pour satisfaire les commérages les plus avides, toutes étaient d'accord que de tels scandales étaient maintenant loin derrière elle. Quand on l'aida à descendre de la diligence des Cranmer et que sa silhouette élancée dans un nuage de dentelle ivoire garnie de perles apparut, chacune en eut le souffle coupé. Elles ne se reprirent qu'un moment plus tard en poussant un soupir collectif de grande satisfaction.

Le murmure qui s'éleva de l'assemblée derrière lui indiqua à Jack que Kit était arrivée. Il se tourna, lentement, et parcourut des yeux l'allée centrale. Elle s'arrêta juste à l'entrée de l'église tandis qu'Elmina, larmoyante, arrangeait sa longue traîne. Pendant qu'il regardait, Kit se mit à avancer vers lui, sa main reposant sur le bras de Spencer. Derrière son voile, elle souriait sereinement, le menton relevé selon cet angle particulier qu'il connaissait si bien. Tandis qu'elle approchait de la fin de son trajet pour se placer à ses côtés, Jack croisa son regard. Ses lèvres revêtirent lentement un sourire, totalement impossible à nier. Elle était superbe. Elle portait des perles autour de sa gorge, et d'autres pendaient à ses oreilles. Des rosettes de nacre tenaient la lourde traîne sur ses épaules. Même la coiffure qui maintenait le voile délicat en place était composée de perles. Aucune, à ses yeux, ne pouvait rivaliser avec la perle que la robe contenait.

Le service fut court et simple. Aucun des principaux participants n'eut de difficulté avec les vœux, les prononçant clairement de façon à ce qu'ils soient parfaitement audibles pour le grand nombre d'invités entassés dans l'église.

Puis, ils passèrent par toute la gamme de sympathisants alignés le long du chemin menant au fiacre des Hendon. Jack donna la main à Kit pour l'aider à monter, puis monta derrière elle.

— À la propriété, Matthew.

Au grand étonnement de Kit, le cocher tourna la tête, et elle reconnut les traits lugubres de Matthew.

— Oui, dit-il en gloussant.

Il lui adressa un signe pour la saluer avant de faire avancer la paire de chevaux bais à la foulée altière, qui conduisit rapidement le fiacre hors de la foule.

Parcourant à vive allure les petites routes de campagne au milieu des ombres striées par la lumière du soleil, ils eurent peu l'occasion de parler, trop occupés à répondre aux signes de main et aux vœux des fermiers et des autres gens du coin bordant le chemin. Ce ne fut que lorsque la calèche tourna dans la longue allée du domaine Cranmer que Jack saisit l'occasion de se caler dans son siège et de jeter un œil intime sur la robe de sa femme.

— Comment avez-vous réussi cela ?

Il lui apparut que la robe était un exploit frôlant le miracle, étant donné le peu de temps qu'elle avait eu.

— C'était celle de ma mère.

Kit baissa les yeux vers la manche en dentelle, refermée par des boutons en perle.

— Elle aimait particulièrement les perles.

Jack sourit. Il n'avait pas associé sa Kit à quelque chose de si féminin que des bijoux. Il se demanda de quoi elle aurait l'air avec les émeraudes des Hendon. Elles étaient quelque part dans le château. Il les avait cherchées et les avait fait porter à Londres pour les faire nettoyer et arranger. Leur monture actuelle richement ornée n'aurait pas convenu à la beauté délicate de Kit.

Ils avaient décidé que la cérémonie aurait lieu plus tard dans la journée, suivie d'un banquet et d'un bal. Tandis que la soirée avançait, Jack s'assit à la table d'honneur et regarda sa femme enchanter leurs connaissances. Il se dit qu'il n'y avait rien à changer dans les manières de Kit en société. Depuis cette soirée où il l'avait trouvée dans le belvédère, elle s'était parfaitement bien comportée. Son attitude avait aidé leur histoire au sujet de leur mariage arrangé. Même l'observateur le plus fin n'aurait trouvé aucune contradiction dans ses manières. Elle avait si bien réussi à projeter l'image d'une femme heureuse que Spencer se comportait à présent comme si l'arrangement avait toujours été dans l'air. Elle était confiante et sereine. Tandis que son attitude ne reflétait manifestement aucune pudeur de jeune fille, elle ne suggérait pas non plus qu'elle connaissait son mari de façon intime.

Tout ceci, bien sûr, n'était que pure tromperie. Mais il savait que l'élégante Lady Hendon se raidissait légèrement chaque fois qu'il était près d'elle, imposant un contrôle obstiné à ses réactions normales par rapport à lui. Il était aussi conscient qu'elle évitait de rencontrer ses yeux, usant de toutes les ruses féminines au monde pour accomplir cet exploit.

Il se demanda si elle savait ce qu'elle faisait.

Depuis cette soirée au belvédère, il l'avait peu embrassée. Elle ne lui en avait pas laissé l'occasion, et, étant suffisamment sensé pour deviner son manque d'enthousiasme devant leur union et les raisons derrière celle-ci, il n'allait pas se donner du mal pour en créer une. Il s'était dit qu'il serait temps d'agir quand ils seraient mariés.

À présent qu'ils l'étaient, il perdait rapidement patience.

Il n'avait pas prévu son niveau d'aptitudes sociales. Il s'était attendu à ce qu'elle ait besoin d'aide pour occuper le rôle de Lady Hendon. À la place, ce rôle lui allait comme un gant. Il comprenait maintenant pourquoi leur histoire de mariage arrangé avait été acceptée si facilement par leurs voisins. Kit était la candidate parfaite, celle dont on pouvait dire, en fait, qu'elle était née pour ce titre. Ses six années à Londres étaient la cerise sur le gâteau. À part tout le reste, le fait qu'elle ait survécu à ces années *virgo intacta* était l'assurance ultime qu'elle ne faisait pas partie de ces femmes qu'il stigmatisait mentalement comme étant des prostituées de luxe de la ville.

Globalement, il n'y avait rien dans ses manières ou ses mœurs qu'il désirait changer. C'était la distance qu'elle semblait avoir l'intention de préserver entre eux qu'il ne pouvait pas supporter.

Des esquisses de souvenirs, issues des heures qu'ils avaient passées dans la maison de pêcheur, surgirent dans la tête de Jack. Étouffant un juron, il les chassa. Il prit une autre gorgée de cognac et regarda sa femme aller danser avec un gentilhomme du coin. Elle devait savoir qu'il l'appréciait comme elle était. Voulait-elle prétendre que tout son côté aventurier avait disparu, qu'en l'épousant, il l'avait domptée?

Jack revêtit lentement un sourire. Si elle pensait ça, elle allait avoir une surprise. Elle pouvait essayer de jouer les femmes simplement dévouées, mais ses ardeurs étaient bien enracinées. Et il savait comment les déclencher. Jack regarda sa montre. Il était tôt, mais pas trop tôt. Et qui allait le contredire ?

Il leva la tête et scruta la foule jusqu'à l'endroit où Elmina se tenait, près de la porte. Elle le vit faire un signe de tête et partit discrètement. S'excusant auprès d'Amy, qui était assise à côté de lui en pleine conversation avec George, Jack se leva et quitta l'estrade.

Kit rit à une autre plaisanterie médiocre faisant allusion de manière elliptique aux prouesses sexuelles de son mari et détourna adroitement la conversation vers des sujets plus anodins. Il lui était arrivé plus d'une fois ce soir d'être fortement tentée de céder à son caractère et de livrer les faits à ses amies taquines. En vérité, les faits étaient de loin plus torrides que tout ce qu'elles pouvaient imaginer.

La musique cessa, et elle remercia le commandant Satterthwaite avant de quitter la pièce. En quelques minutes, elle se retrouva entourée d'un groupe de dames de la région, dont les ladies Gresham, Marchmont et Dersingham. Leur discussion était sérieuse, tournant autour de la nouvelle décoration du château Hendon. Kit écoutait d'une oreille, émettant les bruits appropriés aux bons moments. Elle avait parfait l'art de la politesse dans la conversation au cours de son séjour à Londres. C'était un préalable pour rester sain d'esprit dans les salles de bal de la capitale. Au moins, la conversation des ladies n'était pas parsemée d'allusions aux activités de la nuit à venir. Tout commentaire taquin ne faisait qu'augmenter sa nervosité, qui à son tour intensifiait son irritation par rapport à sa propre irrationalité.

Pourquoi diable se sentait-elle nerveuse par rapport à ce qui s'en venait ? Qu'est-ce que Jack allait bien pouvoir lui faire — faire avec elle — qu'il n'avait pas déjà fait ? Des images d'eux, dans des positions variées à la maison de pêcheur, se mirent à la tourmenter. Kit sourit et hocha la tête à Lady Dersingham, puis se demanda si sa fièvre avait vraiment embrouillé son esprit.

Ensuite, elle le vit approcher dans la foule, s'arrêtant pour discuter ici et là tandis que les gens réclamaient son attention. Mais ses yeux gris argent étaient posés sur elle. Son souffle se suspendit. La sensation familière d'être traquée resurgit dans le ventre de Kit. Non, ce n'était pas la fièvre qui avait embrouillé son esprit.

Kit détourna brusquement les yeux de son destin qui approchait, les rivant sur les doux traits de Lady Gresham, et essaya désespérément de trouver une raison pour laquelle il était trop tôt pour rentrer. Au château Hendon.

À l'instant où Jack rejoignit le groupe, elle sut que c'était sans espoir. Toutes les ladies, chacune étant une *grande dame*[13], s'attendrirent sensiblement au premier son de sa voix grave. Elle ne se donna même pas la peine d'essayer de s'esquiver. À la place, elle redressa son menton et fit un signe d'accord poli à sa suggestion de partir.

— Oui, bien sûr. Je vais me changer.

Sur ce, elle se sauva à l'étage, ne se donnant pas la peine d'enlever Amy à George.

Dans sa chambre, une surprise l'attendait. Au lieu de la nouvelle robe de voyage qu'elle avait demandé à Elmina de

13   N.d.T. : En français dans le texte original.

préparer, sa femme de chambre avait sorti un magnifique habit d'équitation féminin en velours émeraude.

— D'où cela vient-il ?

Kit ferma la porte et alla vers son lit.

— Lord Hendon l'a envoyé pour vous, *ma petite*[14]. Il a dit que vous deviez le porter. N'est-ce pas ravissant ?

Kit examina les lignes pures de l'habit et ne pouvait s'y opposer. Son esprit s'emballa, réfléchissant aux implications. Sa première impulsion fut de refuser de porter les vêtements que son mari avait décrété qu'elle devait porter. Mais son impulsion fut modérée par la prudence. Un habit de ce genre voulait dire « chevaux ». Kit fit glisser sa lourde robe de mariée ivoire de ses épaules, et Elmina la fit descendre sur ses hanches. Libérée de ses jupons, Kit s'assit devant sa coiffeuse tandis qu'Elmina ôtait les épingles de sa coiffure.

Elle n'avait pas discuté de la façon dont ils voyageraient jusqu'au château Hendon, laissant Jack assumer sa prérogative. Elle avait imaginé qu'ils iraient en fiacre. L'habit d'équitation supposait autre chose.

Soudainement enthousiaste, Kit pressa Elmina. Une chevauchée sauvage dans la nuit était justement ce dont elle avait besoin pour dissiper sa stupide appréhension. Les nœuds dans son ventre disparaîtraient une fois qu'ils galoperaient à travers champs.

Pivotant devant son long miroir, Kit fut heureuse d'approuver le choix de son mari. Comment savait-il ? Un sourire narquois se dessina sur ses lèvres. Non seulement Jack savait qu'elle préférait monter à cheval, mais il savait qu'elle ne refuserait jamais de porter ce genre d'habit en de telles

---

14 N.d.T. : En français dans le texte original.

circonstances. Comme elle l'avait déjà remarqué, quand venait le temps de la manipuler, il était un maître.

Quand elle apparut en haut de l'escalier, on aurait dit que tout le Norfolk s'était rassemblé dans l'entrée principale. Stimulée par le fait qu'elle savait qu'elle se montrait sous son meilleur jour, Kit les regarda tous, le visage épanoui. Tandis qu'elle descendait l'escalier, la foule se divisa pour former une allée jusqu'à Jack, qui l'attendait près de la porte. Même à cette distance, Kit saisit la lueur dans ses yeux tandis qu'ils la parcouraient, son appréciation se manifestant dans la profondeur de son regard. La fierté était gravée dans chaque trait de son visage.

Elle devait avoir répondu aux attentes de ceux qui bordaient son chemin, car ils semblaient plutôt satisfaits. Toutefois, Kit n'était consciente de rien en dehors de Jack. Il tendit une main tandis qu'elle approchait, et elle y glissa ses doigts, vaguement consciente des acclamations qui s'élevèrent autour d'eux. Puis, les doigts de Jack se resserrèrent autour des siens, et il la conduisit sur le porche.

Certains avaient remarqué sa robe et s'étaient mis à chuchoter. Les murmures se transformèrent en exclamations quand la foule, se frayant un chemin vers la porte derrière eux, vit les deux chevaux que Matthew tenait, caracolant au clair de lune. Delia était une ombre noire mouvante dont les formes étaient soulignées par les fleurs blanches que l'on avait tressées dans sa crinière. À côté d'elle, le cuir brillant de Champion semblait pâle.

Kit se tourna vers Jack.

Il dressa un sourcil moqueur.

— Ça vous tente, Madame?

Kit rit, sa nervosité étant noyée par l'excitation. Souriant, Jack la conduisit en bas des marches, vers les chevaux. Il la hissa sur sa selle d'amazone avant de monter sur le large dos de Champion.

Seul Spencer les approcha, tous les autres se méfiant des sabots bien taillés qui faisaient voler des morceaux de gravier. Il arriva entre eux et tendit le bras pour serrer la main de Kit avant qu'elle la pose sur son pommeau, la tapotant dans un geste d'adieu. Puis, il se tourna vers Jack.

— Prenez soin d'elle, mon garçon !

Jack sourit.

— Je le ferai.

Et ça, pensa-t-il, tandis qu'il faisait tourner Champion, c'était un serment tout aussi fort que ceux qu'il avait prononcés plus tôt aujourd'hui.

Les chevaux ne se firent pas prier pour quitter la foule bruyante derrière eux. Bien synchronisés, ils s'attelèrent à la tâche de couvrir les cinq kilomètres jusqu'au château Hendon avec une aisance altière. Jack ne ressentait aucun désir de parler tandis que les kilomètres s'effaçaient sous les lourds sabots. Un regard vers le visage de Kit lui avait indiqué que sa brillante idée avait été un coup de maître.

Il sourit. Dans son état actuel, être forcé de traverser les treize kilomètres de route entre le domaine Cranmer et le château Hendon dans une voiture fermée avec Kit, sachant qu'ils devaient se présenter devant le personnel du château immédiatement à leur arrivée, aurait été rien de moins qu'une torture.

Faire le trajet à cheval était bien plus sûr.

À côté de lui, Kit savourait la force du vent sur son visage. Le martèlement régulier des sabots de Delia calma son pouls agité jusqu'à ce qu'il batte au même rythme que l'animal. Il y avait de l'excitation dans l'air et un sentiment de plaisir partagé. Elle jeta un regard en biais vers Jack, puis regarda droit devant et sourit.

Ils galopaient dans la nuit, la luminescence de la lune se diffusant doucement au-dessus d'eux, éclairant leur route. Pour Kit, la masse noire du château Hendon apparut devant eux trop tôt, mettant ainsi fin au répit de ses nerfs à vif. Les palefreniers vinrent en courant. Jack la fit descendre devant les marches montant vers les portes en chêne massives de sa nouvelle maison.

Ses pieds touchèrent le sol, puis tout à coup, elle fut soulevée dans les bras de Jack.

Kit étouffa un cri aigu et le regarda furieusement.

Jack sourit et la porta jusqu'en haut des marches, puis passa la porte ouverte.

Kit plissa les yeux devant la lumière éblouissante qui les accueillit. Tandis que Jack la déposait, elle adapta son expression et se consacra à la tâche de saluer son nouveau personnel.

Elle se souvenait vaguement de Lovis depuis son unique visite lorsqu'elle était enfant. Jack n'était pas à la maison à cette époque. La plupart des autres membres du personnel avaient de la famille au domaine Cranmer, alors sa progression dans la longue file fut ponctuée d'histoires explicatives. Quand elle atteignit la fin et qu'elle répondit à la petite révérence d'une domestique de l'arrière-cuisine endormie, Kit entendit la voix grave de Jack juste derrière elle.

— Lovis, peut-être pourriez-vous montrer sa chambre à Lady Hendon?

Lovis se courba.

— Très bien, Monsieur.

Kit cacha un sourire nerveux, réalisant que les traditions devaient être respectées. Lovis prit la tête, très imprégné des formalités. Kit le suivit en haut dans le majestueux escalier en spirale. Quand elle atteignit la courbe, elle fut soulagée de voir son mari encore en bas, à converser avec un membre du personnel masculin — son chef palefrenier, pour autant qu'elle s'en souvienne. La pensée qu'il lui laisserait sans doute le temps de calmer ses nerfs fatigués avant de la retrouver soulagea sa nervosité.

«Mon Dieu, s'il vous plaît, faites que ce soit lent et tranquille.» Trop souvent, leurs premières rencontres avaient ressemblé à un déchaînement de passions.

La chambre où Lovis la conduisit était énorme. Le château Hendon avait été érigé autour d'un donjon médiéval. En regardant autour d'elle, Kit supposa que sa chambre pouvait bien avoir fait partie de l'entrée principale du donjon. Les murs étaient faits de pierres massives, tapissées et peintes, les portes et les fenêtres insérées dans leur épaisseur. Des travaux de grande envergure avaient permis d'élargir les fenêtres. Kit était certaine que lorsqu'elle tirerait les rideaux le lendemain matin, les vues du château combleraient ses yeux. Ses yeux endormis, rassasiés.

Brusquement, Kit se mit à examiner les meubles. Ils étaient tous exquis. Elle s'arrêta près du lit à baldaquin. Il était très grand, couvert de satin vert pâle, les armoiries des Hendon sculptées dans la tête du lit.

Kit se demanda à quoi ressemblerait le satin pâle sur sa peau.

Tout à coup, elle se souvint qu'elle n'avait pas apporté de vêtements. Paniquée, elle s'élança vers l'armoire massive en acajou et ouvrit grand les portes et les tiroirs. Elle trouva une garde-robe complète — des robes, des dessous, des accessoires —, le tout soigneusement rangé, comme si elle avait toujours vécu ici. Mais rien de tout cela n'était à elle. Ses bagages étaient quelque part entre Cranmer et le château Hendon, avec Elmina.

Perplexe, elle sortit une fine robe de nuit en voile. La secouant pour la déplier, elle leva le vêtement presque transparent. Il était évident que c'était son mari qui avait choisi cette garde-robe — pour elle.

Marmonnant une imprécation contre tous les séducteurs, Kit mit la scandaleuse robe de nuit en boule et la fourra dans le tiroir. Ses doigts saisirent le morceau de tissu suivant. Ils ne peuvent tout de même pas tous être comme ça ?

— Que faites-vous ?

Kit sursauta et se tourna pour faire face à son mari. À sa grande surprise, il n'était pas là où elle pensait — à la porte du couloir —, mais adossé contre une autre porte qu'elle n'avait pas encore essayée. Elle donnait probablement sur ses appartements. Kit ravala sa salive nerveusement. Le sourire sur le visage de Jack rendit frénétiques les papillons qui avaient élu domicile dans son ventre.

— Euh…

«Réfléchis, imbécile!»

— Je cherchais une robe de nuit.

Tandis qu'elle voyait le sourire de Jack s'élargir, Kit dut se retenir de parler.

— Vous n'en avez pas besoin.

Jack s'éloigna de la porte et avança vers elle, son sourire diabolique s'accroissant à chaque pas.

— Je vous tiendrai chaud.

— Euh... oui. Jack, arrêtez!

Kit leva une main, paniquée.

— Ne devriez-vous pas envoyer chercher une domestique?

La question idiote eut l'effet désiré. Elle l'arrêta net. Elle amena aussi un froncement de sourcils sur son visage et assombrit ses yeux.

Jack s'arrêta au milieu de la chambre de sa femme et plaça ses mains sur ses hanches, moyen le plus efficace pour l'intimider et la pousser à laisser tomber son attitude ridicule. Il en avait assez.

— Que diable se passe-t-il avec vous, Madame? Au cas où vous l'auriez oublié, je suis parfaitement qualifié pour vous déshabiller. Je n'ai pas besoin d'une domestique pour me montrer comment faire.

Sur cette déclaration d'intention, il avança résolument, mais s'arrêta quand il vit une réelle frayeur fuser dans les yeux de Kit.

Que se passait-il avec elle? Kit aurait aimé le savoir. S'il l'avait approchée en tant que capitaine Jack, elle aurait été dans ses bras en un rien de temps. Faire l'amour au capitaine Jack était facile. Avec le capitaine Jack, il n'y avait pas de lendemain.

Mais il n'y avait aucun moyen pour qu'elle puisse confondre l'homme qui se tenait au milieu de sa chambre avec le capitaine Jack. Les manifestations physiques étaient les mêmes, mais la similarité s'arrêtait là. C'était Lord Hendon, son mari. La superbe coupe de son manteau, le délicat tissu de sa chemise, ses cheveux brillants bien attachés, et surtout le saphir de sa chevalière scintillant sur sa main droite, tout soulignait la différence fondamentale. Il était l'homme qu'elle avait épousé, qu'elle avait juré d'honorer et à qui elle devait obéir. Il était l'homme qui, à partir de ce soir, serait tout pour elle. L'homme qui avait à présent des droits légaux sur elle bien au-delà de ceux que quiconque avait jamais eus. Son esprit n'était pas capable d'assimiler que l'amour avec lui équivalait à l'amour avec le capitaine Jack.

Ce n'était simplement pas pareil. *Il* n'était pas pareil. Kit eut un soubresaut en prenant son souffle. Peu importe ce qu'il pensait, elle n'avait jamais fait l'amour avec lui avant.

Jack vit diverses expressions traverser le visage pâle de Kit et sa confusion augmenter. Elle ne pouvait pas être nerveuse, mais il n'avait pas pensé auparavant qu'elle puisse être une actrice accomplie. Ses yeux étaient d'énormes réservoirs de peur, grouillants et agités. Ses doigts étaient recroquevillés si fermement sur la porte de la penderie que ses articulations étaient blanches. Quand un frisson d'appréhension parcourut sa peau, il renonça au combat à cause du doute.

Elle *était* nerveuse.

— Bon sang !

Jack se tourna vers le lit, passant une main dans ses cheveux, les défaisant. Distraitement, il tira sur le ruban noir et libéra de longues mèches, laissant tomber le ruban sur le sol. Il jeta un œil sur Kit, presque pétrifiée près de la penderie. Si elle était nerveuse, il espérait qu'elle garderait son regard au même niveau et ne le baisserait pas sur le renflement qui, il en était conscient, déformait la coupe parfaite de ses pantalons. Bon sang! Cela s'annonçait être un acte de longue haleine, et il n'était même pas sûr qu'il allait réussir.

— Venez ici.

Il s'efforça d'adoucir le désir brut dans sa voix rauque et ne réussit qu'en partie.

La frayeur de Kit se manifesta de nouveau, mais quand il tendit la main, lui faisant impérieusement signe d'avancer, elle hésita, puis vint à côté de lui, glissant une main tremblante dans la sienne. Jack l'attira doucement dans ses bras, se tournant pour la prendre complètement contre lui.

— Détendez-vous.

Il souffla sa requête dans la douceur de ses cheveux près de son oreille. À présent qu'il avait les mains sur elle, il n'avait plus besoin de confirmation sur son état. Elle était crispée, frémissant à cause de la tension. Il n'était pas assez idiot pour lui demander des explications. À la place, ses lèvres trouvèrent son pouls sous son oreille.

Kit frissonna et se demanda comment elle allait obéir à sa demande. Les lèvres de Jack parcoururent sa mâchoire, déposant de doux baisers tout le long. Rassurée sur le fait qu'elle n'allait pas être dévorée, elle se laissa aller dans la chaleur de son étreinte, livrant sa bouche à ses attentions expertes.

Quand ses lèvres s'ouvrirent automatiquement pour le recevoir, Jack mit un solide frein à ses propres réactions.

Dans quel genre d'enfer s'était-il mis cette fois ? Non seulement avait-elle besoin d'être courtisée en douceur, mais ses
réactions étaient bien ancrées, une partie naturelle d'elle
qu'il avait pris soin, au cours de leurs liaisons passées, d'en-
courager. Voilà que maintenant elles semblaient résolues
à le conduire au bord de la folie. Chaque fois qu'il pensait
qu'il avait stabilisé leur relation, elle inventait un nouveau
coup de théâtre pour le tourmenter. Serrant mentalement les
dents, Jack s'attela à la tâche de séduire sa femme.

Inconsciente du trouble qu'elle causait, Kit sentit les
nœuds dans son estomac se détendre tandis que Jack
commençait une exploration tranquille de son corps complètement vêtu, sa langue sondant les doux contours de
sa bouche sans se presser, comme s'il avait l'intention de
passer toute la nuit à un jeu si enivrant. Elle savait qu'il ne
le voulait pas, mais c'était une sensation réconfortante. Le
baiser s'approfondit à un point presque imperceptible, ses
caresses devenant de plus en plus intimes jusqu'à ce qu'elles
la réchauffent. Elle était heureuse de libérer ses bras de sa
veste. Se blottissant plus près, elle appuya ses seins frisson-
nants contre sa poitrine. Ses mains parcoururent son dos,
la modelant contre lui jusqu'à ce que les cuisses de Kit se
retrouvent bien calées contre les siennes. La preuve de son
désir se pressa fortement contre son ventre, et Kit sentit une
douleur familière s'intensifier en elle.

Ce qui suivit fut un voyage soigneusement orchestré
dans le plaisir. Tout le temps, Jack retenait fermement les
rênes de son désir, ne relâchant pas sa prise même quand
Kit s'étendit nue sous lui, haletant de désir, les cuisses écartées, les hanches inclinées en une invitation incontestable.

Il plongea dans sa chaleur accueillante, la mâchoire serrée sous l'effort de rester en contrôle, déterminé à ce que, peu importe le coût, elle passe une nuit d'amour qu'elle n'oublierait jamais.

Il la pénétra, et elle soupira profondément. Elle ferma les yeux, savourant la sensation d'être si profondément possédée. Sa peau était vivante, ses seins gonflés étaient douloureux, son corps aspirait à l'orgasme. Quand Jack bougea en elle, elle se mordit la lèvre et resta immobile, sentant sa force, sa dureté, son désir implacable. Puis, elle bougea avec lui, laissant son propre désir s'épanouir, nourrissant et calmant le sien. Elle passa ses bras autour de lui, enveloppa ses jambes autour de ses hanches et laissa la danse les consumer. Leurs corps luttaient, intimement étreints, chauds et glissants. Tandis que l'orgasme approchait, Kit perdit le souffle et s'abandonna… aux flammes de la passion, au plaisir enivrant, à une sensation d'incandescence.

Quand, enfin, ils s'étendirent épuisés dans les bras l'un de l'autre et que Jack sentit le dernier léger spasme de Kit s'évanouir alors que sa respiration ralentissait en un sommeil voluptueusement repu, un sentiment de possession triomphant le parcourut.

Elle était sienne. Il avait de nouveau conquis sa femme extravagante. Il ne la laisserait plus jamais partir.

Soupirant d'une satisfaction renforcée par la douce sensation de la performance, de la satisfaction du travail bien fait, Jack se tourna sur le côté, prenant Kit et l'installant délicatement contre lui.

À mi-chemin du retour du paradis, Kit sentit son poids bouger, mais elle était trop rassasiée pour protester. Elle avait oublié ce que c'était — de perdre la raison, d'abandonner ses sens à la conflagration de leur désir. Elle voulait que ce soit lent et calme. Elle avait eu ce quelque chose de lent et calme. La façon de faire l'amour de Jack était une mixture puissante. Elle était irrémédiablement dépendante. Il n'y avait aucune chance de le renier, alors aussi bien l'accepter comme son lot.

Qui sait ce qu'il gardait en réserve — pour elle, pour lui? Après cette nuit, peu importe ce qui arriverait, elle devrait faire face au fait que, pour elle, un seul homme avait le pouvoir d'ouvrir les portes du paradis.

Son mari. Jack — Lord Hendon.

Chapitre 25

L e lendemain matin, Kit entra dans le petit salon pour le petit déjeuner, déjà animé en raison de l'heure tardive. Il n'était pas dans ses habitudes de laisser les domestiques attendre après elle, mais elle avait fait la grasse matinée, épuisée par la méthode utilisée par Jack pour la réveiller.

Croisant immédiatement le regard entendu de son mari et son sourire lent, elle n'avait rien pour retrouver sa contenance. Revêtant autant de dignité que possible, elle s'affaira au buffet, priant pour que le rouge qu'elle pouvait sentir réchauffer ses joues ne soit pas visible pour l'homme dépravé au bout de la table.

Elle avait cru qu'il aurait déjà quitté la maison pour faire les choses que les gentlemen font, mais elle avait passé une nouvelle robe du matin au cas où. Le ton jaune délicat était un de ses préférés. Elle espérait qu'il l'apprécierait. Il était aussi terriblement beau, avachi sur sa chaise, ses longs doigts repliés autour de l'anse d'une tasse, le journal de la veille étalé devant lui.

Son assiette dans les mains, Kit se tourna. Elle obtint la réponse de l'endroit où elle devait s'asseoir de la part de Lovis, qui tenait la chaise à l'autre extrémité de la table.

Ignorant son mari, Kit s'assit et prit sa fourchette. Du coin de l'œil, elle vit Lovis se faire congédier d'un geste languissant.

Jack attendit que la porte se ferme derrière son majordome pour remarquer :

— Je suis heureux de voir que votre appétit est revenu.

Kit baissa les yeux sur son assiette, voyant pour la première fois le monticule de tarte au riz qu'elle s'était servi, deux harengs nichés sur un côté avec une portion de haricots et de bacon de l'autre. Une tranche de jambon se trouvait sur le dessus, un cornichon au milieu. La tête sur le côté, elle considéra son assiette avant de répondre :

— Eh bien, j'ai faim.

C'était sa faute si c'était le cas. Comment osait-il la taquiner là-dessus ?

— En effet !

Kit leva les yeux à temps pour saisir sa jubilation de propriétaire avant que Jack n'y substitue une expression plus innocente. Les yeux de Kit se plissèrent. Elle aurait aimé dire quelque chose, faire quelque chose, pour effacer l'étincelle de suffisance de ses yeux.

Comme elle continuait à le regarder, Jack haussa les sourcils en signe de fausse candeur.

— Vous allez avoir besoin de garder vos forces, proposa-t-il. Je soupçonne que vous trouviez le rôle de Lady Hendon étonnamment fatigant.

Des flammes d'avertissement vacillèrent dans le regard furieux de Kit. Jack rit et, déposant sa tasse, se leva, fit le tour de la table et s'arrêta à côté d'elle.

— Je n'avais pas l'intention de vous quitter si tôt, mais j'ai peur de devoir me dépêcher d'aller inspecter quelques champs. Je serai de retour vers midi.

Kit se souvint de son rendez-vous de ce matin et ravala sa requête d'y aller avec lui. Elle leva les yeux vers lui, l'air absent.

— Mme Miles doit me montrer la maison ce matin. Nul doute que je serai si occupée que je ne remarquerai même pas votre absence.

Jack essaya de garder ses lèvres fermées et échoua lamentablement. Un gloussement lui échappa. Il leva un doigt et l'enroula dans les boucles de cheveux près de l'oreille de Kit. Puis, il pencha sa tête et murmura :

— Ne vous en faites pas. Pourquoi ne pas utiliser votre temps pour réfléchir à des aspects plus intéressants des tâches de Lady Hendon ? Peut-être que nous pourrions en discuter quand je reviendrai ?

Kit se raidit. Il ne pouvait pas vouloir dire… ?

Les doigts de Jack descendirent le long de sa peau délicate sous son oreille. Ses lèvres suivirent, laissant une traînée de chatouillements occasionnés par ses légers mordillements. Avant qu'elle puisse retrouver ses esprits, il releva son menton, l'embrassa goulûment sur les lèvres et se retira.

Réprimant un juron des plus inélégants, Kit agita ses épaules pour chasser le délicieux frisson qu'elle avait senti descendre le long de sa colonne, prit une profonde respiration et se concentra sur son petit déjeuner.

Elle passa inéluctablement la matinée à se faire formellement mettre au courant des rouages du château. Le personnel était agréable, manifestement heureux que ce soit quelqu'un du coin qui eut pris la place de Lady Hendon. Gérer l'entretien d'une maison était une seconde nature pour Kit — un héritage de sa grand-mère. Elle traita avec le personnel avec une assurance naturelle qui eut le résultat escompté. Vers midi, elle détenait les rênes domestiques fermement dans ses mains.

Jack ne se trouvait pas à la table du déjeuner. Lovis confirma qu'il n'était pas revenu. Habituée à la solitude, Kit marcha dans les vastes jardins, puis, fatiguée d'un tel exercice monotone, elle monta à l'étage pour se changer et revêtir son nouvel habit d'équitation. Il faisait beau, la brise était attirante… Quel meilleur moyen de passer l'après-midi que de parcourir à cheval les terres de son mari?

Les écuries étaient grandes, construites autour de deux cours qui communiquaient. Kit erra le long des rangées de stalles, à la recherche du crin noir de Delia. Le chef palefrenier sortit de la seconde cour. L'apercevant, il se pressa, retirant son chapeau tandis qu'il approchait.

— Bonjour, Madame.

Kit attendit qu'il lui demande s'il pouvait lui être utile. Comme il ne fit que rester là, manifestement nerveux, tordant son chapeau dans ses mains, elle eut pitié de lui.

— J'aimerais avoir mon cheval, s'il vous plaît. La jument noire.

À sa grande surprise, l'homme tordit davantage son chapeau et sembla encore plus mal à l'aise. Kit fronça les sourcils, un désagréable soupçon supplantant sa bonne humeur.

— Où est Delia?

— Le maître a dit de la mettre dans le paddock en arrière, Madame.

Kit posa ses mains sur ses hanches.

— Où est ce paddock ?

Le palefrenier fit un geste en direction sud.

— Sur les collines.

Trop loin pour y aller à pied. Avant que Kit puisse poser sa question suivante, le palefrenier ajouta :

— Le maître a dit qu'elle ne pouvait être montée qu'avec son accord, Madame.

Kit bouillonna intérieurement. Il était inutile de sermonner le palefrenier. Il ne faisait qu'obéir à ses ordres. La personne qu'elle voulait sermonner, qu'elle *devait* sermonner, était le donneur d'ordre. Brusquement, elle tourna les talons.

— Prévenez-moi dès que Lord Hendon reviendra.

— Je vous demande pardon, Madame, mais il est arrivé il y a moins de dix minutes.

Les yeux de Kit scintillèrent.

— Merci… Martins, c'est ça ?

Le palefrenier la salua.

Kit le récompensa d'un sourire pincé et retourna vers la maison d'un pas énergique.

Elle trouva Jack dans la bibliothèque. Elle entra dans la pièce et attendit d'entendre Lovis fermer la porte avant d'avancer vers son mari. Il se tenait derrière son bureau, une feuille de papier dans la main. Remarquant l'expression arrêtée dans ses yeux, elle réalisa que toute tentative de cacher sa colère serait vaine. Elle prit son souffle pour finalement le voir saisir l'initiative.

— Je suis désolé de ne pas être revenu pour le déjeuner. Comment s'est passée votre tournée avec Mme Miles ?

Jack déposa sa feuille sur le sous-main et fit le tour de son bureau.

Déconcertée par sa question anodine, Kit cligna des yeux, puis réalisa que Jack avançait vers elle. Il allait l'embrasser. Elle se dirigea prestement vers un fauteuil.

— Euh… très bien. Qu'avez-vous fait avec mon cheval?

Son attaque de flanc échouant, Jack s'arrêta et fit face aux armes de Kit. Il contempla son attitude belliqueuse, perdant de son effet à cause de sa retraite derrière le fauteuil.

— Je l'ai mise dans un enclos assez vaste pour qu'elle puisse se dégourdir les jambes.

— Elle se dégourdit les jambes assez souvent. Je la monte tous les jours.

— Dans le passé.

Kit fronça les sourcils.

— Je vous demande pardon?

— Vous la *montiez* tous les jours.

Comme aucune autre explication ne vint, Kit serra les dents et demanda :

— Qu'essayez-vous de me dire?

— Qu'à partir de maintenant, vous monterez Delia quand je serai avec vous. En dehors de Champion, aucune bête du Norfolk ne peut aller aussi vite que cet éclair noir que vous appelez un «cheval». Je ne mettrai pas sur les bras de mes palefreniers la responsabilité d'essayer de vous garder en vue. Donc, vous chevauchez avec moi, ou vous acceptez une monture plus docile et prenez un palefrenier avec vous.

Kit n'avait jamais exactement su ce que signifiait être «éberluée». Maintenant, elle le savait. Elle était si en colère qu'elle ne pouvait pas décider quel point attaquer en premier.

La riposte évidente — que Delia était son cheval — aurait une réponse tout aussi évidente. Étant sa femme, toutes ses propriétés étaient siennes. Mais ses ordres étaient scandaleux. Les yeux de Kit scintillèrent dangereusement.

— Jonathon, dit-elle, utilisant son prénom pour la première fois depuis leurs vœux de mariage, je monte à cheval depuis que je marche. Dans la région, j'ai chevauché seule toute ma vie. Je ne…

— … continuerai pas avec un style aussi inacceptable.

Kit se retint de crier. La déclaration insensible résonnait de façon encore plus menaçante que les déclamations de Spencer l'avaient jamais été. Elle prit une profonde respiration et força son intonation à revêtir une note modérée.

— Tout le monde dans le coin sait que je monte à cheval seule. Ils n'en pensent rien. Sur Delia, je suis parfaitement en sécurité. Comme vous venez de le souligner, personne ne peut me rattraper. Aucun de nos voisins ne se sentira le moins du monde scandalisé de me voir chevaucher seule.

— Aucun de nos voisins n'imaginerait que je puisse vous permettre de le faire.

Ce fut un effort, mais Kit ravala le juron qui monta vers ses lèvres. Le regard calme de son mari n'avait pas changé. Il la regardait, poliment attentif, mais avec l'assurance détachée qu'il sortirait vainqueur de ce petit contretemps estampillée partout sur son visage arrogant. C'était le côté de Jack qu'elle ne connaissait pas, mais qu'elle avait imaginé possible. C'était Jonathon.

Kit essaya une tactique différente.

— Pourquoi?

S'expliquer n'était pas son style, mais dans ce cas, Jack savait qu'il devait instaurer de bonnes bases. Elle faisait ses premières armes. Ça ne ferait pas de tort qu'il lui donne ses raisons.

— Premièrement, en tant que Lady Hendon, votre comportement sera vu comme un modèle à suivre pour les autres, un statut qui ne correspond pas à Mlle Kathryn Cranmer, mais un point que, j'en suis sûr, Lady Marchmont et compagnie vous expliqueront vite clairement si je ne le fais pas.

Il s'arrêta pour laisser cette insinuation faire son chemin. Avançant vers le fauteuil derrière lequel Kit se tenait à l'abri, il continua :

— Il y a aussi le fait que votre sécurité est mon premier souci.

Une autre pause lui permit de capter son regard dans le sien.

— Et je ne considère pas que parcourir la région à cheval seule soit un passe-temps suffisamment sûr pour ma femme.

Se souciait-il vraiment de son sort ?

Kit ouvrit la bouche, mais Jack leva une main pour l'arrêter.

— Épargnez-moi vos arguments, Kit. Je ne changerai pas d'avis. Spencer vous a laissée chevaucher seule pendant plus de temps que ce qui était acceptable. Il a été le premier à l'admettre.

Kit se raidit tandis que le regard de Jack parcourut lentement la silhouette de son corps élancé. Un subtil sourire traversa son visage.

— Vous n'êtes plus une enfant, ma chère. Vous êtes, en fait, un fruit bien plus exquis. Et j'ai bien l'intention qu'aucun autre homme ne le goûte.

Un froncement de sourcils arrogant parut sur son visage, la poussant à intervenir. Kit se mordit la lèvre, puis lâcha :

— Si j'étais en pantalons, aucun homme ne me regarderait à deux fois.

Elle bougea avec gêne tandis qu'elle voyait le sourire de Jack s'élargir. Ce n'était pas vraiment encourageant, car il ne se rendait pas jusqu'à ses yeux.

— Si jamais je tombais sur Lady Hendon en pantalons, savez-vous ce que je ferais ?

Son intonation douce et feutrée paralysa Kit. Elle sentit ses yeux s'écarquiller, prisonniers du regard de son mari. De petites flammes vacillèrent. Lentement, presque hypnotisée, Kit secoua la tête.

— Où que vous soyez, à l'intérieur ou à l'extérieur, je serais ravi de vous ôter lesdits pantalons.

Kit avala sa salive.

— Ensuite...

— Jack ! dit Kit d'un air menaçant. Arrêtez ! Vous essayez juste de me faire peur.

Jack haussa les sourcils. Il tendit la main et, à la surprise de Kit, poussa le fauteuil qui était entre eux. Elle n'avait pas réalisé qu'il était si près. Avant qu'elle puisse réagir, il prit ses épaules et l'attira contre lui. Prisonnière dans le cercle de ses bras, Kit regarda son visage, son pouls s'accélérant. Un air particulièrement démoniaque s'était fixé sur ses traits.

— C'est ce que je fais ?

Elle ne pouvait absolument pas décider s'il la taquinait ou pas.

— Essayez, je vous en prie, si vous en doutez.

L'invitation était accompagnée d'une expression qui indiqua à Kit de ne pas le prendre au mot. Elle se poussa à adoucir sa tactique.

— Mais j'ai besoin d'exercice.

Dès que ses mots plaintifs s'échappèrent de ses lèvres, Kit réalisa son erreur. Ses yeux s'écarquillèrent. Elle ne risquait pas de les lever.

Une pause éprouvante pour les nerfs s'ensuivit.

— Vraiment ? fut la question légère qui en résulta.

Kit ne risquait pas de répondre.

— Je ne l'oublierai pas, ma chère. Je suis sûr que je pourrais concevoir un grand nombre de nouvelles façons de vous faire faire de l'exercice.

Kit n'en doutait pas. Le léger tremblement dans sa voix grave suggérait que lui non plus. Une maxime de Lady Gresham lui revint en tête : *Quand tout le reste échoue, essayez les cajoleries.*

Elle leva les yeux.

— Jack…

Mais il secoua la tête.

— Arrêtez, Kit. Je ne changerai pas d'avis.

Kit scruta ses yeux parfaitement sérieux et sut qu'il était au-dessus de son pouvoir de l'influencer. Poussant un soupir d'exaspération, de profonde frustration, elle grimaça.

Il embrassa ses lèvres qui faisaient la moue. Il continua à les embrasser jusqu'à ce qu'elle cède. Sentant sa raison larguer les amarres, Kit parvint à trouver assez de volonté pour pousser mentalement un juron contre les hommes impérieux, avant de se résoudre à en apprécier un.

Pendant le reste de la journée, elle maintint une attitude qui était l'essence même de la complaisance d'une bonne épouse. Son apparence était des plus lumineuses. Son mari avait insisté... Elle s'était désistée. Si elle ne pouvait pas gagner le combat, elle était déterminée à tirer le meilleur de sa défaite. Malheureusement, Jack montra tous les signes d'un être extrêmement compréhensif. Quand il utilisa sa toute nouvelle soumission pour la contraindre à accepter de se retirer plus tôt, Kit reprit rapidement son attitude ergoteuse habituelle. Or, il était trop tard.

Elle eut sa revanche deux jours plus tard, quand la question de visiter les boutiques de Lynn fut soulevée. Il devint rapidement clair que Jack n'était pas fou de l'idée qu'elle soit à la fois hors de sa vue et hors des terres des Hendon. Elle haussa simplement les épaules.

— Si vous voulez venir avec moi, je n'ai aucune objection.

Elle garda ses yeux grands ouverts et innocents sur les gants qu'elle boutonnait.

— Mais je ne vous imaginais pas participer à toutes les visites que je devrai faire en quelques semaines. Non pas que les ladies ne seraient pas heureuses de vous voir.

Elle obtint son attelage par forfait. Mais quand elle descendit l'escalier principal au bras de son mari, ce fut pour voir non pas un, mais *deux* valets de service qui attendaient. Elle hésita seulement un moment, interloquée par cette vision, mais à ce moment-là, trop avisée pour ne pas accepter sa meilleure partie de la victoire de bonne grâce. Les valets restèrent sur ses talons pendant son expédition.

Malgré certains ajustements, la fin de leur première semaine de vie conjugale arriva sans drame majeur. Installée dans un fauteuil devant le feu dans la bibliothèque, Kit bâilla et céda à une de ses passions préférées, étudier la façon dont les cheveux bruns de son mari devenaient dorés à la lumière. Il était assis devant le vaste bureau placé dans un coin de la pièce, à parcourir un registre. Leur interaction était tombée dans la routine, ce qu'elle appréciait. Après tant d'années essentiellement seule, elle trouvait rassurant de savoir quand Jack serait avec elle et quand elle aurait la liberté d'accomplir les tâches les plus courantes de Lady Hendon. À sa grande surprise, elle en arriva vite à la conclusion que la vie conjugale lui convenait finalement.

Ses journées tendaient à commencer à l'aube, bien qu'elle n'eût pas encore réussi à quitter son lit avant neuf heures. Ses anciennes habitudes de monter à cheval avant le petit déjeuner avaient pris fin grâce aux tendances amoureuses de Jack. Il partait toujours tôt à cheval, même si elle ne comprenait pas comment il réussissait. Après un très court petit somme pour récupérer, il se levait et était prêt, alors qu'elle restait allongée sous le couvre-lit en satin vert, ses membres alourdis par une langueur délicieuse, tout à fait incapable de bouger, encore moins de penser. Après s'être lavée, habillée et avoir pris le petit déjeuner, habituellement seule, elle allait voir Mme Miles et donnait ses instructions pour la journée. La période avant le déjeuner était remplie de voyages au cellier, à la laverie, à la cuisine ou dans les jardins. Jack la rejoignait habituellement pour le déjeuner, après quoi, presque tous les jours, il se rendait disponible pour l'accompagner à monter à cheval. Elle acceptait son offre avec empressement, reconnaissante de ne pas avoir à renoncer à sa promenade quotidienne avec Delia.

L'après-midi qu'il fut retenu à Hunstanton, elle ravala sa fierté et demanda qu'on selle la jument qu'il avait choisie comme substitut à Delia. Escortée d'un palefrenier plus âgé, elle alla au domaine Gresham.

En tant que jeunes mariés, leurs premières semaines avaient été pour eux, pour s'installer dans la vie conjugale sans distraction. Mais ensuite, les visites des jeunes mariés avaient pu commencer. Et les dîners. Kit savait à quoi s'attendre. Cette perspective ne l'effrayait pas, mais elle se demandait comment son mari maladroit en société et réticent s'en sortirait.

Sa visite chez Amy fut relaxante, mais elle souligna la vérité de l'avertissement de Jack, selon qui son statut en tant que Lady Hendon était de loin de plus d'importance que celui de Mlle Cranmer. L'idée d'avoir priorité sur Lady Gresham nécessitait une certaine adaptation. Lady Gresham commenta favorablement la formalité de son escorte. Kit se retint de parler. Amy se mourait d'entendre des nouvelles plus intimes, mais Lady Gresham, aussi curieuse, ne les laissa pas seules. Kit quitta la propriété avec la nette impression qu'elle décevait ses amies en restant essentiellement elle-même, plus qu'en se montrant visiblement transformée de façon miraculeuse par les aptitudes légendaires de son mari.

Elle revint au château Hendon en gloussant tout le long, ne manquant pas de troubler son palefrenier.

Le feu crépitait et sifflait tandis qu'une goutte de pluie trouva à descendre le long de la cheminée. Kit réprima un autre bâillement. Parmi tous les moments de leurs journées, les soirées étaient les plus paisibles. Jusqu'à ce qu'elle monte l'escalier vers sa chambre. Mais même là, l'atmosphère était calme. La teneur de leurs ébats amoureux avait changé. Sachant que rien ne pouvait les empêcher de passer le temps qu'ils voulaient sur la route du paradis, Jack semblait satisfait de progresser aussi lentement qu'elle le désirait, prolongeant leur moment dans ce monde rempli de béatitude. Son contact était exquis, son rythme impeccable. Chaque nuit, il y avait de nouvelles portes à ouvrir, de nouvelles avenues à explorer. Chacune menait au même pic, au-delà duquel se trouvait un vide altruiste de sensations indescriptibles. Son ravissement à apprendre les sentiers du plaisir était sincère. C'était un professeur patient.

Kit soupira et sourit devant sa tête penchée.

Elle attendait impatiemment sa prochaine leçon.

Un coup de tonnerre réveilla Kit. Elle se recroquevilla et tira les couvertures sur ses oreilles, mais l'écho continua de résonner en elle. Puis, elle se souvint qu'elle était une femme mariée et elle tendit le bras vers son mari. Sa main hésitante rencontra le vide. Il n'y avait personne dans lit à côté d'elle.

Kit s'assit et regarda d'abord les draps froissés, puis la chambre vide. La foudre éclaira la pièce, un rayon filtrant à travers la fente des rideaux. Kit tressaillit. Où était Jack alors qu'elle avait besoin de lui?

Le coup de tonnerre suivant la poussa à se lever. Elle saisit le négligé en soie osé que Jack tenait à ce qu'elle porte afin qu'il puisse en profiter pour le lui ôter, et passa l'étoffe légère, s'assurant de bien la serrer. Fronçant les sourcils, l'air déterminé, Kit se rendit à la porte donnant sur un endroit qu'elle n'avait pas encore exploré — la porte qui conduisait aux appartements de Jack. Peu importe ses raisons d'aller dans son propre lit toutes les nuits, elle avait l'intention de rendre parfaitement clair que pendant un orage, sa place était à ses côtés.

Comme elle le soupçonnait, la porte donnait sur la chambre principale. Si sa chambre était vaste, celle de Jack était gigantesque. Et aussi vide. Kit regarda dans les coins sombres, puis se concentra sur le lit quand elle saisit tout à coup.

« Lord Hendon est le capitaine Jack. »

Au cours des bouleversements des dernières semaines, elle avait complètement oublié ce fait. Après avoir guéri de sa blessure, elle avait tacitement accepté que devenir Lady Hendon signifiait « plus de contrebande ». Elle était convaincue que Lord Hendon le verrait de cette façon. Elle s'était enlevé toute pensée du gang de Hunstanton de l'esprit. Mais, manifestement, le capitaine Jack avait l'intention de mener son propre chemin, malgré tout.

Oubliant la tempête qui faisait rage dehors, Kit s'assit sur le lit de Jack et s'efforça de donner un sens aux faits qu'elle connaissait. Ce fut inutile. Ils ne formaient pas un tout cohérent. Quand le froid pénétra sa robe délicate, elle tira les oreillers et amena le couvre-lit autour d'elle. Lord Hendon avait été nommé haut-commissaire spécialement pour arrêter le passage d'espions. Le même Lord Hendon, sous l'identité de capitaine Jack, était activement engagé dans le passage d'espions. Malgré son désintérêt total pour ce sujet, elle avait glané des fragments suffisants pour confirmer sa vague idée que le même Lord Hendon avait un passé militaire. Un passé militaire exemplaire. En fait, selon Matthew, il était un sacré héros. Alors, que diable faisait-il à faire passer des espions ?

Poussant un grognement de frustration, Kit battit l'oreiller et y posa sa tête. Des morceaux manquaient à son puzzle. Jack jouait un jeu complexe.

Ses paupières devinrent lourdes, et elle bâilla. Elle pouvait comprendre pourquoi il ne le lui avait pas dit avant. Mais elle n'était plus une contrebandière. Elle était sa femme. Pourquoi ne le lui dirait-il pas à présent ? Hochant légèrement la tête, Kit rentra son menton plus profondément dans l'oreiller et ferma les yeux. Elle resterait ici jusqu'à ce qu'il le fasse.

Les rideaux du lit bougèrent à cause du courant d'air quand la porte s'ouvrit et se ferma. Kit se réveilla en sursaut. Ses yeux s'ajustèrent à la noirceur, et elle reconnut immédiatement la large silhouette de son mari quand il traversa la pièce jusqu'au lavabo.

Il ne l'avait pas vue dans l'obscurité du lit.

Kit le regarda ôter ses vêtements, puis prendre une serviette et se sécher les cheveux. Elle adapta ses sens aux sons de la nuit. L'orage avait cessé ; il pleuvait. Tandis que Jack passait la serviette sur ses épaules et sa poitrine, Kit réalisa qu'il devait être trempé. Il s'assit sur une chaise et, avec un effort, il ôta ses bottes. Quand il se leva, se penchant pour mettre ses chaussures sur le côté, elle demanda :

— De quel chargement s'agissait-il cette nuit ? Du cognac ou de la dentelle ?

Lentement, Jack se redressa et la regarda directement. Kit retint son souffle. Le silence était si profond qu'elle pouvait entendre la pluie éclabousser les vitres des fenêtres.

— Cognac.

Kit serra ses genoux.

— Rien d'autre? s'enquit-elle innocemment.

Jack ne répondit pas. La présence de Kit dans sa chambre à ce moment particulier ne faisait pas partie de son plan. Tout comme il ne faisait pas partie de son plan de satisfaire sa curiosité à propos des aventures nocturnes du capitaine Jack. Spencer l'avait renseigné sur Julian, le cousin de Kit. Il comprenait maintenant son intérêt pour arrêter les espions. Un idéal louable pour la femme du haut-commissaire. Mais lui répondre à ce sujet était hors de question.

Elle était la femme qui avait allègrement accepté un poste de chef d'un gang de contrebandiers, la même femme qui, à plus d'une occasion, avait désobéi à ses ordres explicites. Le simple fait d'ébaucher la réalité était trop dangereux.

Ayant l'intention de se réchauffer aussi vite que possible, Jack enleva ses hauts-de-chausse détrempés, les laissant en tas sur le sol. Il essuya ses jambes et posa un regard songeur sur le lit. Maintenant qu'elle était là...

Kit essaya d'ignorer le frisson de plaisir anticipé qui courut sous sa peau.

— Jack, que... *Oh!*

Elle ravala un cri aigu quand Jack s'allongea sur le lit à côté d'elle. Il enleva les couvertures. Le délicat tissu de son négligé apparut sommairement superflu avant qu'il la fasse rouler en dessous de lui. Ses lèvres trouvèrent les siennes tandis que les mains de Kit, et le reste de son corps, entraient en contact avec son corps nu. Après un duel de langues émoustillant, Kit se retira pour dire en haletant :

— Idiot ! Vous êtes gelé ! Vous allez mourir de froid.

Sa peau était glacée, sauf à un endroit, qui se réfugiait déjà dans la chaleur de la jonction de ses cuisses.

— Pas si vous me réchauffez.

Kit gémit quand elle sentit une grande main se glisser sous ses fesses, inclinant ses hanches, l'ouvrant pour son invasion. Elle sentit son membre se raidir lentement. Dur comme de l'acier, lisse comme de la soie, il entra en elle. Kit gémit de nouveau, son corps se cambrant instinctivement pour l'accueillir.

Les lèvres de Jack cherchèrent les siennes. Ils bougeaient ensemble, Kit suivant son rythme, se soulevant à chacune de ses poussées, alimentant de plus en plus les flammes jusqu'à ce qu'elles fusionnent, envoyant un vif plaisir les parcourir.

Plus tard, il se retira, l'attirant avec lui, de sorte qu'elle se retrouve recroquevillée, dos contre lui. Il logea son corps plus large autour du sien et s'endormit immédiatement profondément.

Blottie sous son bras lourd et s'endormant à moitié elle-même, Kit grimaça. Se marier à Lord Hendon n'avait rien changé. Quand venait le temps de faire de la contrebande, il était le capitaine Jack. Et le capitaine Jack gardait ses intentions pour lui.

Chapitre 26

Pourquoi ne lui disait-il rien? Kit remonta l'allée des Gresham au petit galop avec ce refrain incessant dans la tête. Elle n'avait pas vu son exaspérant mari depuis l'aube, quand, après l'avoir complètement épuisée, il l'avait ramenée dans son lit. Elle se souvenait vaguement qu'il lui avait dit quelque chose à propos d'une activité qui l'occuperait toute la journée, de sorte qu'elle ne pourrait pas poursuivre ses questions. Sans doute pensait-il que le temps diminuerait sa curiosité.

Marmonnant, Kit descendit de sa selle sans attendre l'aide de son palefrenier.

— La famille est-elle là, Jeffries?

— Lord Gresham est à Lynn, Mademoiselle. Je veux dire… Madame.

Jeffries sourit tandis qu'il prit sa bride.

— Lady Gresham a pris la voiture il y a une heure. Mais Mlle Amy est à l'intérieur.

— Bien!

Kit se dirigea vers la maison et entra par la porte du petit salon.

Amy s'y trouvait, maniant paresseusement son aiguille. Elle se leva dès qu'elle vit Kit.

— Oh, chouette! Maman est partie voir Lady Dersingham. Nous allons pouvoir parler.

Puis, Amy remarqua le visage rouge de Kit et la rapidité avec laquelle elle ôta ses gants. Ses yeux s'écarquillèrent.

— Que se passe-t-il?

— Mon satané mari est aussi fermé qu'une huître.

Kit envoya ses gants sur la table et se mit à arpenter la pièce, ses longues enjambées cadencées convenant plus au jeune Kit qu'à Lady Hendon.

— Que veux-tu dire?

Fronçant les sourcils, Amy s'allongea de nouveau sur la méridienne.

Kit regarda dans sa direction. Amy ne savait rien de la double identité de son mari, mais le besoin de se confier était trop fort.

— Que penses-tu d'un gentleman qui refuse de parler à sa femme...

Kit s'arrêta, cherchant ses mots.

— ... des détails d'une affaire dans laquelle il est impliqué, alors qu'il sait qu'elle s'y intéresse et que ce ne serait pas un... abus de confiance ou quelque chose du genre?

Amy plissa les yeux.

— Que veux-tu savoir sur les affaires de Jonathon?

Cette question simple déstabilisa Kit. Poussant un grognement frustré, elle parcourut de nouveau la pièce, s'efforçant de garder son calme. Pourquoi voulait-elle savoir ce que trafiquait Jack? Parce qu'elle le devait. Quand elle était le jeune Kit et lui, le capitaine Jack, elle avait fait partie de ses aventures. Elle ne pouvait pas — ne voulait pas — accepter que devenir sa femme implique qu'elle devait rester éloignée de ce qui le touchait presque le plus. En plus, si elle savait ce qu'il trafiquait, elle était certaine de pouvoir l'aider.

Elle s'arrêta devant Amy.

— Disons simplement que ne pas savoir me rend folle. En plus, ajouta-t-elle, donnant des coups à ses jupes afin de les écarter et pouvoir marcher de nouveau, il y a des raisons de… d'honneur qui me poussent à croire qu'il devrait me parler. S'il avait un *quelconque* instinct de gentleman, il le ferait.

Amy la regardait, stupéfaite — et complètement troublée.

— Tu veux dire que Jonathon n'est pas vraiment un gentleman ?

Ce fut au tour de Kit de cligner des yeux.

— Bien sûr que non !

Elle regarda Amy d'un air renfrogné.

— Ce n'est pas ce que j'ai voulu dire.

Amy regarda Kit d'un air compréhensif et bienveillant, puis tapota la méridienne.

— Assieds-toi, Kit. Tu m'étourdis. Maintenant, dis-moi. Est-ce vraiment aussi excitant qu'on le dit ?

Le sujet de la question échappa complètement à Kit. Elle se laissa tomber dans un fauteuil en face d'Amy et plissa le front.

— Qu'est-ce qui est si excitant ?

— Tu sais.

Le léger rougissement d'Amy ramena subitement l'esprit de Kit dans la bonne voie.

— Oh, ça!

Kit fit un signe de la main dédaigneux, puis changea brusquement d'avis. Elle agita un doigt connaisseur à l'intention d'Amy.

— Tu sais, tu n'arrivais pas à la moitié de ce que c'est quand tu m'as dit tous ces trucs à propos de devenir chaude et humide.

— Ah? dit Amy, qui se redressa.

— Non, affirma Kit. C'est bien pire que ça.

Comme Kit tomba dans un état de rêverie et ne dit plus rien, Amy lui lança un regard furieux.

— Kit! Tu ne peux pas t'arrêter là. Je t'ai dit tout ce que je savais… maintenant, c'est à ton tour. Je vais épouser George le mois prochain. C'est ton devoir de me parler pour que je sache ce qui m'attend.

Kit réfléchit. Elle décida que ce qu'elle pourrait en dire ne convenait pas.

— Tu veux dire que ton George n'a jamais dépassé les baisers et les caresses?

— Bien sûr que non.

L'expression d'Amy tenait plus du dégoût et du mécontentement que du choc.

— Jonathon n'est pas allé plus loin avec toi avant le mariage, n'est-ce pas?

Les yeux de Kit devinrent vitreux.

— Notre relation ne s'est pas tout à fait développée selon les mêmes lignes que George et toi.

Sa voix semblait étranglée. Les souvenirs de jusqu'où Jack était allé menaçaient de la vaincre. Même si elle donnait à Amy une version modifiée, ça la choquerait au plus haut point.

— Je suis désolée, Amy, mais je ne peux pas l'expliquer. Pourquoi n'insistes-tu pas auprès de George pour de plus amples détails ? Le voilà qui arrive.

À travers les fenêtres du petit salon, elle pouvait voir George revenir à grands pas des écuries. Il atteignit la porte et vérifia s'il la voyait. Puis, lentement, il entra et salua Amy, se penchant sur sa main avant de la porter à ses lèvres.

La regardant de près, Kit remarqua l'éclat qui infusait le visage d'Amy et la luminosité dans ses yeux. Quand le regard de George croisa celui d'Amy, son visage s'adoucit. La chaude affection dans ses yeux lui était entièrement reflétée par Amy. Kit se sentit désagréablement *de trop*[15].

Libérant Amy avec une réticence discrète, George se tourna vers Kit et prit sa main pour la saluer.

— Kit.

Elle lui rendit son signe de tête avec grâce. Ils s'étaient rencontrés seulement deux fois depuis qu'elle avait laissé tomber l'identité du jeune Kit — une fois au mariage, une autre lors du dîner de fiançailles tardives. Elle avait toujours eu la nette impression que George désapprouvait ses manières dévergondées bien plus que Jack.

— Amy et moi discutions des mérites d'un mari ouvert à sa femme.

Kit maintint un regard innocent et paisible.

— Peut-être que dans l'intérêt d'une discussion bien tournée, vous pourriez nous donner votre point de vue sur le sujet.

---

15   N.d.T. : En français dans le texte original.

George dressa les sourcils, l'air de plus en plus méfiant.

— Je soupçonne que cela dépend beaucoup de la nature de la relation, vous ne pensez pas ?

Souriant à Amy, George s'assit sur la méridienne à côté d'elle.

— En effet, reconnut Kit. Mais si la relation est satisfaisante, la bonne volonté du mari de se confier est le prochain obstacle, vous ne pensez pas ? Quelles raisons pourrait avoir un homme de garder des secrets par rapport à sa femme ?

La demi-heure qui suivit se déroula dans une conversation particulière à trois voies. George et Kit échangèrent des allusions indirectes à Jack, et Amy n'en comprit aucune. Amy, pour sa part, pressa Kit de se confier et d'expliquer son problème plus à fond — une entreprise que George s'efforça de décourager. Durant ce temps, tous trois échangèrent des potins locaux, et George s'arrangea pour discuter des détails de leur mariage, ce qui était à l'origine de sa visite à la propriété.

Sentant que sa présence limitait le courant entre Amy et George, Kit se leva et prit ses gants.

— Je dois partir. Je suis certaine que mon mari n'approuvera pas que je sois dehors après la tombée de la nuit.

Sur ce commentaire acerbe, elle embrassa affectueusement Amy et salua George avant de quitter la pièce.

Amy la regarda partir, soupira, puis se dirigea directement dans les bras de George, qui se refermèrent autour d'elle. George et elle échangèrent un baiser enthousiaste et effréné. Puis, Amy se recula en soupirant :

– Je m'inquiète pour Kit. Elle est ennuyée par quelque chose… quelque chose de sérieux.

Elle croisa le regard de George.

– Je n'aime pas la savoir seule, à cheval, dans un tel état d'esprit.

George grimaça.

– Kit est une fille forte.

Amy s'approcha davantage.

– Oui, mais…

Les yeux que ceux de George rencontrèrent scintillaient.

– Et ma mère va rentrer dans une minute.

George soupira.

– Très bien.

Il embrassa de nouveau Amy, puis la fit reculer.

– Mais je m'attends à une récompense la prochaine fois que je passerai.

– Vous l'obtiendrez avec ma bénédiction, déclara Amy. Aussi longtemps que ma mère sera absente.

George sourit avec une bonne touche de malice.

– À bientôt !

Faisant un geste de la main, il se dirigea vers les écuries.

Il rattrapa Kit quand elle quittait les écuries, montant une jument alezane.

George demanda :

– Où est Delia ?

Pendant un bref instant, Kit pensa qu'elle allait exploser de colère. Son regard saisit George.

– Ne posez pas la question !

Elle fit pivoter l'alezan vers l'allée.

— Attendez! cria George. Je vais faire une partie du chemin avec vous.

Quand il sortit, une minute plus tard, Kit disciplinait la jument qui caracolait en rond, son palefrenier la regardant à distance. Elle s'arrêta à côté de George. Ensemble, ils se dirigèrent vers le nord, puis l'ouest.

George jeta un œil vers Kit.

— Je suppose que Jack ne s'est pas expliqué sur la contrebande?

Kit plissa ses yeux.

— Les explications ne semblent pas être son point fort.

George gloussa. Comme Kit le regarda d'un mauvais œil, il s'expliqua :

— Vous ne croyez pas si bien dire. Ni les explications ni les excuses ne font partie du caractère de Jack. Elles ne faisaient pas partie des caractéristiques de son père non plus.

Kit fronça les sourcils.

— Quelqu'un a dit un jour que c'était bien « un Hendon ». C'est ce que ça veut dire?

George sourit.

— Si c'est une femme qui a dit ça, pas tout à fait, mais ce n'est pas sans rapport avec ce que j'essaie de vous dire. Jack est un chef né. Tous les Hendon l'ont été pendant des générations. Il est habitué à être le seul qui prend les décisions. Il sait ce qu'il veut, ce qui doit être fait, et il donne les ordres pour que ça arrive. Il ne s'attend pas à devoir expliquer ses actes et ne se réjouit pas qu'on le lui demande.

— Ça, j'avais compris.

George regarda l'air renfrogné de Kit.

— Si ça peut vous consoler, malgré le fait que Matthew et moi l'avons connu pendant presque toute sa vie, une vie que nous avons presque entièrement partagée aussi, nous n'avons pas eu droit à la moindre explication quant à votre inclusion dans le gang. Il ne nous avait même pas dit que vous étiez une femme.

Ils chevauchèrent en silence, Kit réfléchissant aux paroles de George. Sa confidence avait en fait soulagé une certaine frustration lancinante dans son cœur. Son mari était manifestement un autocrate de longue date. Si George avait raison, c'était héréditaire. Il était tout aussi clair qu'aucun de ses proches n'avait le moindrement tenté d'influencer ses manières très autoritaires. La détermination de le faire changer d'attitude, du moins par rapport à elle, s'accrut à chaque pas que son docile alezan faisait.

La bifurcation qui menait au domaine Smeaton apparut en avant. Kit ralentit.

— Vous connaissez la vérité à propos de la contrebande, n'est-ce pas ?

S'arrêtant à côté d'elle, George soupira :

— Oui, mais je ne peux pas vous le dire. Jack est mon supérieur dans cette affaire. Je ne peux pas parler sans son accord.

Kit hocha la tête et tendit la main.

— Merci.

George croisa son regard, puis serra sa main de manière encourageante.

— Il finira par vous le dire.

Kit opina.

— Je sais. Quand ce sera fini.

George ne put que sourire. Il salua, et ils se séparèrent, se comprenant mieux l'un l'autre qu'auparavant.

Kit regarda les bagages sur le siège d'en face de la voiture. En avait-elle apporté assez? Elle allait à Lynn pour de la batiste. Après la nuit dernière, elle avait décidé que les chemises en batiste seraient bien plus pratiques pour Jack lors des visites de son domaine. Il avait passé toute la veille à aider à élaguer des taillis. Elle ne savait pas, mais aurait pu deviner qu'il était le genre de propriétaire qui descendait de cheval, ôtait son manteau, roulait ses manches et aidait ses hommes. Elle était tombée sur lui tout à fait par hasard quand, juste avant de se changer pour le dîner, elle était entrée dans la chambre de Jack à la recherche de la large ceinture qui allait avec son négligé en soie. Elle avait disparu depuis l'orage, il y a trois nuits. Un grognement en provenance de l'extrémité de la chambre l'avait attirée vers une porte ouverte.

La chambre avait été équipée d'une salle de bain, avec une énorme baignoire en cuivre au centre. Jack était plongé dans l'eau très chaude. Il était dos à elle, et tandis qu'il se penchait en avant pour poser sa tête sur ses genoux, elle vit son dos. Il était couvert d'égratignures.

— Que diable avez-vous fait?

Elle avait avancé, oubliant complètement sa ceinture, inconsciente que Matthew se trouvait sur le côté

De l'eau avait éclaboussé le sol quand Jack s'était tourné, puis il avait grimacé et s'était de nouveau penché dans la baignoire, déposant sa tête sur le rebord saillant.

— Je suis tombé dans les ronces.

D'un geste de la main, il avait congédié Matthew, ce sur quoi elle aurait dû porter davantage attention.

Elle s'était tenue près de la baignoire, les mains sur les hanches, et avait examiné les parties du corps de son mari qu'elle pouvait voir. Jack avait ouvert les yeux et les avait plissés pour la voir à travers la vapeur.

— Vous serez heureuse d'apprendre que seul mon dos est touché.

Devant son sourire, elle avait grommelé.

— Penchez-vous en avant et laissez-moi voir.

Elle avait dû insister, mais il avait fini par la laisser examiner ses blessures. Certaines de ses égratignures étaient profondes et avaient saigné, mais aucune n'apparaissait comme grave.

— Comme vous êtes là, vous pourriez en profiter pour calmer mes blessures.

Il avait tendu une éponge.

Elle avait grimacé et obtempéré.

Elle aurait bien sûr dû deviner quel chemin son esprit suivait. Mais il ne lui était pas apparu que la baignoire était assez grande pour eux deux. Et elle n'avait certainement pas imaginé qu'il était possible d'accomplir de telles contorsions dans les contours glissants de la baignoire.

Pourtant, son mari l'avait encore initiée à une nouvelle expérience.

Kit écarta ces souvenirs gênants. Elle passa de nouveau en revue les aunes de tissu et regretta de ne pas avoir emmené Elmina. Pourtant, Lynn n'était pas si loin, et elle pourrait revenir, si elle avait besoin de plus. Kit se tourna vers la fenêtre pour dire à Josh, le cocher, qu'ils pouvaient partir, quand son regard se posa sur un élégant chapeau en feutre, tout à fait déplacé dans une ville de province comme Lynn.

Intriguée, elle s'approcha de la vitre pour voir la personne sous le chapeau.

— Bon sang !

Kit regarda, incrédule, comme si elle voyait un fantôme. C'était Belville — Lord George Belville.

Kit plissa les yeux, puis regarda de nouveau. Les quatre années depuis qu'il l'avait courtisée pour l'épouser ne l'avaient pas épargné. Il était encore bien charpenté, mais son visage était plus charnu et son tour de taille avait incroyablement augmenté. Sa peau revêtait le teint terreux de ceux qui passent trop de temps dans les salles de jeu. Les traits dont Kit se souvenait comme étant finement ciselés avaient été rendus grossiers par l'alcool et la décadence en général jusqu'à ce qu'il devienne une caricature bouffie de l'homme qu'elle avait failli accepter d'épouser.

Un frisson de froid parcourut la nuque de Kit et se répandit sur ses épaules. Restant dans l'ombre de sa voiture, elle regarda son ancien soupirant traverser la place jusqu'au King's Arms, l'auberge la plus confortable de Lynn. Belville était dépendant des activités de la capitale. Que faisait-il ici ?

Il s'arrêta devant la porte de l'auberge, regarda autour de lui, étudiant tout ce que son regard pâle pouvait trouver. Puis, lentement, il entra dans l'auberge et ferma la porte derrière lui.

Fronçant les sourcils, Kit se cala de nouveau contre les coussins. Puis, se déplaçant de l'autre côté de la voiture, elle dit à Josh de la ramener chez elle. Pour une raison quelconque, elle était certaine qu'elle ne voulait pas que Belville la voie. Il représentait une partie de son passé qui n'était plus d'actualité. Elle n'avait aucune intention de le laisser obscurcir son bonheur actuel.

Tandis que la voiture partait bruyamment sur la route principale, Kit se renfrognait de plus en plus. Belville n'était rien qu'un employé du gouvernement. Il ne pouvait pas lui faire de mal. Alors, pourquoi se sentait-elle si menacée ?

Kit était déjà couchée quand Jack entra dans sa chambre cette nuit-là.

Il s'arrêta sur le seuil, scrutant son visage songeur. Que planifiait-elle à l'instant présent ? Son regard s'attarda sur le halo de ses cheveux bouclés, sur ses lèvres pulpeuses et ses traits délicats, avant de glisser sur son corps séduisant mis en valeur par la soie ivoire. Elle ne l'avait pas encore vu. Ses mamelons étaient de doux petits ronds roses à la pointe de ses seins fermes. Ses bras étaient nus, aussi ivoire que sa robe de nuit et tout aussi soyeux. Le simple fourreau adhérait à ses courbes, soulignant le découpage qui marquait sa taille fine avant de parcourir ses hanches aguicheuses. Le triangle de poils roux au sommet de ses cuisses était tout juste visible à travers le léger tissu. La longue exploration de ses cuisses minces le mena au creux de ses genoux, visibles sous les plis de sa robe. Sous ses mollets bien galbés, ses petits pieds étaient teintés d'un rose délicat. Lentement, Jack laissa son regard remonter de nouveau. Le bas de sa poitrine se contracta. Un resserrement familier dans ses aines lui suggéra qu'une totale excitation n'était pas loin. Avec un sourire narquois, il avança lentement dans la chambre. Il était réconfortant de savoir que, maintenant, la satisfaction était facilement disponible. Et garantie. C'était, à son avis, un des bienfaits du mariage dont on parlait le moins.

Tandis qu'il faisait le tour de la pièce pour éteindre les bougies et ouvrir les rideaux, il se demanda de nouveau ce que son aventurière de femme pouvait bien tramer. Or, pour une fois, l'esprit de Kit n'était pas concentré sur lui.

— Je suis allée à Lynn aujourd'hui.

— Ah?

Jack s'arrêta en train d'éteindre la dernière bougie du candélabre.

— Mmm...

Kit regarda autour d'elle et le situa, l'éteignoir en argent dans une main, les durs traits de son visage éclairés par une seule flamme, ses cheveux dorés brillant dans la lumière.

— J'ai vu Lord Belville.

— Qui est Lord Belville?

Un sourire espiègle tordit les lèvres de Kit.

— On pourrait dire une ancienne flamme.

Jack fronça les sourcils et éteignit la bougie, laissant la pièce éclairée par la lumière vacillante de la bougie à côté du lit de Kit et celle du clair de lune, qui filtrait à l'intérieur. Déposant l'éteignoir, il avança vers le lit.

— Que voulez-vous dire par une ancienne flamme?

Intérieurement, Kit était ravie de son grognement râpeux, mais elle n'avait besoin d'aucune démonstration de la possessivité de Jack. Elle chassa immédiatement l'idée de le rendre jaloux. Toutefois, elle était vraiment intriguée par la présence de Belville et pensait que Jack devrait entendre parler de sa relation subtile avec cet homme douteux par elle plutôt que par Belville.

— Quand j'avais dix-huit ans, j'ai presque accepté sa demande en mariage.

Jack tira sur la ceinture de son peignoir bleu nuit et laissa glisser la soie de ses épaules. La bouche de Kit devint sèche quand ses yeux désobéirent à toute injonction et qu'ils parcoururent son corps massif et fort excitant, s'attardant sur chacun de ses muscles, dans la promesse attendue du plaisir qu'elle connaîtrait bientôt. Elle espérait vivement que sa mention de Belville n'allait pas gâcher ce plaisir.

Mais le « Racontez-moi » de Jack, exprimé tandis qu'il s'étendait sur le lit à côté d'elle, fut encourageant.

Kit humecta ses lèvres et essaya d'attirer ses yeux vers son visage et de ramener son esprit de son errance. Elle riva son regard sur les yeux d'argent de Jack, brillant sous ses paupières lourdes.

— Vous ai-je dit que mes oncles et tantes m'avaient enlevée et m'avaient emmenée à Londres pour me marier selon leur convenance ?

Jack fit un rictus. Il secoua la tête.

— Étendez-vous, fermez les yeux et commencez par le début.

Kit prit une respiration mal assurée et fit ce qu'il lui demandait. La voix de Jack était devenue enrouée. Elle commença son histoire par la mort de sa grand-mère et son enlèvement du domaine Cranmer. Elle sentit Jack bouger et se redresser sur un coude à côté d'elle. Tandis qu'elle en arrivait à Londres, elle sentit le premier des nœuds en soie qui maintenaient sa robe de nuit fermée se défaire.

Elle balbutia et cligna des paupières.

— Gardez les yeux fermés. Continuez.

Une autre respiration mal assurée fut nécessaire avant qu'elle puisse poursuivre. Lentement, elle dévoila son histoire, poussée à continuer par les murmures de Jack. Tout aussi lentement, sa robe de nuit s'ouvrit jusqu'aux pieds. Elle en était au fait qu'elle avait refusé son premier soupirant quand elle sentit le nœud sur chacune de ses épaules céder. Une seconde plus tard, les deux moitiés de sa robe de nuit lui étaient ôtées.

La voix de Kit se suspendit. Elle était étendue nue à côté de son mari.

— Que s'est-il passé ensuite ?

— Ah...

Il lui en coûta de retrouver ses esprits, mais elle reprit son récit d'une voix hésitante. Jack la toucha du bout des doigts, traçant des motifs sur sa peau. Ses lèvres suivirent les traces qu'ils avaient laissées, mais son corps, ses membres, ne la touchèrent jamais. C'était comme se faire faire l'amour par un fantôme. Bientôt, ses mamelons furent de dures crêtes au sommet de ses seins gonflés. Son ventre était aussi tendu qu'un tambour. Sa peau était une masse de nerfs sensibles, vacillant devant le plaisir anticipé de son prochain contact.

Kit ignorait si elle était cohérente, mais Jack semblait suivre son récit. Sa voix grave, qui vibrait avec passion, la pressait de continuer chaque fois qu'elle s'arrêtait. Mais quand ses lèvres touchèrent son nombril et que ses doigts effleurèrent ses cuisses, elle abandonna.

Résistant à la tentation d'ouvrir les yeux, elle répondit à son « Et ? » par un simple :

— Jack, je ne peux pas réfléchir, étendue là comme ça.

— Tournez-vous, alors.

Elle s'était presque retournée quand son esprit l'interrompit. Elle hésita et se serait retournée pour demander pourquoi, mais deux grandes mains se fixèrent autour de ses hanches et la mirent sur le ventre. Résignée, Kit posa sa joue dans son oreiller, sentant le glissement sensuel de la soie et du satin sous elle, la fraîcheur apaiser ses seins douloureux et cette autre douleur enfouie dans la moelleuse rondeur de son ventre. Elle sentit de l'air sur les contours chauds de son dos. Jack était toujours allongé à côté d'elle, sans la toucher du tout.

Présumant qu'après sa protestation, il resterait ainsi, Kit poursuivit son histoire. Elle en était à la demande de Belville quand la paume de la main de Jack entra en contact avec ses fesses. Décrivant de lents cercles sensuels, la touchant à peine, sa main éveilla immédiatement son corps.

— Jack !

Les yeux de Kit s'ouvrirent tout à coup. Elle essaya de se tourner, mais Jack était penché sur elle, sa poitrine en biais sur son dos.

— Que s'est-il passé ensuite ?

Ses lèvres étaient sur sa nuque.

Dans un empressement confus, Kit murmura comment elle avait écouté aux portes, à peine consciente de ce qu'elle disait. La main de Jack continua ses douces caresses, étendant sa zone d'attentions au dos sensible de ses cuisses. Tandis qu'elle racontait son refus final d'épouser Belville, elle sentit l'autre main de Jack glisser sous elle pour se refermer de façon possessive autour d'un de ses seins. Kit gémit faiblement. La main sur ses fesses s'arrêta, en suspens sur le point le plus bombé de leur courbe. Les doigts autour de son sein se serrèrent légèrement. Kit sentit son corps se tendre. Ses cuisses s'écartèrent légèrement. La main de Jack se glissa entre elles, les poussant davantage. La tension de Kit s'intensifia. Un long doigt se glissa sans peine en elle.

— *Oooh !*

Un délicieux frisson la parcourut tandis qu'un gémissement interminable s'échappa de ses lèvres. Le doigt explora plus profondément. Kit se mordit la lèvre pour étouffer les plaintes d'abandon qui montaient dans sa gorge. Un second doigt rejoignit le premier, et elle perdit le souffle.

— Racontez-moi encore… Que fait Belville ?

Kit retrouva ce qui restait de sa raison. Elle lui raconta aussi vite qu'elle le pouvait, de façon aussi complète qu'elle le pouvait, alors que son esprit était concentré sur ses doigts, glissant facilement à l'intérieur et hors de son corps, fouillant profondément une minute, se retirant celle d'après. Elle arriva à la fin juste avant que ses cordes vocales se paralysent.

— *Jack !*

Tout ce qu'elle réussit à dire dans sa soif, ce fut son nom, et d'une voix basse et faible.

Il l'entendit. Il ôta ses doigts. À sa grande surprise, Kit sentit ses hanches se soulever et un oreiller se placer sous son ventre. Le poids de Jack fit pression contre elle, et elle sentit une force s'introduire entre ses cuisses.

Il entra en elle d'un coup. Son esprit se désagrégea. Elle eut le souffle coupé sous le choc. Il resta immobile quelques instants, la laissant s'accoutumer peu à peu à cette dernière variante, s'habituer à la sensation de la profonde et complète pénétration qu'il avait réalisée. Puis, il commença à bouger.

Kit prit bientôt le rythme, suivant ses poussées vers le bas avant de faire remonter ses hanches vers le haut pour le capturer et le retenir, avant qu'il descende de nouveau. Il la chevaucha longtemps, fermement, chaque coup profond et contrôlé la propulsant plus près de l'orgasme. Elle se tortillait sous lui, le suppliant silencieusement de continuer. Quand la vague finale de passion dévorante les saisit et les rendit tout à coup libres, épuisés, lessivés et follement rassasiés, Jack s'effondra sur elle. Ses lèvres caressèrent son lobe d'oreille avant que, ricanant, il se soulève et se laisse tomber sur le lit à côté d'elle, de nouveau.

— Mon petit chat, si vous étiez un peu plus sauvage, je devrais vous attacher.

Le clair de lune éclairait le sol de la chambre de Kit quand Jack se réveilla, repu. Il resta étendu, savourant la profonde satisfaction du moment, la chaleur des membres soyeux entrelacés aux siens. Le souffle de Kit était tel le baiser d'un papillon sur sa clavicule. Il résista à la tentation de resserrer ses bras autour d'elle.

L'horloge de parquet dans le couloir sonna vingt-trois heures.

Jack réprima un soupir et se dégagea prudemment de l'étreinte de Kit. Il se glissa hors du lit chaud et prit son peignoir sur le sol. Le passant, il s'arrêta, baissant les yeux vers sa femme endormie. Puis, un sourire sur les lèvres, il se dirigea vers sa chambre.

À l'instant où la porte de Jack se ferma derrière lui, Kit ouvrit les yeux. Elle les cligna rapidement, puis s'assit, frissonnant quand le froid trouva ses épaules nues. Elle tira le couvre-lit sur son menton et écouta.

Le fort tic-tac de l'horloge était le seul bruit à atteindre ses oreilles tendues.

Rapidement, elle se glissa hors du lit et se rendit vers sa garde-robe. Elle devait se dépêcher si elle voulait avoir la possibilité de suivre son mari à son rendez-vous.

Chapitre 27

Le doux roulis des vagues sur la plage de Brancaster remplit les oreilles de Jack. Adossé contre un rocher, il regardait les étendues de sable au clair de lune. À l'abri de la falaise, Champion s'ébrouait, mécontent d'être attaché près du hongre de Matthew. Le reste du gang allait arriver bientôt. Les bateaux ne devaient pas venir avant encore une heure.

Croisant les bras sur sa poitrine, Jack s'installa pour attendre. Le souvenir des membres soyeux qu'il avait laissés à contrecœur le réchauffait. Elle était une femme passionnée, son petit chat. Elle avait réussi à changer radicalement sa vision du mariage. Avant qu'elle fasse irruption dans sa vie, le désir de s'installer et de gérer sa succession provenait plus du devoir que de l'envie. À présent, il n'y avait rien au monde qu'il ne désirait plus que de vouer son énergie à être le seigneur du château Hendon, à regarder ses enfants grandir et à prendre du plaisir avec sa femme. Il était certain qu'elle saurait continuer à le divertir — dans la chambre à coucher et en dehors. Une fois sa mission terminée, il serait libre de suivre sa propre voie. À présent, grâce à sa femme aventu-reuse, il savait où cette route menait.

Penser à Kit lui rappela Lord Belville. Il ne savait pas trop pourquoi elle lui avait parlé de lui. Il n'avait jamais ren-contré cet homme. La seule information qui l'avait intéressé, c'était le lien de Belville avec le Whitehall. Quant au reste, Kit était sa femme maintenant, et ça s'arrêtait là.

Un nuage de gouttelettes salées soulevées par le vent froid dériva. Jack fronça les sourcils. Belville faisait-il partie du réseau que George, lui et beaucoup d'autres démêlaient peu à peu ? C'était possible.

Après des mois de travail minutieux et prudent, ils approchaient de la fin de leur piste. Au départ, sa mission avait consisté simplement à bloquer les voies par lesquelles les espions quittaient le Norfolk. Mais son succès à devenir le chef du gang de Hunstanton, puis à détenir le monopole du trafic de «chargements humains», avait rendu le White-hall plus ambitieux.

Bien qu'ayant fermé les voies de trafic d'espions basées à la sortie du Sussex et du Kent, le gouvernement avait échoué à identifier au moins une des principales sources. Ce qui signifiait qu'il restait encore des traîtres qui envoyaient des renseignements hors de Londres. Mais les plans des tac-tiques de Wellington pour l'été étaient trop capitaux pour risquer qu'ils se retrouvent dans les mains des Français. Alors, Jack, George et un groupe de premier choix d'autres personnes avaient été sommés de quitter leur affectation militaire et d'occuper un poste civil sous le contrôle de Lord Whitley, le sous-secrétaire d'État du ministère de l'Intérieur responsable de la sécurité.

Quand le premier des espions entrants que le gang de Hunstanton avait fait passer avait atteint Londres et les avait menés au lien suivant, le gouvernement avait agi prudemment. Tandis qu'un autre groupe d'officiers suivaient la piste du messager de Londres jusqu'à sa source, sans doute cachée quelque part dans les institutions militaires britanniques, le gouvernement avait décidé de faire dévier la route à présent contrôlée par Jack vers d'autres fins. Sir Anthony Blake, alias Antoine Balzac, avait été l'espion qu'ils avaient fait passer en France la nuit où l'on avait tiré sur Kit. Au lieu des vrais plans de la prochaine campagne de Wellington, il avait transporté de l'information rédigée par un conglomérat d'officiers qui avaient été en service actif seulement pendant une courte période auparavant. L'information avait été suffisamment précise pour satisfaire les Français qui l'avaient reçue. Le gouvernement avait déjà eu la preuve que les fausses pistes avaient été suivies, car elles avaient eu pour résultat des déplacements sur le terrain qui avaient aidé plutôt qu'embarrassé les forces armées du duc.

Ce genre de résultats valait la peine de prendre de gros risques. Le nombre de vies sauvées était énorme. C'est pourquoi ils avaient décidé de tenter une dernière opération, un dernier coup de dés.

Anthony devait transporter d'autres renseignements en France, mais cette fois, il attendait des informations en retour — des informations sur l'identité du traître de Londres. Lors de sa dernière visite, il était entré en contact avec un officier de liaison français qui aimait beaucoup le cognac. L'homme connaissait les détails de toute l'opération anglaise. Anthony était certain qu'il pourrait en extraire au moins un indice.

Le gouvernement avait à présent besoin de cet indice. Le messager qu'ils avaient suivi à Londres avait été tué dans une bagarre de taverne. Ce revers inattendu avait été décourageant, mais toutes les personnes concernées étaient à présent encore plus résolues à identifier les traîtres qui restaient. Même s'il n'apprenait pas de noms, si Anthony pouvait découvrir combien de traîtres restaient dans les institutions militaires, la mission de cette nuit valait la peine.

Le martèlement des sabots assourdi par le sable approcha. Jack reconnut l'alezan de George. À la vue de la silhouette sur le second cheval, Jack sourit et se redressa. Tandis que les chevaux s'arrêtèrent à côté de lui, il saisit la bride du nouveau venu.

— Hé, Tony! Prêt pour une autre période de *vie à la française*[16] ?

Sir Anthony Blake sourit et descendit de cheval. C'était un autre membre de l'équipe choisie par Lord Whitley, et il était le descendant d'une ancienne famille anglaise, mais à demi Français. Il avait appris le français dès son jeune âge et avait assimilé toute la gamme des manières françaises et les caractéristiques des expressions gauloises. En plus, il était mince et élégant avec des cheveux et des yeux noirs. Il semblait Français. Sa capacité à se faire passer pour un Français avait rendu des services considérables au gouvernement de Sa Majesté pendant les nombreuses années de guerre avec la France. Les yeux noirs d'Anthony brillaient.

— Prêt comme jamais! Du nouveau?

---

16 N.d.T. : En français dans le texte original.

Jack attendit que George et Anthony attachent leurs montures et le rejoignent avant de répondre à la question d'Anthony.

— Rien ne s'est passé qui changerait ta mission. Mais je viens d'apprendre qu'un gentleman en lien avec le Whitehall a été vu dans le coin. Sais-tu quelque chose sur un certain Lord Belville ?

Anthony plissa le front. Ses propriétés étaient dans le Devon. Londres n'était pas plus sa tasse de thé que celle de Jack ou de George.

— S'il est celui auquel je pense, c'est un sale type. Il a eu un poste quelque part dans les hautes sphères grâce à l'influence de son père. Une réputation douteuse en société, mais rien qui puisse nous intéresser.

Jack grimaça.

— C'est à peu près ce que j'avais imaginé. Mais s'il fourre son nez dans le coin sans bonne raison, je m'en occuperai.

Tous trois se mirent à discuter des détails du voyage d'Antoine.

— Je ne courrai pas de risques et je prendrai la voie habituelle pour revenir, à moins d'une bonne raison de faire autrement.

Jack hocha la tête.

— Et voilà notre petite troupe !

Les membres du gang de Hunstanton se rassemblaient.

— Dieu seul sait comment ils réagiront quand ils apprendront qu'ils ont travaillé pour la mère patrie.

Revêtant un sourire narquois, Jack s'avança pour prendre les commandes.

Au-dessus de lui, cachée par une touffe d'herbes piquantes près du bord de la falaise, Kit fronça les sourcils. Qui était le troisième homme ?

Elle avait mis du temps à suivre son mari, les courtes foulées de sa petite jument docile ne correspondant ni à Champion ni au cheval noir de Matthew. Le fait qu'elle ait dû attendre qu'ils aient libéré les écuries avant d'entrer pour seller sa monture l'avait fait quitter le château longtemps après eux. Mais grâce au clair de lune et à l'élévation de la maison de son mari, elle avait eu une vue suffisante pour comprendre qu'ils se rendaient à la maison de pêcheur. Elle s'était réfugiée dans les arbres entourant la maison de pêcheur seulement quelques minutes avant que Jack ressorte en costume de capitaine Jack. Elle avait remercié le ciel de ne pas avoir pris Delia à ce moment-là. Champion ne portait aucun intérêt à la jument alezan. Il avait obéi aux instructions de Jack sans hésiter. Elle les avait de nouveau suivis vers la côte et avait dû chercher pour trouver leur emplacement sur la plage. Elle avait été surprise de n'y trouver personne d'autre.

Puis, George et son compagnon étaient arrivés. Il y avait quelque chose dans la façon dont l'homme inconnu se tenait, dans la façon dont il discutait avec Jack et George, qui réfutait toute idée qu'il soit une nouvelle recrue du gang.

Kit vit Joe s'écarter du petit groupe d'hommes autour de Jack et se diriger vers les falaises. Le guetteur de Jack. Il y avait une petite butte à quelques mètres de la falaise, à environ cinquante mètres de l'endroit où elle était accroupie. Une fois dessus, Joe serait capable de la voir nettement. Tandis que Joe remontait le sentier de la falaise, Kit longea le bord à la hâte jusqu'à ce qu'elle trouve une fissure beaucoup plus sombre. Des touffes d'herbes sortaient des parois régulièrement ici et là. La zone en bas semblait sableuse. Jetant un dernier regard vers sa jument, cachée dans un bosquet, Kit se rendit sur le bord.

Elle se laissa tomber sur le sable et essuya ses mains sur ses hauts-de-chausse, puis se glissa en pleine obscurité. Jetant un œil à gauche, elle vit les contrebandiers en pleine action. Juste devant elle se trouvaient les chevaux, Champion et trois autres, attachés sous l'avancée de la falaise. Au-delà s'étendaient des dunes abondamment recouvertes de touffes d'herbes marines. Kit avança et contourna les chevaux, tapotant le large museau de Champion sur son passage. Elle gagna les dunes et se fraya prudemment un chemin jusqu'à ce qu'elle se trouve à quelques mètres seulement de là où Jack et George se tenaient, leur mystérieux visiteur entre eux.

La contrebande était un petit trafic, ce qui faisait que Jack et George n'avaient rien d'autre à faire que regarder.

Kit jeta un œil sur la falaise derrière elle. Elle ne pouvait pas voir Joe, mais s'il allait sur le bord de la falaise, il la repérerait immédiatement. Ce n'était pas qu'elle avait peur d'être découverte. Jack avait fait comprendre à ses hommes qu'ils ne devaient tirer sous aucun prétexte ni sortir leurs poignards. Ce qu'elle avait à craindre le plus, c'était se retrouver enfermée dans sa chambre au château Hendon. Et découvrir ce que Jack pourrait faire en la trouvant en hauts-de-chausse. Kit écarta cette pensée gênante et se concentra sur son mari et ses associés. Malheureusement, ils ne disaient rien.

Quand le dernier bateau fut déchargé, Jack se tourna et fit un signe à Anthony.

— Bonne chance!

Anthony baissa la tête, mais ne répondit rien. Il quitta la plage à grands pas pour la première étape de son voyage risqué.

Jack le regarda aller, observa le bateau disparaître sur les vagues pour entrer en contact avec le navire qui se trouvait au large. Puis, il donna les derniers ordres pour dégager la plage en transportant le chargement jusqu'à la vieille crypte. George et lui s'attardèrent sur la plage, étrangement attachés au sort de leur ami. Matthew avait avancé tranquillement sur la plage devant eux et les attendait patiemment.

Derrière eux, Kit restait enfouie dans le sable, très perplexe. Pourquoi «Bonne chance»? Et pourquoi était-elle si sûre que Jack aurait bien serré la main de l'homme, mais qu'il s'était retenu? Elle avait senti son intention assez clairement. Jusqu'ici, de tout ce qu'elle avait pu voir, l'homme était Français.

Elle se mordit la lèvre, puis secoua la tête. Elle ne pouvait simplement pas croire que Jack faisait le trafic d'espions. Cet homme! Pourquoi ne la soulageait-il pas de cette fatigante incertitude? C'était entièrement sa faute. La paix de son esprit était purement réduite à néant parce qu'il s'opposait catégoriquement à être compris!

Réprimant un grognement, Kit regarda par-dessus son épaule.

Et se figea.

À quelques pas, si près que son ombre grise la touchait presque, se trouvait l'énorme silhouette d'un homme. Un cri de frayeur se bloqua dans sa gorge. Ses yeux écarquillés se rivèrent sur l'imposant gabarit et les joues charnues. L'homme observait Jack et George, qui regardaient toujours les vagues à moins de cinq mètres en avant, ce qui le présentait avec un profil hautain. Il n'était pas conscient qu'elle était là, allongée presque à ses pieds. Le clair de lune brillait sur les longs canons des pistolets qu'il portait.

L'homme était Lord Belville.

Kit en eut le souffle coupé.

— Nous ferions aussi bien de partir.

La voix de Jack fendit ce moment de tension. Elle ranima Belville. Il avança, dépassant Kit, toujours étendue immobile, pour parcourir les derniers mètres jusqu'à la plage. Un autre pas le sortit des dunes pour se retrouver face à Jack et à George tandis qu'ils se tournaient vers leurs chevaux, Matthew n'étant qu'à quelque distance derrière eux.

— Pas si vite, Messieurs.

Jack s'arrêta, surpris par l'apparition d'un étranger armé en provenance des dunes qu'il avait toutes les raisons de croire sûres. Où diable était son guetteur ?

Comme s'il lisait dans sa tête, les lèvres de Belville revêtirent un sourire antipathique.

— J'ai peur que votre guetteur ait eu un accident fatal.

Il regarda les doigts de sa main droite refermés autour de la crosse de son pistolet.

— Couper une gorge, c'est silencieux, mais c'est plutôt salissant.

Kit sentit son sang se glacer. Elle vit l'expression de Jack se durcir. « Mon Dieu ! » Si elle ne faisait rien, il serait tué ! Posant ses doigts sur ses lèvres, elle s'efforça de réfléchir.

Heureusement, Belville semblait enclin à discuter.

— Je dois admettre que lorsque notre messager est mort dans cette bagarre, nous avons d'abord cru qu'il n'avait simplement pas eu de chance. Toutefois, comme nous n'avons plus été sollicités par nos camarades français, alors qu'en fait, ils suggéraient qu'ils n'avaient plus besoin de nos services, nous avons pensé qu'il était de mise d'enquêter.

Belville roulait les syllabes, ses manières aimables contrebalancées par la menace des pistolets dans ses mains.

— Peut-être, suggéra-t-il, qu'étant donné les problèmes que vous m'avez causés, vous aimeriez m'expliquer qui vous êtes et pour qui vous travaillez ? Avant que j'envoie une balle dans chacun de vous.

Kit lui souhaitait bonne chance. Elle ne croyait pas que Jack lui dise quoi que ce soit, même sous une telle pression, mais elle n'allait pas attendre pour le savoir. Elle se souvint du pistolet d'arçon de Jack. Pourvu qu'il soit chargé. Tandis qu'elle retournait prudemment vers les dunes, elle entendit la voix de son mari.

— Vous êtes Lord George Belville, n'est-ce pas ?

Kit se demanda ce que son ancien soupirant en dirait. Elle se pressa vers les chevaux, hors de vue grâce aux dunes.

Le regard rivé sur les yeux malveillants de Lord Belville, Jack se traita d'idiot intérieurement. Il aurait dû prendre le temps de savoir pourquoi Kit avait voulu lui parler de Belville. Elle avait été suffisamment inquiète pour le mentionner tout de suite. Il aurait dû faire confiance à l'instinct de Kit. Maintenant, Joe était mort. Et Dieu seul savait comment George, Matthew et lui allaient s'en sortir sans finir dans le même état.

— Comment savez-vous qui je suis ?

L'intonation mielleuse de Belville était devenue tel un grognement.

— Vous avez été identifié par quelqu'un en lien direct avec le haut-commissaire. On pourrait dire que cette personne a toute la confiance de ce monsieur.

Jack entendit George, à côté de lui, s'étouffer. Prudemment, il jaugea leurs chances. Elles n'étaient pas encourageantes. Belville avait seulement deux pistolets, mais il pouvait voir la crosse d'une arme plus petite brillant dans la ceinture de l'individu. Sans doute avait-il aussi un couteau quelque part sur lui. Même s'il manquait son tir — et pourquoi le ferait-il alors qu'il avait beaucoup de place et qu'ils n'avaient pas de quoi s'abriter —, il aurait encore un avantage de taille sur George ou Matthew dans un combat au couteau.

Continuer à parler et à prier pour un miracle semblait la meilleure chose à faire.

— De qui s'agit-il ? Cette personne intime du haut-commissaire ?

Jack haussa les sourcils.

— Ah ! Ce serait divulguer des secrets, non ?

Belville braqua ses pistolets sur Jack.

— Je ne crois pas qu'il y ait une telle personne.

Jack haussa les épaules.

— Alors, comment vous aurais-je identifié ? Nous ne nous sommes jamais rencontrés.

Les pistolets restèrent braqués. Belville le regarda fixement, ses yeux se plissant.

— Qui êtes-vous ?

Hors de vue et d'oreilles, Kit referma ses doigts sur le petit pistolet niché dans la poche de la selle de Champion. Elle laissa échapper un soupir de soulagement. Si seulement elle pouvait revenir à temps.

Tandis qu'elle se précipitait sur les dunes, elle entendit la voix de Belville, furieuse et exigeante. Apparemment, il n'appréciait pas être reconnu. La voix de Jack répondit, fluide et assurée, ce qui sembla seulement irriter davantage Belville. Kit se força à prendre soin de serpenter dans les dunes, priant pour que la langue bien pendue de son mari ne le fasse pas tuer avant qu'elle arrive.

— Disons seulement que je suis quelqu'un qui a un intérêt dans la contrebande.

Jack garda ses yeux rivés sur Belville.

— Peut-être que si nous parlions, nous pourrions découvrir que nos intérêts sont complémentaires?

Belville fronça les sourcils, évaluant manifestement cette possibilité. Puis, il secoua lentement la tête.

— Il y a quelque chose de très étrange dans votre « trafic ». Vous avez fait sortir un homme cette nuit — Henry et moi voudrions savoir ce qu'il transportait. Il n'y a pas d'autres traîtres au Whitehall en dehors de nous — Henry en est tout à fait sûr. Ce qui veut dire que vous jouez un double jeu, un jeu qui pourrait bien rebondir sur lui et sur moi.

Belville revêtit un sourire à glacer le sang.

— J'ai bien peur, mon cher Monsieur, que vos jours dans le métier arrivent à leur fin.

Sur ces paroles, il leva les deux pistolets.

À trois mètres derrière lui, Kit s'arrêta tout en dérapant silencieusement dans le sable, les yeux écarquillés et terrifiés. Elle tendit brusquement le pistolet de Jack devant elle, le serrant dans ses deux mains. Plissant étroitement les yeux, elle appuya sur la détente.

Une explosion de bruits ricocha depuis les falaises. Jack et George restèrent tous deux surpris, s'attendant à sentir la douleur fulgurante d'une balle quelque part dans leur chair. Tandis que le voile de fumée de poudre s'évanouit, porté par la brise, ils se regardèrent l'un l'autre et réalisèrent qu'aucun d'eux n'avait été touché par une balle. Matthew les rejoignit, également étonné de les trouver tous les deux indemnes. Stupéfaits, ils se tournèrent tous pour regarder Belville.

Le teint terreux de l'individu avait pâli, et une expression d'incrédulité était peinte sur ses traits charnus. Les deux pistolets fumaient, mais des marques sur le sable aux pieds de Jack et de George témoignèrent qu'il n'avait pas levé ses armes suffisamment avant de les décharger.

Perplexe, Jack regarda dans les yeux de l'homme et les trouva vitreux. Tandis qu'il le regardait, Belville pivota vers la droite et s'effondra comme une masse sur le sable.

Face à eux se tenait Kit, à présent dévoilée, un pistolet fumant dans les mains, les yeux écarquillés sous le choc.

Jack oublia Belville, ses missions et les espions. En un fragment de seconde, il avait parcouru l'espace entre eux et avait pris Kit dans ses bras, l'écrasant contre lui, furieux et reconnaissant à la fois.

— Ah, vous! dit-il dans ses cheveux. Comment diable êtes-vous arrivée ici?

Il ressentit une faiblesse, une consternation et un soulagement compenser la colère due à sa présence ici. Tandis qu'il tendait le bras vers le revolver pendant aux doigts mous de Kit, il jura doucement.

— Que diable vais-je devoir faire avec vous?

Kit cligna des yeux en le regardant, profondément désorientée. Elle venait de tuer un homme. Elle se tortilla dans les bras de Jack, essayant de regarder par-dessus ses épaules vers l'endroit où George et Matthew étaient penchés sur le corps de Belville. Mais Jack la maintint fermement, utilisant son corps pour faire écran.

— Restez tranquille.

N'ayant pas d'autre choix, Kit obtempéra. Presque immédiatement, des vagues de nausée la parcoururent. Elle pâlit et chancela dans les bras de Jack, sur le point de s'évanouir.

— Ça va aller. Respirez profondément.

Kit entendit ses mots de réconfort et fit ce qu'il lui dit. Graduellement, le monde s'arrêta de tourner.

Puis, George se trouva à côté d'eux.

Jack tenait fermement Kit, son visage contre sa poitrine. Sous sa joue, elle pouvait sentir les battements de son cœur, forts et réguliers. Jack était bien vivant. Des larmes se mirent à couler de ses yeux. Contrariée de sa faiblesse, Kit les refoula.

Un regard sur le visage de George fut suffisant pour Jack, mais il devait savoir, et Kit devait entendre.

— Mort?

George opina.

— En plein dans le cœur.

Jack réprima le désir ridicule de demander à Kit si, parmi ses nombreux étranges talents, elle incluait le tir au pistolet. Même si proche, un tir direct sous pression demandait du talent. Et du courage. Mais il n'avait aucun doute sur ses réserves pour ce genre de qualité.

La connotation résignée dans le ton de chacun des hommes poussa Kit à relever la tête. Elle regarda Jack.

— Vous ne vouliez pas qu'il meure ?

À sa grande exaspération, Jack ne put trouver de réponse affirmative convaincante assez vite pour dissiper ses soupçons. À la place, le regard stupéfait de Kit le poussa à s'en tenir à la vérité.

— Ça nous aurait davantage aidés si nous l'avions eu vivant, mais... se pressa-t-il de poursuivre, dans les circonstances, Matthew, George et moi sommes très heureux d'être en vie. Ne croyez pas que nous nous plaignions.

Jack ne pouvait dire ce qu'elle ressentait. Ses yeux reflétaient un désarroi bien plus profond que le sien. À son grand soulagement, George vint à l'aide de Jack.

— Matthew dit qu'un corps laissé ici sera emporté par la mer.

Jack hocha la tête. Une disparition serait plus facile. Il fallait des explications pour les cadavres, et expliquer celui de Belville n'aiderait pas leur mission.

— Joe... Nous devons trouver Joe !

La voix de Kit ramena brusquement les deux hommes à leur devoir.

— Non ! répondirent-ils tous deux.

— Je vous ramène à la maison, continua Jack. George s'occupera de Joe.

Mais Kit recula autant qu'il le lui permit, secouant vivement la tête.

— Mais il n'est peut-être pas… Non. Nous devons aller voir maintenant!

Les deux hommes remarquèrent la pointe d'hystérie dans sa voix. Ils échangèrent des regards inquiets par-dessus sa tête.

— Allez!

Kit tirait sur le bras de Jack.

— Il risque de mourir pendant que vous discutez!

Ni Jack ni George n'avaient beaucoup d'espoir pour Joe, mais aucun ne se sentait capable de convaincre Kit du fait qu'il était probablement déjà mort. Poussant un soupir, Jack la relâcha, mais maintint une prise bien ferme sur sa main. Ensemble, tous les trois montèrent la falaise et approchèrent de la butte.

Une misérable boule dans des vêtements usés, voilà tout ce qui restait de Joe. Le sable autour était taché du sang qui s'était écoulé de la blessure béante dans son cou. Kit regarda fixement. Puis, avec un sanglot convulsif, elle cacha son visage dans la chemise de Jack.

George vérifia, mais aucun signe de vie ne restait dans le corps recroquevillé.

Kit s'efforça de prendre son souffle. Pendant des semaines, elle avait été le guetteur de Jack, jouant les contre-bandières sans le moindre souci. Cela n'avait été qu'un jeu. Mais la mort de Joe n'était pas un jeu. Si elle avait encore été avec Jack, elle serait morte. À la place, c'est Joe qui était mort. Toute possibilité de ressentir du remords d'avoir tué Belville disparut, rentrant sous terre avec le sang de Joe. Elle avait vengé Joe, et de cela, elle était satisfaite.

La soudaine vague d'émotions l'affaiblit au point où les bras de Jack furent la seule chose qui pouvait la maintenir debout. Il sentit ses forces lui échapper et pesta.

Pour Jack, la vue de son guetteur assassiné était une scène de cauchemar. Bien sûr, dans ses pires cauchemars, le corps recroquevillé était celui de Kit. Le fait que ce soit Joe qui était mort atténuait le choc, mais c'était tout de même très réel. Bouleversé, il prit Kit dans ses bras, retirant du réconfort de la chaleur de son corps menu.

George leva les yeux.

— Matthew et moi allons nous en occuper. Dans notre intérêt, ramène-la. Et ne la laisse pas seule.

Jack n'avait pas besoin de plus d'insistance. Il conduisit sa femme silencieuse vers les chevaux et la mit sur Champion. Il monta derrière elle et l'installa contre lui.

— Où est votre cheval ?

Kit le lui dit tandis qu'ils entamaient la montée de la falaise. Jack chevaucha jusqu'aux arbres et attacha la jument à la selle de Champion avant de se rendre directement au château. Son seul but était de faire prendre un cognac à Kit et de la coucher. Elle frissonnait déjà. Il n'avait aucune expérience du choc chez les femmes, mais il s'attendait à ce que ça empire.

Alors qu'ils traversaient les champs au clair de lune, Kit s'efforçait de retrouver ses esprits. Elle avait tué un homme. Peu importe comment elle envisageait les choses, elle était incapable de ressentir autre chose que de la culpabilité. Dans la même situation, elle le referait. Il avait failli tuer Jack, et c'était tout ce qui comptait. Tandis que le château Hendon pointait à l'horizon, elle accepta la réalité. Jack était son mari — comme toute femelle de n'importe quelle espèce, elle avait tué pour défendre son amour.

— Nous devons faire quelque chose pour la famille de Joe.

Le commentaire soudain sortit Jack de son état d'ahurissement.

— Ne vous inquiétez pas. Je vais m'en occuper.

— Oui, mais...

Kit continua, inconsciente qu'elle bafouillait presque des propos incohérents.

Jack l'apaisa en la rassurant. Elle finit par se taire comme si son débordement lui avait soutiré toutes les forces qui lui restaient. Elle s'affaissa contre lui, et le fait qu'il soit en vie la réconforta. Jack se concentra pour guider Champion à travers les champs qui s'obscurcissaient. Son esprit était rempli d'émotions conflictuelles. La lune se couchait. Il fit complètement nuit au moment où il arriva dans son écurie.

Il appela Martins. L'homme arriva en courant, enfouissant sa chemise de nuit dans ses pantalons. Jack descendit de cheval, puis aida Kit, ignorant le regard scandalisé de Martins. Les hauts-de-chausse de sa femme étaient le moindre de ses soucis. Il laissa Martins s'occuper des chevaux et conduisit Kit à la maison. Ils entrèrent par une porte latérale. Une seule bougie attendait sur la table à l'intérieur. Jack l'ignora. Il conduisit Kit directement dans sa chambre.

Une fois là, il lui ôta ses vêtements, ignorant ses protestations, la manipulant avec douceur, comme un enfant. Il prit une serviette et la frictionna vivement, partout, jusqu'à ce qu'elle se réchauffe. Kit marmonna et essaya de l'arrêter, puis céda et resta immobile, se détendant lentement sous ses mains. Il la laissa un instant, étendue nue sur son lit, le dessus-de-lit jeté sur elle. Quand il revint de sa chambre, il était aussi nu et apportait deux verres de cognac.

Jack se glissa sous le couvre-lit, sentant la chaude peau satinée de Kit contre la sienne.

— Voilà. Buvez ça.

Il porta le verre à ses lèvres et persévéra jusqu'à ce que, malgré ses protestations, elle le boive. Il but le sien d'une seule gorgée et posa les deux verres sur la table. Puis, il s'étendit dans le lit à côté d'elle, la serrant dans ses bras.

À sa grande surprise, Kit se tourna pour le regarder. Elle leva une main pour descendre la tête de Jack vers la sienne. Il l'embrassa. Et continua à l'embrasser tandis qu'il la sentait s'animer.

Ça n'avait pas été son intention, mais quand, plus tard, il fut rassasié et sur le point de s'endormir, le corps chaud de Kit à côté de lui, il dut admettre que le moment choisi par sa femme avait été approprié. Leur union avait été une affirmation de leur besoin réciproque, du fait qu'ils étaient tous deux encore vivants. Ils avaient eu besoin de ce moment.

Jack bâilla et resserra son étreinte autour de Kit. Il devait penser à certaines choses avant de pouvoir céder au sommeil. Quelqu'un allait devoir apporter la nouvelle de la mort de Belville avec diligence à Londres. Il semblait que Henry était le supérieur de Belville dans le trafic d'espions et qu'il travaillait probablement quelque part au Whitehall. Peu importe qui était Henry, il fallait vérifier son identité avant qu'il apprenne la disparition de Belville. George pouvait-il aller à Londres? Non... Peu importe qui irait, il devrait

justifier la mort de Belville. Il pouvait prendre la responsabilité des actions de sa femme. Aucun autre homme ne le
pouvait.

Il devait y aller, et vite.

Jack baissa les yeux sur les cheveux roux de Kit, une
tignasse bouclée dans l'obscurité. Il grimaça. Elle ne serait
pas contente, mais il n'y avait aucun autre moyen.

Le souvenir de Kit avec son pistolet fumant dans la main
revint le hanter. Il ne savait pas ce qu'il avait ressenti quand
il l'avait vue se tenir là et qu'il avait réalisé ce qu'elle avait
fait. Il ne savait toujours pas.

Aucun mari ne devrait passer par les traumatismes
qu'elle lui avait infligés. Quand il reviendrait de Londres,
c'était quelque chose qu'il *allait* devoir lui expliquer.

Chapitre 28

Quand Kit se réveilla et qu'elle vit la lettre que son mari lui avait griffonnée, elle soutint sa tête avec son oreiller, grommela et ferma les yeux. Quand elle les rouvrit, la lettre était encore là.

Lui alors! De quoi s'agit-il? Grommelant des jurons français, elle s'assit et rompit le sceau.

Son cri de colère alerta Elmina, qui se précipita dans sa chambre.

— *Ma petite*[17]! Vous êtes souffrante?

— *Je ne suis pas* souffrante. Mais lui, il le sera quand je mettrai ma main sur ce haut-commissaire aux allures de grand seigneur! Comment *ose*-t-il me laisser comme ça?

Kit rejeta la lettre et ôta violemment les couvertures de ses jambes, remarquant tout juste sa nudité tant elle était furieuse. Elle accepta la robe qu'Elmina, scandalisée, lui posa sur les épaules, enfilant le vêtement de soie avant de réaliser que c'était un de ceux qu'il lui avait achetés.

— À quoi servent ces habits s'il n'est même pas là pour les voir?

---

17   N.d.T. : En français dans le texte original.

Elle adressa sa question furieuse au plafond. Elmina n'y répondit pas.

Le temps que Kit se lave et prenne son petit déjeuner, seule, sa fureur s'était transformée en une colère froide. Elle lut la lettre de son mari à trois autres reprises, puis la déchira.

Résolue à ne plus y penser, elle essaya de se noyer dans sa routine quotidienne avec un succès mitigé. Mais quand le soir approcha et qu'elle fut de nouveau seule, ses distractions devinrent limitées. À la fin, après un dîner seule, elle se retira dans la bibliothèque dans un fauteuil près du feu pour regarder d'un air songeur le fauteuil vacant derrière le bureau de Jack.

Ce n'était pas juste.

Elle avait encore très peu d'indices sur son but, mais ses soupçons augmentaient. Elle l'avait aidé à prendre le contrôle sur tous les contrebandiers de la région — elle ne savait pas pourquoi il en avait eu besoin, mais elle était certaine que cela avait été son objectif en liant son gang à sa petite bande. Malgré ses constantes requêtes, il avait refusé de divulguer ses plans. Même quand elle l'avait menacé de le dénoncer, il avait maintenu fermement sa position. Puis, elle les avait sauvés des douaniers et avait failli mourir pour ça. Cela l'avait-il ébranlé? Pas le moins du monde!

Kit ronchonna et bougea dans son fauteuil, ôtant ses pieds de ses pantoufles et recroquevillant ses orteils froids sous ses jupes.

La réaction de Jack devant les derniers événements était cohérente. Il s'était précipité à Londres pour calmer les choses par rapport à la mort de Belville, comme il l'avait dit.

Les yeux de Kit se plissèrent, et elle fit un rictus cynique. Il allait faire une gaffe là-bas. Leur histoire à livrer au public était que Belville avait disparu, probablement victime d'un acte de traîtrise. Elle aurait aimé savoir qui Jack allait voir dans la capitale. Sans doute recevrait-il l'explication qu'on lui refusait.

Kit soupira et s'étira. Les lampes brûlaient faiblement. Elle ferait aussi bien de monter retrouver son lit vide. Impossible de se cacher le fait que son mari ne lui faisait simplement pas confiance, qu'il était manifestement incapable de lui faire confiance.

Ses lèvres pulpeuses firent la moue ; ses yeux améthyste brillèrent. Kit remit ses pieds dans ses pantoufles et se leva.

Elle allait devoir, peu importe comment, faire comprendre à son exaspérant époux que son attitude n'était tout simplement pas la bonne.

D'un pas résolu, elle se dirigea vers son lit.

Quand dimanche arriva, Kit se retrouva à la fois sans mari et fort impatiente — cet état étant une conséquence naturelle de l'absence de Jack. Ouvrant brusquement les rideaux, elle regarda le décor de conte de fées. Le vert des champs était humecté de rosée, chaque brin d'herbe perlé brillant sous un soleil bienveillant. Il n'y avait aucun nuage en vue. Les oiseaux chantaient leur sérénade de joie au magnifique ciel bleu. Une lueur apparut dans les yeux de Kit. Elle se rua vers sa garde-robe. Ça devait être ses pantalons. Jack s'était pressé de lui ôter ses hauts-de-chausse d'équitation, et Elmina avait encore dû les raccommoder.

Vêtue comme un garçon, elle se glissa hors de la demeure encore endormie. Seller l'alezan avec sa selle d'amazone convertible fut assez facile. Puis, elle partit rapidement, de peur que les palefreniers la voient, et se dirigea vers le sud. Elle atteignit le paddock où se trouvait Delia. La jument noire arriva au galop à son sifflement. Il ne lui fallut que quelques minutes pour transférer sa selle, puis elle amena l'alezan libéré brouter dans cette luxuriance inhabituelle.

Elle se dirigea directement vers la côte nord, passant près de la maison de pêcheur telle une flèche noire fonçant en avant. Quand elle s'arrêta sur les falaises, ses veines étaient parcourues d'une joie intense. Elle respirait difficilement. Le rire bouillonnait dans sa gorge. Kit leva ses bras au ciel et s'étira. Comme il était merveilleux d'être en vie!

Cela aurait été encore plus merveilleux si son fort beau mari avait été ici à en profiter avec elle — seulement, il n'était pas là. Kit écarta cette pensée et l'agacement qu'elle occasionnait. Elle chercha un sentier menant à la falaise.

Elle chevaucha vers l'est sur la plage, puis atteignit les falaises pour se rendre sur le promontoire en forme d'enclume au-dessus de Brancaster. Kit laissa Delia renifler le sable pâle où le gang de Hunstanton avait fait le trafic de nombreux chargements.

Elle trouva le corps dans la dernière baie peu profonde avant la pointe est.

Arrêtant Delia à quelques mètres, Kit regarda le corps étendu au bord de l'eau. Les vagues léchaient ses jambes. Il avait été rejeté sur la plage par le retrait des eaux. Aucun muscle ne bougeait. Il était aussi immobile qu'un mort.

Ses cheveux noirs l'alertèrent.

Prudemment, Kit descendit de cheval et approcha du corps. Comme il était clair que l'homme était incapable de représenter une menace, elle le tourna sur le dos. Elle le reconnut immédiatement. Les sourcils noirs arrogants et les traits aristocratiques de l'espion français de Jack l'intriguèrent. Il était cadavérique, mais toujours vivant. Elle pouvait voir son pouls battre superficiellement à la base de sa gorge.

Que s'était-il passé? Plus important encore, que devait-elle faire?

Poussant un soupir étranglé, Kit se pencha sur son fardeau et prit ses bras dans ses mains. Elle le tira plus haut sur la plage, là où les vagues ne pouvaient plus l'atteindre. Puis, elle s'assit pour réfléchir.

S'il était un espion français, elle devait le livrer aux douaniers. Qu'en penserait Jack? Pas grand-chose. Il ne serait pas impressionné. Mais ce qui était sûr, c'était qu'en tant que fidèle Anglaise, c'était son devoir. Qu'est-ce qui primait? Son devoir envers son mari ou son devoir envers son pays? Et étaient-ils vraiment différents, ou était-ce simplement une illusion que Jack utilisait pour ses propres fins?

Kit grommela et passa ses doigts dans ses cheveux. Elle aurait aimé que son mari soit ici, non pas pour qu'il prenne les choses en main, mais pour qu'elle puisse lui faire part de ses sentiments et lui dire ses quatre vérités, ce qu'il méritait certainement.

Mais Jack n'était pas là, et elle était seule. Et son ami français avait besoin d'aide. Son corps frissonnait. D'après ce qu'elle voyait, il était resté dans l'eau pendant un certain temps. Il semblait fort et suffisamment robuste, mais il était probablement épuisé. Elle devait le réchauffer et le sécher le plus vite possible.

Kit considéra ses choix. Il était encore tôt. Si elle le déplaçait bientôt, il y aurait moins de chances que quelqu'un le voie. La maison de pêcheur était l'endroit sûr le plus près où il pouvait être soigné. Elle se leva et examina son patient. Heureusement, il était plus léger que Jack. Elle avait trouvé assez facile de le déplacer sur la plage. Elle pourrait sans doute le porter un peu si nécessaire.

Il lui fallut un moment pour organiser les détails. Kit remercia le ciel d'avoir dressé Delia à toutes sortes de choses. La jument s'agenouilla docilement devant le Français. Kit le tira et le poussa pour réussir enfin à le mettre sur sa selle, penché sur le pommeau, la joue sur le cou de Delia, les mains traînant dans le sable de chaque côté du cheval. Satisfaite, Kit grimpa derrière, prit une profonde respiration et donna à Delia le signal de se redresser. Elle faillit le perdre, mais, au dernier moment, réussit à le retenir sur la jument. Delia attendit patiemment jusqu'à ce qu'elle l'installe de nouveau. Puis, elle partit aussi vite qu'elle osa.

Descendre de cheval fut bien plus complexe. Les bras de Kit étaient douloureux sous l'effort de le tenir. Elle se laissa glisser sur le sol, puis libéra bruyamment le lourd fardeau, jusqu'à ce qu'il quitte la selle et s'étale devant la porte. Exaspérée de son impotence, Kit passa un moment à le regarder. Elle s'arrêta pour le placer dans une position plus confortable avant d'entrer dans la maison de pêcheur pour préparer le lit.

Elle trouva un vieux drap et l'étendit sur le lit. Ses vêtements devaient lui être enlevés, mais pas avant qu'elle les utilise comme prises pour le hisser sur le matelas. Revenant à son patient, elle le tira à l'intérieur. Le déposer sur le lit fut une lutte frustrante, mais il finit par se retrouver étendu sur le drap, long et mince, et Kit devait l'admettre, plutôt beau pour autant qu'elle pût le remarquer.

Jack n'avait pas laissé ses couteaux, mais son épée se trouvait encore dans le fond de l'armoire. Kit sut en tirer parti et découpa les vêtements du Français. Elle essaya de ne pas regarder tandis qu'elle ôtait les habits, le tournant sur le ventre tout en enlevant le drap boueux sous lui. Il avait des bleus sur ses épaules et ses bras, comme s'il s'était battu, et une plaque rouge sur une hanche, comme s'il avait heurté quelque chose. Elle jeta les couvertures sur lui et le borda.

Ressentant une certaine fierté devant le travail bien accompli, elle alla allumer le feu et réchauffer quelques briques. Plus tard, quand son patient fut aussi réchauffé et sec que possible, elle fit du thé et s'installa pour attendre.

Ce ne fut pas long avant que, réchauffé, il bouge et se tourne sur le dos. Kit s'approcha du lit, se penchant en toute confiance pour poser une main froide sur son front.

Des doigts puissants encerclèrent son poignet. Ses paupières lourdes se levèrent pour exposer des yeux noirs, voilés par la fièvre. L'homme leva tout à coup les yeux, à la recherche de son visage.

— *Qui êtes-vous*[18] ?

Les yeux noirs balayèrent la maison de pêcheur, puis se reposèrent sur son visage.

— *Où sommes-nous*[19] ?

---

18 N.d.T. : En français dans le texte original.
19 N.d.T. : En français dans le texte original.

Ses questions exigeaient une réponse. Kit les lui donna alors.

— Vous êtes en sécurité. Vous devez vous reposer.

Elle essaya de libérer sa main de sa prise, mais ses doigts se resserrèrent. Irritée de cette démonstration de force masculine brutale quand c'était inutile, Kit ajouta avec une aspérité bien nette :

— Si vous brisez ses biens, Jack ne sera pas content.

La mention du nom de son mari la soulagea immédiatement. Les yeux noirs la scrutèrent, plus confus que jamais.

— Vous connaissez… le capitaine Jack ?

Kit opina.

— On peut dire ça. Je vais vous chercher quelque chose à boire.

À son grand soulagement, son patient changea de comportement, même s'il continuait à l'étudier. Il but le thé faible sans se plaindre. Presque immédiatement, il se rendormit. Mais son repos fut perturbé.

Kit retint sa langue tandis qu'elle le regardait se tortiller dans le lit. Il marmonnait en français. Elle s'approcha davantage vers la tête du lit. Dans son état actuel, elle ignorait à quel point ses idées étaient claires. S'approcher trop n'était peut-être pas raisonnable.

Soudain, il se tourna sur le dos, et sa respiration se détendit. À sa grande surprise, il se mit à parler assez lucidement sans accent.

— Il *n'y en a que deux* — seulement deux bâtards qui restent. Mais Hardinges a bu trop vite — le crétin est tombé ivre mort avant que je puisse en tirer plus, bon sang !

Il s'arrêta, fronçant ses élégants sourcils noirs.

— Non. Attends. On a eu un indice de plus. Mais Dieu seul sait que ce n'est pas beaucoup pour continuer. Hardinges n'arrêtait pas de dire «les fils du duc». Je crois que ça veut dire que l'un des deux que nous recherchons est un fils de duc, mais je ne peux pas en être sûr. Toutefois, je ne crois pas que Hardinges se soit livré à une illusion poétique.

Un rapide sourire éclaira son visage sombre.

— Eh bien, Jack, mon cher, j'ai peur que ce soit tout ce que j'ai appris. Donc, tu ferais mieux de monter sur ta terreur grise et d'aller livrer l'information à Londres. Peu importe ce qu'ils font, ils vont devoir le faire vite. Les vautours se rapprochent. Ils savent que quelque chose se trame de notre côté et ils sont déterminés à extraire l'information par tous les moyens possibles. S'il reste un mouchard parmi nous, ils le trouveront.

Le long discours semblait avoir drainé toutes les forces de l'homme. Après une pause, il demanda :

— Jack ?

Surprise, Kit camoufla son étonnement.

— Jack est en route.

L'homme soupira et se cala plus profondément dans les oreillers. Ses lèvres formèrent le mot «Bien». L'instant suivant, il dormait.

Dans le calme ponctué de discrets ronflements, Kit s'assit et mit les derniers morceaux de puzzle des activités de son mari en place. Il était le haut-commissaire du nord du Norfolk — on lui avait confié le soin en particulier d'éradiquer le trafic d'espions. Il apparaissait à présent que, non content de chasser les espions de ce côté de la Manche, Jack contribuait aussi à en envoyer en France.

Tout cela était très bien, mais pourquoi ne le lui avait-il pas dit ?

Kit avança vers le feu, lançant de temps à autre un regard sur son patient. Il n'y avait aucune raison pour que Jack ne puisse lui confier les détails de sa mission, surtout pas après son remarquable service pour la cause, même si ce fut dans l'ignorance. Il était parfaitement clair que son mari entretenait une idée archaïque de sa place dans sa vie. C'était une place dont elle n'avait aucune intention de se satisfaire.

Elle voulait partager sa vie, pas seulement avoir toujours un rôle secondaire, tel un subalterne gardé à distance en s'organisant simplement pour contrôler l'information.

Les yeux de Kit brillèrent ; ses lèvres s'amincirent. Il était temps qu'elle consacre plus d'énergie à l'éducation de son mari.

La matinée était avancée quand elle se sentit à l'aise de laisser le Français — qui n'était visiblement pas Français du tout. Il n'y avait aucune possibilité de cacher son costume d'homme, alors elle n'essaya même pas. Elle chevaucha directement vers les écuries du château et descendit de cheval élégamment tandis que Martins arrivait en courant, les yeux lui sortant presque de la tête.

— Occupez-vous de Delia, Martins. Vous pourrez l'amener au paddock plus tard et ramener l'alezan. Je ne remonterai pas aujourd'hui.

— Bien, Madame.

Kit avança vers la maison tout en ôtant ses gants. Lovis était dans l'entrée quand elle arriva. Kit lança un regard rebelle dans sa direction. À son honneur, aucun muscle ne frémit tandis qu'il s'approchait, son allure majestueuse à première vue intacte. D'après Kit, cela mettait à rude épreuve son âme conservatrice.

— Lovis, je voudrais envoyer immédiatement un message à Lord Smeaton. Je vais écrire une note. Je veux qu'un des hommes soit prêt à le livrer au domaine Smeaton dès que j'aurai fini.

— Très bien, Madame.

Lovis avança pour lui ouvrir la porte de la bibliothèque.

— Le fils de Martins s'en chargera.

Prenant le fauteuil du bureau de son mari, Kit posa une feuille vierge devant elle. La note pour George était facile. Elle devait lui indiquer de se rendre immédiatement au secours de son ami « français », qui se trouvait dans la maison de pêcheur, plutôt *hors de combat*[20]. Elle s'arrêta, puis écrivit une dernière phrase.

« Je suis sûre que, comme vous êtes bien plus dans les secrets de Jack, vous saurez davantage que moi comment procéder pour le mieux. »

Kit signa le message d'un geste théâtral, avec une moue grave. Peut-être était-il injuste de rendre George mal à l'aise, mais elle était loin d'apprécier ceux qui avaient participé au fait que son mari ait atteint son état actuel d'arrogance. Elle mit l'adresse sur la lettre, persuadée que George se rendrait rapidement au secours de son ami. Il prendrait les responsabilités subséquentes.

Elle sonna la clochette et donna le message à Lovis pour qu'il s'en occupe.

---

20 | N.d.T. : En français dans le texte original.

Pendant les vingt minutes suivantes, elle bougea à peine. Son esprit était concentré sur la formation et l'abandon des diverses options pour que Jack porte attention à ses défauts.

Finalement, elle ne put penser qu'à une seule façon de procéder. Il n'y avait aucune raison d'entrer dans des manœuvres complexes — il était bien plus expert dans l'art de la manipulation qu'elle. En fait, elle avait une petite idée de la façon de le rappeler à l'ordre d'une façon tout à fait féminine. Si elle empruntait cette voie, elle soupçonnait fortement qu'elle finirait sur le dos, sous lui, le laissant aussi arrogant que jamais. Et aussi peu disposé que jamais à faire des concessions. Le mieux qu'elle puisse espérer faire, c'était une déclaration — quelque chose de suffisamment dramatique pour le faire se redresser et faire attention, quelque chose d'assez catégorique pour qu'il soit forcé d'au moins reconnaître son point de vue.

La détermination parcourant calmement ses veines, Kit prit une autre feuille de papier et se mit à écrire une lettre pour son époux dévoyé.

* * *

Jack arriva chez lui le lundi soir. Il avait dû attendre jusqu'à ce matin pour parler à Lord Whitley. De nombreux plans étaient déjà dans l'air pour débusquer l'homme qu'ils croyaient être le Henry de Belville. Tout ce qu'il restait à faire, c'était attendre le retour d'Anthony, pour voir s'il y avait plus de traîtres à retrouver. Ils y étaient presque.

Poussant un profond soupir, Jack monta l'escalier jusqu'à la porte d'entrée. Lovis la lui ouvrit.

— Monsieur, M. Smeaton m'a demandé de vous remettre ceci dès que vous passeriez le seuil.

Jack déplia la feuille. Il prit un moment à déchiffrer l'écriture de George. Puis, Jack poussa un soupir de lassitude. Il hésita, se demandant s'il devait avertir Kit. Il ne serait pas de retour à temps pour le dîner. Il n'était pas sûr qu'il serait de retour avant qu'elle se couche. Revêtant un lent sourire, il franchit de nouveau la porte. Il valait mieux la prendre par surprise.

— Je reviendrai tard ce soir, Lovis. Inutile de dire à quiconque que je suis venu.

À la maison de pêcheur, il fut accueilli par un Anthony en meilleur état. George n'était pas là pour entendre le récit des aventures d'Anthony. Il avait été invité à dîner chez les Gresham.

— C'est une des difficultés quand on est fiancé.

Souriant, Jack prit une chaise et s'y assit à califourchon. Il était clair que le Français avait retrouvé Antoine, qui n'était pas lavé de tout soupçon, pour l'interroger au cas où il en saurait plus qu'il avait déjà dit. Il s'était échappé en voyageant clandestinement à bord d'une allège en direction de Boston, de l'autre côté du Wash. Malheureusement, il se trouvait aussi être un bateau de contrebandiers. Or, les contrebandiers n'aimaient pas les passagers clandestins. Il avait dû se battre et se jeter lui-même à l'eau avant qu'ils le transpercent.

Le récit d'Anthony suggérait que le Français avait désespérément besoin d'information. Le fait qu'il ne reste que deux traîtres était une bonne nouvelle pour Jack.

— On les aura.

Rapidement, il informa Anthony des événements sur la plage après qu'il eut pris le bateau, faisant référence à Kit seulement comme étant un autre membre du gang.

— George m'en a parlé, dit Anthony. Mais il a dit qu'il te laissait le soin de donner les détails, car tu « avais un intérêt plus profond dans la mort de Belville ». Que diable a-t-il voulu dire ?

Jack eut la bonne grâce de rougir.

— Va savoir !

Anthony lui lança un regard de surprise moqueur.

— Il n'est pas recommandé d'avoir des secrets pour ses amis, mon cher Jack.

— Tu finiras par connaître ce secret, et je ne m'en plaindrai pas.

Devant l'air intrigué d'Anthony, Jack continua rapidement :

— Whitley pense que le Henry de Belville, que nous croyons être Sir Henry Colebourne, sera derrière les barreaux dans quelques jours au plus. Ce qui veut dire, si on l'ajoute à nos informations, que la fin est proche. Nous les aurons tous eus.

Anthony s'allongea sur les oreillers en poussant un profond soupir.

— Mais comment se débrouilleront-ils sans nous, maintenant que nous avons tous quitté le service ?

— Je suis sûr qu'ils s'arrangeront. Personnellement, j'ai de nouveaux champs à labourer, si je puis dire.

Le sourire de Jack devant le plaisir anticipé était transparent.

Le regard d'Anthony descendit du plafond pour examiner l'étrange enthousiasme de Jack pour la vie civile.

— Je suppose, dit-il, que ton nouveau goût pour les activités paisibles n'a rien à voir avec le jeune aux cheveux roux qui m'a emmené ici ?

Devant l'expression arrêtée de Jack, Anthony ajouta rapidement :

— Tu es passé de l'autre côté, Jack ?

Jack ravala une réponse nettement brutale. Ses yeux brillèrent.

— D'après ce que tu me dis, ma femme portait des hauts-de-chausse quand elle t'a emmené ici ?

— *Ta femme ?*

L'exclamation d'Anthony provoqua une quinte de toux. Quand il se reprit, il se rallongea sur ses oreillers et fixa Jack avec un regard étonné.

— Ta femme ?

Jack hocha la tête, incapable de contenir son sourire.

— Tu as eu le plaisir de rencontrer Kathryn, Lady Hendon, mieux connue sous le nom de Kit.

Il s'arrêta, puis haussa les épaules.

— C'est elle qui a tué Belville.

— Ah !

Anthony s'efforça de faire correspondre le fait avec ses souvenirs.

— Comment diable cette fille toute frêle a-t-elle fait pour me ramener de la plage jusqu'ici ?

Jack se leva.

Stephanie Laurens

— Probablement une solide détermination. C'est une qualité dont elle ne manque pas. Je te laisse maintenant, Tony.

Il s'avança et tapota l'épaule d'Anthony.

— Je t'enverrai Matthew dans la matinée avec un cheval pour te conduire au château. Sois assuré que je donnerai de tes nouvelles à Whitley dès que possible. Il sera soulagé de savoir que nous les avons tous eus.

— Merci, Jack.

Anthony s'étendit paisiblement sur les oreillers et regarda Jack avancer vers la porte.

— Mais pourquoi es-tu si pressé de partir?

Jack s'arrêta.

— Je dois discuter d'une petite question de convenances avec ma femme. Rien qu'un coureur comme toi puisse comprendre!

Fermant la porte sur le «Oh, non!» de son ami, Jack se rendit à l'écurie. Il ne l'avait pas vraiment surprise en hauts-de-chausse, mais ce n'était pas loin!

Le plaisir anticipé augmenta, le temps qu'il atteigne la maison. Il entra par la porte de derrière et prit l'unique bougie pour éclairer son chemin. Il se rendit directement dans la chambre de sa femme.

Et s'arrêta net quand la lumière de sa bougie dévoila un étalage de satin vert, sans aucun corps aux courbes agui-cheuses niché dessous.

Pendant un instant, il ne fit que regarder, incapable de penser. Puis, son cœur s'emballa curieusement, et il se rendit dans sa propre chambre. Elle n'était pas dans son lit non plus. La vue du petit papier blanc posé sur son oreiller fit trembler sa main, qui répandit de la cire sur le sol.

Prenant une profonde respiration, Jack posa la bougie sur la table et, s'effondrant sur le lit, il prit la lettre. L'écriture délicate de Kit indiquait que c'était pour Jonathon, Lord Hendon. La vue de son propre prénom lui mit la puce à l'oreille.

Il fit une moue sinistre et ouvrit la lettre.

Sa formalité n'avait manifestement été réservée qu'au titre. À l'intérieur, le message était direct et succinct.

Cher Jack,

J'en ai assez. Je pars. Si vous désirez vous expliquer, je suis sûre que vous saurez où me trouver.

Votre femme loyale, aimante et dévouée.

Kit

La première pensée de Jack fut qu'elle avait omis « obéissante », réalisant manifestement que sa tolérance ne pouvait aller jusque-là. Puis, il relut la lettre et décida qu'il ne pouvait pas, en toute honnêteté, s'offusquer des adjectifs qu'elle avait présentés.

Il s'assit sur le lit tandis que l'horloge dans l'entrée résonna et il s'efforça de donner un sens à ce que la lettre voulait vraiment dire. Il ne pouvait pas croire que Lovis lui ait donné le message de George, mais qu'il ait oublié de lui dire que sa femme l'avait quitté. Essayant d'ignorer le grand vide qui se répandait dans sa poitrine, menaçant d'écraser son cœur, il relut la lettre. Puis, il s'allongea sur son lit, les mains derrière la tête, et se mit à réfléchir.

Elle était fâchée qu'il ne lui ait pas parlé des détails de sa mission. Il essaya d'imaginer George parler à Amy et sentit une douce sensation de justification le réchauffer. Brusquement, elle se dissipa, tandis que l'image de Kit se superposa à celle d'Amy. Très bien. Ainsi, elle n'était pas le même genre de femme, et leur mariage n'était pas du même genre.

Lui et sa mission lui étaient profondément redevables. Il ne le savait que trop. Le fait qu'elle aspire aux émotions fortes et qu'elle irait jusqu'au bout pour ça était une caractéristique qu'il reconnaissait. Il pouvait comprendre son dépit parce qu'il ne l'avait pas impliquée dans ses plans. Mais le quitter comme ça — le laisser tomber —, c'était le genre de chantage émotif auquel il ne succomberait jamais. Bon sang, s'il ne savait pas qu'elle était en sécurité au domaine Cranmer, il deviendrait fou ! Elle s'attendait sans doute à ce qu'il accoure, impatient de la retrouver, prêt à promettre n'importe quoi.

Il ne le ferait pas.

Du moins, pas encore. Il devait retourner à Londres demain pour transmettre des nouvelles d'Anthony à Lord Whitley. Il laisserait mijoter Kit, prisonnière dans son propre piège. Puis, quand il reviendrait, il irait la voir, et ils pourraient discuter de leur relation calmement et rationnellement.

Jack essaya d'imaginer avoir une discussion calme et rationnelle avec sa femme. Il s'endormit avant d'y parvenir.

Chapitre 29

Poussant un soupir à la fois de soulagement et d'inquiétude, Kit saisit le heurtoir de la porte de son cousin Geoffrey. L'étroite maison dans la rue Jermyn était la résidence des trois fils de son oncle Frederick quand ils étaient à Londres. Elle espérait qu'au moins l'un d'entre eux s'y trouverait à présent.

La porte fut ouverte par Hemmings, le valet de Geoffrey. Il était dans la famille depuis des années et la connaissait bien. Pourtant, étant donné son costume, il fallut un bon moment avant qu'elle voie ses yeux s'écarquiller en la reconnaissant.

— Bonsoir, Hemmings. Mes cousins sont-ils là ?

Kit passa devant l'homme stupéfait. Recouvrant ses esprits et son rôle, Hemmings ferma rapidement la porte. Puis, il se tourna pour la regarder de nouveau.

Kit soupira.

— Je sais. Mais c'était plus sûr comme ça. Geoffrey est-il là ?

Hemmings ravala sa salive.

— Monsieur Geoffrey est sorti pour le dîner, Mademoiselle, avec Monsieur Julian.

— Julian est ici ?

Comme Hemmings opinait, le cœur de Kit se serra pour la première fois de la journée. Julian devait avoir eu une permission. Le voir serait une récompense inattendue dans cette affaire jusqu'ici lamentable.

Elle avait quitté le château Hendon dimanche après-midi, il y avait plus de vingt-quatre heures, vêtue en Lady Hendon sans bagages compromettants en dehors d'un petit sac noir. Elle avait dit à Lovis qu'elle avait reçu le message d'aller rendre visite à une amie malade dont elle verrait le frère à Lynn. Le message qu'elle avait laissé à son mari, lui avait-elle assuré, expliquait tout. Elle avait demandé à Josh de la conduire à Lynn et de la laisser au King's Arms. Quand la diligence de nuit était partie pour Londres à vingt heures, un jeune homme élancé et élégant emmitouflé jusqu'aux oreilles s'y trouvait.

La diligence était allée particulièrement lentement, atteignant la capitale bien après midi. Depuis l'auberge de relais, elle avait marché un certain temps avant de pouvoir héler un fiacre suffisamment propre. Et le fiacre avait traînassé, pris dans la circulation de Londres. À présent, il était plus de dix-huit heures, et elle était épuisée.

— Monsieur Bertrand est parti à la campagne pour la semaine. Puis-je préparer son lit pour vous ?

Kit sourit d'un air las.

— Ce serait merveilleux, Hemmings. Et si vous pouviez me préparer un repas tout simple, je vous en serais infiniment reconnaissante.

— Naturellement, Mademoiselle. Si vous voulez bien prendre place dans le petit salon.

Après qu'il l'eut accompagnée au petit salon et laissée seule, Kit rangea les magazines jonchant chaque meuble avant de choisir un fauteuil pour s'y affaler. Elle ignorait combien de temps elle resterait là, une main sur les yeux, à lutter contre les nausées inhabituelles qui l'avaient assaillie à l'instant où elle s'était réveillée ce matin, causées sans doute par le ballottement marqué de la diligence. Elle n'avait pas mangé de toute la journée, mais trouva à peine l'appétit nécessaire pour rendre justice au repas que Hemmings avait fini par déposer devant elle.

Dès qu'elle eut fini, elle monta à l'étage. Elle se lava le visage et ôta ses vêtements, se demandant sarcastiquement ce que Jack aurait l'intention de faire s'il la trouvait dans un tel accoutrement. Cette pensée amena un doux sourire sur ses lèvres. Il s'effaça lentement.

Avait-elle bien fait de le quitter? Dieu seul le savait! Son pénible voyage avait réussi à affecter son humeur, mais sa détermination était intacte. Jack devait se soucier d'elle. Sa disparition l'y pousserait. Et il la suivrait, ça, elle en était sûre. Mais ce dont elle n'était pas sûre du tout, ce qu'elle ne pouvait même pas deviner, c'était ce qu'il ferait ensuite.

En fait, dans le feu de l'action, elle n'avait pas envisagé ce point crucial.

Agitant ses cheveux, Kit ôta ses vêtements et se faufila entre les draps tout propres. Au moins, cette nuit, elle serait capable de dormir sans être dérangée par les grognements et les ronflements d'autres passagers. Et puis, demain, quand elle pourrait de nouveau penser correctement, elle s'occuperait de Jack et de ses réactions.

Au pis aller, *elle* pourrait toujours s'expliquer.

Elle se trouvait à la table du petit déjeuner le lendemain matin, ayant pris soin de se vêtir en jeune Kit, quand Geoffrey ouvrit la porte et entra nonchalamment. Il avait une allure canaille dans son peignoir de soie multicolore, un foulard replié avec soin autour de son cou. Un regard sur son visage stupéfait indiqua à Kit que Hemmings lui avait laissé le soin de lui annoncer personnellement la nouvelle.

— Bonjour, Geoffrey.

Kit prit une gorgée de café et regarda son cousin par-dessus le bord de sa tasse.

Geoffrey n'était pas lent d'esprit. Tandis que son regard se portait sur ses vêtements, il revêtit une expression hagarde.

— Que diable fais-tu ici ?

— J'ai décidé que passer près d'une semaine loin du château Hendon serait approprié, dit Kit en souriant. Tu n'es pas content de me voir ?

— Bien sûr que si, tu le sais bien. Mais...

Geoffrey, inquiet, passa la main dans ses cheveux bruns.

— Où diable est ton mari ?

Brusquement, Kit changea d'attitude.

— Il va me suivre, j'espère.

Geoffrey la regarda fixement. Brusquement, il tendit le bras vers la cafetière.

— Vas-y, ma chère. Commence par le début. À quel genre de jeu dangereux joues-tu ?

— Ce n'est pas un jeu.

Kit soupira et appuya ses coudes sur la table. Geoffrey prit une chaise. Quand il lui fit signe de continuer, Kit raconta son histoire. Au grand jour, ça n'avait pas particulièrement l'air très sensé. Et essayer d'expliquer à Geoffrey pourquoi elle se sentait comme ça était encore plus futile. Elle ne fut pas surprise quand il montra tous les signes de prendre le parti de Jack.

— Tu es devenue folle, fut le verdict de Geoffrey. Que diable crois-tu qu'il va se passer quand il te trouvera ?

Kit haussa les épaules, songeant à ce moment.

Geoffrey se raidit.

— Lui as-tu dit que tu serais ici ?

Kit secoua la tête, laissant le temps à Geoffrey de respirer de nouveau.

— Mais il le découvrira.

Geoffrey la fixa du regard. Ce n'était pas le genre d'assurance qu'il souhaitait. Il étudia Kit, puis demanda :

— Tu n'es pas enceinte, n'est-ce pas ?

Ce fut au tour de Kit de le regarder fixement.

— Bien sûr que non !

— Très bien, très bien.

Geoffrey leva les deux mains de manière à l'apaiser.

— Je pensais juste que ce serait une excuse pratique à donner à Hendon quand il arriverait. Tout le monde sait que les femmes font des choses étranges dans ces moments-là.

Hors d'elle, Kit lui lança un regard furieux.

— Ce n'est pas le problème ! Je veux qu'il comprenne que je ne veux pas être mise à l'écart, cachée en sécurité dans un coin chaque fois qu'il décide que ce qu'il fait n'est pas… convenable pour moi et que je ne devrais pas y être impliquée.

Geoffrey posa brusquement une main sur son front.

— Oh, mon Dieu !

La porte s'ouvrit et Julian, le plus jeune des trois frères, le seul plus jeune que Kit, entra. Geoffrey s'assit, les yeux rivés sur son café tandis que Julian et Kit échangeaient de joyeuses salutations au-dessus de sa tête. Puis, Kit le mit au courant des raisons de sa présence. Quand ils finirent par dévier leur attention sur leur petit déjeuner, Geoffrey déclara :

— Kit, tu ne peux pas rester ici.

Elle se renfrogna.

— Ah.

— Ce n'est pas ce que je pense, personnellement, la rassura Geoffrey, ignorant le regard noir que son frère lui lança. Mais peux-tu, s'il te plaît, essayer de comprendre comment ton mari va se sentir s'il arrive ici et te trouve en train de batifoler dans la rue Jermyn en hauts-de-chausse ?

Geoffrey s'arrêta, puis ajouta :

— Réflexion faite, j'annule le « personnellement ». Je le *pense* parce que c'est après *moi* qu'il en aura.

— J'ai apporté une robe.

Geoffrey leva les yeux vers le plafond.

— Avec tout le respect que je te dois, Kit, se promener dans la rue Jermyn en robe s'avère probablement plus dangereux pour ta réputation qu'en hauts-de-chausse.

Kit grimaça, sachant qu'il avait raison. Elle avait vécu à Londres assez longtemps pour connaître les règles. La rue Jermyn était le lieu de prédilection de tous les célibataires bien nantis de la ville. Les femmes de son statut ne vivaient assurément pas dans la rue Jermyn.

— Mais où puis-je aller ? Et pour l'amour du ciel, ne me suggère pas vos parents.

— Je suis un poltron, pas un fou, répondit Geoffrey.

Les trois cousins réfléchirent à leurs connaissances. Aucune ne convenait. Puis, Julian réagit subitement :

— Jenny... Jenny MacKillop.

Mlle Jennifer MacKillop avait été gouvernante pour les fils de Frederick Cranmer et avait continué quelques années comme dame de compagnie pour Kit jusqu'à ce que Kit participe à sa première saison des mondanités. Ensuite, elle s'était retirée pour s'occuper de son frère vieillissant à Southampton.

— Elle m'a envoyé une lettre il y a quelques mois, dit Kit. Son frère est mort et lui a laissé la maison. Elle pensait y rester pour le reste de l'année, le temps de faire le point et de décider ce qu'elle ferait.

— Alors, c'est là que tu iras, dit Geoffrey en se redressant. Il étudia Kit sévèrement.

— Quand penses-tu que Hendon se sera mis en route ?

Kit sembla mal à l'aise.

— Je l'ignore.

Geoffrey soupira.

— Très bien. Je ferais mieux d'attendre ici, au cas où il arrive, pour calmer le jeu. Non ! dit-il, tandis que Julian ouvrait la bouche. De tout ce que j'ai entendu dire de Jonathon Hendon, il semble qu'il attaque avant même de poser des questions. Au moins, j'aurai l'avantage de rester calme. Tu pourrais accompagner notre charmante cousine à Southampton.

Julian fit un grand sourire.

— Puis-je prendre ton fiacre ?

Le soupir de Geoffrey venait du cœur.

— Si je vois la moindre égratignure, tu le repeindras avec tes poils de barbe.

Julian poussa un cri de joie.

Geoffrey haussa les sourcils.

— Tu ne savais pas qu'il se rasait déjà, n'est-ce pas ?

Kit ricana.

Geoffrey sourit.

— C'est mieux. Je commençais à me demander si tu avais oublié comment.

— Oh, Geoffrey !

Kit tendit une main pour serrer la sienne.

Geoffrey attrapa ses doigts.

— Oui, eh bien, je suggère que tu partes aussitôt que possible. Tu devrais être capable d'arriver à la tombée de la nuit, si Julian ne s'égare pas. Je suppose que Jenny doit pouvoir vous loger tous les deux.

Son avenir immédiat étant résolu, Kit se versa un autre café. Elle ne voulait pas aller à Southampton. C'était trop loin du château Hendon. Mais elle était d'accord avec le raisonnement de Geoffrey. Jack ne serait pas content de la voir fréquenter une résidence de célibataires. Et elle serait heureuse de revoir Jenny. Peut-être que fréquenter de nouveau son ancien mentor la distrairait des problèmes de son nouveau rôle.

Jack se réveilla le vendredi matin, maussade. Il s'allongea sur le dos et regarda le plafond, les yeux dépourvus d'expression. La vie, depuis quelques jours, avait revêtu une teinte grisâtre.

Il s'ennuyait de sa femme.

Non seulement elle lui manquait, mais il ne semblait pas pouvoir fonctionner en sachant qu'elle n'était pas là, à l'endroit où était sa place. Il ne pouvait pas dormir et il ne pouvait pas se rappeler ce qu'il avait mangé pendant les trois derniers jours. Ses facultés étaient aux prises avec les souvenirs constants de leur dernière rencontre, des occasions qu'il avait ratées de lire dans son esprit et de lui éviter son acte étonnant mais si caractéristique.

Il avait commis une erreur en la laissant au domaine Cranmer. Il le savait maintenant. Mais il ne savait pas alors combien elle obséderait son esprit.

Maugréant à moitié, il repoussa les couvertures et se força à se lever. Sans plus de cérémonie, il allait rectifier son erreur. Il était revenu de Londres tard la nuit précédente avec l'espoir que Kit ait reconsidéré ses objectifs et qu'elle soit rentrée à la maison anéantie à la vue de son lit vide. Le lit vide de Jack s'était avéré encore moins exaltant.

Il s'habilla avec un soin particulier, choisissant un manteau pour le matin d'une élégance toute simple, résolu à impressionner sa femme avec chaque facette de sa personnalité. Il savait exactement ce qu'il ferait. Après l'avoir saluée froidement, il insisterait pour la voir seule. Puis, il lui *expliquerait* pourquoi le fait qu'elle l'ait quitté était un comportement inacceptable de la part d'une Lady Hendon, pourquoi aucune circonstance sur la terre ne pouvait excuser son absence de la sécurité du foyer de Jack. Puis, il embrasserait cette sacrée bonne femme et la ramènerait à la maison. Tout simplement.

Il prit une tasse de café et ordonna que Champion lui soit amené.

* * *

— Si elle n'est pas ici, où diable *est*-elle?

Jack, furieux, passa une main dans ses cheveux, laissant des mèches dorées errer autour de son visage hagard. Il arpentait le petit salon des Gresham comme un tigre blessé en cage.

Amy le regardait, complètement abasourdie.

— Peut-être, ma chère, pourriez-vous nous apporter un rafraîchissement.

George sourit de façon rassurante en regardant Amy dans les yeux. L'aidant à se lever, il l'accompagna à la porte, qu'il lui tint.

Une fois qu'Amy fut partie, George ferma la porte et fixa Jack d'un regard sévère.

— Je t'avais dit de ne pas laisser Kit seule.

Sa voix contenait une intonation nettement critique.

— Et si tu es parti sans expliquer ce qui se passait, je ne suis pas surpris qu'elle t'ait quitté.

Jack s'arrêta pour le regarder.

George grimaça et fouilla dans la poche de son manteau.

— Voilà, dit-il, lui tendant la lettre que Kit lui avait envoyée. J'aurais aimé ne pas avoir à te montrer ceci, mais apparemment, ta femme connaît ton entêtement encore mieux que moi.

Surpris, Jack prit le message et le défroissa.

— Lis la dernière phrase, dit George avec obligeance.

Jack s'exécuta. « *Je suis sûre que, comme vous êtes bien plus dans les secrets de Jack, vous saurez davantage que moi comment procéder pour le mieux.* »

Écrasant le message dans sa main, Jack jura.

— Comment diable étais-je censé savoir que ça la touchait autant ?

Il regarda George avec un air de défi.

George n'était pas impressionné.

— Tu savais très bien qu'elle voulait savoir. Bon sang ! Elle *méritait* de savoir, après ce qu'elle a fait cette fameuse nuit sur la plage. Et avec ses efforts récents pour la cause. Tout ce que je peux dire, c'est qu'elle a été sacrément compréhensive.

Jack fut interloqué.

— Tu n'es quand même pas d'accord avec elle !

— Je sais. Elle est particulièrement effrontée. Mais ça ne t'excuse en rien.

Les mains sur les hanches, les yeux plissés et d'un gris enfumé, Jack regarda George furieusement.

— Tu ne vas pas me dire que tu as parlé de notre mission à Amy ?

Indifférent à l'agressivité de Jack, George s'assit sur la méridienne.

— Non, bien sûr. Mais le fait est que Kit n'est pas Amy.

Jack fit une grimace peinée. Il se mit à refaire les cent pas, le front plissé.

— Si je lui avais dit, Dieu seul sait ce qu'elle aurait fait. Nos opérations sont trop dangereuses. Je ne pouvais pas l'exposer à de tels risques.

George soupira.

— Bon sang, Jack. Tu savais comment elle était quand tu l'as épousée. Pourquoi diable l'as-tu épousée, si tu n'étais pas prêt à prendre ces risques ?

— Je l'ai épousée parce que je l'aime, bon Dieu !

— Eh bien, si c'est le cas, le reste devrait venir facilement.

Jack lui lança un regard méfiant.

— Que veux-tu dire exactement?

— Ça veut dire, dit George, que tu la voulais pour ce qu'elle était... ce qu'elle est. Tu ne peux pas te mettre à en changer des morceaux en t'attendant à ce qu'elle change sur certains points et pas sur d'autres. Serais-tu heureux si elle devenait une autre Amy?

Jack ravala sa réplique, les lèvres fermement serrées sous l'effort de retenir une réponse peu flatteuse.

George lui adressa un large sourire.

— Précisément. Ce n'est pas ta tasse de thé, mais heureusement, c'est la mienne.

La porte s'ouvrit au moment où George leva les yeux, souriant avec enthousiasme quand Amy entra, précédant son majordome, qui portait un plateau rempli d'une variété d'alcools forts en plus d'une théière. Congédiant le majordome, Amy versa le thé pour George et elle-même tandis que George versa à Jack une bonne dose de cognac.

— Maintenant que nous avons résolu vos différences d'opinions, que s'est-il passé exactement?

Fronçant les sourcils, Jack prit le verre.

— Je suis revenu de Londres lundi soir et j'ai eu ton message — comme tu l'avais demandé, aussitôt que j'ai passé le seuil. Je suis allé voir notre ami et je suis retourné au château. Kit n'y était pas.

Il prit une gorgée de son cognac, puis sortit une lettre de sa poche.

— Comme nous semblons partager les messages de ma femme, tu pourrais aussi bien lire ça.

George prit la lettre. Il survola rapidement les quelques lignes et pinça fermement ses lèvres pour s'empêcher de rire.

— Bien, dit-il, tu ne pourras pas te plaindre qu'elle n'est pas lucide.

Jack maugréa et reprit la lettre.

— Je pensais qu'elle serait allée au domaine Cranmer et qu'elle aurait pensé y être assez en sécurité jusqu'à ce que je revienne d'avoir transmis des nouvelles d'Anthony à Whitley.

Le regard de George était exaspéré.

— Ce n'était pas vraiment une bonne idée.

— Je n'étais pas vraiment raisonnable à ce moment-là, grommela Jack, se remettant à faire les cent pas, frustré. Je venais juste de passer la matinée la plus pénible de ma vie. D'abord, je suis allé au domaine Cranmer. Je ne me suis même pas rendu à la propriété. J'ai rencontré Spencer à cheval. Avant que je puisse dire un mot, il m'a demandé comment allait Kit.

George haussa les sourcils.

— Est-il possible qu'il ait voulu la protéger en t'envoyant sur une mauvaise piste?

Jack secoua la tête.

— Non, il était comme un livre ouvert. En plus, je suis certain qu'il n'aiderait pas Kit dans ce petit jeu.

— Juste, concéda George. Que lui as-tu dit?

— Que pouvais-je lui dire? Que j'avais perdu sa petite-fille, à qui j'avais juré il y a moins d'un mois de la protéger jusqu'à ce que la mort nous sépare?

George fit une drôle de moue, mais n'osa pas rire.

— Après avoir supporté la conversation la plus gênante de toute ma vie, je suis vite retourné au château. Je n'avais pas pensé à demander à mes domestiques *comment* elle était partie, car elle avait évidemment fait en sorte que tout paraisse normal, et je ne voyais aucune raison de faire tout un cinéma. J'ai appris qu'elle avait dit à Lovis qu'elle avait été appelée au chevet d'une amie malade. Mon cocher l'a conduite au King's Arms, à Lynn, dimanche après-midi. C'est là que, selon elle, le frère de son amie devait venir la chercher. J'ai vérifié. Elle a pris une chambre pour la nuit et payé d'avance. Elle a dîné dans sa chambre. C'est la dernière fois que quelqu'un l'a vue.

George fronça les sourcils.

— Quelqu'un aurait-il pu la reconnaître en jeune Kit ?

Jack lui lança un regard anxieux.

— Je l'ignore. Je suis venu ici en espérant fortement qu'elle avait simplement voulu mêler les pistes et qu'elle serait venue se cacher chez Amy.

Il s'arrêta et soupira, l'inquiétude marquant son visage.

— Où diable peut-elle bien être allée ?

— Pourquoi le King's Arms ? songea Amy.

Tout en buvant son thé, elle avait calmement suivi la discussion. George se tourna pour la regarder, scrutant son visage tandis qu'elle plissait le front, le regard distant.

Puis, Amy haussa les sourcils.

— Les diligences pour Londres partent de là.

— Londres ?

Jack se leva, imperturbable tant il était abasourdi.

— Qui pourrait-elle être allée voir à Londres ? Ses tantes ?

— Bon sang, non ! s'exclama Amy, qui souriait avec condescendance. Elle n'irait jamais les voir. Elle a dû aller chez Geoffrey, je suppose.

George vit le visage de Jack et s'enquit :

— Qui est Geoffrey ?

Amy cligna des yeux et dit :

— Son cousin, bien sûr. Geoffrey Cranmer.

Le relâchement soudain des épaules de Jack fut assez spectaculaire pour être visible.

— Il faut savoir apprécier les moindres bienfaits. Où vit Geoffrey Cranmer ?

Fronçant les sourcils, Amy prit une autre gorgée de thé.

— Je crois… commença-t-elle, son front se creusant davantage. Est-ce que la rue Jermyn vous dit quelque chose ?

George rejeta sa tête en arrière et ferma les yeux.

— Oh, mon Dieu !

— Ça semble *parfaitement* plausible.

Serrant la mâchoire de façon inquiétante, Jack remit ses gants.

— Merci, Amy.

George se tourna tandis que Jack se dirigeait précipitamment vers la porte.

— Pour l'amour du ciel, Jack, ne fais rien que tu pourrais regretter.

Jack s'arrêta à la porte, l'air de souffrir profondément.

— Tu n'as rien à craindre. En plus de la secouer comme il faut et de lui asséner un ou deux autres traitements physiques, j'ai l'intention de passer un long, un très long moment à *expliquer* les choses — toutes *sortes* de choses — à ma femme.

À dix-sept heures, Geoffrey étudiait l'élégante horloge sur le manteau de sa cheminée et se demandait ce qu'il pourrait faire pour passer le temps jusqu'au dîner. Il cherchait encore quand le heurtoir de la porte cogna avec la détermination marquée qu'il attendait depuis les trois derniers jours.

— Lord Hendon, Monsieur.

Hemmings eut à peine le temps de parler avant que Jonathon Hendon entre dans la pièce. Son regard gris cinglant et nettement irrité parcourut le mobilier avant de se poser avec un calme déroutant sur le visage de Geoffrey.

Geoffrey resta extérieurement imperturbable, se levant pour saluer son invité tout à fait attendu. Intérieurement, il reconnaissait plusieurs points que Kit avait tenté de lui expliquer. L'homme qui se tenait au milieu du petit salon, ôtant ses gants d'équitation de ses mains imposantes et lui rendant son hochement de tête en signe de salut avec une courtoisie assez brusque, ne semblait pas être du genre à être facilement porté à la négociation. À présent, il pouvait comprendre pourquoi Kit s'était sentie obligée de quitter sa maison uniquement pour attirer l'attention de son mari.

Sa connaissance de Jonathon était essentiellement fondée sur la rumeur — qui n'était pas, il était le premier à l'admettre, une source des plus fiables. Hendon avait quelques années de plus que lui. Leurs chemins s'étaient rarement croisés en société. Mais la réputation de Jack Hendon comme soldat et séducteur était presque légendaire. Indubitablement, si le pays n'avait pas été en guerre, Kit et lui se seraient rencontrés bien plus tôt. Mais comment sa jeune cousine si frêle pouvait faire face à cette force masculine si puissante, qui se faisait sentir en ce moment même de toutes sortes de façons subtiles dans son petit salon, était au-delà de ce que Geoffrey pouvait imaginer.

— Je crois, Cranmer, que vous avez quelque chose qui m'appartient.

La dureté qui teintait sa voix grave et feutrée fit ressortir les mécanismes de défense bien rodés de Geoffrey. Les maris furieux n'avaient jamais été sa tasse de thé.

— Elle n'est pas ici.

Il avait intérêt à le dire aussitôt que possible.

Interloqué, Jack riva son regard gris sur lui. Une partie de la tension quitta l'imposant gabarit.

— Où est-elle ?

En dépit des instructions de Kit de dire à son mari précisément où elle était dès qu'il apparaîtrait, Geoffrey se trouva trop intrigué pour laisser l'information aller si facilement. Il indiqua à son invité de s'asseoir, une invitation qui fut acceptée à contrecœur. Lentement, Geoffrey prit une carafe et versa deux verres de vin, en tendant un à son invité avant de revenir avec l'autre vers son fauteuil.

— Je m'attendais à ce que vous veniez depuis trois jours.

À sa grande surprise, un léger rougissement teinta la peau bronzée de son invité.

— Je croyais que ma femme était au domaine Cranmer. Je suis allé la chercher ce matin et j'ai su que Spencer ne l'avait pas vue. Il m'a fallu quelques heures pour retrouver sa trace. Si Amy Gresham ne s'était pas souvenue de vous, je serais encore en train de me creuser les méninges dans le Norfolk.

Entendant l'exaspération résonner dans le rythme saccadé de sa voix, Geoffrey maintint une expression grave.

— Vous savez, dit-il, je ne pense pas que ce soit ce que Kit a voulu.

— Je le sais.

Jack fixa son regard sur le visage de Geoffrey.

— Alors, où est-elle ?

Il était difficile de résister à son intonation impérieuse, mais Geoffrey continua à hésiter.

— Euh… Je suppose que vous n'avez pas songé à calmer les craintes de ma cousine avec une garantie ou deux, n'est-ce pas ?

Pendant un instant, Jack le regarda, incrédule, jusqu'à ce que la sincérité dans les yeux de Geoffrey le frappe. En voilà un autre qui, bien que reconnaissant le caractère effronté de Kit, avait appris à négliger les faits. Faisant une grimace, Jack concéda :

— Je n'ai aucune intention de toucher à un seul de ses cheveux roux. Toutefois… ajouta-t-il, sa voix reprenant sa gravité, au-delà de ça, je ne peux faire aucune promesse. J'ai l'intention de ramener ma femme au château Hendon dès que possible.

La force de sa réponse aurait dû rassurer Geoffrey. À la place, l'insinuation mit en évidence une faille flagrante dans le plan de Kit.

— Je suis certain qu'elle n'a pas d'autre intention que de repartir avec vous.

Geoffrey fronça les sourcils. Kit avait-elle expliqué à son redoutable mari pourquoi elle avait pris les jambes à son cou ?

— En fait, j'ai eu la nette impression qu'elle attendait que vous arriviez pour la ramener à la maison d'un moment à l'autre.

Jack plissa le front, manifestement troublé. Si elle ne voulait pas négocier avec lui son retour contre des promesses de sa part, de quoi s'agissait-il ? Admettre qu'elle voulait repartir avec lui ne lui laissait aucun avantage pour lui arracher des engagements.

Sa perplexité fut visible, car Geoffrey plissa également le front.

— Je ne sais pas si j'ai bien tout saisi — avec les femmes, on ne sait jamais. Mais Kit m'a conduit à comprendre que son euh… son voyage avait seulement pour but de vous secouer.

Jack regarda Geoffrey, l'air absent. Était-elle assez effrontée pour faire une telle chose ? Simplement lui faire prendre conscience de ses sentiments ? Le forcer à ne faire rien de plus qu'admettre qu'il comprenait ? La réponse était évidente. Tandis que le souvenir de l'inquiétude marquée qu'il avait ressentie pendant les quatre derniers jours l'envahissait, Jack grommela. Il appuya son front dans sa paume, puis leva les yeux à temps pour saisir le sourire sur le visage de Geoffrey.

— Quelqu'un vous a-t-il mis en garde, Cranmer, contre le mariage ?

Jack étira ses longues jambes, profitant du réconfort du feu brûlant dans le petit salon de Geoffrey Cranmer. Le cousin de Kit l'avait invité à dîner, puis, quand Jack eut avoué qu'il allait devoir chercher une chambre, la maison Hendon étant louée pour la saison, il lui avait offert un lit. À présent à l'aise à la fois avec Geoffrey et son cadet, Julian, qui les avait rejoints au cours du dîner, Jack avait accepté. Geoffrey et lui avaient tous deux été divertis par la conversation de Julian, qui passait d'une politesse prudente à une vénération extrême. À part la détente d'une soirée passée en compagnie d'âmes sœurs, Jack doutait que Kit trouve de l'aide de la part de ces deux-là, la prochaine fois qu'elle s'enfuira pour la ville.

Non pas, bien sûr, qu'il y aurait une prochaine fois.

Avant de partir avec Julian veiller en ville, Geoffrey avait renseigné Jack sur Jenny MacKillop et ses liens avec la famille Cranmer. Julian avait dépeint un tableau rassurant d'une maison distinguée dans une des plus belles rues de Southampton. Kit était en sécurité. Jack savait où il pourrait mettre la main sur sa tête rousse quand il voulait. Il aurait aimé que ce soit maintenant. Mais l'expérience avait fait son œuvre. Cette fois, il prendrait le temps de réfléchir avant de se frotter à sa femme loyale, aimante et dévouée.

Il savait qu'il n'avait pas porté une attention suffisante à ses paroles. Il avait ignoré ses requêtes de lui parler des espions parce que ça lui convenait mieux. Il n'avait pas écouté aussi attentivement qu'il aurait dû ses avertissements sur Belville, bien qu'indirectement, trop occupé à lui procurer du plaisir pour prêter l'attention méritée aux fruits de son cerveau. Et il avait reporté d'aller la chercher au domaine Cranmer, sachant que ça impliquerait qu'il discute de sujets dont il n'avait pas l'intention de parler.

Agité, Jack bougea dans son fauteuil. Admettre de tels échecs et promettre de faire mieux n'allait pas venir naturellement.

Ça viendrait, bien sûr. Il savait qu'il aimait cette sacrée bonne femme. Et qu'elle l'aimait. Elle ne l'avait jamais dit ainsi, mais elle l'avait clamé à ses sens chaque fois qu'elle l'avait accueilli dans son corps. Même quand elle s'était offerte à lui cette fameuse nuit dans la maison de pêcheur, il n'avait pas imaginé qu'elle l'avait fait si légèrement. C'était ce qui avait rendu ce moment si particulier. Pour elle, et maintenant pour lui, même si ça n'avait pas été ainsi dans le passé, l'amour et le désir étaient les deux moitiés d'un même tout — fusionné, jamais séparé.

Ainsi, il allait devoir s'excuser. De ne pas lui avoir dit ce qu'elle avait le droit de savoir, de l'avoir traitée comme si elle était à l'extérieur de son cercle de confiance, quand, en réalité, elle se trouvait au centre. Il n'aurait jamais imaginé qu'une femme puisse être proche de lui de cette manière, mais Kit l'était. Elle était son amie, et s'il le lui permettait, sa compagne, plus sensible à ses besoins que tout homme était en droit de s'attendre.

Jack sourit devant les flammes et but son cognac. Il avait de la chance et il le savait. Sans doute voulait-elle l'assurance qu'il s'améliore à l'avenir et l'aiderait-elle, en le poussant chaque fois que nécessaire, à s'en souvenir.

Confiant, il finit son verre et pensa à sa prochaine rencontre avec sa femme. Son rôle était clair à présent. Mais qu'en était-il de celui de Kit?

Il était résolu à lui faire comprendre un point, de préférence d'une façon suffisamment spectaculaire pour que sa houri aux cheveux roux ne l'oublie pas. Il était hors de question qu'il subisse de nouveau l'incertitude pétrifiante de ne pas savoir où elle se trouve, de ne pas savoir si elle va bien. Elle devait promettre de ne plus s'engager bon gré mal gré dans des exploits qui risquaient de rendre ses cheveux bruns dorés aussi gris que ses yeux. Elle devait accepter de lui parler de tout exploit inhabituel avant de foncer, comme à son habitude, tête première dans le danger. Sans doute s'organiserait-il pour en limiter quelques-uns. Pour les autres, il l'accompagnerait. Qui sait ? À certains égards, ils se ressemblaient tous les deux.

Jack regarda longuement les flammes. Puis, satisfait d'avoir déterminé tous ces points importants de leur discussion à venir, il établit un plan pour mieux prendre sa femme d'assaut.

Malgré l'intérêt de Kit pour certaines de ses affaires, elle avait négligé de l'interroger sur les affaires familiales. Peut-être, parce que les Cranmer dépendaient totalement des terres, n'avait-elle pas réalisé qu'il était aussi dans les affaires. Bref, un de ses bricks était en ce moment dans le bassin de Londres, pour des raisons de commodité, afin de pouvoir partir pour son port d'attache de Southampton à la marée du matin. L'*Albeca* devait être chargé à Southampton pour un voyage aller-retour pour Lisbonne et Bruges avant de revenir à Londres. Comme tous ses importants vaisseaux, l'*Albeca* avait une grande cabine réservée à l'usage de son propriétaire.

Il réquisitionnerait l'*Albeca*. Le bateau pourrait quand même faire sa course, mais après Bruges, il s'arrêterait à l'un des ports du Norfolk pour les débarquer. Parmi les moyens de transporter sa femme de Southampton au Norfolk, un bateau avait un grand nombre d'avantages pertinents par rapport à un voyage sur le continent. Notamment, cela leur laisserait de longues heures seuls.

Il était assurément temps de ramener Kit.

De la ramener à l'endroit où elle appartenait.

Chapitre 30

Kit regardait les myosotis agiter leur tête bleue dans le petit jardin clos de Jenny et se demandait si Jack l'avait oubliée. On était lundi, et plus d'une semaine était passée depuis qu'elle avait quitté le château Hendon. Elle était absolument certaine qu'il l'avait cherchée dès l'instant où il était revenu de Londres, ce qui avait dû être mardi au plus tard. Une minute avait dû suffire pour qu'il comprenne qu'elle était partie. Cranmer était hors de question. De même, ses tantes n'étaient pas des candidates envisageables. Ses cousins devaient se démarquer comme étant la seule possibilité, et elle avait mentionné Geoffrey comme étant son préféré. Bien sûr, son déplacement à Southampton devait l'avoir retardé d'un jour ou deux. Mais il aurait déjà dû montrer son visage arrogant dans le petit salon soigné de Jenny.

L'inquiétude creusa le front de Kit. Elle mordilla sa lèvre inférieure, presque consternée. Il ne lui était jamais apparu qu'il puisse ne pas se comporter comme elle s'y attendait. Avait-elle mal interprété la situation ? Les hommes ont souvent des points de vue étranges, et sa fuite n'était assurément pas le genre d'acte qu'un mari verrait avec sérénité. Mais elle ne se serait pas attendue à ce que Jack se soucie exagérément de la bienséance ou des conséquences que ses actes auraient sur lui. L'avait-elle mal jugé?

Elle savait qu'il l'aimait. D'où cette certitude lui venait, elle n'aurait pu le dire, mais ce fait était inscrit dans son cœur, tout comme son amour pour lui. Quand, où et comment, elle l'ignorait. Tout ce qu'elle savait, c'étaient ces deux vérités, immuables comme la pierre.

Mais rien de cela ne répondait à sa question. «Où était-il?»

Kit poussa un lourd soupir.

Elle était si plongée dans sa réflexion qu'elle n'entendit pas les bruits de pas approcher sur l'herbe. Néanmoins, malgré sa distraction, ses sens s'émoustillèrent tandis que Jack approchait. Elle pivota, le souffle coupé, et le vit derrière elle.

Ses yeux se rivèrent sur les siens. Son cœur se figea, puis se mit à s'emballer. Le désir anticipé s'intensifia. Puis, elle vit son expression — sévère, distante. Pas la moindre palpitation musculaire ne trahissait une émotion plus douce.

— Bonjour, ma chère.

Jack réussit à garder un ton dénué de toute expression. L'effort lui en coûta beaucoup. Il garda les bras rigides le long de son corps pour s'empêcher d'enlacer Kit. Ça, se le promettait-il, viendrait plus tard. D'abord, il était résolu à montrer à sa femme dévoyée combien il considérait gravement ses actes.

— Je suis venu vous ramener à la maison. Jenny prépare vos bagages. Je compte partir dès qu'elle aura fini.

Figée, Kit le regarda et s'étonna que les mots qu'elle avait eu si envie d'entendre puissent lui être livrés d'une telle façon que tout ce qu'elle ressentit, c'était… rien. Aucune joie, aucun soulagement… pas même de la culpabilité. Les mots de Jack la laissaient totalement imperturbable. Scrutant son visage, elle attendit, s'attendant bien à ce que son expression austère revête des marques de moquerie. Mais son masque insensible ne se détendit pas.

Pour la première fois de sa vie, Kit ne sut pas ce qu'elle ressentait. Toutes les émotions qu'elle s'était attendue à vivre en revoyant Jack étaient là, mais elles étaient si embrouillées avec une foule de nouveaux sentiments, y compris une certaine incrédulité et surtout une colère qui connaissait un nouvel essor, que le résultat était une totale confusion.

Sa tête tournait littéralement.

Son visage blêmit. Son esprit devait encore faire le tri pour dégager l'expression appropriée. Ses lèvres étaient ouvertes, prêtes à prononcer les mots qu'elle ne pouvait pas encore formuler. C'était comme si elle était dans une pièce de théâtre et que quelqu'un avait changé le texte.

Sans un mot, Jack lui offrit son bras. Parler était au-dessus des forces de Kit. Son esprit était en pleine tourmente. Kit sentit ses doigts trembler tandis qu'elle les posait sur sa manche.

Jenny attendait, souriante, dans l'entrée, le petit sac de Kit à ses pieds. S'efforçant toujours de saisir quelle tactique Jack utilisait et comment elle devait réagir, Kit embrassa distraitement son ancienne gouvernante, lui promettant de lui écrire, tout le long consciente de la silhouette dominante de Jack, un roc imprenable à côté d'elle.

Il n'avait rien dû comprendre.

Kit s'installa sur les coussins de la voiture de location, étonnée que ce ne soit pas une des diligences des Hendon.

Elle cligna des yeux quand Jack ferma la porte sur elle. Puis, elle réalisa qu'il avait choisi de monter à cheval plutôt que de partager la voiture avec elle.

Soudain, Kit ne douta plus de ce qu'elle ressentait. Sa colère monta en flèche. *Que* se passait-il, ici ?

Dix minutes plus tard, l'attelage s'arrêta d'un coup. Assise droite comme un piquet sur son siège, Kit attendit. Jack lança un ordre. Le chant des mouettes lui parvint clairement avec la brise rafraîchissante. Elle plissa les yeux. Où étaient-ils ? Avant qu'elle puisse se glisser vers la fenêtre pour regarder, Jack ouvrit la porte. Il tendit la main, mais ses yeux ne rencontrèrent pas les siens.

Réfrénant sa colère, Kit plaça froidement ses doigts dans les siens. Il l'aida à descendre de la voiture. Un regard fut suffisant pour indiquer à Kit qu'elle devrait attendre pour lui faire part de sa réaction devant son allure stoïque. Ils se trouvaient sur un quai à côté d'un grand bateau, au milieu de balles et de caisses, de cordes et de crochets. Des marins se précipitaient. Une grande agitation les entourait. Devant l'empressement de Jack, elle enjamba un rouleau de corde. La main de Jack sur son coude, il la guida le long du quai très fréquenté jusqu'à une planche avec une main courante en corde menant au pont du bateau.

Kit regarda la passerelle se lever et retomber tandis que le bateau ondulait sur les vagues du port. Elle prit une profonde respiration.

Même craintive, elle n'osa jamais demander poliment qu'on la porte à bord.

Tandis qu'elle se tournait, Jack se baissa brusquement. L'instant suivant, Kit se retrouva les yeux baissés vers les vagues vertes agitées tandis que Jack montait rapidement la passerelle. La fureur anéantit sa colère. Elle ferma les yeux et vit rouge. Ses doigts se recroquevillèrent en griffes. Elle voulait qu'il la porte, qu'il la porte dans ses *bras*, pas sur son épaule comme un sac de pommes de terre !

Heureusement, la passerelle était courte. À l'instant où Jack atteignit le pont, il la remit debout. Kit se posta face à lui, ses yeux cherchant à aller à la rencontre des siens, mais Jack s'était déjà tourné pour dire :

— Voici le capitaine Willard, ma chérie.

Faisant un effort considérable, Kit réprima sa fureur. En plus de ne pas vouloir effrayer quelqu'un d'autre, elle voulait la réserver entièrement à Jack. Son visage se figea, imperturbable, ses lèvres décrivant une mince ligne, et elle se tourna pour voir un homme imposant, ventru et jovial, vêtu d'un uniforme galonné.

Il la salua longuement.

— Puis-je vous dire à quel point c'est un plaisir de vous accueillir à bord, Lady Hendon ?

— Merci.

Avec froideur, Kit inclina la tête, l'esprit tourmenté. Les manières de l'homme étaient trop révérencieuses pour un capitaine accueillant un passager.

— Je montrerai nos quartiers à Lady Hendon, Willard. Vous pouvez procéder à votre propre discrétion.

— Merci, Monsieur.

La vérité frappa Kit. Jack possédait le bateau. Encore un autre détail pas si mineur que son époux ne lui avait pas mentionné !

Jack dirigea Kit vers l'arrière, jusqu'à l'escalier descendant vers le couloir qui donnait vers la chambre en poupe. À chaque marche, il se souvint de s'en tenir fermement à sa résolution. Il avait supporté toute une semaine à se morfondre d'inquiétude. Une heure à la faire se sentir coupable n'était sûrement pas une vengeance excessive. Le fait que Kit était bouleversée par son recul et son absence de réactions, auxquelles elle se serait attendue de lui, était évident. L'expression de stupéfaction et d'incrédulité qui avait rempli ses yeux dans le jardin de Jenny lui avait crevé le cœur. Le tremblement de ses doigts quand elle les avait posés sur sa manche avait failli triompher de ses plans minutieux. Il n'avait plus osé croiser son regard après ça.

La porter sur la passerelle l'avait presque achevé. Même quand il l'avait hissée sur son épaule, il n'était pas sûr de pouvoir la lâcher, ce qui aurait choqué Willard.

Il ne pouvait guère en exiger plus de la réserve dont il faisait preuve et qu'il s'était imposée. Il la laisserait dans sa cabine pendant une heure, puis capitulerait avec autant d'élégance que possible.

Tandis qu'il suivait Kit dans l'escalier étroit, Jack ferma les yeux et serra les dents. Sa résolution s'effilochait à chaque marche. La vue de ses hanches se balançant d'un côté à l'autre devant lui était plus qu'il ne pouvait supporter.

Ses quartiers se trouvaient au bout du petit couloir traversant la poupe carrée du bateau. La porte qu'il tint ouverte à Kit menait à la pièce qu'il utilisait comme bureau et salle à manger, et l'autre porte conduisait à la chambre, les deux pièces s'étendant sur la poupe. Les pièces avaient des fenêtres à la place de hublots, fixées sous le pont de dunette en surplomb.

La luminosité réfléchie par l'eau frappa Kit à l'instant où elle entra dans la pièce. Elle cligna rapidement des yeux. Il leur fallut un moment pour s'adapter. Puis, prenant une profonde respiration, elle pivota pour faire face à son mari.

Mais ce ne fut que pour le voir disparaître par une autre porte.

— La chambre est par ici.

Jack réapparut immédiatement. Kit réalisa qu'il avait laissé son sac dans la chambre. Son comportement n'avait pas été altéré le moins du monde. Il avait un air encore poliment absent, presque vide, comme s'ils n'étaient que de simples connaissances embarquant pour une croisière. Il ne croisait toujours pas son regard.

— Je vous laisse vous rafraîchir. Nous partirons avec la marée.

Sur ce, il se tourna pour partir.

La rage qui saisit Kit était si puissante qu'elle chancela. Elle approcha une chaise pour se tenir. «Juste comme ça?» Elle avait été déposée dans la cabine comme un simple bagage, et il pensait qu'il pouvait s'en aller?

Elle était plus que furieuse, même plus qu'enragée. L'humeur de Kit était à présent sur orbite.

— Allez-vous revenir?

Les mots, prononcés sur un ton catégorique et glacial, arrêtèrent Jack.

Il se tourna lentement. Il était presque à la porte, et Kit se tenait dos à la fenêtre. La lumière qui filtrait à l'intérieur laissait son visage dans l'ombre. Il ne pouvait pas distinguer son expression.

Jack regarda sa femme et sentit une douleur familière dans ses bras, dans son bas-ventre. Elle était diablement belle. Malgré son ton nullement apaisant, la colère justifiée de Jack fondit, lui laissant le ventre noué.

— Étrange, dit-il. C'est une question que je me suis posée à votre sujet.

Le doute sincère, la vulnérabilité ainsi révélée, anéantit la rage de Kit. Rien d'autre n'aurait pu la ramener sur terre. Elle cligna des yeux et eut soudainement froid.

— Vous *ne pouvez pas* avoir pensé que j'avais l'intention de vous quitter définitivement ?

Comme le visage de Jack restait fermé, Kit fronça les sourcils.

— Je n'avais pas l'intention… C'est que je…

Brusquement, elle remit ses idées en place. C'était ridicule ! Quelle idée insensée s'était-il mise en tête ? Poussant un soupir exaspéré, elle entrelaça ses doigts, fixa son regard sur les yeux gris de son mari et énonça clairement :

— Je voulais seulement que mon absence attire votre attention sur mon désir d'être informée sur ce qui se passe. Je n'ai jamais eu l'intention de m'éloigner du château Hendon plus longtemps que quelques jours.

Lentement, Jack haussa les sourcils.

— Je vois.

Il s'arrêta, puis tout en avançant, il dit :

— Je ne pense pas qu'il vous soit apparu que je pouvais… m'inquiéter pour votre sécurité ?

Kit se tourna tandis qu'il approchait. Il pouvait à présent voir son visage.

— Que, étant donné votre propension à vous mettre vous-même dans des situations dangereuses, je pourrais, non sans raison, m'inquiéter de votre bien-être ?

L'expression retenue dans les grands yeux de Kit déclarait assez clairement que l'idée ne lui était pas venue à l'esprit. Subitement, la fausse colère de Jack se cristallisa en une vraie fureur.

— Bon sang, les femmes ! J'étais *fou d'inquiétude* !

Son hurlement secoua Kit. Elle agrippa la chaise de ses deux mains et cligna des yeux.

— Je suis désolée. Je n'avais pas réalisé…

Ses mots se perdirent dans un silence fasciné tandis que, les yeux écarquillés, elle regardait son mari lutter pour réprimer sa colère, une colère qu'elle n'avait jamais vue se déchaîner. Il tremblait sous la tension, ses muscles crispés comme pour y confiner la violence. Ses yeux gris brûlaient d'une flamme sombre.

Jack entendit ses mots à travers un voile d'émotions conflictuelles, les peurs contenues de la dernière semaine émergeant subitement. La colère l'emportait sur tout le reste — cette satanée bonne femme *n'*avait vraiment *pas* compris.

— Dans ce cas, dit-il, sa voix n'étant qu'un grondement menaçant, je suggère que vous écoutiez très attentivement, mon amour. Parce que la prochaine fois que vous commettrez l'imprudence de vous mettre vous-même en danger, sans moi à vos côtés, je jure que je flanquerai une raclée à votre jolie peau.

Piégée dans la fureur grise de son regard, Kit sentit ses yeux devenir plus ronds, une espèce de peur savoureuse émoustillant ses sens. Il l'avait appelée «mon amour» — ça suffirait pour commencer. Sa confession semblait prometteuse.

Avec un effort, Jack se força à rester où il était, à moins d'un mètre de sa femme. S'il la touchait maintenant, ils s'enflammeraient. Il riva ses yeux sur les siens et énonça clairement :

— Je vous aime, comme vous le savez très bien. Chaque fois que vous vous mettez en danger, je m'*inquiète*!

Les yeux de Kit cherchaient les siens. Il vit ses lèvres s'assouplir. Brusquement, il pivota et se mit à arpenter la pièce.

— *Pas* une émotion passive, mon genre d'émotion. Quand je souffre, je ne peux pas réfléchir correctement! Je sais que vous n'avez jamais eu de limites avant. Mais vous m'avez épousé. Vous avez juré obéissance. Dorénavant, vous ferez exactement ceci.

Jack s'arrêta et fixa Kit avec un regard intimidant.

— Dorénavant, vous me parlerez *avant* de vous embarquer dans une escapade que votre chère amie Amy n'approuverait pas. Et si je l'interdis, vous y renoncerez. Sinon, je jure par tous les saints que je vous enfermerai dans votre chambre!

Sa voix avait monté. Sa dernière menace frappa Kit tandis qu'elle était encore absorbée par sa première révélation. Il l'aimait. Il lui avait dit en mots et à voix haute. Silencieusement, elle le regarda. Le regard de Kit s'adoucit, caressant les traits furieux de sa joue et de sa mâchoire. Sa raison refit surface. L'inquiétude à son sujet l'avait-elle vraiment affecté à ce point? L'amour lui faisait-il ce genre d'effet?

Poussant un grognement de frustration, Jack se tourna et sortit de la chambre, claquant la porte derrière lui. Il monta le petit escalier et se dirigea vers le pont avant, seul moyen pour calmer son cerveau enflammé avant de retourner à la cabine et faire passionnément l'amour à sa femme. Il était à ce point aux prises avec des émotions violentes qu'il ne se fiait pas à lui pour poser ses mains sur ses membres délicats. Elle se faisait assez facilement des bleus comme ça.

Kit regarda la porte de la cabine. Son visage se vida d'émotions, puis elle se raidit. Ses yeux s'embrasèrent, des flammes pourpres émergeant de leur profondeur violette.

« Comment osait-il ? » Un moment, il lui déclarait son amour et lui demandait d'obéir, et l'instant d'après, il la laissait tomber comme s'il avait dit son dernier mot.

— *Ha !*

Kit prit une profonde respiration et se redressa, les mains sur les hanches. Ses yeux se plissèrent. S'il pensait qu'il allait échapper si facilement au reste de leur discussion, à la déclaration bien nette de ce qu'*elle* attendait dorénavant de *lui*, il se trompait ! Elle avait voulu son attention. Elle l'avait eue. Mais il ne la lui avait pas accordée assez longtemps !

Marchant avec assurance, Kit se rendit vers la porte.

* * *

Les bras sur la rambarde du pont avant, Jack regardait les vagues glisser sous la proue. Ils avaient largué les amarres et se dirigeaient vers l'embouchure du port. Bientôt, la forte houle de l'océan ferait pencher les ponts. Il prit une profonde respiration et sentit son équilibre mental revenir.

Il ne pouvait se rappeler un seul moment dans leur couple où Kit lui avait permis de procéder à ses plans sans les retoucher. Il avait soigneusement organisé leur récente discussion. Il avait voulu lui expliquer ce qu'il ressentait quand elle était en danger, qu'elle devait apprendre à supporter les répercussions de son amour. Il avait réussi, mais sa surprise manifeste de ce qu'il pouvait ressentir si fortement pour elle l'avait pris au dépourvu et distrait. Ses déclarations d'intention avaient été bien plus agressives qu'il l'avait prévu.

Il grimaça. Ce n'était pas le pire. Il avait laissé tomber le reste de son interprétation orchestrée, sans doute la part la plus importante. Il avait omis de lui dire qu'il comprenait son besoin de savoir ce qu'il était sur le point de faire, et que, dès lors, il était prêt à partager même cet aspect de sa vie avec elle.

Jack prit une dernière respiration profonde d'air frais salin quand il sentit une agitation derrière lui. Il se tourna pour voir Kit se diriger vers le pont avant, inconsciente des marins devant lesquels elle passait. Un regard sur la position de son menton lui indiqua qu'elle était sur le point de déjouer les plans qu'il venait juste de faire.

Pendant un instant, Jack s'arrêta pour admirer sa magnifique silhouette, son corps mince souligné par sa robe de voyage élégante, son halo de cheveux brillant au soleil. Mais il ne pouvait se permettre de passer plus de temps paralysé d'admiration. Sa Kit n'était pas un ange. Dans une minute, quand elle atteindrait le pont avant, elle allait nuire irrémédiablement à sa réputation — si ce n'est pire.

Kit dut se concentrer pour gravir l'échelle jusqu'au pont avant en tenant ses jupes devant elle. Elle avait vu la grande silhouette de Jack à la rambarde et se dirigea droit vers lui. Le pont avant semblait l'endroit idéal pour lui dire ce qu'elle pensait de ses «dorénavant», qui ne se limitaient qu'à elle.

Gagnant le pont avant, elle relâcha ses jupes et les défroissa, puis elle leva les yeux et regarda son mari. À sa grande surprise, il se trouvait juste en face d'elle.

Ses yeux violets en furie se rivèrent sur ses yeux gris rieurs.

«Rieurs?» Kit ouvrit la bouche pour l'humilier.

Elle avait oublié combien il pouvait agir vite. Avant qu'elle puisse prononcer la première syllabe de sa tirade, les lèvres de Jack avaient recouvert les siennes, étouffant ses mots de colère. Kit se débattit et sentit ses bras se refermer autour d'elle, un tendre piège. Son cœur s'emballait déjà, s'accélérant devant le plaisir anticipé. Il était trop tard pour fermer la bouche. Il avait saisi l'avantage immédiat de ses lèvres ouvertes pour en revendiquer la douceur à l'intérieur.

Cet homme! Elle voulait *parler*! C'était précisément la raison pour laquelle elle avait quitté le château Hendon en premier lieu.

Mécontente, Kit essaya de tenir bon contre la marée de désir montant en elle. Ce fut impossible. De petites flammes de désir vacillèrent avidement et grossirent, faisant augmenter la chaleur familière dans son ventre. Ce fut avec un gémissement étouffé que Kit modifia ses plans et qu'elle céda au désir de se coller contre le corps massif qui l'entourait, savourant la pression qui lui procurerait un grand soulagement.

Quand Kit se fondit dans son étreinte, Jack sut qu'il avait gagné la manche. Malgré les sifflets qui s'élevèrent autour d'eux, il continua à l'embrasser, trop affamé depuis la famine d'une semaine pour mettre fin hâtivement à leur exhibition. Le besoin de se retirer dans un endroit avec une plus grande intimité pour passer à la prochaine étape de leur discussion finit par le vaincre. Il se plongea dans ses yeux écarquillés, déjà violets sous la passion.

Jack sourit de son lent et redoutable sourire. Le cœur de Kit s'emballa follement.

— Je vais vous accompagner à notre cabine. Pour l'amour de Dieu, ne dites pas un mot.

Kit haussa un sourcil arrogant, mais elle ne put que le regarder fixement. Parler ? Cela sous-entendait être capable de penser. Elle était saisie. Comment pourrait-elle dire quoi que ce soit ?

Puis, tandis que Jack se pencha et la prit sur son épaule, la réalité lui revint brutalement. Bon sang ! Tout le monde sur le bateau les regardait ! Kit sentit ses joues devenir cramoisies tandis que Jack descendait l'échelle. Elle ne pouvait qu'imaginer le sourire sur son visage.

Ses craintes furent confirmées quand il la fit passer de son épaule à ses bras. Il parcourut la distance du pont en souriant devant son regard angoissé. Nichée dans ses bras puissants, Kit sut qu'il était inutile de se débattre, mais elle aurait donné cher, à ce moment-là, pour effacer le triomphe de ses lèvres. Pourtant, ce n'était qu'une bataille — elle visait à gagner la guerre. Il la remit sur son épaule pour descendre l'étroit escalier et traverser le couloir, puis il passa la porte de leur cabine qu'il referma sur l'extérieur.

Les mains sur ses épaules, Kit attendit d'être posée à terre. Il était à présent temps d'affirmer sa position avant qu'il l'embrasse de nouveau. Mais Jack ne s'arrêta pas dans la cabine. Kit cligna des yeux tandis qu'il la conduisait dans la chambre plus loin, baissant sa tête à son ordre pour éviter le linteau.

Elle regarda autour d'elle de manière agitée. Son estomac se serra tandis que son regard tomba sur le lit. Jack s'arrêta à ses pieds avec une intention claire. Tout doute qu'elle pouvait avoir sur ce point fut banni dès qu'il la relâcha et que ses orteils frôlèrent le tapis sur le sol. Plaquée contre lui, Kit pouvait sentir la preuve de son désir s'appuyer fermement contre son ventre tendre. Ses yeux rencontrèrent les siens. Le souffle de Kit se suspendit tandis qu'elle vit le désir s'inscrire en une flamme argentée sur le gris cendré.

Avec un effort, Kit secoua son esprit. Elle prit une profonde respiration.

— Jack ?

— Mmm ?

Il n'avait pas envie de parler. Ses grandes mains parcouraient sa taille, descendant pour façonner ses hanches contre les siennes. Une main resta au sommet de ses cuisses, l'emprisonnant dans cette étreinte intime, caressant doucement ses fesses. L'autre main se dirigea vers les lacets de sa robe. Ses lèvres mordillèrent son oreille, puis dérivèrent nonchalamment jusqu'à l'endroit où son pouls battait fortement à la base de sa gorge.

Kit serra ses doigts sur les épaules de Jack, essayant de reprendre ses esprits, mais la chaleur prisonnière entre leurs hanches s'intensifia et anéantit sa résolution. Elle sentit Jack tirer sur son col et le tissu se déchirer. Alors que ses lèvres descendaient pour goûter le fruit exposé, Kit décida de ne pas protester.

Il avait déclaré l'aimer. À présent, il voulait le lui montrer, son amour étant une vibrante réitération de ce qu'il avait trouvé si dur à dire. Elle serait en effet idiote de l'interrompre. À la place, elle profiterait de lui, profiterait de son amour et le réclamerait comme étant sien, puis elle reviendrait à son point de vue plus tard, une fois que leur amour l'aurait soumis.

Poussant un murmure satisfait, elle laissa tomber ses bras pour les libérer de leurs manches, puis gémit tandis que la langue de Jack taquinait ses mamelons sensibles, excités et recouverts seulement de la délicate pellicule de sa chemise. Elle reconnut son gloussement entendu, puis il s'approcha du lit, la faisant descendre de sorte qu'elle se trouve chancelante, prisonnière entre lui et l'extrémité du lit.

Ses jupons glissèrent sur le tapis, ôtés par des doigts experts. Ses mains douces la dévêtirent de ses bas et de ses chaussures. Vêtue seulement de sa chemise en soie délicate, elle se tenait devant son mari, s'attendant presque à ce qu'il déchire le vêtement. Les yeux de Jack étaient plus brillants que jamais.

Jack régala ses yeux de ses formes généreuses, les sphères mûres de ses seins aux bouts roses ruchés plus sombres maintenant qu'il la possédait. Sous la rondeur de ses hanches, ses flancs soyeux l'attiraient, la chaleur entre eux palpitant en rythme avec les battements de son cœur. Chaque centimètre de sa peau douce était sienne — sienne pour être adorée, sienne pour être dévorée.

Le cœur de Kit battait à un rythme lent et régulier, prêt à la conduire au paradis. Son souffle était superficiel. Il se dissolvait en petits gémissements tandis que les mains de Jack se refermaient autour de ses seins. Ses longs doigts glissèrent sous le bord en dentelle de sa chemise pour porter son fruit à ses lèvres. Il téta fortement. Kit laissa retomber sa tête en arrière, ferma les yeux, les sens chargés d'une sensation trop exquise pour y résister. Les doigts de Kit s'emmêlèrent dans les cheveux de Jack, tirant frénétiquement de longues mèches du ruban qui les confinait. Un bras fort glissa autour de sa taille pour la supporter tandis qu'elle cambrait son corps, exposant pleinement ses seins à sa bouche et à sa langue.

Elle était en feu. Kit prit une respiration inégale tandis qu'elle sentit une grande main descendre vers sa cuisse vêtue de soie.

— Oh, oui, murmura-t-elle, alors qu'elle sentait Jack la faire bouger dans ses bras de sorte que ses hanches soient maintenant orientées contre les siennes. Lentement, ses doigts errèrent sous la chemise de soie, traçant une longue courbe tout le long en remontant vers sa hanche. Elle sentit ses doigts s'emparer de l'extrémité de sa chemise, qui s'était soulevée avec sa main, dans son dos. Le bord du vêtement était à présent remonté de son genou à sa hanche, révélant la surface satinée d'une cuisse au regard ardent de son mari, mais lui cachant les poils or rouge de son pubis. Kit leva ses paupières lourdes. Les yeux argentés examinaient bien ce qu'ils pouvaient voir. Puis, elle sentit ses doigts descendre et ferma les yeux pour mieux savourer le plaisir à venir.

Tandis que ses doigts atteignaient son genou, la tête de Jack plongea pour prendre un mamelon rose dans sa bouche, le taquinant avec sa langue. L'effort pour respirer devint bien plus pénible quand il inversa la direction de sa caresse, faisant traîner ses doigts avec langueur en remontant l'arrière de sa cuisse. Ses caresses délicates, cruellement excitantes, enflammaient la peau fiévreuse de ses fesses. Kit gémit, ravie qu'il ait choisi la longue route vers le paradis.

Lentement, le réseau de flammes créé par le bout de ses doigts se déplaça sur la courbe de sa hanche pour empiéter sur la peau douce de son ventre. La bouche de Jack sur ses seins chavirait ses sens. Quand il finit par lever la tête, ses doigts rôdèrent juste au-dessus de la zone déjà humide à cause de la fièvre qui la parcourait. Kit garda les yeux fermés, sachant qu'il la regardait, observant la façon dont ses sens vacillaient devant le plaisir passionné anticipé du mouvement suivant.

— Ouvrez les yeux, mon petit chat.

L'ordre ainsi grommelé en était un auquel elle aurait aimé désobéir. Elle battit des paupières, puis ouvrit les yeux juste assez pour voir le sourire diabolique que revêtaient les lèvres de Jack.

— Plus grand.

Kit obéit, avec une respiration tourmentée, et resta à l'affût.

Son sourire s'élargit.

Un long doigt s'introduisit en elle.

Son corps se cambra légèrement, de façon invitante, ses cuisses s'écartant pour lui donner un plus large accès. Il entra plus profondément. Kit frissonna et ferma les yeux.

Les lèvres de Jack trouvèrent les siennes dans un long et lent baiser tandis que ses doigts trouvèrent sa chaleur, la caressant et la taquinant jusqu'à ce qu'elle se colle à lui, la fièvre faisant rage dans ses veines, son corps se tendant pour se libérer.

Puis, il l'allongea sur le lit. Il ôta ses vêtements et la rejoignit. Ses mains, sa bouche, rapidement, habilement, alimentèrent de nouveau les flammes avant que, dans le feu du désir, il la possède, la chevauchant plus profondément, l'insistance de Kit le poussant à continuer. Kit leva ses jambes et les enveloppa autour de la taille de Jack, inclinant ses hanches pour l'accueillir entièrement, l'attirant en elle, se réjouissant de la surface glissante qui lui permettait d'entrer si profondément en elle.

La fin fut bouleversante, les laissant tous deux hors d'haleine. Tandis que le feu autour d'eux s'éteignait, ils sombrèrent dans le sommeil, leurs membres entremêlés, rassasiés et satisfaits.

Kit se réveilla avec la sensation que Jack l'embrassait. Ses baisers doux et ses mordillements animèrent son corps. Avant qu'elle soit complètement réveillée, il la posséda, rapidement, habilement, calmant son désir avant même qu'elle réalise qu'elle en éprouvait.

Serrée dans ses bras dans une douce sensation de bien-être, Kit réfléchit d'un air suffisant aux avantages que procurait le fait d'avoir un séducteur comme mari. Puis, elle se souvint de leur discussion et du fait qu'elle ne s'était pas encore exprimée. Elle essaya de s'asseoir, mais les bras de Jack la maintenaient fermement.

— Jack !

Devant sa protestation, il bougea sur son coude et embrassa son front, là où ses sourcils étaient froncés.

— Je sais, je sais. Restez calme encore un instant, ma houri aux cheveux roux, et laissez-moi vous expliquer.

«Houri aux cheveux roux? Expliquer?» Kit resta consciencieusement silencieuse.

— Je vous prie de m'excuser, d'accord?

Il s'approcha de son oreille, puis déposa une succession de baisers le long de sa mâchoire jusqu'à son autre oreille.

Kit fronça les sourcils.

— Vous vous excusez pour quoi exactement?

À présent qu'elle pouvait enfin lui donner son point de vue, elle voulait s'assurer qu'elle aurait son dû.

Jack se recula et la regarda en plissant ses yeux d'argent.

— De ne pas vous avoir parlé de ces fichus espions.

Kit sourit béatement.

Jack maugréa et l'embrassa plus longuement et plus fortement.

— De plus, dit-il, quand il eut fini, je promets sur mon honneur en tant que Hendon d'*essayer* de me souvenir de vous donner les détails de chacune de mes aventures qui pourrait en théorie vous concerner.

Kit plissa les yeux tandis qu'elle réfléchissait à sa formulation.

Jack haussa les sourcils, au départ de façon arrogante, attendant son approbation, puis plus posément.

— En fait… songea-t-il, considérant le ravissant tableau qu'elle représentait, étendue nue dans ses bras, sa peau rougeoyant à la suite de leurs ébats. Je vais faire un marché avec vous.

— Un marché ?

Kit s'interrogea sur la sagesse de traiter avec un tel dépravé.

Jack hocha la tête, examinant ses mamelons, bougeant sur elle de sorte qu'il puisse prendre ses seins dans ses mains. Puis, il leva la tête et sourit, la regardant directement dans ses grands yeux violets ombragés.

— Nous partageons… Je vous dis ce que je fais avant que vous ayez à le demander, et vous me dites ce que vous faites avant d'agir.

Kit ravala son approbation.

— Ce n'est pas très juste, dit-elle, pesant les mots de Jack tout aussi soigneusement qu'il s'occupait de ses seins.

— C'est le mieux que vous puissiez faire, alors je vous conseille d'accepter.

La réponse d'une voix râpeuse attira brusquement l'attention de Kit. Trop tard. Il était déjà étendu entre ses cuisses, ses longs membres largement écartés. Tandis que Kit réalisait ce qui se passait, il souleva ses hanches. La sensation d'un membre rigide et chaud entrant en elle neutralisa tous ses autres intérêts.

Kit arqua son dos, enfonçant sa tête plus profondément dans les oreillers derrière elle, ses paupières tombant sur ses yeux assombris.

— Oh, oui ! souffla-t-elle.

Au-dessus d'elle, Jack sourit et se demanda juste à quoi elle acquiesçait. Tandis qu'il faisait jouer ses hanches et s'enfonçait profondément dans sa chaleur accueillante, il décida qu'il avait présumé qu'elle voulait partager sa vie dans le même abandon qu'elle partageait son corps. Puis, il cessa de penser.

— Lisbonne ? dit Kit en se tournant pour regarder Jack avec surprise. Pourquoi Lisbonne ?

Jack gloussa et se tourna sur le côté pour la regarder. La houle de l'océan avait fini par se manifester, et elle s'était levée, drapée du couvre-lit sur sa nudité, pour aller voir à la fenêtre.

— Parce que c'est là que la cargaison est chargée. Ce n'est pas une embarcation de plaisance.

Kit, qui fronça les sourcils, regarda la somptueuse cabine.

— Je trouvais que c'était un peu grand pour un voilier.

Comme Jack rit, elle remonta sur le lit.

— Alors, où allons-nous ensuite ?

Enfouissant son corps chaud sous son bras, Jack lui parla de leur voyage à venir, six jours à Lisbonne suivis d'un long trajet jusqu'à Bruges, en restant assez loin des côtes françaises. Après quatre jours à Bruges, ils regagneraient leur domicile du Norfolk.

Elle resta silencieuse dans ses bras, et Jack s'étonna de la paix qui les entourait. Ils étaient tous deux pleinement réveillés, simplement contents de leur proximité.

Peu à peu, le parfum de son corps chaud émoustilla ses sens. Il sentit son corps réagir et sourit en regardant le plafond. Elle avait été bien honorée, et la route serait longue jusqu'à Lisbonne. Il ferma les yeux. Il lui accorderait encore une heure ou deux.

Il fut réveillé par Kit, qui grimpait sur le lit.

— Ma robe, dit-elle, saisissant le vêtement et s'agenouillant sur le lit pour l'examiner. Vous l'avez déchirée.

Elle se tourna pour lui lancer un regard accusateur. Puis, elle regarda la grande armoire contre un des murs.

— Je suppose qu'elle ne contient pas de robes ?

Jack sourit et secoua la tête. Puis, il fronça les sourcils.

— Vous n'avez rien d'autre dans votre sac ?

Son sac noir avait été déposé près de la porte.

Kit secoua la tête.

— Je ne m'attendais pas à rester loin de la maison si long-temps, rappelez-vous.

— Qu'y a-t-il dedans ?

Kit regarda avec prudence le long corps musclé s'étirer, puis se détendre sur le lit.

— Mes hauts-de-chausse. Deux paires.

Jack releva la tête. Ses yeux trouvèrent les siens. Puis, à son grand soulagement, il rit et laissa retomber sa tête sur l'oreiller.

— En fait, j'avais espéré que vous en aviez été réduite à les porter quand je vous ai trouvée chez Jenny. J'ai passé tout le voyage depuis Londres à fantasmer sur votre punition.

Kit le regarda fixement. « À fantasmer ? » Elle s'humecta les lèvres.

— Vous ne m'avez jamais dit quelle serait ma punition.

— Ah non !

Jack leva la tête. Il haussa un sourcil, et ses yeux brillè-rent avec malice.

— Mais cela constitue la moitié du plaisir. L'imagination qui se déchaîne devant le plaisir anticipé.

— Jack !

Kit grimaça et bougea sur le lit, tirant le couvre-lit autour d'elle. Son imagination était déjà assez stimulée.

Il laissa retomber sa tête de nouveau, puis elle sentit le lit bouger à cause de son fou rire.

— Je viens d'avoir une idée.

Elle pouvait voir son sourire sur son visage. Il s'élargit. Il se redressa sur un coude, l'expression de son visage devenant de plus en plus redoutable à chaque seconde qui passait.

— Si vos hauts-de-chausse sont tout ce que vous avez à porter, alors peut-être que vous feriez mieux de les mettre maintenant. Ensuite, nous pourrions accomplir votre punition, et vous pourriez les porter à Lisbonne jusqu'à ce que nous puissions vous acheter de nouveaux vêtements.

Kit le fixa tandis qu'il haussait un sourcil arrogant, lui procurant de délicieux frissons. Son regard maintint fermement le sien, comme si ce qu'il suggérait était la proposition la plus simple du monde. Abasourdie, Kit se dit que si elle avait un minimum de retenue, elle lui dirait que les femmes mariées ne se livraient pas à réaliser des fantasmes. Particulièrement pas ses fantasmes à lui. Elle conclut qu'elle n'avait pas de retenue, en ce qui la concernait.

Elle parcourut ses lèvres sèches avec le bout de sa langue.

— Quel genre de punition aviez-vous en tête ?

Jack sourit.

— Rien de trop draconien. Rien qui fasse mal. J'avais l'intention que ce soit un exercice purement éducatif.

Il se redressa sur le lit et se pencha en arrière pour l'étudier, ses bras croisés derrière sa tête.

— Je pensais que je pouvais élargir votre expérience en vous montrant ce qui arriverait si vous vous faisiez prendre par un homme tandis que vous portiez des hauts-de-chausse. Mais vous devez promettre de ne pas crier.

« Crier ? » Kit cligna des yeux. C'était de la folie. Mais elle ne serait jamais capable de dormir sans savoir ce qu'il planifiait. Maintenant qu'il lui en avait dit beaucoup, mais pas tout, un jour ou l'autre, quelque part, elle porterait de nouveau ses hauts-de-chausse juste pour découvrir le reste. Pourquoi pas maintenant ?

Jack savait qu'elle ne serait jamais capable de refuser, de continuer sans savoir. La curiosité était une caractéristique que son petit chat possédait en abondance. Il se rassit, tout à fait confiant, et attendit son accord.

— Peut-être…

Un coup à la porte de la cabine interrompit l'acceptation hésitante de Kit.

— Lord Hendon ?

Jack se leva et prit ses pantalons, un sourire encore sur ses lèvres.

— Je m'en occupe. Pourquoi ne vous habillez-vous pas ?

Boutonnant ses pantalons, il sortit.

Kit regarda la porte par laquelle il disparut. Elle pouvait l'entendre parler dans la pièce voisine, les voix étant assourdies par les panneaux. Son regard tomba sur son petit sac noir, qui était resté là où Jack l'avait déposé, juste à l'intérieur de la porte.

Elle boutonnait le rabat de ses hauts-de-chausse d'équitation, faisant dos à la porte, quand elle entendit Jack entrer.

Il la vit et, étouffant à moitié un cri de triomphe, il fondit sur elle, un bras se glissant autour de sa taille pour l'attirer fermement contre lui, son dos contre sa poitrine. Sans effort, il la souleva du sol.

— Jack !

Kit se débattit, gardant une voix basse, car elle se souvenait qu'elle ne devait pas crier. Elle présuma que son attaque-surprise était ce que cela signifiait. Il l'avait, bien sûr, étonnée. Les mains de Kit se placèrent sur le bras musclé autour de sa taille.

— Déposez-moi!

Un gloussement agita ses cheveux. Puis, les lèvres de Jack se frottèrent contre son oreille.

— Rappelez-vous, ceci est votre punition, mon amour. Pas quelque chose sur quoi vous avez votre mot à dire. Juste quelque chose que vous *sentez*.

Kit ferma les yeux. Elle aurait aimé ne pas entendre ça. Ses nerfs étaient en émoi. Quel acte diaboliquement excitant avait-il prévu? Elle n'avait pas le moindre doute sur sa nature. Son membre était déjà dur et palpitant, pressé entre les fermes hémisphères de ses fesses.

Elle n'eut pas à attendre longtemps pour découvrir sa punition.

— Je ne crois vraiment pas, continua son mari sur le ton de la conversation, ses doigts défaisant rapidement les boutons qu'elle venait juste d'attacher, que vous appréciez combien un homme peut vite vous avoir quand vous portez des hauts-de-chausse.

Sur ce, il ôta le vêtement en question, le laissant glisser de ses cuisses puis retomber au-dessus de ses mollets.

— Et étant donné que vous êtes si facilement excitée… continua-t-il en s'approchant d'une chaise qui leur faisait face.

Il laissa Kit descendre jusqu'à ce que ses orteils touchent le sol. Poussant un gémissement, elle saisit le dos de la chaise avec ses mains tandis qu'elle sentit les doigts de Jack glisser sans effort en elle. Ils se retirèrent, puis revinrent, de plus en plus profondément, puis la laissèrent.

— Il ne faut qu'une seconde avant que vous vous…

Elle le sentit, dur et chaud, derrière elle.

— … fassiez…

Il souleva légèrement ses hanches, l'extrémité de son manche enflé se nichant en elle.

— … avoir.

Puis, il entra chez lui.

Le jeune garçon de cabine s'apprêtait à quitter la cabine du propriétaire quand il entendit un très féminin «Oh… Oh!» émaner de la porte de chêne au bout du couloir. Ses yeux s'écarquillèrent. Il lança un regard vers l'escalier, mais il n'y avait personne. Rapidement, il déposa son plateau et se pressa de coller son oreille contre la porte de la chambre.

Au début, il n'entendit rien. Puis, ses oreilles fines captèrent un gémissement, suivi par un autre. Un gémissement particulièrement long le saisit. Puis, il entendit très distinctement une voix assurément féminine soupirer :

— *Oh, Jack!*

Les sourcils froncés du jeune garçon atteignirent des sommets astronomiques. Il avait entendu parler de Lord Hendon. Manifestement, la rumeur était vraie. Les yeux grands ouverts, il se pressa de ramasser son plateau.

Épilogue

Novembre 1811
L'Old Barn, près de Brancaster

L e vent sifflait dans les avant-toits de l'Old Barn. Il
envoyait des volutes froides se faufiler à travers les fis-
sures entre les planches et faisait bouger la lampe suspendue
aux chevrons. Des ombres descendaient et oscillaient étrangement, ignorées des hommes rassemblés sous le toit en
ruine. Ils attendaient que leur chef revienne.

Le capitaine Jack les avait amenés à réaliser succès après
succès. Sous ses ordres, ils avaient profité de la stabilité et
d'un leadership fort. Il les avait soudés et avait ainsi créé
un groupe efficace, un groupe auquel ils étaient tous fiers
d'appartenir. Ils s'étaient tenus à l'écart des douaniers et des
crimes odieux. Ils n'avaient pas vécu de pertes en dehors du
pauvre Joe. Et, grâce au capitaine Jack, sa famille n'était pas
dans le besoin.

Globalement, le règne du capitaine Jack avait été pros-
père. La nouvelle qu'il avait été forcé de se retirer les avait
frappés durement. George, l'ami de Jack, avait colporté la

nouvelle il y a plus d'un mois. Depuis, ils avaient peu travaillé, trop démoralisés pour se réorganiser.

Puis, la semaine passée, le message s'était rendu jusqu'à eux. Le capitaine Jack était de retour. Ils se réunissaient en cette nuit d'un lundi brumeux dans l'attente de voir leur chef revenir.

George et Matthew étaient arrivés. Comme toujours, ils avaient pris place de chaque côté de la porte. Les hommes discutaient simplement, euphoriques devant le plaisir des retrouvailles à venir.

Une soudaine bouffée d'air s'engouffra autour du toit. Des volutes de brouillard s'enveloppèrent autour de la porte branlante. Puis, les portes s'ouvrirent, et un homme entra, le brouillard collé comme une cape à ses larges épaules. Il entra comme Jack était toujours entré, se dirigeant directement vers la lampe qui se balançait au-dessus d'eux.

Les contrebandiers le fixèrent.

C'était Jack, mais un Jack qu'ils n'avaient jamais vu. Ses vêtements le caractérisaient nettement comme quelqu'un de né pour diriger. Depuis l'éclat intense de ses bottes de Hesse au pli impeccable de sa cravate, il était de haute lignée. Les yeux gris dont ils se souvenaient tous scrutèrent leurs visages, dégageant le même pouvoir qu'avant, seulement cette fois, sa force personnelle était soutenue par une position sociale.

— Jack?

La question fut posée par Shep, perplexe, dont les sourcils grisonnants indiquaient la consternation.

Le lent sourire dont ils se souvenaient tous apparut sur les lèvres de l'homme.

— Lord Hendon.

Ce nom aurait fait frissonner n'importe qui, mais ils connaissaient tous cet homme. Ils savaient qu'il avait fait de la contrebande à leurs côtés et qu'il leur avait sauvé la vie un bon nombre de fois. Alors, ils s'assirent et attendirent que le mystère leur soit expliqué.

Le sourire de Jack s'élargit. Il prit sa position habituelle, les pieds écartés, sous la lumière.

— C'est comme ça.

Il leur raconta son histoire, simplement, sans détails ni embellissements. Les points essentiels étaient suffisants pour qu'ils comprennent. Il ne fit aucune mention du jeune Kit, un fait que certains remarquèrent, mais que personne ne commenta. Quand ils comprirent le fait qu'ils avaient aidé le gouvernement de Sa Majesté pour appréhender les espions, l'atmosphère s'allégea considérablement. Quand Jack leur montra la grâce qu'il leur avait obtenue, à eux tous, et qu'il lut le décret officiel, ils le regardèrent simplement fixement.

— Ça sera posté dans tous les bureaux de douane du Norfolk. Ça veut dire que, dès aujourd'hui, vous êtes absous de tout crime par rapport à la Loi sur les douanes commis jusqu'à cette nuit.

Jack roula le parchemin et le mit dans sa poche.

— Ce que vous allez faire de vos vies à partir de maintenant vous appartient. Mais vous commencerez avec un dossier vierge, alors je vous conseille à tous de réfléchir sérieusement avant de reformer le gang de Hunstanton.

Il sourit ironiquement, convaincu que, peu importe ce qu'il disait, après un certain temps, le gang de Hunstanton revivrait.

— Vous serez sans doute heureux de savoir que je me retire comme haut-commissaire. En fait, il n'est pas certain qu'il y ait une autre nomination pour ce poste.

Son regard engloba chacun de leurs visages disgracieux. Jack sourit.

— Et maintenant, mes amis, je vous fais mes adieux.

Sans regarder derrière lui, Jack avança vers la porte. Matthew la lui ouvrit, puis George et lui le suivirent à l'extérieur. On entendit les hommes murmurer leurs adieux dans la grange, mais aucun ne tenta de le suivre.

À l'extérieur, Jack se tint à la belle étoile, ses cheveux brillant au clair de lune. Il rejeta sa tête en arrière, posa les mains sur ses hanches et regarda le globe pâle, brillant au milieu des nuages.

George s'approcha.

— Et c'est ainsi que se termine la carrière du capitaine Jack?

Jack se tourna. Avec le clair de lune, George vit son sourire diabolique.

— Pour le moment.

— Pour le moment?

Une intonation à la fois horrifiée et incrédule teinta la voix de George.

Jack rejeta sa tête en arrière et rit, puis il se dirigea vers les arbres.

Étonné, George le regarda aller. Puis, il soupira et saisit le bras de Matthew quand un cavalier surgit de la rangée de sapins juste devant Jack. Le pas de Jack ne ralentit pas. Même qu'il avança plus vite. Puis, George reconnut le cheval et vit Champion derrière.

— Quels idiots ! dit-il, mais il souriait.

— Oui, dit Matthew. Imagine comment seront leurs enfants !

— Que Dieu nous protège !

George vit Jack monter Champion. Kit lança une remarque par-dessus son épaule et dirigea Delia vers la route. Jack suivit, poussant Champion à se placer à côté de sa femme.

George les regarda jusqu'à ce que leurs ombres se confondent aux arbres et disparaissent. Souriant, il se tourna pour aller chercher son cheval. Son retour à la maison passa vite en raison du plaisir anticipé qu'il éprouvait à l'idée de retrouver Amy, à présent sa femme, qui l'attendait en sécurité à la maison dans leur lit.

— Au fait, dit Jack à Kit, tandis que Champion remontait l'étroit chemin sur les terres des Hendon. Vous allez devoir cesser de monter Delia.

Kit fronça les sourcils et se pencha pour tapoter le cou luisant de Delia tandis qu'elle suivait l'étalon au pas.

— Pourquoi ?

Jack sourit, sachant que sa femme ne pouvait pas le voir.

— Disons simplement qu'elle et vous avez plus en commun que vous pouviez le penser au départ.

Il fallut un moment à Kit pour comprendre ce lien. Sur le bateau, ses nausées étaient devenues plus prononcées de jour en jour. Lorsqu'ils quittèrent Bruges, elle admit à Jack qu'elle pensait être enceinte. Il avait avoué qu'il le savait depuis qu'il lui avait fait l'amour la première fois dans le grand lit de la cabine, ce qui la rendit en colère. Depuis, il se promenait partout en resplendissant avec une fierté suffisante qui ne

manquait jamais de lui taper sur les nerfs. Son côté protecteur, bien sûr, avait atteint de nouveaux sommets. Elle avait
été surprise qu'il ne s'offusque pas qu'elle monte à cheval.
Sans doute cela viendrait-il. Mais qu'est-ce que Delia et elle
avaient en commun ?

La réponse la fit s'arrêter tout à coup.

— Vous voulez dire… ? Comment… ?

Jack s'arrêta et se tourna pour la regarder. La vérité était
facile à lire dans son sourire. Les yeux de Kit se plissèrent.

— Jack Hendon ! Voulez-vous dire que vous avez laissé
cette brute d'étalon s'en prendre à Delia ?

Les yeux de son mari s'écarquillèrent avec une innocence improbable.

— Mais mon amour, vous n'auriez pas voulu priver
Delia d'un plaisir qui vous procure autant de bonheur ?

Kit ouvrit la bouche, puis se tut subitement. Elle regarda
son exaspérant mari. Aurait-il toujours le dernier mot ?

Bougonnant de colère, elle fit claquer ses rênes.

Jack rit et se plaça à côté d'elle.

— Alors, êtes-vous satisfaite d'avoir partagé la fin du
capitaine Jack ?

Ses grands yeux se tournèrent vers lui.

— Le capitaine Jack est-il mort ?

Sa voix était sensuelle.

— Ou a-t-il seulement changé d'habits pour quelque
temps ?

Les yeux de Jack s'écarquillèrent tandis qu'il décodait
son regard. Mais avant qu'il puisse dire quoi que ce soit,
Kit pressa Delia d'avancer. Elle mena sur le trajet du retour,
mais s'arrêta dans la clairière devant la maison de pêcheur.

Jack s'arrêta à côté d'elle.

— Fatiguée?

Kit regarda la maison de pêcheur.

— Pas exactement.

Elle plissa les yeux en regardant son mari.

Jack la vit. Il grommela en signe de fausse résignation, sans cacher entièrement le plaisir qu'il anticipait, et descendit de cheval.

— Je vais m'occuper des chevaux. Vous, occupez-vous du feu.

Kit rit tandis qu'il l'aidait à descendre. Elle leva le bras pour attirer ses lèvres vers les siennes, appuyant son corps contre le sien de manière fort prometteuse. Puis, d'un air suffisant, visiblement satisfaite de sa réaction immédiate, elle le libéra et se dirigea vers la porte.

Jack la regarda aller, un lent sourire s'affichant sur ses lèvres. En dépit de toutes ses aventures, la femme du capitaine Jack était tout aussi effrontée qu'avant — en apparence classique, mais en réalité aussi sauvage que lui. Elle était têtue, mais ils s'accordaient parfaitement. Ils ne pouvaient pas être plus proches. Prendre soin d'elle remplirait la partie vide de sa vie. Elle avait déjà comblé son cœur. Il pouvait compter sur elle pour l'exaspérer, le frustrer, le rendre furieux — et l'aimer de toute son âme.

Elle le forcerait à rester alerte. Jack regarda la maison de pêcheur. Il espéra que Kit se mourait d'impatience.

Adressant un clin d'œil de conspirateur à Champion et un dernier regard à la lune en souriant, il conduisit les chevaux à l'écurie avant de revenir promptement vers la maison de pêcheur — et les bras chauds et amoureux de sa femme.

L'ÉLUE
TOME 2

Le Pavillon, Brighton
Octobre 1815

— Les ennuis de Son Altesse doivent effectivement être terribles s'il a besoin de faire appel aux meilleurs officiers de Sa Majesté britannique simplement pour jouir de la gloire ainsi reflétée.

Le commentaire, prononcé d'une voix traînante, contenait plus qu'un peu de cynisme. Tristan Wemyss, quatrième comte de Trentham, jeta un coup d'œil sur la salle de musique étouffante, bondée d'invités et de flagorneurs en tout genre.

Prinny se trouvait au centre d'un cercle d'admirateurs. Vêtu de galons dorés et de pourpre, avec des épaulettes ornées de franges, leur prince régent était d'excellente humeur, racontant des récits héroïques de bravoure tirés des expéditions des récentes batailles, notamment celle de Waterloo.

Tristan et le gentleman qui se tenait à côté de lui, Christian Allardyce, marquis de Dearne, connaissaient les vraies histoires. Ils y avaient participé. Se dégageant de la foule, ils se retirèrent sur le côté de la salle somptueuse pour éviter d'écouter ces malins mensonges.

C'est Christian qui avait parlé.

— En fait, murmura Tristan, je considère cette soirée plus de la nature d'une distraction, d'une feinte, si tu veux.

Christian haussa ses épais sourcils.

— Écoutez mes histoires sur la grandeur de l'Angleterre et ne vous inquiétez pas du vide des finances et de la famine du peuple, c'est ça?

Tristan fit un rictus.

— Quelque chose comme ça.

Quittant des yeux Prinny et sa cour, Christian observa les autres personnes rassemblées dans la pièce circulaire. C'était une foule entièrement masculine, composée essentiellement des représentants de chaque principal régiment et corps de l'armée récemment actifs. La pièce était une mer d'uniformes colorés, de galons, de cuir lustré, de fourrure et même de plumes.

— Il est révélateur qu'il ait choisi d'organiser ce qui équivaut à une réception célébrant la victoire à Brighton plutôt qu'à Londres, tu ne crois pas? Je me demande si Dalziel aurait quelque chose à dire là-dessus.

— D'après tout ce que j'ai pu apprendre, notre prince n'est pas bien vu à Londres, mais il semble que notre ancien commandant n'ait pris aucun risque en ce qui concerne les noms qu'il a choisis pour la liste d'invités de ce soir.

— Ah?

Ils parlaient tranquillement, n'ayant pas perdu l'habitude de camoufler leurs conversations pour les faire ressembler à un simple échange amical entre deux connaissances.

Les habitudes avaient la vie dure, surtout parce que, jusqu'à récemment, de telles pratiques étaient vitales pour rester en vie.

Tristan sourit distraitement vers un gentleman qui regardait dans leur direction. L'homme décida de ne pas se présenter.

— J'ai vu Deverell à la table. Il était assis non loin de moi. Il a mentionné que Warnefleet et St-Austell étaient ici aussi.

— Tu peux ajouter Tregarth et Blake. Je les ai vus quand je suis arrivé.

Christian s'interrompit.

— Ah, je vois. Dalziel n'a permis qu'à ceux d'entre nous qui ont quitté leur poste de venir ?

Tristan attira son attention. Le sourire qui n'était jamais loin de ses lèvres expressives s'élargit.

— Peux-tu imaginer Dalziel permettant même à Prinny d'identifier ses agents les plus secrets ?

Christian cacha un sourire, porta son verre à ses lèvres et but.

Dalziel — il ne portait pas d'autre nom ni titre — était le maître exigeant du ministère de l'Intérieur qui, depuis son bureau caché dans les profondeurs du Whitehall, gérait le réseau d'espions de Sa Majesté à l'étranger, un réseau qui avait contribué à donner la victoire à l'Angleterre et à ses alliés à la fois dans la guerre d'Espagne et plus récemment à Waterloo. Avec un certain Lord Whitley, son homologue au Ministère, Dalziel était responsable de toutes les opérations secrètes à la fois en Angleterre et au-delà des frontières.

— Je n'avais pas réalisé que Tregarth ni Blake étaient dans le même bateau que nous deux, et je savais pour les autres seulement par les rumeurs.

Christian regarda Tristan.

— Es-tu sûr que les autres ont quitté le service?

— Je sais que Warnefleet et Blake l'ont fait, presque pour les mêmes raisons que nous. Pour les autres, ce n'est que pure spéculation, mais je ne vois pas Dalziel compromettre un agent du calibre de St-Austell ou Tregarth ou Deverell d'ailleurs, juste pour satisfaire le dernier caprice de Prinny.

— C'est juste.

Christian regarda de nouveau la mer de têtes.

Tristan et lui étaient grands, larges d'épaules et minces, avec la force athlétique des hommes habitués à l'action, une force mal dissimulée par la coupe élégante de leurs tenues de soirée. Sous ces habits, tous deux portaient les cicatrices des années de service actif. Même si leurs ongles étaient parfaitement manucurés, il faudrait encore des mois avant que les traces révélatrices de leur ancienne profession, inhabituelle et souvent discourtoise, s'effacent de leurs mains — la corne, la rugosité, les paumes comme du cuir.

Leurs cinq collègues et eux ici présents avaient servi Dalziel et leur pays pendant au moins dix ans, Christian pendant presque quinze ans. Ils avaient servi sous toutes les apparences requises, qui allaient de l'aristocrate au balayeur de rue, en passant par l'ecclésiastique ou le terrassier. Ils avaient eu un succès certain en obtenant les renseignements qu'ils avaient été chargés de trouver derrière les lignes ennemies et en survivant assez longtemps pour les rapporter à Dalziel.

Christian soupira, puis finit son verre.

— Je vais m'ennuyer de tout ça.

Le rire de Tristan fut bref.

— C'est le cas de nous tous, non?

— C'est ainsi, étant donné que nous ne faisons plus partie du personnel de Sa Majesté.

Christian déposa son verre vide sur un buffet à proximité.

— Je ne comprends pas ce que nous faisons ici à parler, alors que nous serions bien plus à l'aise à faire la même chose ailleurs…

Son regard gris rencontra les yeux d'un gentleman qui pensait visiblement à s'approcher. Le gentleman réfléchit de nouveau et se détourna.

— Et sans courir le risque d'avoir à parader pour qu'un quelconque flagorneur nous capture et nous demande de raconter notre histoire.

Jetant un œil sur Tristan, Christian haussa un sourcil.

— Qu'en penses-tu? Devrions-nous partir pour un lieu plus agréable?

— Oui, certainement.

Tristan tendit son verre vide à un valet qui passait.

— As-tu un lieu particulier en tête?

— J'ai toujours eu un faible pour le Ship and Anchor. Il y a une arrière-salle très confortable.

Tristan inclina la tête.

— Au Ship and Anchor, alors. Pouvons-nous partir ensemble, tu crois?

Christian sourit.

— Réfléchissons. Si nous parlons sérieusement à voix basse et sur un ton pressant et que nous nous dirigeons vers la porte discrètement mais résolument, je ne vois aucune raison pour que nous ne puissions pas traverser la pièce directement.

*

Ils le firent. Tous ceux qui les virent présumèrent que l'un avait été envoyé chercher l'autre dans un but secret mais hautement important. Les valets se pressèrent de leur donner leurs manteaux, puis ils sortirent dans la nuit fraîche.

Ils s'arrêtèrent tous les deux, prirent une profonde respiration afin de nettoyer leurs poumons de l'atmosphère étouffante du pavillon surchauffé, puis échangèrent de légers sourires avant de se remettre en route.

Quittant l'entrée très éclairée du pavillon, ils se retrouvèrent dans la rue North. Tournant à droite, ils marchèrent avec l'allure décontractée des hommes qui savent où ils vont vers la place Brighton et les petites rues plus loin. Atteignant les étroits passages pavés bordés de maisons de pêcheurs, ils se mirent à la file, changeant de place à chaque croisement, le regard toujours scrutateur, observant dans la noirceur… si l'un comme l'autre réalisait qu'ils étaient maintenant chez eux, en paix, plus en guerre, aucun ne commentait ni n'essayait de réprimer le comportement qui était devenu une seconde nature pour eux deux.

Ils se dirigèrent directement vers le sud, vers le bruit de la mer, qui murmurait dans l'obscurité au-delà du rivage. Ils finirent par tourner dans la rue Black Lion. Au bout de la rue s'étendait la Manche, la frontière au-delà de laquelle ils avaient vécu pendant la plus grande partie de la dernière décennie. Sous l'enseigne du Ship and Anchor qui se balançait, ils s'arrêtèrent tous les deux, les yeux rivés sur l'obscurité qui encadrait les maisons au bout de la rue. Ils jouirent de l'odeur de la mer, du vent salin et du parfum piquant et familier des algues.

Des souvenirs leur revinrent à tous les deux pendant un instant, puis ils se tournèrent simultanément. Christian poussa la porte, et ils entrèrent.

La chaleur les enveloppa, le son des voix des Anglais, l'odeur imprégnée du houblon de la bonne bière anglaise. Tous deux se détendirent. Une indéfinissable tension les quitta. Christian avança vers le bar.

— Deux pintes de votre meilleure bière.

Le patron hocha la tête en guise de salut et prépara rapidement leurs boissons.

Christian jeta un œil sur la porte à moitié fermée derrière le bar.

— Nous nous assiérons dans votre arrière-salle.

Le patron le regarda, puis posa les chopes moussantes sur le comptoir. Il jeta un rapide coup d'œil sur la porte de l'arrière-salle.

— Pour ça, Messieurs, vous êtes les bienvenus, bien sûr, mais il y a déjà un groupe de gentlemen là-bas, et ils pourraient ne pas apprécier les étrangers.

Christian haussa les sourcils. Il tendit le bras vers l'abattant du comptoir et le leva, avançant tout en prenant une chope.

— Nous prenons le risque.

Tristan cacha un sourire, jeta des pièces sur le comptoir pour la bière, prit la deuxième chope et suivit immédiatement Christian.

Il se trouvait à côté de Christian quand celui-ci ouvrit en grand la porte de l'arrière-salle.

Le groupe rassemblé autour des tables les regarda. Cinq paires d'yeux se rivèrent sur eux. Cinq sourires apparurent.

Charles St-Austell se cala sur sa chaise à l'extrémité de la table et leur fit signe d'entrer, d'un air magnanime.

— Vous avez plus de courage que nous ! Nous allions prendre les paris sur la durée de votre séjour là-bas.

*

Les autres se levèrent, de sorte qu'on réorganise les tables et les chaises. Tristan ferma la porte, posa sa chope, puis se joignit à la tournée des présentations.

Bien qu'ils eussent tous servi sous Dalziel, ils ne s'étaient jamais rencontrés tous les sept ensemble. Chacun connaissait certains des autres. Aucun ne les avait tous vus auparavant.

Christian Allardyce, le plus âgé et celui qui avait servi le plus longtemps, avait agi dans l'est de la France, souvent en Suisse, en Allemagne et dans les autres petits pays ou principautés. Avec sa belle apparence et sa facilité pour les langues, il avait été tout à fait à sa place dans ce travail.

Tristan lui-même avait servi d'une manière plus générale, souvent au cœur des choses, à Paris et dans les principales villes industrielles. Son aisance à s'exprimer en français, en allemand et en italien, ses cheveux et ses yeux bruns, et son charme évident lui avaient servi autant qu'à son pays.

Il n'avait jamais croisé le chemin de Charles St-Austell, en apparence le plus haut en couleur du groupe. Avec ses mèches noires retombantes et ses yeux bleu foncé éclatants, Charles était un véritable pôle d'attraction pour les jeunes ladies comme pour les plus vieilles. À moitié Français, il possédait à la fois la langue et l'intelligence pour profiter de ses attributs physiques. Il avait été l'agent principal de Dalziel dans le sud de la France, à Carcassonne et à Toulouse.

Gervase Tregarth, un natif des Cornouailles avec des cheveux bruns bouclés et des yeux noisette perçants, avait, comme Tristan l'apprit, passé la plupart des dix dernières années en Bretagne et en Normandie. Il avait connu St-Austell avant, mais ils ne s'étaient jamais rencontrés sur le terrain.

Tony Blake était un autre descendant de l'Angleterre qui était aussi à moitié Français. Les cheveux noirs, les yeux noirs, il était le plus élégant du groupe, encore qu'il y eût une brusquerie sous-jacente dans le doux vernis. Il était l'agent que Dalziel avait le plus souvent utilisé pour intercepter les chefs des services secrets français et contrecarrer leurs plans, une entreprise extrêmement dangereuse centrée sur les ports au nord de la France. Le fait que Tony était vivant témoignait de son courage.

Jack Warnefleet était extérieurement une énigme. Il semblait si ouvertement Anglais, d'une beauté saisissante avec ses cheveux châtains et ses yeux noisette, qu'il était difficile d'imaginer qu'il avait à maintes reprises réussi à infiltrer tous les niveaux de la flotte française et aussi de nombreuses affaires. Il était un vrai caméléon, encore plus que les autres, avec une cordialité, une gaieté et une familiarité extrême que peu perçaient.

Deverell fut le dernier homme à qui Tristan serra la main, un gentleman bien de sa personne avec un sourire décontracté, des cheveux brun foncé et des yeux verts. En plus d'être exceptionnellement beau, il avait le don de se mêler à n'importe quel groupe.

Les présentations terminées, ils s'assirent. L'arrière-salle était à présent pleine. Un feu brûlait agréablement dans un coin tandis que, dans la lumière vacillante, ils s'installaient autour de la table, presque côte à côte.

Ils étaient tous des hommes costauds. Ils avaient tous été à un certain moment les gardes d'un régiment ou d'un autre jusqu'à ce que Dalziel les trouve et les attire pour qu'ils servent le ministère de l'Intérieur.

Non pas qu'il ait dû faire preuve d'une grande persuasion.

Savourant sa première gorgée de bière, Tristan parcourut la table des yeux. Extérieurement, ils étaient tous différents, alors qu'ils étaient indubitablement identiques malgré les apparences. Chacun était un gentleman né d'une lignée aristocratique, chacun possédait des attributs, des capacités et des talents similaires même si l'équilibre relatif différait. Plus important toutefois, chacun était un homme capable de risquer sa vie, de relever le défi d'un engagement à la vie à la mort sans sourciller — plus encore, avec une confiance innée et une certaine arrogance insouciante.

Il y avait plus qu'un léger côté de l'aventurier sauvage en chacun d'eux. Et ils étaient extrêmement loyaux.

Deverell posa sa chope.

— Est-il vrai que nous avons tous quitté le service ?

Il y eut des hochements de tête et des regards partout autour. Deverell sourit.

— Serait-il poli de demander pourquoi ?

Il regarda Christian.

— Dans ton cas, je présume qu'Allardyce doit maintenant être devenu Dearne ?

Ironiquement, Christian inclina la tête.

— En effet. Quand mon père est mort et que j'ai hérité du titre, je n'ai pas eu d'autre choix. S'il n'y avait pas eu Waterloo, je serais déjà embourbé dans des problèmes afférents aux moutons et aux bovins, et aucun doute que je serais marié par-dessus le marché.

Son intonation, légèrement dégoûtée, entraîna des sourires compatissants sur les autres visages.

— Voilà qui semble bien trop familier, dit Charles St-Austell en regardant la table. Je ne m'attendais pas à hériter, mais tandis que j'étais au loin, mes deux frères aînés sont morts.

Il grimaça.

— Donc, maintenant je suis le comte de Lostwithiel et, comme mes sœurs, mes belles-sœurs et ma chère mère me le rappellent constamment, je devrais me marier sans tarder.

Jack Warnefleet rit, pas vraiment avec humour.

— Tout à fait subitement, j'ai joint le club aussi. Le titre était attendu — c'était celui du père —, mais les maisons et la fortune me sont venues d'une grand-tante. Je savais tout juste qu'elle existait, et maintenant, d'après ce qu'on m'a dit, je me classe en haut sur la liste des bons partis et je peux m'attendre à être poursuivi jusqu'à ce que je capitule et me marie.

— Moi aussi[1] !

---

1   N.d.T. En français dans le texte original.

Gervase Tregarth fit un signe de tête à Jack.

— Dans mon cas, ce fut un cousin qui succomba à la tuberculose et qui est mort ridiculement jeune, donc maintenant, je suis le comte de Crowhurst, avec une maison à Londres que je n'ai pas encore vue, et je dois, comme on me l'a fait comprendre, me marier et avoir un héritier, étant donné que je suis maintenant le dernier de la lignée.

Tony Blake émit un bruit de dédain.

— Au moins, tu n'as pas une mère française. Crois-moi, quand vient le temps de pousser quelqu'un vers l'autel, elles sont fortes !

— Santé !

Charles leva sa chope en direction de Tony.

— Mais est-ce que ça veut dire que, toi aussi, tu es revenu au pays pour te retrouver acculé ?

Tony fit la grimace.

— Grâce à mon père, je suis devenu vicomte de Torrington. J'avais espéré que ce serait dans des années, mais...

Il haussa les épaules.

— Ce que je ne savais pas, c'est que, pendant la dernière décennie, mon père s'était intéressé à divers investissements. Je m'attendais à hériter de moyens d'existence décents. Je ne m'attendais pas à hériter d'une véritable fortune. Et puis, j'ai découvert que la haute société de la ville le savait. En venant ici, je me suis arrêté brièvement en ville pour rendre visite à ma marraine.

Il haussa les épaules.

— J'ai presque été assailli. C'était épouvantable.

— C'est parce que nous avons perdu tellement de monde à Waterloo.

Deverell regarda dans sa chope. Ils restèrent tous silencieux un moment, à se souvenir des camarades disparus, puis tous levèrent leurs verres et burent.

— Je dois avouer que je me retrouve dans la même situation.

Deverell posa sa chope.

— Je n'avais aucune attente quand j'ai quitté l'Angleterre, mais j'ai découvert à mon retour qu'un cousin éloigné au deuxième degré avait passé l'arme à gauche et je suis maintenant le vicomte de Paignton, avec des maisons, des revenus et, tout comme vous tous, l'affreuse nécessité de me marier. Je peux m'occuper des terres et des fonds, mais les maisons, sans parler des obligations sociales, c'est bien pire que tout complot français.

— Et les conséquences d'un échec vous conduiraient tous à la tombe, ajouta St-Austell.

Il y eut de sombres murmures d'assentiment tout autour. Tous les yeux se tournèrent vers Tristan.

Il sourit.

— C'est une vraie litanie, mais je crains de surpasser tous vos récits.

Il baissa les yeux, faisant tourner sa chope dans ses mains.

— Moi aussi, je suis revenu pour me retrouver acculé au pied du mur — avec un titre, deux maisons et un pavillon de chasse, et une fortune considérable. Toutefois, les deux maisons sont des lieux où se retrouvent femmes, grands-tantes, cousines et autres membres de la famille plus éloignés. J'ai hérité de mon grand-oncle, le récemment défunt troisième comte de Trentham, qui exécrait son frère — mon grand-père — et aussi mon père et moi.

» Sa raison était que nous étions des gaspilleurs, des propres à rien qui allaient et venaient à leur gré, parcouraient le monde, et ainsi de suite. En toute justice, je dois dire que maintenant que j'ai rencontré mes grands-tantes et leur armée de femmes, je peux comprendre le point de vue de ce vieux garçon. Il devait se sentir coincé par son statut, condamné à vivre sa vie entouré d'une tribu de femmes séniles se mêlant de ce qui ne les regarde pas. »

Un frisson[2], un soubresaut, fit le tour de la table.

L'expression de Tristan devint sinistre.

— Par conséquent, quand le fils de son propre fils est mort, puis que son fils est décédé aussi, et qu'il a réalisé que j'hériterais de lui, il a ajouté une clause diabolique à ses volontés. J'hériterais du titre, des terres, des maisons et de la fortune pendant une année. Et si je ne trouve pas à me marier dans l'année, il me laisse le titre, les terres et les maisons — tout ce que ça implique —, mais la majeure partie de la fortune, les fonds nécessaires pour gérer les propriétés, sera donnée à diverses œuvres de charité.

Il y eut un silence, puis Jack Warnefleet demanda :

— Qu'arrivera-t-il à la horde de vieilles femmes ?

Tristan leva les yeux qu'il avait plissés.

— C'est le cœur du problème. Elles resteraient mes pensionnaires, dans mes maisons. Elles n'auraient nulle part ailleurs où aller, et je pourrais difficilement les mettre à la rue.

---

2   N.d.T. En français dans le texte original.

Tous les autres le regardèrent, leur visage revêtant une expression de compréhension par rapport à sa situation.

— C'est une chose ignoble.

Gervase s'arrêta, puis demanda :

— Quand finit la fameuse année ?

— En juillet.

— Donc, tu as la prochaine saison pour faire ton choix.

Charles posa sa chope et l'éloigna.

— Nous sommes tous, dans une large mesure, dans le même bateau. Si je ne trouve pas une femme d'ici là, mes sœurs, mes belles-sœurs et ma chère mère me rendront fou.

— Ce ne sera pas chose facile, je vous avertis.

Tony Blake regarda autour de la table.

— Après avoir échappé à ma marraine, j'ai cherché refuge au Boodles.

Il secoua la tête.

— Grosse erreur. En une heure, pas un mais deux gentlemen que je n'avais jamais rencontrés sont venus me voir et m'ont invité à dîner !

— Ça s'est passé dans ton club ?

Jack exprima leur choc commun.

L'air grave, Tony acquiesça.

— Et il y a pire. Je suis allé à la maison et j'ai découvert une pile d'invitations d'au moins trente centimètres de haut, je le jure. Le majordome a dit qu'elles avaient commencé à arriver le lendemain du jour où j'avais fait dire que j'étais là. J'avais averti ma marraine que je passerais.

Le silence tomba tandis qu'ils digéraient tout ça, extrapolaient, réfléchissaient…

Christian se pencha en avant.

— Qui d'autre est allé en ville?

Tous les autres secouèrent la tête. Ils venaient juste de revenir en Angleterre et étaient allés directement à leurs propriétés.

— Très bien, continua Christian. Cela veut-il dire que la prochaine fois que nous nous montrerons en ville, nous serons traqués comme Tony?

Ils imaginèrent tous la situation.

— En fait, dit Deverell, il est probable que ce soit moins prononcé. Beaucoup de familles sont endeuillées en ce moment — même si elles sont en ville, les entremetteuses ne vaquent pas à leurs occupations. Les invitations devraient avoir diminué.

Ils regardèrent tous Tony, qui secouait la tête.

— Je ne sais pas... Je n'ai pas attendu pour le découvrir.

— Mais comme Deverell le dit, ça doit être ainsi.

Le visage de Gervase se durcit.

— Mais un tel deuil finira à temps pour la prochaine saison, et les harpies sortiront à la recherche de victimes, plus désespérées et même plus déterminées.

— Bon sang! dit Charles pour eux tous. Nous allons être — il fit un geste — précisément le genre de cibles que nous avons passé la dernière décennie à ne pas être.

Christian hocha la tête, sérieux et calme.

— Dans un autre théâtre, peut-être, mais cette façon dont les ladies de la ville jouent, c'est comme un genre de guerre.

Secouant la tête, Tristan se cala sur sa chaise.

— C'est un triste jour quand, ayant survécu à tout ce que les Français ont pu nous faire, nous, des héros anglais, revenons chez nous pour finalement devoir faire face à une menace encore plus grande.

— Une menace pour notre avenir comme aucune autre et une menace contre laquelle nous n'avons pas — grâce à notre dévotion au roi et au pays — autant d'expérience que la plupart des jeunes hommes, ajouta Jack.

Le silence tomba.

— Vous savez…

Charles St-Austell décrivit des cercles avec sa chope.

— Nous avons connu pire et nous avons gagné.

Il leva les yeux et regarda autour de lui.

— Nous sommes tous à peu près du même âge, c'est ça ? Il y a cinq ans entre nous, je crois. Nous faisons tous face à la même menace et nous avons le même but en tête pour des raisons similaires. Pourquoi ne pas nous allier ? Nous aider ?

— Un pour tous, tous pour un ? demanda Gervase.

— Pourquoi pas ?

Charles regarda de nouveau autour de lui.

— Nous avons assez d'expérience en stratégie. Nous pouvons sûrement, et nous le ferons, voir ceci comme une autre bataille.

Jack se redressa.

— Ce n'est pas comme si nous étions en compétition les uns contre les autres.

Lui aussi regarda autour de lui, rencontrant les yeux de tout le monde.

— Nous sommes tous semblables à un certain point, mais nous sommes tous différents aussi, car nous provenons de familles différentes, de régions différentes et il n'y a pas trop peu de ladies, mais beaucoup trop qui rivalisent pour avoir notre attention. C'est notre problème.

— Je crois que c'est une excellente idée.

Penchant ses avant-bras sur la table, Christian regarda Charles, puis les autres.

— Nous devons tous nous marier. Je ne sais rien de vous, mais je me battrai jusqu'à mon dernier souffle pour garder le contrôle de mon destin. Je choisirai ma femme. On ne me l'imposera pas, peu importe le moyen. Grâce à la reconnaissance fortuite de Tony, nous savons maintenant que l'ennemi attendra, prêt à bondir sur nous à l'instant où nous apparaîtrons.

Il regarda de nouveau autour de lui,

— Donc, comment allons-nous prendre l'initiative?

— De la même façon que nous l'avons toujours prise, répondit Tristan. L'information est la clé. Nous partagerons ce que nous apprendrons : les dispositions de l'ennemi, ses habitudes, ses stratégies préférées.

Deverell hocha la tête.

— Nous partagerons des tactiques qui fonctionnent et nous nous avertirons des pièges que nous percevrons.

— Mais ce que nous devons faire en premier, plus que tout, le coupa Tony, c'est trouver un lieu sûr. C'est toujours la meilleure chose que nous mettons en place quand on est en territoire ennemi.

Ils s'arrêtèrent tous pour réfléchir.

Charles grimaça.

— Avant vos renseignements, j'aurais pensé à nos clubs, mais ça ne fonctionnera manifestement pas.

— Non, et nos maisons ne sont pas sûres pour les mêmes raisons.

Jack fronça les sourcils.

— Tony a raison. Nous avons besoin d'un refuge où nous pouvons être sûrs d'être en sécurité, où nous pourrons nous rencontrer et échanger des renseignements.

Il haussa les sourcils.

— Qui sait? Il y a des fois où il pourrait être à notre avantage de cacher nos liens avec les autres, du moins en société.

Les autres opinèrent, échangeant des regards.

Christian exprima leurs pensées.

— Nous avons besoin d'un club à nous. Pas pour y vivre, bien que nous puissions vouloir quelques chambres en cas de besoin, mais un club où nous pourrons nous rencontrer et à partir duquel nous pourrons planifier et mener notre bataille en toute sécurité sans avoir à surveiller nos arrières.

— Pas un abri, songea Charles. Plus un château…

— Un bastion au cœur du territoire ennemi.

Deverell hocha la tête résolument.

— Sans ça, nous serons trop exposés.

— Et nous avons été absents trop longtemps, grommela Gervase. Les harpies nous tomberont dessus et nous coincerons si nous sortons en ville non préparés. Nous avons oublié à quoi ça ressemble…, à condition que nous l'ayons déjà su.

C'était une connaissance tacite qu'ils voguaient en effet sur des eaux inconnues et donc dangereuses. Aucun d'eux n'avait passé beaucoup de temps en société après l'âge de vingt ans.

Christian regarda autour de la table.

— Nous avons cinq mois entiers avant d'avoir besoin de notre refuge. Si nous le trouvons vers la fin février, nous serons en mesure de revenir en ville et de nous glisser devant les entremetteuses en faction, puis de disparaître quand nous le désirerons...

— Ma maison est dans le Surrey.

Tristan rencontra le regard des autres.

— Si nous trouvons ce que nous voulons comme bastion, je pourrais venir en ville et faire les arrangements nécessaires en toute discrétion.

Les yeux de Charles se plissèrent. Son regard devint distant.

— Un endroit près de tout, mais pas trop près.

— Il doit être dans une zone facilement accessible, mais pas évidente.

Deverell tapotait la table en réfléchissant.

— Moins de gens dans le voisinage nous reconnaîtront, mieux ce sera.

— Une maison, peut-être...

Ils revirent leurs besoins et se mirent rapidement d'accord sur le fait qu'une maison dans un des quartiers les plus tranquilles à l'extérieur mais près de Mayfair, non loin du cœur de la ville, leur conviendrait le mieux. Une maison avec des salles de réception et suffisamment d'espace pour qu'ils puissent tous s'y retrouver, avec une pièce dans laquelle ils pourraient rencontrer des femmes si nécessaire, mais dont le reste devrait être libre de toute femme, avec au moins trois chambres à coucher en cas de besoin, des cuisines et du personnel sur place... du personnel qui comprendrait leurs besoins.